D0164185

Melissa D. Burns

# ESPAÑA

**OCÉANO ATLÁNTICO**

**FRANCIA**

**MAR CANTÁBRICO**

**ANDORRA**

**PORTUGAL**

**MARRUECOS**

**ÁFRICA**

**ISLAS CANARIAS**

LANZAROTE
FUERTEVENTURA
GRAN CANARIA
Las Palmas
TENERIFE
GOMERA
LA PALMA
HIERRO

150 MILLAS
200 KILÓMETROS
150
100
150
100
50
100
50
50
0
0

MILLAS 75
KILÓMETROS 120
0
0

**MAR MEDITERRÁNEO**

**ISLAS BALEARES**

MENORCA
MALLORCA
Palma
IBIZA

Gerona
Barcelona
*Costa Brava*

**CATALUÑA**

Lérida
Zaragoza

**PIRINEOS**

**NAVARRA**
Pamplona

**PAÍS VASCO**
Bilbao

**CANTABRIA**
Santander

**PRINCIPADO DE ASTURIAS**

**GALICIA**
Santiago

*CORDILLERA CANTÁBRICA*

**CASTILLA Y LEÓN**
Valladolid
Segovia
Salamanca

*Río Ebro*

**LA RIOJA**

**ARAGÓN**

*SIERRA DE GUADARRAMA*

**MADRID**
★ **Madrid**
Toledo

**COMUNIDAD VALENCIANA**
Valencia
Alicante

**MURCIA**
Murcia
Cartagena

**CASTILLA-LA MANCHA**
Ciudad Real

*Río Tajo*

**EXTREMADURA**

**ANDALUCÍA**
Córdoba
Granada
Sevilla
Málaga
Cádiz

*Río Guadalquivir*

*SIERRA NEVADA*

*Costa del Sol*

Gibraltar (Br.)
Ceuta (Sp.)
Tánger
Melilla (Sp.)

*Estrecho de Gibraltar*

Lisboa

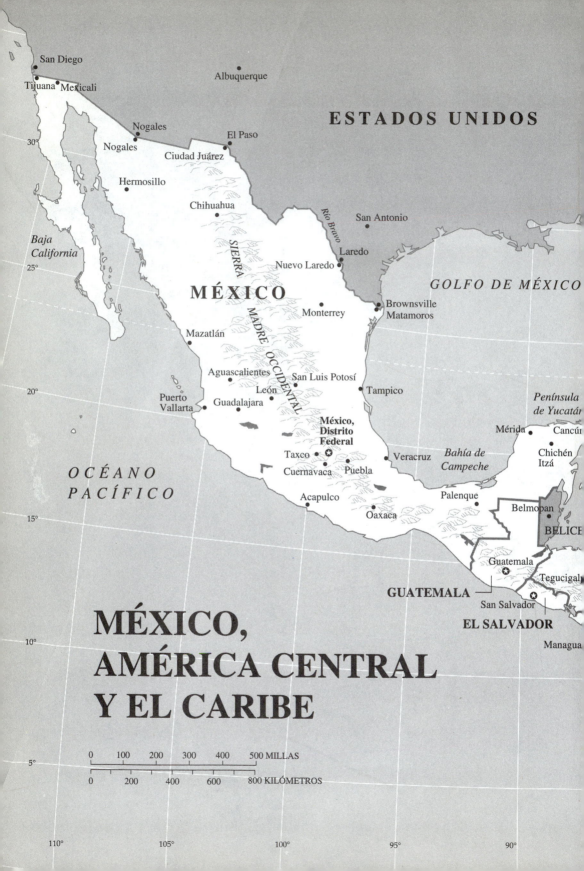

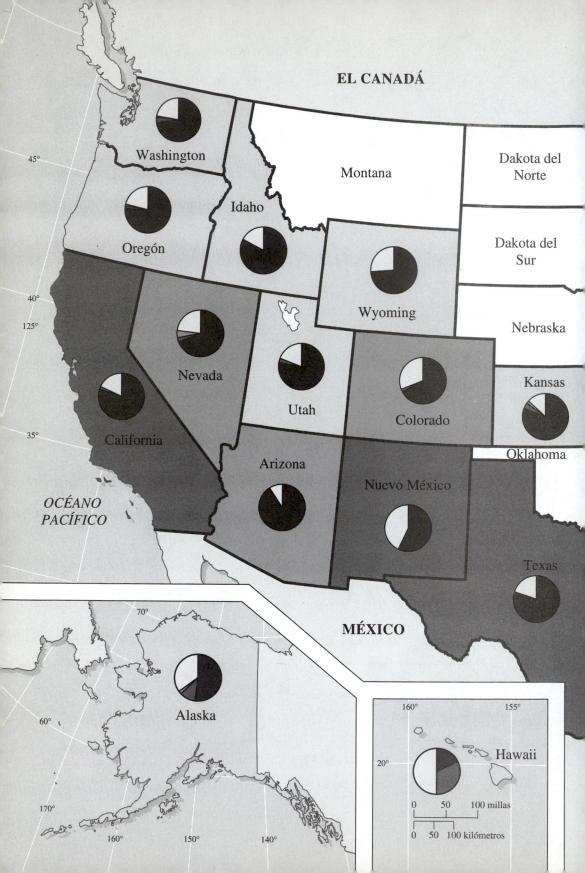

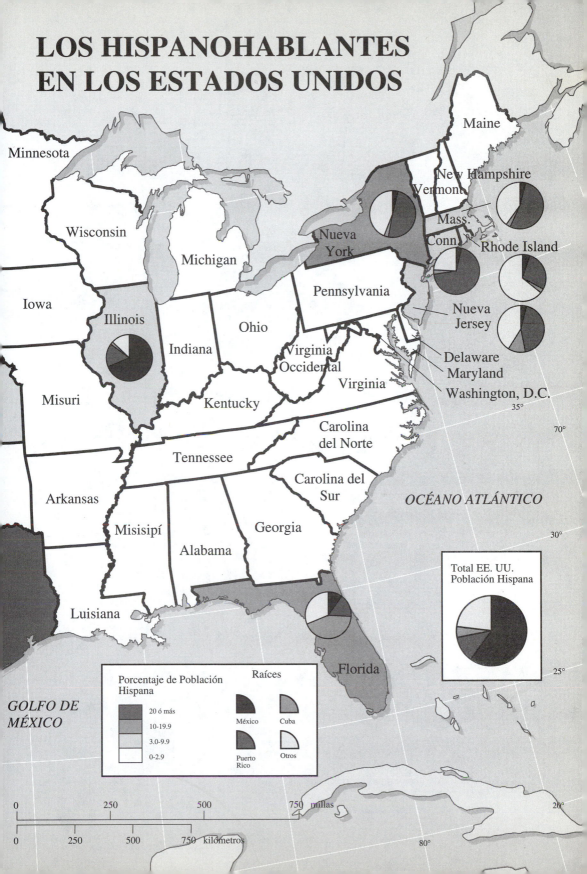

# LOS HISPANOHABLANTES
# EN LOS ESTADOS UNIDOS

Minnesota

Maine

Wisconsin

New Hampshire
Vermont

Michigan

Mass.

Iowa

Illinois

Nueva
York

Conn.

Rhode Island

Pennsylvania

Indiana

Ohio

Nueva
Jersey

Misuri

Kentucky

Virginia
Occidental

Virginia

Delaware
Maryland

Washington, D.C.

35°

Carolina
del Norte

70°

Arkansas

Tennessee

Misisipí

Carolina del
Sur

OCÉANO ATLÁNTICO

Alabama

Georgia

30°

Total EE. UU.
Población Hispana

Luisiana

Florida

25°

**Porcentaje de Población Hispana**

**Raíces**

| | |
|---|---|
| 20 ó más | México |
| 10-19.9 | Cuba |
| 3.0-9.9 | Puerto Rico |
| 0-2.9 | Otros |

GOLFO DE
MÉXICO

| 0 | 250 | 500 | 750 millas |

| 0 | 250 | 500 | 750 kilómetros |

80°

20°

# AMÉRICA DEL SUR

MAR CARIBE

OCÉANO ATLÁNTICO

BELICE
HONDURAS
NICARAGUA
EL SALVADOR
GUATEMALA
COSTA RICA
PANAMÁ

Lago de Managua

Maracaibo
Barranquilla
Cartagena
San Cristóbal
Caracas
Lago de Maracaibo
Río Orinoco
VENEZUELA
Georgetown
GUAYANA
Paramaribo
SURINAM
Cayena
Boa Vista
GUAYANA FRANCESA

Medellín
Río Magdalena
Bogotá
Cali
COLOMBIA

ISLAS GALÁPAGOS

Quito
ECUADOR
Guayaquil
Cuenca
Iquitos

ECUADOR

Río Amazonas
A M A Z O N A S

BRASIL

PERÚ
Lima
Machu Picchu
Ayacucho
Cuzco
Lago Titicaca
La Paz
BOLIVIA
Santa Cruz
Sucre
Potosí

Brasilia

LOS ANDES

CHILE
PARAGUAY
Asunción
Iguazú
Río Paraná
São Paulo
Río de Janeiro

OCÉANO PACÍFICO

Córdoba
Río Uruguay
URUGUAY
Montevideo

OCÉANO ATLÁNTICO

Viña del Mar
Valparaíso
Santiago
Buenos Aires
Río de la Plata

Concepción
ARGENTINA
Bahía Blanca

Viedma

ISLAS MALVINAS (Br.)

Estrecho de Magallanes

TIERRA DEL FUEGO

0  200  400  600  800  1,000 MILLAS

0  400  800  1.200  1,600 KILÓMETROS

NIGERIA
ÁFRICA
CAMERÚN
Malabo
GUINEA ECUATORIAL
GABÓN
ÁFRICA
ECUADOR

0  MILLAS  500
0  KILÓMETROS  800

# El próximo paso

· Gramática avanzada · Lecturas
· Composición

## Bárbara Mujica

Georgetown University

**Holt Rinehart and Winston, Inc.**
**Harcourt Brace College Publishers**

Fort Worth   Philadelphia   San Diego   New York   Orlando   Austin   San Antonio
Toronto   Montreal   London   Sydney   Tokyo

| | |
|---|---|
| Publisher | Ted Buchholz |
| Editor-in-Chief | Christopher P. Klein |
| Senior Acquisitions Editor | Jim Harmon |
| Senior Developmental Editor | Jeff Gilbreath |
| Project Editors | Lupe Garcia Ortiz, Juliet George |
| Senior Production Manager | Kenneth A. Dunaway |
| Art Director | Sue Hart |
| Illustrations | Jim Van Heyningen |

ISBN: 0-03-013388-2

Library of Congress Catalog Card Number: 95-77466

Copyright © 1996 by Holt, Rinehart and Winston

All rights reserved. No part of this publication may be reproduced or transmitted in any form or by any means, electronic or mechanical, including photocopy, recording or any information storage and retrieval system, without permission in writing from the publisher.

Requests for permission to make copies of any part of the work should be mailed to: Permissions Department, Harcourt Brace & Company, 6277 Sea Harbor Drive, Orlando, Florida 32887-6777.

*Address for Editorial Correspondence*: Harcourt Brace College Publishers, 301 Commerce Street, Suite 3700, Fort Worth, TX 76102.

*Address for Orders*: Harcourt Brace & Company, 6277 Sea Harbor Drive, Orlando, FL 32887-6777. 1-800-782-4479, or 1-800-433-0001 (in Florida).

Printed in the United States of America

9 0 1 2 3 4  039  10 9 8 7 6 5

## Acknowledgments

**Text**: Marjorie Agosín "La costurera de San Petersburgo," used by permission of the author. A. Bioy Casares, "Un viaje o El mago inmortal," from *El lado de la sombra*. Julio Cortázar "La salud de los enfermos," from *Todos los fuegos el fuego*, © JULIO CORTAZAR, 1966, reprinted by permission of Agencia Literaria Carmen Balcells S.A. José Donoso, "Paseo," from *Cuentos*, © JOSE DONOSO, 1971, reprinted by permission of Agencia Literaria Carmen Balcells S.A. E. F. Granell, "El estudiante," used by permission of the author. Germán Castro Ibarra, "Cosmopolitan," from *Cuentos de mala fé*, reprinted by permission of Editorial Joaquín Mortiz. María Isabel Rueda, "Colón no es como lo pintan," and Mauricio Obregón, "Descubrir sin contar el cuento, no es descubrir," both taken from *Revista Semana*, October, 1992, pages 44-52, reprinted by permission of *Revista Semana*. Helmut Kreig, "El costo de la salud ecológico," from *Visión*, July, 1992. Sean Murphy, "La educación en Latinoamérica," used by permission of the author. Elena Poniatowska, from *Hasta no verte Jesús mío*, © Ediciones Era, 1969, reprinted by permission of the publisher. Laura Riesco, "La feria de Jimena," reprinted by permission of the author and Extramares Editions. Sergio Vodanovic, "Las exiliadas," used by permission of the author.

**Photos:** 26, © Ulrike Welsch. 68, © Bob Daemmrich, Stock Boston. 101, Alejandro Xul Solar, *Noche*, 1933, tempera and pencil on paper, 12¾″ × 18″, courtesy of Rachel Adler Gallery, New York, N.Y. 150, photograph of Julio Cortázar courtesy of Literature Department, Americas Society, New York, N.Y. 196, © Stuart Cohen, Comstock. 245, © Michael Dwyer, Stock Boston. 289, © Stuart Cohen, Comstock. 332, © Francine Keery, Stock Boston. 367, © Carl Frank, Photo Researchers, Inc. 416, © Hugh Rogers, Monkmeyer. 475, © Mimi Forsyth, Monkmeyer. 534, Ruby Aránguiz, *Woman at the Beach*, pastel, 32″ × 26″ (photo by Kathleen M. Podolsky).

# P R E F A C E

In spite of the plethora of materials available for teaching beginning and intermediate Spanish, very few programs currently on the market address the needs of the third-year student. *El próximo paso* is especially designed for the student who already has a basic grasp of the fundamentals of Spanish grammar and is now ready to focus on more complex aspects of the language.

The major objectives of the book are four: to provide students with an ample, practical working vocabulary; to review the basic *structures* of Spanish and to introduce more difficult, sophisticated grammatical constructions than those normally taught at the intermediate level; to prepare students to read material of diverse types that has not been simplified for classroom use; and to develop composition skills so that students will be prepared for writing assignments in more advanced courses. The book is entirely in Spanish in order to enable advanced students to conceptualize the material in the target language and to familiarize them with Spanish grammatical terminology.

**Vocabulary**: Each chapter of *El próximo paso* begins with a core vocabulary presented in visual context through a series of drawings. The vocabulary is made active through readings and exercises that elicit the words and expressions illustrated.

**Grammar**: The grammatical presentations in *El próximo paso* assume that students have already been exposed to the basic structures of Spanish. For this reason, the most common verb forms are not included in the grammar sections, although they appear in the Appendix at the end of the book.

The grammar sections focus on the more complex aspects of Spanish grammar. Throughout the course, the emphasis is on application rather than form. Although the elementary structures are reviewed, the explanations and exercises expose students to new subtleties of usage. Structures that typically present difficulty for advanced students—the subjunctive, the past tenses—appear early in the book. This will enable students to spend the maximum amount of time dealing with these problematic areas. Written in simple, direct Spanish, the grammatical explanations incorporate many of the newest findings in linguistic research.

**Literary selections**: The readings at the end of each chapter represent a variety of genres: fiction, essay, theater. None was written or simplified specifically for students, although in some cases pieces were shortened. The readings were selected not only for their appeal to advanced students, but also for their usefulness in illustrating specific grammatical structures and writing techniques. In order to facilitate the students' reading, glosses appear in the margin to the right of referenced words. More substantive notes pertaining to the readings will appear at the bottom of the page.

**Composition**: The composition sections are designed to lead the students step by step through the writing process. Students progress from simple writing techniques to more complex types of writing. Composition exercises teach students to organize their material, to produce a coherent essay, and to edit what they have written. Special lessons are provided on accents, spelling, syllabification, capitalization, and transitions.

**Chapter Organization**: Every chapter begins with a vocabulary section that introduces the words and expressions to be practiced in the lesson. The vocabulary is centered around specific topics (the office, sports) and introduces review expressions as well as common words not normally taught at the elementary and intermediate levels.

The vocabulary section is reinforced by a reading selection in which the new terms are activated. The reading selection also introduces the grammar to be taught in the lesson. The readings assume that the students are acquainted with all the basic structures of Spanish. Therefore, although the reading provides ample examples of the lesson's grammar, other structures have deliberately been included. The readings are of a variety of types. Some are humorous; others are informative.

Vocabulary is further expanded through the section called **Para enriquecer su vocabulario.** This section includes information on prefixes, suffixes, cognates, synonyms, antonyms, compound words, and noun-verb relationships.

The **Ejercicios** that follow focus on the lesson's vocabulary. Here and throughout the book, exercises focus on the sentence and paragraph level. Students are asked to combine elements into sentences, to expand on topics suggested by the reading, to debate, and to act out situations—activities that will increase fluency and improve communication skills.

The **Gramática** sections are presented entirely in Spanish, although in many cases the examples are translated in order to insure that students grasp the more difficult concepts. Each grammar section is followed by exercises that activate the material. Fill-in exercises have been kept to an absolute minimum. Here, as in the vocabulary exercises, students will work on the sentence and paragraph level. An occasional translation exercise helps the student to focus on significant differences between Spanish and English.

*El próximo paso* includes many free response exercises—that is, exercises for which a number of different answers may be appropriate. Typically, the **Modelo** for these exercises provides two possible responses. The instructor should keep in mind, however, that there may be other correct responses.

The **Expresiones problemáticas** highlight those problematical words and expressions that typically plague advanced students, especially when they write compositions. Sometimes this section focuses on words that are similar to each other in Spanish (i.e., volver, devolver). Other times it focuses on English words (i.e., *to leave*) that lend themselves to diverse interpretations and translations (dejar, salir, etc.).

The **Selección literaria** aids in the development of reading skills, thereby preparing students for more advanced work in literature. Each selection is followed by comprehension questions that highlight the more important ideas in the text. Analysis questions elicit concepts rather than facts.

The **Composición** sections develop composition skills by providing tactics for organizing, developing, and editing one's own writing. Each one has a specific focus that, whenever possible, reinforces the material taught in the chapter. For example, in Chapter 3, which deals with the subjunctive, the **Composición** section focuses on writing to persuade. Each **Composición** section includes subsections called **Antes de escribir** and **Después de escribir.** The first provides students with guidelines to help them organize their materials and prepare to write. The second subsection includes questions or suggestions to help students check what they have written. The section concludes with suggested topics for writing assignments.

*El próximo paso* consists of twelve chapters and is therefore easily adaptable to semester, trimester, and quarter systems.

During the writing and production of this book, many colleagues and members of the Holt Rinehart and Winston staff provided helpful suggestions. I would especially like to thank three of my Georgetown colleagues: Héctor Campos, Estelle Irrizarry, and Verónica Salles-Reese. Thanks are also due Enrique Mallen, University of Florida, for his expertise, and to Melissa Simmermeyer, who prepared the *Glosario.* Many thanks to the reviewers, as well: Rose Marie Beebe, University of California, Santa Cruz; María Jiménez, Sam Houston State University; Ellen Leeder, Barry University; Suzanne E. Lipp, Kutztown University; Jay E. Moore, Muskingum College; Luisa Piemontese-Ramos, Yale University; Alvin L. Prince, Furman University; and John Zahner, Montclair State College.

Bárbara Mujica

Georgetown University

# I N D I C E

*Primera parte*

# El
# verbo (I)

# La casa

## El sótano, la bodega

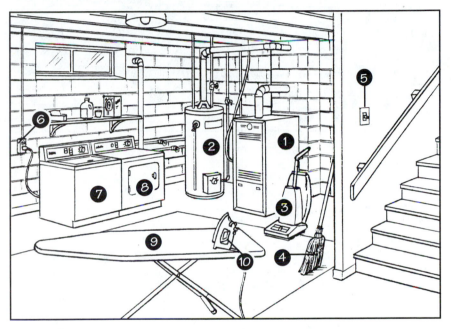

1. la calefacción
2. la caldera
3. la aspiradora
4. la escoba

5. el interruptor
6. el enchufe
7. la máquina de lavar ropa, la lavadora

8. la secadora
9. la tabla de planchar
10. la plancha

**VOCABULARIO ADICIONAL:**
1. el aire acondicionado   2. el medidor de electricidad   3. el medidor del gas
4. el fusible

**ADDITIONAL VOCABULARY:**
1. air conditioning   2. electric meter   3. gas meter   4. fuse

## La sala, el cuarto de estar, el living*

| | | |
|---|---|---|
| **1.** el alféizar de la ventana | **6.** la silla | **12.** el cuadro |
| **2.** la cortina | **7.** la mecedora | **13.** el marco |
| **3.** las persianas | **8.** la lámpara | **14.** los estantes |
| **4.** el diván, el sofá | **9.** la alfombra | |
| **5.** el sillón | **10.** el florero | |
| | **11.** la maceta | |

**VOCABULARIO ADICIONAL:**
**1.** la puerta de entrada   **2.** la manilla   **3.** el timbre   **4.** el vestíbulo, la antesala
**5.** el paragüero   **6.** la alfombrilla, el limpiabarros

**ADDITIONAL VOCABULARY:**
**1.** entry door   **2.** doorknob   **3.** doorbell   **4.** entryway, foyer   **5.** umbrella stand   **6.** doormat

---

*La palabra *living* se usa principalmente en Chile.

## La cocina

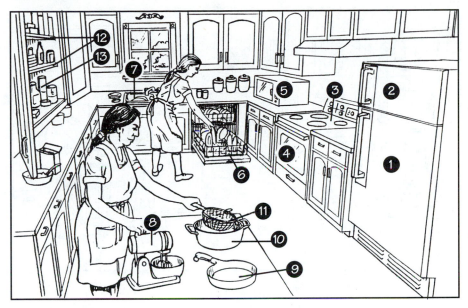

| | | |
|---|---|---|
| **1.** el refrigerador, la nevera | **5.** el (horno de) microondas | **8.** la batidora |
| **2.** el congelador | **6.** el lavaplatos (automático) | **9.** la sartén |
| **3.** la cocina eléctrica, de gas | **7.** el fregadero, el lavabo | **10.** la olla |
| **4.** el horno | | **11.** el colador |
| | | **12.** las repisas |
| | | **13.** las provisiones |

**VOCABULARIO ADICIONAL:**
**1.** la tostadora   **2.** el procesador de alimentos   **3.** la juguera
**4.** el abrelatas / el abridor de latas (automático)

**ADDITIONAL VOCABULARY:**
**1.** toaster   **2.** food processor   **3.** juicer   **4.** (automatic) can opener

## El estudio, el cuarto de recreo

1. el escritorio
2. la computadora,
   el ordenador

3. la impresora (láser)

4. la máquina de
   escribir

**VOCABULARIO ADICIONAL:**
1. el estéreo    2. el piano    3. la banqueta del piano    4. el televisor
5. el tocacasetes    6. el tocadiscos, el tocadiscos láser    7. el/la radio*
8. el librero, el estante para libros

**ADDITIONAL VOCABULARY:**
1. stereo    2. piano    3. piano bench    4. TV set    5. cassette player    6. record player,
compact disc player    7. radio    8. bookcase

_____

*En la mayoría de los países de habla española, «el radio» se refiere al aparato, mientras que «la radio» se refiere a la transmisión y la programación. Dos excepciones notables son México, donde «el radio» se emplea comúnmente para los dos, y Chile, donde usualmente se emplea «la radio».

# El comedor

| | | |
|---|---|---|
| 1. la mesa | 8. la copa | 14. el azucarero |
| 2. la silla | 9. el tenedor | 15. la cremera |
| 3. el mantel | 10. la cuchara de té, | 16. el cubierto |
| 4. el plato | la cucharita | 17. la cuchara de |
| 5. el platillo | 11. el cuchillo | sopa |
| 6. la taza | 12. el salero | 18. la fuente |
| 7. el vaso | 13. el pimentero | 19. la cafetera |

VOCABULARIO ADICIONAL:
1. la tetera   2. el plato hondo

ADDITIONAL VOCABULARY:
1. teapot   2. bowl

# El dormitorio, la recámara

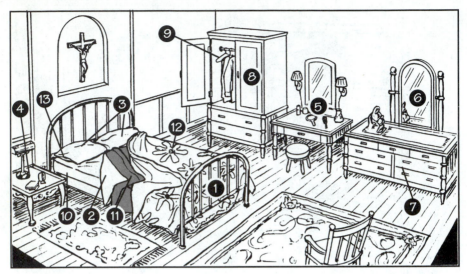

1. la cama doble, la cama matrimonial, el lecho
2. la sábana
3. la almohada
4. el velador
5. el tocador

6. el espejo
7. la cómoda
8. el armario
9. el gancho, el colgador, la percha
10. el colchón

11. la frazada, la manta
12. la colcha, la sobrecama
13. la funda de almohada

VOCABULARIO ADICIONAL:

1. el clóset

**ADDITIONAL VOCABULARY:**

1. closet

# El baño

1. la bañera, la tina
2. la ducha
3. el lavabo
4. la llave de agua caliente
5. la llave de agua fría
6. el bidé
7. el retrete, excusado, wáter, inodoro
8. la balanza
9. la toalla

# ¿¡Viva la independencia!?

Es casi un rito. Todos los años miles de jóvenes norteamericanos se gradúan de la escuela secundaria en junio y en septiembre parten para la universidad. Todos los años se les ve llegar con maletas que están llenas de todo lo imaginable—desde libros de psicoanálisis hasta pasta de dientes. Bajo el brazo llevan una raqueta de tenis, un cuadro favorito, o aun un animal de juguete, y en la mano llevan una máquina de escribir o una computadora cuidadosamente empaquetada. Aun si van a estudiar en la misma ciudad en que viven, dejan la comodidad de su casa—donde tienen tal vez su propio dormitorio con un televisor y un estéreo—para ocupar un cuartucho utilitario y sin gracia que tendrán que compartir con una persona que nunca han conocido.

Para el norteamericano esto es normal. A los dieciocho años un joven comienza a independizarse. El primer paso de este proceso es a menudo la partida para la universidad.

En la residencia estudiantil el joven a menudo no tiene su propio baño, ni tampoco tiene acceso a una cocina. Suele ocupar una pieza con una cama, una cómoda, un escritorio, un estante para libros y un clóset. Nada más. Puede poner una maceta en el alféizar o colocar un cuadro en la pared para darle un toque más personal a su cuarto, pero su nueva habitación rara vez es comparable con la de su casa. A veces los estudiantes llevan un radio, un televisor portátil o un tocacasetes a la universidad para crear un ambiente más agradable, pero aún así, ¿se puede comparar una residencia estudiantil con la casa de sus padres, donde la despensa siempre está llena y generalmente alguien más prepara la comida?

A veces varios estudiantes arriendan un departamento o aun una pequeña casa. Por lo común una o dos personas ocupan un cuarto y un baño y todos comparten los espacios comunes: la sala, la cocina y el comedor. En este caso el estudiante tiene que aceptar aún más responsabilidad, ya que necesita comprar provisiones, preparar su propia comida y mantener limpio su hogar. Cuando tres o cuatro jóvenes alquilan un departamento, cada uno de ellos suele ocuparse de un aspecto del aseo.

En su nueva residencia muchos estudiantes tienen que hacer por primera vez ciertas cosas que hasta ahora otra persona ha hecho por ellos: tender la cama, cambiar las sábanas, lavar y planchar ropa, sacudir y barrer. Pero no se quejan. Al contrario, están contentos de su nueva libertad. Les encanta poder entrar y salir a su gusto, sin tener que pedirle permiso a nadie. Se sienten adultos por primera vez y muchos no volverían a la casa paterna por nada del mundo.—¡Viva la independencia!—dicen ellos.

En Latinoamérica, sin embargo, la situación es bastante diferente. Muchos estudiantes prefieren asistir a una universidad en su misma ciudad y se quedan viviendo en casa de sus padres durante toda la carrera. No les parece lógico pagar por un cuarto y vivir todo apretados en una residencia o una pensión cuando pueden seguir gozando de la comodidad de su casa. Muchas familias de clase media o alta emplean una o más sirvientas que se encargan del trabajo doméstico y, por lo tanto, el estudiante puede dedicarse exclusivamente a sus propias actividades. Más importante, la familia latina es generalmente bastante unida y los padres desean mantener a los hijos con ellos lo más posible.

45 Aun cuando va a estudiar en otra ciudad, por lo común el estudiante latino se aloja con algún pariente o con un amigo de sus padres. Si esto no es posible, toma un cuarto en una pensión, donde tiene su propio cuarto pero almuerza y cena en el comedor con otros pensionistas. A veces dos o tres muchachos arriendan un departamento, aunque en algunas partes de Latinoamérica esta práctica se considera 50 menos aceptable para las chicas.

Hoy en día, sin embargo, las cosas están cambiando. Muchos gobiernos están tratando de ampliar y de mejorar sus sistemas educativos; están haciendo un gran esfuerzo por darles mayores oportunidades a jóvenes de las clases más humildes y de las zonas más remotas. Además, debido a la creciente tendencia hacia la espe- 55 cialización, algunas universidades han desarrollado programas sobresalientes en un campo específico. Por lo tanto, miles de estudiantes se ven obligados a desplazarse para seguir sus estudios, o porque no hay una universidad cerca de su pueblo o porque sólo pueden estudiar la materia que les interesa en otra ciudad.

Sin embargo, no todos estos chicos están contentos de dejar a sus padres y her- 60 manos. Muchos dicen que no necesitan alejarse de la familia para sentirse adultos. Para estos jóvenes la independencia que ofrece la experiencia universitaria no es neccsariamente una ventaja.

# *Para enriquecer su vocabulario*

Muchos substantivos están relacionados con verbos.

| alquilar | *to rent* | el alquiler | *the rent* |
|----------|-----------|-------------|------------|
| arrendar | *to rent* | el arriendo | *renting, the rent* |
| bañar | *to bathe* | el baño | *the bath, the bathroom* |
| cocinar | *to cook* | la cocina | *the kitchen, the stove* |
| comer | *to eat* | el comedor | *the dining room* |
| | | la comida | *the food* |
| dormir | *to sleep* | el dormitorio | *the bedroom** |
| enchufar | *to plug in* | el enchufe | *the plug* |
| jugar | *to play* | el juguete | *the toy* |
| | | el juego | *the game* |
| lavar | *to wash* | el lavado | *the wash* |
| medir | *to measure* | el medidor | *the measurer, meter* |
| planchar | *to iron* | la plancha | *the iron* |

---

*Cuidado con no confundir **dormitorio** (*bedroom*) con **residencia estudiantil** o **colegio mayor** (*dormitory*).

## EJERCICIOS

### A.  Emplee las dos palabras en una frase.

>   MODELO   banqueta / piano
>   **La estudiante de música se sienta en la banqueta para tocar el piano.**

1.  caldera / agua
2.  calefacción / aire acondicionado
3.  planchar / ropa
4.  puerta / manilla
5.  maceta / alféizar
6.  juguete / Navidad
7.  sartén / olla
8.  despensa / provisiones
9.  mantel / cubiertos
10. armario / ganchos
11. barrer / pisos
12. alquilar / alquiler

### B.  Temas de conversación

1.  Describa su casa y los muebles que se encuentran en cada cuarto. ¿Qué se hace en cada cuarto?
2.  Explique las ventajas y desventajas de vivir en una casa familiar independiente o en un edificio de departamentos.
3.  Si usted vive en una residencia estudiantil, compare su habitación con la de su casa. ¿Qué nuevas responsabilidades tiene usted ahora que no vive en casa? Si usted no vive en una residencia estudiantil, compare su casa con una residencia estudiantil típica.
4.  Explique para qué se usa cada uno de los siguientes aparatos: un medidor de electricidad, una plancha, un paragüero, un horno de microondas, una batidora, una balanza.
5.  ¿Qué diferencias existen entre las casas de zonas cálidas y las de zonas frías?

### C.  Pro y contra: temas de debate

1.  Es absurdo vivir en la universidad si se puede seguir viviendo en casa de los padres.
2.  El medio ambiente (casa, familia) es más importante en el desarrollo de una persona que los factores hereditarios.

### D.  Situaciones: represente las siguientes escenas con un compañero de clase.

1.  Su compañero/a de cuarto es muy desordenado/a. Usted en cambio, es una persona muy ordenada. Explíquele a su compañero/a por qué necesita limpiar la casa y dónde debe poner cada cosa.
2.  Su compañero/a de cuarto toca la radio y recibe a sus amigos en la pieza, aun cuando usted necesita estudiar para un examen. Infórmele a su compañero/a qué debe hacer.

3. Usted arrienda un departamento y descubre que la calefacción y el aire acondicionado no funcionan, el refrigerador está descompuesto, la cocina de gas depide un olor horrible y el papel se desprende de la pared. Quéjese al propietario.

4. Usted cena en un restaurante elegante y caro. Sin embargo, el mantel está sucio, el salero está vacío, su copa está trizada y al mozo se le ha olvidado ponerle una cuchara de té. Dígale al mesero qué debe hacer para remediar la situación.

5. Usted está en la lavandería de la universidad esperando su turno para usar una máquina de lavar. El chico (la chica) que está usando la máquina que está al lado es muy atractivo/a. Comience una conversación con él/ella.

# GRAMATICA
## *Tiempos verbales (I)*

### El presente de indicativo

1. Las formas del presente de indicativo de los verbos regulares e irregulares se encuentran en del Apéndice.

2. El presente de indicativo se emplea en las siguientes situaciones:

   a. Para relatar un acontecimiento que sucede en el presente.

   | | |
   |---|---|
   | Juan escribe un trabajo en su computadora. | *Juan is writing a paper on his computer.* |

   b. Para describir una condición que existe en el presente.

   | | |
   |---|---|
   | Para el norteamericano esto es normal. | *For the North American this is normal.* |

   c. Para referirse a una acción que se repite y continúa en el presente.

   | | |
   |---|---|
   | Todos los años miles de jóvenes norteamericanos se gradúan en junio y parten en septiembre para la universidad. | *Every year thousands of American young people graduate in June and leave in September for the university.* |

   d. Para darle mayor dramatismo o intensidad a la descripción de un incidente que ocurrió en el pasado.

   | | |
   |---|---|
   | Llegué tarde. Entré a mi cuarto. De repente, veo una sombra negra que se acerca a la ventana. | *I got in late. I went into my room. All of a sudden I see a shadow approaching the window.* |

e. Después de **si** en las cláusulas que expresan una condición, cuando éstas se refieren al presente o al futuro.

Si encuentras un cuarto bonito,    *If you find a nice room, you should*
    debes arrendarlo.    *rent it.*

f. Para referirse a una acción que sucederá en el futuro cercano. En este caso, expresa una intención.

Tiendo la cama más tarde.    *I'll make the bed later.*

g. Para expresar el imperativo de una manera más suave o cortés.

Me trae una Coca-Cola, por    *Please bring me a Coke.*
    favor.

h. Para hacer una pregunta en situaciones en las cuales se emplea *will* o *shall* en inglés.

¿Paso la aspiradora ahora?    *Shall I vacuum now?*
¿Me prestas tu tocacasetes?    *Will you lend me your cassette player?*

## PRACTIQUEMOS

**A. Complete cada párrafo con la forma correcta del presente de indicativo de uno de los verbos que están en la lista.**

1. conseguir / comenzar / arrendar / tener / poder

A los dieciséis años un joven _____ a independizarse. _____ un cuarto en la universidad o _____ un departamento con algunos amigos. No _____ contar con su mamá para cocinar y limpiar. El _____ que aceptar más responsabilidad.

2. tender / barrer / limpiar / sacudir / colgar / salir

Todos los días yo _____ el cuarto. _____ los pisos y _____ los muebles. También _____ mi cama y _____ mi ropa. No _____ antes de ordenar todo.

3. jugar / ofrecer / venir / partir / encantar / perder / servir / hacer / tomar

Cuando mis amigos _____ a mi cuarto, yo les _____ un refresco. Nosotros _____ una cerveza o una Coca-Cola y luego _____ para la cancha de tenis. Me _____ el tenis aunque no _____ bien y casi siempre _____. De todos modos me _____ para pasar un rato agradable y me _____ falta el ejercicio.

**B.  Complete las siguientes oraciones.**

1.  Te invito a mi cuarto si _____.

2.  Voy a arrendar un departamento si _____.

3.  Mi compañero/a de cuarto pasa la aspiradora si _____.

4.  Siempre uso la computadora cuando _____.

5.  Cuando pongo la mesa, siempre _____.

6.  Si la dueña de la pensión no me trae toallas limpias, _____.

7.  No debes tocar el enchufe si _____.

8.  Si el aire acondicionado no funciona, _____.

**C.  Exprese la misma idea usando el presente de indicativo.**

1.  Tráigame una cuchara de té y una servilleta limpia, por favor.

2.  Lávenos este mantel para mañana, por favor.

3.  Explíquele a la empleada dónde guardar las provisiones, por favor.

4.  Prepáreme un té y póngamelo en la mesa, por favor.

5.  Dígales a las chicas que no deben saltar en la cama, por favor.

**D.  Traduzca al español usando el presente de indicativo.**

1.  Shall I put the groceries in the refrigerator or shall I leave them on the table?

2.  Will you help me clean the apartment?

3.  I'll bring the tapes and she'll bring the cassette player.

4.  We'll call you tomorrow if we find an apartment.

5.  The heating never works when it's really cold outside.

**E.  Describa las siguientes situaciones uniendo varias oraciones y empleando las palabras que están entre paréntesis.**

1.  Usted ha invitado a varios amigos a comer. ¿Qué preparativos hace? ¿Qué cosas pone en la mesa?

    (sacudir / pasar la aspiradora / poner la mesa / cubiertos / salero / pimentero / cocinar)

2.  Las clases empiezan el lunes y usted aún no ha encontrado un departamento.

    (leer / anuncios clasificados / edificio de departamentos / residencia estudiantil)

3.  Usted encuentra un departamento que cree que le puede servir, pero antes de arrendarlo, usted lo examina con mucho cuidado.

    (hablar con el dueño / calefacción / aire acondicionado / caldera / muebles / renta)

4. Esta tarde sus padres vienen a visitar. Usted pasa el día limpiando porque quiere dejar su cuarto impecable.

   (barrer / sacudir / persianas / estantes de libros / floreros / cuadros)

### El presente progresivo; el gerundio

1. El presente progresivo consta de una forma de **estar** y el gerundio del verbo principal. (El gerundio es la forma que termina en **-ndo.** En inglés, esta forma termina en *-ing.*) Una lista de verbos que tienen gerundios irregulares se encuentra en el Apéndice.

   Maribel está planchando.        *Maribel is ironing.*

2. El presente progresivo indica que una acción sucede en el momento al cual se refiere.

   Están tocando el timbre en este       *They're ringing the doorbell at this*
   mismo momento.                      *very moment.*

3. Si el presente progresivo lleva clíticos* (**me, lo, le, se, etc.**) como complementos, éstos se colocan antes del verbo **estar** o se le agregan al gerundio. Si lleva dos complementos, éstos no se separan.

   ¿La lámpara? Estoy prendiéndola.    o    ¿La lámpara? La estoy prendiendo.
   Estoy prendiéndotela ahora.      o    Te la estoy prendiendo ahora.

   Nótese que en algunos casos el gerundio requiere un acento escrito cuando se le agrega un complemento. (Véase la página 111.)

4. El gerundio puede emplearse solo, sin verbo auxiliar.

   Buscando en serio, puedes encontrar la casa de tus sueños.
   Trabajando día y noche, gano bastante para pagar el alquiler.

   A veces la traducción inglesa requiere la preposición *by.*

   Empezamos el semestre buscando     *We start the semester **by** looking for a*
   un cuarto.                         *room.*
   Se hizo rico alquilándoles pisos a     *He got rich **by** renting rooms to*
   los estudiantes.                     *students.*

5. El gerundio puede emplearse con **seguir** y **continuar.**

   Sigue tocando el piano.         *He keeps on playing the piano.*
   No quieren continuar estudiando.    *They don't want to continue studying.*

---

*A menudo llamados complementos *(object pronouns).* Veáse *Tercera parte: substantivos, pronombres y clíticos.*

**6.** El gerundio también suele emplearse con **ir, andar, entrar, salir** y otros verbos que expresan movimiento.

| | |
|---|---|
| **Entró** en la casa gritando. | *She came into the house screaming.* |
| **Anda** cantando. | *He goes around singing.* |

**7.** El gerundio se emplea con verbos de percepción (**oír, mirar, observar, ver, sentir**) o de representación (**describir, imaginarse, enseñar**) y con **sorprender** y **coger.**

| | |
|---|---|
| Te **oí** hablando por teléfono. | *I heard you talking on the telephone.* |
| Me lo **imagino** bailando con ella. | *I imagine him dancing with her.* |
| Lo **cogieron** robando provisiones. | *They caught him stealing groceries.* |

**8.** Nótense las siguientes diferencias entre el inglés y el español:

**a.** En español el presente progresivo no se emplea para referirse al futuro inmediato. Es mucho más común usar el presente.

| | |
|---|---|
| **Parte para** la universidad mañana. | ***She's leaving*** *for the university tomorrow.* |

**b.** En español el gerundio no tiene función nominal; se emplea el infinitivo en vez del gerundio.

| | |
|---|---|
| **Encontrar** un cuarto es difícil. | ***Finding*** *a room is hard.* |
| Se prohibe **fumar** aquí. | ***Smoking*** *is prohibited here.* |
| Te llamo después de **cenar.** | *I'll call you after **having dinner.*** |
| Antes de **irte,** ven a ver mi nueva lámpara. | *Before **leaving,** come see my new lamp.* |

**c.** La forma inglesa *upon* + gerundio corresponde a **al** + infinitivo en español.

| | |
|---|---|
| **Al** pagar la renta, usted puede instalarse. | ***Upon*** *paying the rent (when you pay the rent), you can settle in.* |
| Lo primero que hago **al** llegar a la universidad es armar mi estéreo. | *The first thing I do **upon** arriving at the university is set up my stereo.* |

**d.** En español el gerundio no tiene función adjetival.

| | |
|---|---|
| una despensa que contiene muchas provisiones | *a pantry containing lots of groceries* |
| un niño que llora | *a crying child* |

En algunos casos, existe un adjetivo español que corresponde a un gerundio inglés.

| | |
|---|---|
| agua corriente | *running water* |
| gente hispanohablante | *Spanish-speaking people* |

un jefe exigente                          *a demanding boss*

un pueblo pescador                        *a fishing village*

Otros ejemplos son: amante *(loving);* alarmante *(alarming);* carente *(lacking);* creciente *(growing);* de habla francesa, inglesa *(French-, English-speaking);* colgante, pendiente *(hanging);* divertido *(amusing);* fascinante *(fascinating);* interesante *(interesting);* lisonjero *(flattering);* molesto, molestoso, fastidioso *(annoying);* moribundo *(dying),* preocupante *(troubling);* sonriente *(smiling);* sorprendente *(surprising);* tocante a *(concerning);* trabajador *(hard-working);* vivo, viviente *(living)*

## PRACTIQUEMOS

**A. Cambie los verbos que están subrayados al presente progresivo.**

Somos cinco amigos que compartimos un piso este semestre. En estos momentos preparamos el departamento para la primera visita de nuestros padres. Todos trabajamos como locos. (En mi cabeza oigo la voz de mi mamá que dice: Mario, ¡tú vives como un animal! ¿No limpian nunca este departamento?) Pedro lava sábanas y fundas de almohada en el cuarto de lavar del edificio. Carlos sacude los muebles de la sala (que también le sirve a Pedro de dormitorio.) Enrique barre los pisos. Jaime limpia el horno de microondas. Yo mido mi cuarto porque quiero comprar una pequeña alfombra para que se vea más decente. Todo el mundo ayuda y nadie se queja porque queremos hacer una buena impresión.

**B. Termine cada frase usando el presente progresivo del verbo que está entre paréntesis y cualquier otra palabra que sea necesaria.**

1. (leer) No puedo salir contigo ahora porque _estoy leyendo_

2. (pedir) Este chico siempre _está pidiéndome_

3. (morir) Creo que mi abuelo se _está muriendo._

4. (dormir) Jaime me dijo que me ayudaría con la computadora pero _sigue durmiendo_

5. (perseguir) El famoso detective _está persiguiendo_

6. (decir) A nosotros nos parece que el profesor _sigue diciendo._

7. (hacer) ¿Por qué no puedes venir a mi casa? ¿Qué _haciéndole_?

8. (concluir) Por fin esta conferencia _estás concluyendo._

**C. Traduzca al español.**

1. In this little fishing village there is no electricity or running water.
2. Talking with these Portuguese-speaking fishermen, you hear some fascinating stories.
3. After having lunch with them, I'm going out on a boat.
4. I observe them fishing and cleaning their nets.
5. While I take notes, they keep on chatting and working.

6. Some of them go around singing and telling stories.

7. I catch a few of them laughing at me; they think that I'm rather amusing.

8. Making friends is not hard in this village.

9. Asking questions and listening carefully, a researcher can gather a lot of information.

10. Upon leaving, I promise to send them a copy of the article I'm writing.

## El presente perfecto; el participio pasado

**1.** El presente perfecto se forma con el verbo **haber** y el participio pasado. (El participio pasado normalmente termina en **-do.** En inglés normalmente termina en *-ed.*) Hay una lista de los participios irregulares en el Apéndice.

**2.** Con las excepciones indicadas, el presente perfecto se emplea de la misma manera en inglés y español.

| | |
|---|---|
| Tendrán que compartir un cuarto con alguien que nunca han conocido. | *They'll have to share a room with someone that they've never met.* |
| Hemos estado en México varias veces. | *We've been in Mexico several times.* |
| He impreso este trabajo en una impresora láser. | *I have printed this paper on a laser printer.* |

En España y en algunas áreas de Latinoamérica, hay una tendencia a emplear el presente perfecto en vez del pretérito para referirse a una acción pasada reciente.

Esta mañana he visto a Juan. = Esta mañana vi a Juan.

El presente perfecto no se usa nunca, sin embargo, para referirse a una acción distante.

El dramaturgo Pedro Calderón de la Barca nació en 1600.

Nótese que a diferencia del inglés, en español **haber** y el participio pasado suelen no separarse.

| | |
|---|---|
| ¿Nunca **ha usado** usted un procesador de alimentos? | *Haven't you ever **used** a food processor?* |

**3.** El participio pasado puede funcionar como adjetivo.

| | |
|---|---|
| Llevan una computadora cuidadosamente empaquetada. | *They carry a carefully packaged computer.* |
| Este televisor está descompuesto. | *This television set is broken.* |
| Caída la tarde, volvimos a la residencia. | *Late in the afternoon, we went back to the dorm.* |

Nótese que como otros adjetivos, el participio pasado concuerda en estos casos con el substantivo que modifica. Cuando el participio pasado es parte del verbo, no hay concordancia.

| | |
|---|---|
| Estas servilletas están bordad**as** a mano. | *These napkins are hand-embroidered.* |
| Mi abuela ha bordado estas servilletas. | *My grandmother has embroidered these napkins.* |

**4.** El participio pasado se emplea en la voz pasiva, concordando con el sujeto.

| | |
|---|---|
| Una huelga fue declarada por los estudiantes. | *A strike was declared by the students.* |
| Estas computadoras fueron hechas en los Estados Unidos. | *These computers were made in the United States.* |

**5.** Algunos participios pasados pueden funcionar como substantivos.

| | |
|---|---|
| Los impresos están en el escritorio. | *The printed material is in the desk.* |
| Hay que saber los hechos. | *You have to know the facts.* |
| Juan preparó el cocido en el micro-ondas. | *Juan prepared the stew in the microwave.* |

**6.** Varios verbos tienen dos participios pasados, uno regular que tiende a emplearse en la función verbal y otro irregular que tiende a emplearse en las funciones nominales y adjetivales.

| | |
|---|---|
| Ya hemos despertado a los chicos. | *We've already awakened the boys.* |
| Los chicos ya están despiertos. | *The boys are already awake.* |

Los siguientes verbos comunes tienen dos participios pasados. El primero se emplea en la función verbal; el segundo, en la nominal o adjetival.

| | | |
|---|---|---|
| **bendecir** | bendecido | bendito   *to bless* |
| **concluir** | concluido | concluso |
| **confundir** | confundido | confuso |
| **convencer** | convencido | convicto |
| **despertar** | despertado | despierto |
| **difundir** | difundido | difuso |
| **elegir** | elegido | electo |
| **excluir** | excluido | excluso |
| **freír** | freído | frito |
| **incluir** | incluido | incluso |
| **invertir** | invertido | inverso |

*verbal*                    *nominal, adjetival*

*verbal*    *nominal y adjetival*

| | | |
|---|---|---|
| **juntar** | juntado | junto |
| **maldecir** | maldecido | maldito |
| **nacer** | nacido | nato |
| **oprimir** | oprimido | opreso ✗ |
| **prender** | prendido | preso |
| **soltar** | soltado | suelto ☆ *to free* |
| **suspender** | suspendido | suspenso |

## PRACTIQUEMOS

**A. Forme una pregunta para cada respuesta usando el presente perfecto.**

> EJEMPLO No, vienen a arreglar la computadora esta tarde.
> **¿Han venido a arreglar la computadora?**

1. No, voy a comprar provisiones mañana.
2. No, lavará las ollas y las sartenes más tarde.
3. No, traerán toallas y jabón dentro de cinco minutos.
4. Sí, encontramos un departamento ayer.
5. Sí, ya hicieron el trabajo.
6. Sí, esta mañana me dijo lo que pasó.
7. Sí, Sara y yo vimos esa película anoche.
8. No, no se abrirá el nuevo museo hasta la semana que viene.

**B. Forme oraciones usando el presente perfecto.**

> MODELO nosotros / comprar / muebles / nuevo / puesto que...
> **Nosotros hemos comprado muebles nuevos puesto que los viejos estaban muy gastados.**

1. compañeros y yo / limpiar / departamento / entero / porque...
2. yo / aún / no escribirle / porque...
3. tú / nunca / hacer / nada importante / ya que...
4. prima / decirme / mucho / cosas / confidenciales / puesto que...
5. profesora / volver / ya que...
6. si / mi abuelo / no morir / ser / porque...
7. ustedes / poner / provisiones / despensa / porque...
8. yo / no / envolver / paquete / puesto que...

**C. Complete cada frase usando el participio pasado correcto.**

1. Ya he despertado a mis compañeros de cuarto. Mis compañeros ya están...
2. Hemos soltado los animales. Los animales...
3. He freído las papas. Las papas...

4. El profesor ha confundido a los estudiantes. Los estudiantes...

5. Los chicos se han juntado en un café. Todos los chicos...

### Construcciones especiales: hace... que..., llevar, acabar de

1. El presente de indicativo se emplea en algunas situaciones que requieren el presente perfecto en inglés.

   a. Se usa **hace...** (expresión de tiempo) **que** + un verbo en el presente para referirse a una acción o condición que comenzó en el pasado y aún sucede o existe.

   | | |
   |---|---|
   | Hace más de una hora que está en la ducha. | *He's been in the shower for over an hour.* |
   | Hace varios años que vive en la residencia estudiantil. | *She has been living in the dorm for several years.* |

   Para formar una pregunta se empieza con **¿Cuánto tiempo hace que...?**

   | | |
   |---|---|
   | ¿Cuánto tiempo hace que no funciona la calefacción? | *For how long hasn't the heating been working?* |

   b. Se puede expresar la misma idea con un verbo en el presente, seguido de **desde hace** y una expresión de tiempo.

   | | |
   |---|---|
   | Está en la ducha desde hace más de una hora. | *He's been in the shower for over an hour.* |
   | Vive en la residencia estudiantil desde hace varios años. | *She has been living in the dorm for several years.* |

   **Desde** también puede emplearse con un substantivo.

   | | |
   |---|---|
   | Vive en la residencia estudiantil desde septiempre. | *She has lived in the dorm since September.* |

2. **Llevar** se usa en el presente para expresar la misma idea que **hace...** (expresión de tiempo) **que** + verbo.

   | | |
   |---|---|
   | Llevo más de cinco meses aquí. | *I've been here for more than five months.* |
   | Llevamos una hora esperándolos. | *We've been waiting for them for an hour.* |

3. **Acabar de** + infinitivo expresa la idea *to have just*. Nótese que la traducción inglesa puede emplear el presente perfecto o el pretérito.

   | | |
   |---|---|
   | Acaba de enchufar el estéreo. | *He has just plugged in the stereo.* or *He just plugged in the stereo.* |

## PRACTIQUEMOS

**A. Forme una pregunta para cada respuesta.**

> MODELO   ¿Barriendo el piso? Unos veinte minutos.
> **¿Cuánto tiempo hace que tu compañero de cuarto está ba-
> rriendo el piso?**

1. ¿Aquí en México? Unos tres meses.
2. ¿En esta universidad? No, no mucho tiempo.
3. Desde septiembre, me parece.
4. ¿Esperándolos a ellos? Veinte minutos, más o menos.
5. Desde las cuatro de la tarde, sí.

**B. Traduzca al español.**

1. We've been living in this apartment for three months, but we still don't have everything we need.
2. So far we have bought a toaster, a can opener, and a coffee pot, but we still don't have a food processor.
3. We've had that microwave oven since October, but we just bought the mixer.
4. My mother has just given us dishes, salt and pepper shakers, and a large serving dish.
5. I haven't been in the stores lately, but I know that dishes are very expensive.

**C. Situaciones.**

1. Usted acaba de conocer a un chico (una chica) muy interesante y quiere saber más acerca de él (ella). Hágale preguntas usando **hace...** (expresión de tiempo) **que, llevar** y **acabar de.**
2. Usted y dos amigos arrendaron un departamento en septiembre pero todavía les faltan cosas. Usando las expresiones de tiempo que acaban de estudiar, analice lo que ya tienen y lo que van a tener que comprar.
3. Usted y sus compañeros de departamento están limpiando el refrigerador. Hace mucho tiempo que nadie se ocupa de la cocina y algunas cosas están allí desde hace semanas. ¡El olor es insoportable!

## *Expresiones problemáticas*

**1. volver, volver a, devolver, envolver, revolver**

*[handwritten: Latinoamericano, un poco más forma]*

*[handwritten: más general]* **volver = regresar,** *to return*

Volvimos tarde a casa. = Regresamos tarde a casa.

**volver a** = (hacer algo) de nuevo

Vuelve a hacer la misma pregunta. = Hace la misma pregunta de nuevo.

*[handwritten: ♦ repetirlo]*

*Phonemic revolver y diff = revólver* (handwritten)

**devolver** = restituir una cosa a su dueño o volverla a su estado primitivo; vomitar

| | |
|---|---|
| Devolví el libro a la biblioteca. | *I returned the book to the library.* |
| El niño se enfermó y devolvió. | *The child got sick and threw up.* |

**envolver** = cubrir, empaquetar (**desenvolver** = descubrir, desempaquetar)

*to develop, to unfold* (handwritten)

| | |
|---|---|
| Hemos envuelto todos los regalos. | *We have wrapped all the gifts.* |
| No desenvuelvas esos paquetes. | *Don't unwrap those packages.* |

**revolver** = agitar, enredar; producir náusea

| | |
|---|---|
| No revuelvas las cosas. | *Don't stir things up.* |
| Revolvieron la casa. | *They turned the house upside down.* |
| Está revolviendo sus papeles. | *He's rummaging through his papers.* |
| Ha revuelto la ensalada. | *She has tossed the salad.* |
| Revuelve la salsa antes de servirla. | *Stir the sauce before serving it.* |
| Esto me revuelve el estómago. | *This upsets my stomach.* |

*Revolver las tripas - turn guts upside down* (handwritten)

## 2. soler

**soler** = tener la costumbre de (hacer algo)

| | |
|---|---|
| Los chicos suelen dejar las ollas y las sartenes en el lavabo. | *The kids usually leave the pots and pans in the sink.* |

## 3. atender, asistir, ayudar

**atender** = ocuparse de *, to attend to* (handwritten)

| | |
|---|---|
| La vendedora atiende a los clientes. | *The saleswoman waits on the customers.* |
| La mamá atiende al bebé. | *The mother takes care of the baby.* |

**asistir** = ir, estar presente — *palabra* [formal] *solamente* (handwritten)

| | |
|---|---|
| Asistieron a la conferencia. | *They attended a lecture.* |

**ayudar** = socorrer, prestar cooperación

| | |
|---|---|
| Está ayudándonos con la lección. | *He's assisting us with the lesson.* |

### PRACTIQUEMOS

**A.  Complete cada frase con uno de los verbos que están en la lista.**

1. envolver / devolver / volver

   a.  Voy a salir con mis amigos pero no ___vuelvo___ tarde.

b. Necesito _devuelvo_ este libro a la biblioteca.

c. José está _____ el regalo de Marisa.

2. asistir / atender / ayudar

   a. Ella nos ha _ayudado_ mucho con el trabajo.

   b. Siempre _asisto_ a la clase de física.

   c. Voy a _atender_ a los invitados.

3. devolver / volver a / revolver

   a. _Revolvió_ todos mis papeles cuando entró a mi estudio.

   b. Ya vi esa película y no quiero _volver a_ verla.

   c. Se sintió mal después de comer y _devolvió._

   *revolver transitive*

4. soler / volver a

   a. En mi casa nosotros _solemos_ almorzar a las dos.

   b. Si yo _vuelvo_ a verla, le daré tu recado.

5. revolver / envolver / volver

   a. Ella nunca ha _vuelto_ a España.

   b. Los chocolates están _envueltos_ en papel de estaño.

   c. Cada vez que vienen esos niños, _revuelven_ la casa.

# Selección literaria

*La casa puede ser un refugio, pero también puede ser una prisión de la cual el único escape es la imaginación.*

## LA FERIA DE JIMENA
### *Laura Riesco**

—Puedes quedarte aquí por un rato antes de que enfríe, pero no vayas a jugar con la tierra y que no se te ocurra abrir la puerta de la verja°—, le dice el Ama Grande° secándose las manos venosas y rojas en el delantal y volviendo apresurada

5   a sus quehaceres° en la cocina. Jimena se sienta en la grada más alta (hay cinco gradas que dan a° la puerta trasera de la casa) y se acomoda el vestido debajo de las piernas porque a

**la puerta...** *the gate*
**Ama...** *Old Nanny*

tareas, trabajo

**dan...** *lead up to*

---

*Laura Riesco es una escritora peruana que vive actualmente en los Estados Unidos. Sus novelas más conocidas son *El truco de los ojos* y *Ximena de dos caminos.* El cuento que incluimos aquí fue publicado por primera vez en *Extramares* en 1989. Una traducción al inglés aparece en *Landscapes of a New Land: Short Fiction by Latin American Women,* compilado por Marjorie Agosín. (Buffalo: White Pine Press, 1989).

pesar de ser junio y por la tarde, el cemento está aún frío. A
varios metros de ella está la verja de madera pintada de
10  blanco y a la derecha en la verja, está la sección que se abre y
se cierra mediante un gancho° rústico de hierro. Empinán-
dose° en una de las maderas horizontales que cruza la verja
por la parte inferior, Jimena puede hacer saltar el gancho y
entonces de golpe queda libre la puerta y queda ella mecién-
15  dose unos segundos agarrada al gancho hasta que los goznes
oxidados° dejan de chirriar.° Los conocidos que frecuentan la
casa y usan la puerta de la cocina introducen la mano entre
las maderas verticales y levantan el gancho para entrar. El
hijo de don Sebastián, el de la leña,° sin ser muy alto—sólo
20  unos años mayor que ella—se trepa con facilidad por cualquier
lado de la verja y se deja caer adentro con una sonrisa enga-
llada.° Jimena entonces le sonríe aceptando como un regalo la
proeza, pero se le nubla el pecho cada vez que sucede porque
se convence siempre un poco más que la verja y el gancho no

*latch*

Poniéndose sobre las
puntas de los pies

**goznes...** *rusty hinges
squeak*

**el...** *the one who brings
the firewood*

*self-satisfied*

25 protegen a la familia de los de afuera, que más bien la ciñen°     encierran
a ella en ese terreno árido que a falta de otro nombre le llaman patio. No puede ser jardín porque el humo y la altura no
permiten césped ni flores y no es corral porque no tienen animales.

30     Desde la grada Jimena mira, ya con una costumbre que
ha adquirido el fervor de un rito, fuera de la verja. Más allá
del descampado,° amplio y estéril, sin árboles, sin arbustos,     *empty field*
sin siquiera maleza verde, a veces puede ver el tren que pasa
dos veces al día y que se pierde muy pronto, demasiado
35 pronto, a la izquierda o a la derecha. El rítmico traqueteo° del     *clatter*
tren es generalmente el último sonido que escucha antes de
dormirse por las noches. Lo escucha ajustándole cualquier
melodía que recuerde de la radio, se deja llevar, ir lejos con el
ritmo acompasado° hasta que no puede oírlo más, y la     **ritmo...** *rhythmic*
    *sound*
40 melodía pierde su encanto, el silencio la devuelve a la almohada, a las paredes de su alcoba. Más allá de los rieles (que
no ve pero imagina) apenas distingue las formas del campamento en el que viven los obreros de la fundición° y del que     *foundry*
tiene una imagen confusa porque ha pasado en carro, muy
45 rápidamente y en contadas ocasiones. Cierra los ojos y fija el
lugar como si fuera una fotografía borrosa que hubiera perdido con el tiempo la nitidez° de los objetos retratados. Ve así     claridad
una masa larga y gris, monotonía que se extiende en un sin
fin de pequeñas puertas y ventanas, exactas entre sí, espacios
50 oscuros, agujeros por los que nada, ni el aire parecería moverse, entrar, salir. Sin embargo allí hay gente, muchísima
gente, le ha dicho rezongona° el Ama Grande, tanta que la     *grumbling*
empresa tendrá alguna vez que construir otro campamento.
Jimena ha dejado de hacer preguntas sobre esa franja° in-     raya, línea
55 móvil en la distancia porque las respuestas son evasivas y
presiente que incomoda a los mayores. La madre, en especial,
suspira y se pone un poco triste. Cuando Jimena mira mucho

rato más allá de la verja, cuando el tren le recuerda ese otro
lado y las preguntas le suben atolondradas° por la garganta, se     *bewildering*
60  contiene y les pide cuentos o se va, obediente, a ver las láminas de color que trae la enciclopedia del padre o el álbum de
fotografías que guarda la madre en su dormitorio.

    Hoy, en todo caso, contempla ensimismada el reflejo del
sol, apenas sol, apenas tibio sobre los techos de calamina. Ve
65  luego un color anaranjado o rosa chillón que sube a lo lejos,
de la tierra misma en el horizonte y que termina por borrar la
fotografía deslustrada que la memoria evoca. Respira hondo,
cierra los párpados intensamente y los vuelve a abrir para ver
si los colores de veras están todavía en la distancia o si son
70  como los otros, los que logra ver (aunque sabe que no están)
en las paredes de su cuarto cuando se aburre sin poder
dormir. Observa estremecida° una ciudad de bóvedas, de     *temblando de*
cúpulas, de altas torres, castillos brillantes y luminosos y más     *emoción*
que nada globos, centenares de globos que siguen des-
75  prendiéndose de una mano invisible y que se alzan alegres y
coralinos de esa ciudad en fiesta, ondulante y hecha toda de
naranjas. Corre a la puerta de la cocina y grita para que el
Ama Grande salga a mirar.

    —¡Ven Ama!—la jala, tironeándole de la falda—. ¡Ven a
80  ver qué lindo se ha puesto el campamento, han hecho una
feria!

    El Ama Grande no puede salir tan rápido como ella
quisiera porque de puro vieja° se mueve lento y arrastra los     **de...** *sólo porque es*
pies, pero en medio de sus protestas toma la mano de Jimena     *tan vieja*
85  y se asoma con ella.

    —No hay nada—, le dice enojada acarreándola° hacia la     *llevándola*
casa.—Y ya hace frío. Entra.

    Sobre el hombro, casi en lágrimas, gimoteando° la exis-     *lamentando*
tencia de lo que ha visto, alcanza a distinguir sobre el límite

90  en puntas de las rejas, el descampado desierto, y más allá, en el lugar de la feria, ella tampoco ve ahora nada.

◆◆◆

Hace varios días han traído de la hacienda en el valle al Ama Chica. Su madre, cierta noche, después de rezar con ella el Padrenuestro y el Ave, le avisa que va a tener otra ama.

95  —¡Pero si ya tengo una desde hace tiempo!

—Por lo mismo°—le dice cubriéndola con las cobijas—. Porque ya ha sido tanto tiempo y ahora está muy viejita y se cansa. Además no puede ver bien ¿no te has dado cuenta?

**por...** por esa misma razón

Habla en un murmullo como si el Ama Grande que a
100  esas horas está en su cuarto al otro lado de la casa la pudiera oír. Es cierto que ya no ve bien. Tiene telas de araña° finísimas en los ojos y de negros que eran antes se le han ido cambiando a plomos.° Es también cierto que se cansa, que pisa difícilmente y adolorida cuando tiene que moverse con prisa
105  y que se ha puesto más regañona que nunca.

**telas...** *spider webs*

grises

—Pero no se volverá al valle ¿verdad?

Procura que no le tiemble la voz. Ha escuchado a la madre que a veces con cariño le sugiere el regreso a la hacienda. No queremos que te vayas, Mamá Cristina, pero aquí
110  haces demasiado y allá estarás más sosegada,° le propone. Necesita subir la voz para que el Ama Grande la pueda oír porque también se está quedando un poco sorda. Aun así fuerte, en el habla de la madre se marca junto al afecto, el respeto que ha sentido desde siempre por la anciana.

tranquila

115  —Si me voy, niña—, le responde cada vez—tu casa andará patas arriba.° Tú todavía no sabes, no puedes.

**andará...** will be *a mess*

La madre no insiste. Siguen hablando, contándose cosas, decidiendo, disponiendo juntas. Muy cansada habrá estado el Ama Grande para haber aceptado que venga otra sirvienta.

*120* En el pasado se ha puesto insoportable cuando han traído una chica del valle para que la asista, tanto que a los pocos días terminan por enviarla de vuelta a la hacienda. El padre se queja, en esta casa ya sabemos quien manda, dice, pero la madre argumenta que a ella le gusta trabajar en la casa y que

*125* el ahorro no les viene mal. Esta vez, sin embargo, el Ama Grande no se ha sublevado° ante la llegada de la ayudante. **rebelado, protestado** Una mañana Jimena se despierta y ve junto a la madre a una muchacha de faldellín negro, una lliclla° verde anudada al **chal** pecho. Con disimulo se fija en sus gruesos pies descalzos, en

*130* las uñas toscas y negras. La muchacha sonríe con una curiosidad despreocupada. Vagamente Jimena recuerda haber jugado con ella en la hacienda.

—Jimena—, le dice la madre.—María Ester será tu nueva ama.

*135* Porque la otra desde siempre siempre ha sido el Ama Grande, María Ester pasa en su mente primero, y más tarde, a ratos, en el vocabulario de los otros también, a ser el Ama Chica.

Al principio se disfuerza con ella de adrede.° Finge no **se... le pone problemas a propósito**
*140* entenderle el castellano torpe que se le anuncia lleno de nudos en la voz y se burla de sus errores remedándola.° **imitándola** Trastoca,° con malas intenciones, el orden rutinario de las ac- **Cambia** tividades caseras que tan penosamente aprende la otra, no por ser lenta sino por ser tanto lo que hay que aprender. No le

*145* obedece y para hacer evidente su rechazo se refugia con más frecuencia que nunca en la falda del Ama Grande, quien luego de abrazarla, se deshace de ella reconviniéndola bajito:

—¡Vergüenza debiera darte! Portándote así, cuando ella, pues ¿qué te ha hecho?

*150* El Ama Chica no se incomoda fácilmente. Es hermosa y reilona y canturrea cuando trabaja. Jimena la ha ido aceptando poco a poco porque la seducen las historias de su

pueblo en el valle. María Ester no tarda en darse cuenta del
punto débil de Jimena y la soborna, la pasa a su lado, le com-
155 pra el buen comportamiento con relatos fantásticos en los que
se entreveran los tiempos de la siembra y la cosecha, las fes-
tividades del Carnaval y la Navidad, la magia venenosa o cu-
rativa de ciertas plantas, de ciertas manos, ánimas en condena
que buscan sin cesar la paz o la venganza, milagros realiza-
160 dos por santos de tez oscura y que llevan una vara de anillos
plateados cuando aparecen erguidos sobre las montañas
sagradas. Algunas cosas ya las ha escuchado por boca del
Ama Grande, pero en aquélla surgen lejanas, aletean pobres,
parecen querer borrarse apenas conjuradas. El Ama Chica
165 cuenta de corazón,° con ruidos, saltos, muecas horribles. La
aterroriza pero siempre quiere más. Jimena la persigue por la
casa, el trapito amarillo en la mano con el que le ayuda a
limpiar los zócalos, insistiendo «¿y?», «¿y después?». El
Ama Chica le dice en castellano con un ladeo burlón de la
170 cabeza que le voltea las gruesas trenzas negras a un solo
lado: «Después te cuento». Los relatos vienen con el gozo y
la tentación de lo prohibido porque tanto la madre como el
Ama Grande le han pedido que no la deje hablar en quechua
hasta que sepa bien la lengua nueva.

175     —¡Pero si está hablando en castellano!—, protesta
lloriqueando.

    —No, Jimena, no te das cuenta. Empieza en castellano y
termina en quechua. Además andas asustada todo el tiempo
como si estuvieras viendo fantasmas en las paredes. Saltas de
180 cualquier cosa y pareces siempre lista a huir.

    Es verdad que anda a ratos con el alma en la boca° y que
a ratos la otra habla en quechua y que ella le entiende casi
todo. La madre y el Ama Grande también mezclan los dos
idiomas por costumbre o a veces cuando no quieren que el
185 padre comprenda. Si Jimena no halla el equivalente de una

**de...** sinceramente,
con emoción

**el alma...** *her heart in
her throat*

palabra que no puede intuir en el relato, sale disparada donde el Ama Grande a preguntarle qué significa esto o aquello. La vieja le da en un comienzo° la respuesta, así como de paso,° indiferente, pero después de unos días viene a resondrar° a la

190    otra, que entre cohibida y sonriente se muerde los labios musitando ya pues, mamita, no me grite, ya está bien.

**en...** *at first*
**así...** *in a kind of off-handed way* / *scold*

Jimena ha aprendido a no preguntar más. De vez en cuando si llueve por la noche, salen las dos de mañana al patio a hacer con la tierra húmeda ollas para sus muñecas. De

195    cuclillas° la escucha embelesada° y ya no le importa pensar que al día siguiente las cacerolas diminutas que ha hecho con tanto esmero irritándose la piel de las manos, lucirán deformes y feas y se quebrarán al menor movimiento. Porque Jimena no sabe a su turno qué contarle, una mañana señala

200    con la mano, en la que el aire frío le seca la arcilla, hacia donde está el descampado.

**De...** *squatting* / *enthralled*

—Una tarde—, le dice muy en secreto—vi una feria muy linda, toda color naranja y con muchos globos allá lejos donde está el campamento.

205    El Ama Chica vuelve la cara a la derecha y entrecierra los ojos para mirar.

—¿Ah, sí?—le contesta sin mucha convicción.

A Jimena le bulle el pleito en las manos° y aplasta el florerito que el Ama Chica redondea entre los dedos. Corre a la

210    casa y tras ella deja trozos de barro que se van secando de inmediato al caer por la entrada.

**A...** *Jimena está molesta y lista para pelear porque el Ama Chica no le cree.*

◆◆◆

La madre está haciendo los arreglos para que bajen dentro de unos días a la hacienda. Jimena la mira hacer, ajetreada,° revoloteando por toda la casa, tropezando aquí y allá,

215    como si desconociera el lugar de los muebles, el límite de las paredes. De tanto en tanto suspira muy hondo o deja caer la

*muy ocupada*

cabeza sobre un hombro con ese gesto que a Jimena le parece
tan inmensamente desolado. En medio de las preparaciones
para ir al valle, que suelen ser afanosas pero alegres, Jimena
220  sospecha que algo anda mal.

—¿El abuelito está enfermo?—le pregunta mientras la
madre la peina.

—No—le contesta asegurándole el gancho. Irritada le
increpa,—¿De dónde sacas tú esas cosas? Eso no más nos
225  faltaba. A Dios gracias que allá todo está bien.

Jimena quisiera preguntar entonces qué es lo que anda
mal aquí, sin embargo, el tono de la madre le ahuyenta las
palabras. Le consta° que el teléfono suena algunas veces muy  *es evidente*
tarde, demasiado tarde, hasta cuando el padre está ya
230  dormido. Desde su cama lo escucha pasar al comedor para
contestar y quiere entender, enterarse a pesar del miedo, pero
habla muy bajo él, mascullando entre dientes o bien pausada-
mente en inglés. A la madre, también cerca al teléfono, la ha
visto pasarse el pañuelito perfumado por los ojos y le ha oído
235  decir que está muy, muy mortificada por la situación. En los
últimos días Jimena ha notado la ausencia de las visitas habi-
tuales. Las amigas de la madre, las peruanas y las gringas, no
se reúnen como antes a tomar el té. Sólo el Sr. Estévez llega
de visita, más a menudo que antes, siempre cuando ya em-
240  pieza a anochecer, apoyado en su bastón de mango plateado,°  *de... with a silver-*
jalando la pierna de palo y echando anillos de humo para ella  *plated handle*
cuando la sorprende mirándolo. Conversan en el comedor
tomando café y la sobremesa se alarga durante mucho rato.
No la dejan como antes traer sus muñecas y jugar al pie de la
245  mesa.

—María Ester—, llama la madre.—Llévate a Jimena
para que juegue en la cocina.

Podría reclamar, patalear° un poco, empezar a llorar, sin  *stamp with rage*
embargo, el aire dolido de la madre y los ojos apagados, sin

250 el guiño amistoso de antes del Sr. Estévez, la ofuscan. Cierran la puerta que da a la cocina y ya no escucha nada sino
cuando el padre sube la voz y grita que está harto y que se
vayan todos al diablo.

El teléfono sí sigue sonando muy de continuo. Es algo
255 nuevo, como el hecho de que el *kínder*° de Miss Murphy se

jardín infantil,
escuela para niños
pequeños

haya cerrado. Echa de menos las mañanas en la sala llena de
juguetes y de libros de muchísimos colores que tiene la
viuda. Cortan figuras que pegan en grandes cartulinas y
Jimena aspira, cuando nadie la ve, el olor de la goma blanca
260 que usan. Le gustan igual el olor de los lápices gordos de cera
y el de la mermelada que sobre galletas de soda les sirve la
maestra a las diez. Juega con Debbie y con Diana quienes la
defienden de los niños más revoltosos, no sólo porque es
la más pequeña, sino porque apenas ahora empieza a com-
265 prender un poco el inglés. Sin poder explicárselo, y no quiere
preguntar por qué, cuando busca una palabra en inglés, a la
boca, sin dificultad le llega el vocablo en quechua. Debbie y
Diana viven unas casas más abajo y antes venían a pasar la
tarde con Jimena o iba ella a entretenerse a su casa, pero
270 desde hace días que no las ve. Es como si las familias
norteamericanas se hubieran todas hecho humo de golpe.°

se... hubieran
desaparecido

Don Sebastián ha venido una vez no hace mucho a traer
la leña. Ha estacionado el camión junto a la verja como antes.
Los troncos que usan en la chimenea los ha tirado de
275 cualquier manera detrás de la cerca. Jimena sale cuando oye
el ruido que hacen los leños al rebotar uno contra el otro.
Nadie la ha visto escabullirse° y al acercarse a la verja piensa

*slip out*

en los paseos que don Sebastián suele darle en la carretilla
que emplea para acarrear y colocar luego los troncos simétri-
280 camente en una pila recostándolos en la pared de la casa bajo
el alero. Son paseos locos y el hijo de don Sebastián también
se sube a la carretilla con ella o la empuja él mismo hacién-

dole creer que va a voltearla, que la va a hacer caer y luego
endereza la carretilla con un movimiento diestro y los dos fe-
285 lices se ríen mucho. Esta vez el chico se ha quedado detrás de
la verja con las manos en los bolsillos y mira insistente sus
zapatos o sólo en la dirección de su padre. Jimena le pide que
entre a jugar. El chico no mueve un músculo, no cambia de
posición, está ahí, como si no la hubiera escuchado. Don Se-
290 bastián apenas si le ha respondido el saludo con la cabeza. Se
van los dos sombríos dejando la pila de madera desordenada
junto a la verja para que más tarde el Ama Chica y ella la
lleven a pocos y la acomoden bajo el alero.° Jimena le pre- *eaves*
gunta al Ama Grande por qué están los dos así y ella le con-
295 testa malhumorada que quizá estén enfermos. Jimena levanta
la cortina blanca con motas amarillas de la ventana del repos-
tero y contempla el cielo gris, que casi siempre está igual de
gris. La fundición suelta un humo que se queda colgado
como un toldo sucio sobre el pueblo durante todo el año. La
300 gente se enferma porque el aire lleva en sí unos puntitos
minúsculos que no se ven pero que hacen toser y lagrimear
los ojos. A Jimena también, aunque ella tiene suerte, se lo han
dicho tantas veces para que aprenda a ser agradecida, a ella la
pueden bajar en un santiamén al valle en carro cuando los re-
305 soplidos de su respiración empiezan a hacerle daño.

　　Sus paseos favoritos, a la plaza y a la mercantil, también
se han acabado. Hace días que el Ama Chica sale a hacer las
compras sola. Jimena ha gritado tanto encerrada en el ar-
mario empotrado donde la castigan por contestona,° que to- **encerrada...** *from the*
310 davía cuando se acuerda, la garganta le raspa y el pecho se le *built-in closet, where*
vuelve pesado. Ha escuchado detrás de la puerta del baño que *they locked her up for*
la madre ha querido interceder en su favor, que por eso justa- *answering back*
mente trajeron a María Ester de la hacienda, porque es joven
y fuerte, pero el padre, inclemente, ha dicho que más vale
315 prevenir que remediar. Desde la ventana de la sala, a un

costado de la puerta de la entrada principal, Jimena mira el
camino prohibido, las gradas en las que nunca le han permitido sentarse sola porque cruzando la pista están los barrotes
entre los cuales ella tan fácilmente podría pasarse; más allá
320 de los barrotes está el precipicio y abajo, el Mantaro.° río del Perú
Cuando al Ama Grande no le dolían tanto las rodillas y hacía
el mercado, la llevaba a la plaza por el otro lado para no ver
el río. Salían por la puerta del patio y andaban por el descampado pegándose muy cerca a las casas de los vecinos, casas
325 de la compañía, todas idénticas a la suya, con verjas blancas
y algunos columpios traídos del extranjero. Con el Ama
Chica fue diferente, con ella salieron por el lado del río y
pese a las instrucciones terminantes de la madre, se aproxi-
maron a los barrotes de hierro para mirar abajo.

330 —¡Qué feo!—, dijo la primera vez el Ama Chica.

A Jimena le parece hermoso. La corriente mueve sus
aguas rápidamente y aun cuando llegan ellas caminando al
puente, el río sigue de largo a la derecha y a la izquierda y se
pierde a lo lejos, donde ella ya no puede ver. El rumor del
335 agua, su deslizarse continuo, sus confines remotos, le hacen
pensar en el tren. Jimena está acostumbrada a su olor, pero el
Ama Chica dice que apesta, se tapa la nariz y le muestra
apuntando con el dedo la espuma amarilla y grasienta que
forma islas que se diluyen para volverse a formar un poco
340 más allá. En el valle, cuenta, el río es limpio y una se puede
acercar hasta ver peces pequeñísimos y plateados que saben
esconderse bajo el musgo de las rocas. Allí beben el agua, allí
se lavan el pelo con la goma que sueltan unas ranitas de colores, allí juegan las chicas en el valle mientras lavan la ropa,
345 allí se empapan como en Carnavales.° El cielo azul del valle *Carnival season (the*
le hinca el recuerdo y entonces la interrumpe para decirle que *period immediately*
todo eso es mentira, que es un cuento y nada más. Jimena no *preceding Lent)*
sabe por qué, pero siente que debe defender ese río que oye

temblar allí abajo las pocas veces que tienen las ventanas
350   abiertas en la casa.

◆◆◆

Han postergado° por segunda vez el viaje al valle. La     *put off*
madre ha abierto la puerta de la despensa adonde han
trasladado el teléfono, tal vez para que ella no importune
cuando hablan. Tiene la cara muy pálida. Se sienta a la mesa
355   del comedor y casi ni tiene fuerzas para llamar al Ama
Grande. Jimena corre a buscarla al patio donde está ten-
diendo ropa con el Ama Chica y la anciana viene rezongando
un Ave entre dientes. Encuentran a la madre que tiene la
cabeza entre los brazos reclinados sobre el mantel de hilo y
360   que solloza ahogándose. El Ama Grande ordena de la otra un
vaso de agua y se deja abrazar el regazo al tanto que le acari-
cia el cabello. La consuela en quechua, pero Jimena procura
no entender, se concentra en los diseños que las rosas de cro-
chet han dejado marcadas en la parte interior del brazo de la
365   madre. Cuando ya no puede más se va al baño y se encierra
hasta que le pase la debilidad de las piernas y la vergüenza o
el pudor que le queman las mejillas y le silban en el pecho.

Un rato más tarde, durante su merienda en la cocina, en
medio del silencio en el cual puede oír lo que mastica a pesar
370   de sus intentos por evitarlo, repara en el Ama Grande. Ha en-
vejecido aún más en esa tarde. Jimena se fija, como si fuera
la primera vez que la mirara, en sus trenzas grises y ralas°     *thin*
sobre la chompa° azul, en su cuello casi morado, lleno de     *suéter*
pliegues sueltos, en sus pómulos° altos y suaves que descien-     *cheekbones*
375   den a las bolsas de las mejillas, esas mejillas que ella siempre
ha visto tersas y que ahora se inflan y se desinflan al compás
de su respiración. No quiere observarla así. Quiere ella también refugiarse junto a su mandil, a su tenue y todavía olor a
valle, a silvestre, a eucaliptos. La detienen, sin embargo, los

380 lagrimones que ve por primera vez en su cara y que caen como desprendidos de esas nubecillas que en los ojos la están dejando ciega.

◆◆◆

Está despierta aunque ha fingido lo contrario hace unos minutos cuando la madre se ha acercado a su cuarto a 385 arroparla. La han despertado unas detonaciones que se oyen del lado del puente. Durante las últimas noches la madre viene mucho a su pieza a cuidarla como si estuviera enferma. Luego se regresa de puntillas a su cama y porque ahora dejan las puertas del baño que separan ambos dormitorios abiertas, 390 Jimena oye trozos de lo que ellos comentan. Escucha *Lima, refuerzos, amenazas, incendio, campamento, la hacienda, carretera, no quiero dejarte, tienes horror, hasta con niños.* Ya no quiere oír más. Se cubre la cabeza con las frazadas, se tapa los oídos con los dedos. El tren hace días que pasa a 395 deshora,° se ha olvidado casi de esperarlo para que su ritmo la meza.° No puede tampoco hacer que aparezcan las figuritas en las paredes como cuando juega en la oscuridad con los ojos porque tendría que sacar la cabeza de las frazadas y ver afuera. Se esfuerza por recordar las fotos del álbum, una a 400 una y en el orden en que aparecen en las páginas negras. Recobra ciertos lugares, ciertas personas del valle, el Ama Grande y ella en diferentes piezas de esta casa, amigos suyos y de los padres que reconoce a pesar de los cambios del tiempo, ocasiones festivas de la familia o reuniones con los 405 de la compañía. La consuelan sobre todo las sonrisas de antes, los ojos del padre que en las fotos rara vez miran a la cámara, sino que contemplan serenos a la madre. Esta noche las imágenes le duelen y entonces, absorbiendo la tibieza de su cuerpo trata de adormecerse y pensar en la feria color 410 naranja más allá del descampado.

**a...** *off-schedule rocks (to sleep)*

Por la mañana se porta muy mal con el Ama Chica. No quiere oír sus cuentos. No quiere que juntas vean las láminas de la enciclopedia. No quiere aprender con ella el deletreo del silabario.° No quiere ayudarla a limpiar los zócalos. No

**el deletreo...** *the spelling lesson*

415   quiere que crea que la prefiere al Ama Grande que se va achicando a cada hora y que se va convirtiendo en una grotesca muñeca de palo. María Ester, quien ahora insiste en llamarse sólo así, recibe los desaires sin una palabra. Ya no se ríe de todo y canturrea tonadas nostálgicas con una voz tan leve que

420   apenas si le llegan a la distancia de dos sillas. Al secarle el jugo que se le ha derramado sobre el vestido, sin embargo, le dice con un rencor mal contenido:

—Para que sepas. Se están robando a los hijos de los jefes.

425   Jimena se sobresalta sin hacerlo notar. Se aleja dándole un empellón° y le grita desde la falda del Ama Grande:

*push*

—¡Mentirosa! Son sólo cuentos, sólo tus cuentos...

♦♦♦

La madre ha tenido que salir de urgencia para hacer unos arreglos que precisa el viaje. Jimena se aburre y le abruma el

430   desorden de las cajas, los paquetes, los envoltorios de la mudanza. Se irán a la hacienda y después a Lima. María Ester está parada en una silla sacando la ropa, los colgadores, los sombreros, las flores artificiales, las cartas atadas con cinta celeste y que tienen un ligero olor a gardenia, todo lo del ar-

435   mario empotrado en el dormitorio de los padres. El Ama Grande no tiene fuerzas para cargar, pero es la que decide adónde van las cosas. Jimena quiere curiosear y ayudar al mismo tiempo aunque casi no insiste, las dos están muy gruñonas° y no le hacen caso, más bien la tratan como a un

*grumpy*

440   zancudo° molestoso. Le ordenan que se vaya a la cocina a

*mosquito*

comer un pan con miel. Han enrollado las alfombras y las
rayas del piso de madera le recuerdan los rieles. Tal vez sea
la hora del tren. En todo caso prefiere no preguntar porque
piensa que la requintarán° de nuevo. Separa las cortinas de

*snap at*

445   motas amarillas para ver afuera impacientándose de que el
ángulo no sea bueno para mirar donde quiere. Con cuidado
cierra la puerta que da al comedor y abre la del servicio, la
que da al descampado.

      Hace muchísimo que no le permiten sentarse en las
450   gradas y ahora que las dos están ocupadas no se darán cuenta
de su ausencia. Se acomoda el vestido bajo las piernas para
que no le penetre el frío del cemento. El silencio es casi total,
sólo oye un ruido metálico como el que hacen los avisos del
cruce del tren por el lado del puente. Al principio cree que es
455   su propio deseo el que le hace ver, allá lejos, más lejos de
donde están los rieles imaginados, la feria, la ciudad anaran-
jada que se alza frente a sus ojos. Voltea la cabeza para asegurarse que no la han visto y se dirige a la verja. De allí no se
ve tan bien como de la grada alta, pero las torres de los casti-
460   llos, los globos desprendidos están levantándose en multitud
por el espacio. Hay un instante en el que duda si debe llamar
a las amas y así se convenzan de que no ha mentido, pero el
recuerdo de la primera experiencia, de la desaparición de la
feria cuando quiso tener un testigo le hacen cambiar de pare-
465   cer. Además hay en el aire un olor cálido, como el de la
chimenea en las noches de invierno, y este olor la magnetiza,
le hace olvidar del todo la posibilidad de llamarlas para que
ellas también vean. Va hacia la puerta de la verja, se trepa
hasta alcanzar el gancho y lo hace saltar procurando no hacer
470   ruido. Queda meciéndose, contando el graznido escandaloso
de los goznes que la pueden delatar.° Antes de bajarse completamente, con la punta del zapato charolado en la tierra, se
vuelve otra vez para ver si vienen. No se oye nada de la casa
y no le resulta difícil entrecerrar la puerta de la verja y dar

**Queda...** *She stays
there, swinging,
considering the loud
squeaking of the
hinges that could give
her away.*

475 unos pasos adelante en el descampado. Cuanto más se aleja de la verja más se intensifica el calor y los colores son tan fuertes que le hacen daño a los ojos como cuando en el valle trata de mirar de frente el sol y no lo logra. Tiene en un comienzo miedo a que la llamen, que la jalen dentro de las

480 rejas blancas. Luego, sin temor, afiebrada de globos y de torres, mareada por el espacio, por la expectativa, por el color naranja que ahora tiene a veces ligeros tintes azules, se echa a correr a la feria sin volverse una sola vez hacia atrás.

## PREGUNTAS

1. ¿Qué relación existe entre Jimena y el Ama Grande? ¿Entre el Ama Grande y el resto de la familia?
2. ¿En qué sentido es la casa una prisión para Jimena? ¿Por qué cree usted que cuidan tanto a esta niña?
3. ¿Qué escape inventa? ¿Qué es la feria de Jimena? ¿Por qué la puede ver sólo ella?
4. ¿Por qué ha traído la madre al Ama Chica?
5. ¿Cómo logra María Ester ganarle la amistad a Jimena?
6. ¿Qué tipo de niña es Jimena?
7. ¿Qué representa para ella el campamento? ¿Qué representa para sus padres?
8. Describa el papel del quechua en esta familia.
9. ¿Qué relación existe entre esta familia y la comunidad indígena? ¿entre esta familia y la comunidad extranjera?
10. ¿Por qué cambia la actitud del hijo de don Sebastián hacia Jimena?
11. ¿Cómo sabemos que la familia está en peligro? ¿Qué situación política se vislumbra?
12. ¿Por qué no le prestan atención a Jimena su madre y las criadas? ¿Por qué se escapa Jimena de la casa?

## ANALISIS

1. Estudie el uso del presente en el cuento *La feria de Jimena.* ¿Por qué narra la autora esta historia en el presente?
2. ¿Cómo imbuye la narración de mayor dramatismo?
3. ¿Cómo ayuda a comunicar la perspectiva infantil de la protagonista? ¿Cómo ven los niños la realidad? ¿Tienen una idea clara del pasado y el futuro o tienden a vivir en el momento actual?

4. Divida el cuento en movimientos o secciones y describa qué sucede en cada uno de ellos.

# Composición

## COMO SE NARRA UNA HISTORIA (EN EL PRESENTE)

1. El enfoque de una narración es la acción. Cuenta una historia, relatando una secuencia de hechos.
2. El presente se emplea:
   a. para narrar una historia que tiene lugar en el presente.

   El número 27 avanza, mira a la derecha y a la izquierda, finge que va a pasar la pelota al número 33 y, de repente, le pega una tremenda patada y mete un gol.

   b. para imbuir de mayor dramatismo una historia que tuvo lugar en el pasado.

   En ese momento el ladrón se acerca a la casa sigilosamente. Mira por la ventana. Ve una computadora, una impresora láser, un FAX y un estéreo. Piensa haber descubierto la casa de sus sueños. ¡Después de este robo podrá jubilarse! Prueba la ventana para ver si está abierta. ¡Aleluya! Al tonto del dueño se le ha olvidado echarle llave. El ladrón empuja ciudadosamente contra el marco. Y entonces, de repente, alguien prende una luz.

   c. para relatar un hecho histórico con mayor dramatismo.

   Hernán Cortés nace en Medellín, en 1485. Después de haber cursado estudios en Salamanca, embarca hacia las Indias y se establece en La Española (actualmente la República Dominicana y Haití). Participa en la conquista de Cuba, junto con Diego Velázquez, quien le confía una expedición a México. Tras una disputa con Velázquez, Cortés parte por su cuenta a México en 1518, tocando tierra primero en Cozumel y más tarde en Tabasco.

## ANTES DE ESCRIBIR

1. Decida desde qué perspectiva va a relatar su historia. (¿Quién es el narrador?)
2. Organice su material. (¿En qué orden va usted a relatar los hechos?) Los siguientes términos le ayudarán a ordenar los sucesos: **a partir de, ahora que, al cabo de, al (día, año) siguiente, al final, al mismo tiempo, al principio, antes de/que, cuando, cuanto antes, después de/que, durante, en aquel entonces, en cuanto, entonces, finalmente, luego, luego/que, mientras, mientras tanto, por fin, tan pronto como, ya, ya que.**
3. Identifique las partes principales: introducción (presentación de la situación), exposición (complicación que mete en marcha la acción, obligando a los personajes a reaccionar), clímax, desenlace (resolución del problema).
4. Decida qué tono tendrá su narración (misterio, suspenso, humor, etc.).
5. Haga una lista de palabras claves.

1. Examine los verbos. (¿Concuerdan con el sujeto? ¿Es correcto el tiempo verbal?)
2. Examine los adjetivos. (¿Concuerdan con los substantivos que modifican?)
3. Examine la ortografía, en particular, los acentos.

# EJERCICIOS DE COMPOSICION

1. Escriba un resumen en el presente de *La feria de Jimena.*
   a. Identifique la introducción, la exposición y el desenlace del cuento original.
   b. Haga una lista de los hechos más importantes. No olvide que el enfoque de la narración es la acción.
   c. Repase su lista, eliminando los hechos menos importantes.
   d. Haga una lista de palabras claves que usted quiere incluir en su narración.
   e. Escriba su resumen, incluyendo algunas de las expresiones mencionadas arriba para darle fluidez a la narración.
2. Narre en el presente algún acontecimiento interesante que le sucedió a usted.
3. Narre algún acontecimiento histórico, empleando el presente para darle mayor dramatismo a su prosa.

# El transporte

## El transporte

1. la bicicleta
2. el manubrio
3. el puño
4. el freno
5. el freno de mano
6. el faro, el foco
7. el asiento
8. el pedal
9. la rueda
10. la cadena
11. la motoneta
12. el coche, el auto, el carro

13. el volante, la bocina
14. el cinturón de seguridad
15. el parabrisas
16. el limpia-parabrisas
17. el baúl, el maletero, el portamaletas
18. la luz trasera
19. la luz delantera
20. el capó
21. el motor

22. el parachoques
23. la rueda
24. la llanta, el neumático
25. los faros, los focos
26. el tubo de escape
27. el chofer
28. el camión
29. la peatona, el peatón

**VOCABULARIO ADICIONAL:**

**1.** el triciclo   **2.** la motocicleta (la moto)   **3.** el auto (coche, carro) deportivo
**4.** el sedán   **5.** la limusina   **6.** el interruptor del encendido   **7.** el acelerador
**8.** el freno, el freno de mano   **9.** los cambios de velocidades   **10.** el cambio automático
**11.** el velocímetro   **12.** la guantera   **13.** la patente, la licencia, los signos de identifi-
cación   **14.** el chasis, la carrocería   **15.** el tubo de agua   **16.** el resorte
**17.** los amortiguadores   **18.** el silenciador, el mofle   **19.** el convertible, el (coche)
descapotable   **20.** la capota plegable   **21.** la camioneta   **22.** el tranvía
**23.** el metro   **24.** el taxi   **25.** el autobús

**ADDITIONAL VOCABULARY:**

**1.** tricycle   **2.** motorcycle   **3.** sportscar   **4.** sedan   **5.** limousine   **6.** starter switch
**7.** the accelerator (pedal)   **8.** brake, handbrake   **9.** gearshift   **10.** automatic shift
**11.** speedometer   **12.** glove compartment   **13.** driver's license   **14.** chasis, body
**15.** water hose   **16.** spring   **17.** shock absorbers   **18.** muffler   **19.** convertible
**20.** convertible top   **21.** station wagon   **22.** streetcar   **23.** subway   **24.** taxi   **25.** bus

# El ferrocarril

| | | |
|---|---|---|
| **1.** el tren | **4.** la locomotora | **7.** el maquinista |
| **2.** el muelle | **5.** los rieles | **8.** el inspector, el |
| **3.** la parada | **6.** el vagón | boletero |

VOCABULARIO ADICIONAL:
**1.** el compartimiento de fumadores    **2.** el compartimiento de no fumadores
**3.** el billete, el boleto, el pasaje (de ida y vuelta)    **4.** el coche-cama    **5.** el coche-restaurante, el coche-comedor

# El puerto

| | | |
|---|---|---|
| **1.** el barco | **3.** el buque de | **4.** la lancha |
| **2.** el barco de vela | vapor, el vapor | |

VOCABULARIO ADICIONAL:
**1.** el transatlántico    **2.** la carabela

ADDITIONAL VOCABULARY:
**1.** smoking compartment or car    **2.** non-smoking compartment or car    **3.** (round-trip) ticket
**4.** sleeping car    **5.** dining car

ADDITIONAL VOCABULARY:
**1.** transatlantic steamer    **2.** caravel

# El aeropuerto

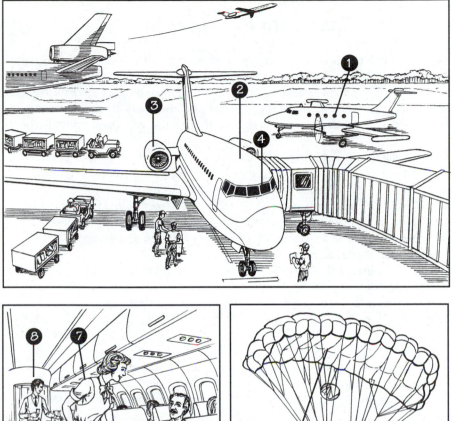

1. el avión de hélice
2. el avión de reacción, de reactor, de chorro; el jet
3. el reactor, el motor de reacción
4. la cabina del piloto
5. los asientos
6. el cinturón de seguridad
7. la azafata, la hostess, la aeromoza
8. el auxiliar de vuelo, el aeromozo
9. el paracaídas

**VOCABULARIO ADICIONAL:**
1. el tablero de instrumentos    2. la brújula    3. la nave espacial, el cohete

**ADDITIONAL VOCABULARY:**
1. instrument panel    2. compass    3. rocket, missile

# Este auto es una lata

Mire usted, señor. Necesito que me arregle este auto. Le juro que yo no me voy de aquí hasta que usted me asegure que va a arreglarlo bien. Quiero que usted sepa que ésta es la quinta vez que estoy aquí este mes. Usted siempre promete dejármelo en perfectas condiciones y de hecho, después de que usted lo repara el auto funciona a
5   las mil maravillas durante dos o tres días, pero luego empieza a darme problemas otra vez.

Escuche, por favor. Voy a explicarle exactamente lo que pasa. Para empezar, el motor hace toda clase de sonidos. Levante el capó, por favor. Ahora, vea usted... ¿Cómo? Perdone usted, mi hijito quiere decirme algo... ¿Qué pasa, hijo? Por favor,
10   no me molestes mientras hablo con el señor. ¿No ves que estoy tratando de explicarle que tengo un problema con el auto? ¿Qué dices? ¿Que tienes que ir al baño? Bueno, ven acá y pídele la llave al señor. Dile «Por favor, señor, présteme la llave». Muy bien, y no te olvides de lavarte las manos cuando termines.

Bueno, como estaba diciéndole, el motor hace un montón de sonidos y temo
15   que los amortiguadores tampoco estén funcionando bien. Otra cosa, estos neumáticos ya no sirven. Esta llanta está muy gastada. Tengo una llanta de repuesto en el baúl pero tampoco está en muy buenas condiciones porque tuve que usarla cuando fui a esquiar durante el invierno y... Perdón... ¿Cómo? ¿Ya saliste, hijo? Bueno, entonces siéntate y estate tranquilo hasta que yo me desocupe aquí. Por favor, hijito,
20   no metas bulla porque tengo que explicarle algunas cosas al señor.

Ahora, quiero pedirle que me haga un favor. Cuando termine de arreglarme el motor y los amortiguadores, ¿podría echarles un vistazo a las llantas? Si le parece que ya están muy viejas, cámbiemelas. Y también necesito que revise los frenos, ¿sabe? porque aunque me parece que están bien, me da miedo que en cualquier
25   momento se echen a perder. Con los frenos no hay que jugar, ¿eh? especialmente cuando uno anda con niños.

¿Qué dices, hijo? Mira, te he dicho varias veces que no me interrumpas. Y por favor, deja de sacar las cosas de la guantera. ¿Qué estás buscando? ¿Dulces? Bueno, abre esa bolsa y encontrarás caramelos pero no comas demasiados porque ya vamos
30   a volver a casa a comer.

A ver... ¿Qué decía? Ah sí, los frenos. Y una cosita más, ya que estoy aquí. Necesito que cambie este foco porque está quebrado. Y ¿sabe? el parachoques está un poco hundido pero supongo que usted no puede arreglar eso. Ahora bien, los limpiaparabrisas funcionan bien, pero cuando los apago, siguen funcionando. Es
35   absurdo. A veces ha dejado de llover pero yo no puedo hacer que mis limpiaparabrisas dejen de andar.

Mire usted, señor, este auto es una lata terrible. Me encantaría venderlo. Quiero comprarme otro, ¿sabe? Uno nuevo. Uno que no me dé problemas. Uno que tenga esos nuevos frenos de disco, que no tenga una bocina que suena cada vez que se le
40   da la gana, que no tenga la pintura rayada. Uno de ésos que anuncian en la radio. Un auto deportivo, tal vez. Un convertible. Un auto fabuloso como ése que tiene James Bond. O, mejor todavía, una limusina con chofer y todo.

Bueno, ¿para qué soñar? Aunque para decirle la verdad, a veces creo que me gustaría más andar en una carreta con dos caballos en vez de este auto. A veces

45  tomo el bus para no tener que manejar. Es la pura verdad, se lo aseguro. Tomaría un
    taxi, pero es muy caro.

    ¿Cómo? Sí, hijito, ya sé que estás muy aburrido. Ya nos vamos. Bájate del auto
    y dame la mano.

    Muy bien, señor, creo que eso es todo. Pero antes de que me vaya, tenga la
50  bondad de calcular exactamente cuánto me va a costar todo este trabajo. Y préstame
    su teléfono, por favor. Tengo que llamar a mi amigo para que venga a buscarnos y
    nos lleve a casa. Porque este pobre niño está cansadísimo. Ay, señor, ojalá que ésta
    sea la última vez que tengo que traer mi auto al taller este año. Le aseguro, señor,
    que este auto es una lata.

# Para enriquecer su vocabulario

Ciertos substantivos se componen de dos nombres o de una forma verbal y un
nombre.

parabrisas = para (del verbo **parar**) + brisas

limpiaparabrisas = limpia (del verbo **limpiar**) + parabrisas

portamaletas = porta (del verbo **portar**) + maletas

parachoques = para (del verbo **parar**) + choques

paracaídas = para (del verbo **parar**) + caídas

ferrocarril = ferro (forma antigua de **hierro**) + carril

autobús = auto + bus

La mayoría de los substantivos compuestos forman el plural sólo en la segunda
palabra.

ferrocarril → ferrocarriles

autobús → autobuses

Los substantivos, compuestos o no, que terminan en **s** son invariables para el plural.

el parabrisas → los parabrisas          el martes → los martes

el portamaletas → los portamaletas      la crisis → las crisis

Algunos pocos substantivos compuestos forman el plural en sus dos partes.

el gentilhombre → los gentileshombres

## EJERCICIOS

**A.  Complete las siguientes frases, empleando la palabra que está entre
paréntesis.**

MODELO    (limpiaparabrisas) Espero que no empiece a llover porque

_____ .

**Espero que no empiece a llover porque mis limpiaparabrisas no
funcionan bien.**

1. (motoneta) No tengo un auto pero _____.

2. (baúl) Tengo muchas maletas pero por suerte _____.

3. (cinturón de seguridad) Cuando se sube a un auto, siempre _____.

4. (auto deportivo) Tengo un sedán pero _____.

5. (aeromozo/aeromoza) Siempre me enfermo en los aviones y por eso

   _____.

6. (asientos) No me gustan los autos deportivos porque _____.

7. (vagón) Cuando viajo en tren siempre _____.

8. (bocina) Ven a buscarme a las ocho pero _____.

9. (freno de mano) No puedo montar en esta bicicleta porque _____.

10. (transatlántico) Este verano vamos a Europa y _____.

## B. Emplee las dos palabras en una frase.

> MODELO    reactor / jet
> **El reactor es el medio de propulsión de un jet.**

1. parachoques / accidente          5. avión / paracaídas
2. luna / nave espacial              6. azafata / avión
3. cadena / bicicleta                7. cinturón de seguridad / accidente
4. rueda / neumático                 8. guantera / auto

## C. Temas de conversación

1. Invente un contexto para la lectura «Este auto es una lata». ¿Habla un hombre o una mujer? ¿Qué tipo de persona es? ¿En qué tipo de barrio se encuentra el servicentro?

2. Invente un diálogo en que hablen el mecánico y el niño, además de la persona que se queja de su auto.

3. Describa su auto o el de un amigo. ¿Es una lata? ¿Por qué?

4. ¿Qué modo de transporte prefiere usted? ¿Por qué?

5. Explique para qué sirven las siguientes partes del auto: el volante, la bocina, el cinturón de seguridad, los frenos, los amortiguadores.

## D. Pro y contra: temas de debate

1. Los autos son una amenaza a la salud pública.

2. Hoy en día los trenes ya no sirven; el avión es el medio de transporte más barato y seguro.

3. Los autos norteamericanos son mejores que los extranjeros.

4. Viajar en barco es muy romántico pero no es práctico hoy en día.

5. Las mujeres manejan mejor que los hombres y por lo tanto deben pagar menos por su seguro de auto.

**E. Situaciones: represente las siguientes escenas con un compañero de clase.**

1. Su esposo/a necesita llegar al trabajo y usted tiene una cita importantísima, pero su auto no arranca, los taxistas están en huelga, ningún bus pasa por su calle y su teléfono está descompuesto.

2. Usted acaba de comprar un nuevo auto y descubre que la luz trasera no funciona, la guantera no se abre, la bocina no deja de sonar y los limpiaparabrisas están descompuestos. Usted quiere devolver este auto pero el vendedor le dice que es demasiado tarde.

3. Usted llega al aeropuerto y se da cuenta de que se le ha quedado en casa su boleto. El avión parte en quince minutos. Trate de convencer al agente de que lo/la deje subirse al avión.

4. Su tía sugiere que va a regalarle una bicicleta para su cumpleaños. Trate de hacerle entender que lo que usted quiere realmente es un auto deportivo.

# GRAMATICA
## *El modo imperativo*

### Formas y usos del modo imperativo

1. El imperativo se emplea para ordenar, mandar o rogar. Se usa en oraciones principales y principalmente en la segunda persona (tú, vosotros, usted, ustedes). Sigue un resumen de las formas imperativas:

| OLVIDAR | | |
|---|---|---|
| | AFIRMATIVO | NEGATIVO |
| **tú** | olvida | no olvides |
| **vosotros** | olvidad | no olvidéis |
| **usted** | olvide | no olvide |
| **ustedes** | olviden | no olviden |

| DECIR | | |
|---|---|---|
| | AFIRMATIVO | NEGATIVO |
| **tú** | di | no digas |
| **vosotros** | decid | no digáis |
| **usted** | diga | no diga |
| **ustedes** | digan | no digan |

2. En la oración afirmativa, el imperativo de la segunda persona familiar del singular (tú) es idéntico a la forma indicativa de la tercera persona del singular (él).

| INDICATIVO | IMPERATIVO |
|---|---|
| El niño **deja** de sacar las cosas de la guantera. | Por favor, hijo, **deja** de sacar las cosas de la guantera. |
| Juanito **abre** la bolsa. | Juanito, **abre** la bolsa. |

3. Los siguientes verbos tienen una forma imperativa irregular en la segunda persona familiar del singular:

| INFINITIVO | IMPERATIVO |
|---|---|
| decir | di |
| hacer | haz |
| ir | ve |
| poner | pon |
| salir | sal |
| ser | sé |
| tener | ten |
| venir | ven |

4. En oraciones afirmativas, el imperativo de la segunda persona del plural (vosotros) sustituye una **-d** por la **-r** del infinitivo. (Recuerde que **vosotros** se emplea en España, pero generalmente no en Latinoamérica.)

| | |
|---|---|
| Cerrad la puerta y abrid el baúl. | *Close the door and open the trunk.* |
| Vended la bicicleta y comprad una motoneta. | *Sell the bicycle and buy a motor scooter.* |

En la conversación, a veces el infinitivo se emplea en vez del imperativo de la segunda persona del plural: comer = comed; gozar = gozad.

5. En oraciones negativas, el imperativo es idéntico al subjuntivo. (Para verbos de la primera conjugación, termina en **-es, -éis.** Para verbos de la segunda o tercera conjugación, termina en **-as, -áis.**)

| | |
|---|---|
| Por favor, hijo, no me molestes. | *Please, son, don't bother me.* |
| Por favor, hijos, no me molestéis. | *Please, children, don't bother me.* |
| No comas demasiados dulces. | *Don't eat too much candy.* |
| No comáis demasiados dulces. | *Don't eat too much candy.* |

**6.** Los imperativos formales (usted, ustedes) son formas subjuntivas. Se usa la misma forma del imperativo en las oraciones negativas que en las afirmativas. Los siguientes verbos tienen formas irregulares:

| INFINITIVO | IMPERATIVO |
|------------|------------|
| dar | dé |
| estar | esté |
| saber | sepa |
| ser | sea |
| ir | vaya |

| | |
|---|---|
| Levante usted el capó, por favor. | *Lift the hood, please.* |
| No digan ustedes nada. | *Don't say anything.* |
| Vaya al servicentro y hable con el mecánico. | *Go to the service station and talk to the mechanic.* |

**7.** Con el imperativo afirmativo, uno o más clíticos van añadidos y pospuestos a la forma verbal. En la segunda persona del plural familiar, el verbo pierde la **-d** antes de **-os.** (La excepción a esta regla es **ir:** idos.) En oraciones negativas, se colocan antes de la forma verbal imperativa y se escriben separadamente.

| AFIRMATIVO | NEGATIVO |
|------------|----------|
| Pídele la llave al señor. | No le pidas la llave al señor. |
| Bájate del auto. | No te bajes del auto. |
| Démelo inmediatamente. | No me lo dé inmediatamente. |
| Leedlo ahora. | No lo leáis ahora. |
| Lávense las manos. | No se laven las manos. |
| Acostaos, chicos. | No os acostéis, chicos. |

Nótese que el imperativo a menudo requiere un acento escrito cuando se le agrega un clítico.

## PRACTIQUEMOS

**A. Complete cada frase con una forma imperativa y cualquier otra palabra que sea necesaria.**

1. Bájese del auto, Sr. Sánchez, y tú también Pedro, _____.

2. Tráeme un regalo, María, y ustedes también, _____.

3. Vete ahora, hijito, y vosotros también, _____.

4. Echale un vistazo a las llantas, Juan, y usted también, señor, _____.

5. Dímelo ahora mismo, Mario, y ustedes también, _____.

6. Estén aquí a las cinco y usted también, señorita, _____.

7. Explícamelo todo, Juanita, y ustedes también, _____.

8. Abróchate el cinturón de seguridad, hijo, y ustedes también, _____.

9. Tome el autobús, Sr. Campos, y tú también, Fernando, _____.

10. Maneja con cuidado, Enrique, y vosotros también, _____.

11. Hazlo ahora, hijita, y ustedes también, niñas, _____.

12. Ponga sus cosas aquí, Sr. Gil, y tú también, Héctor _____.

### B. Cambie las siguientes oraciones a la forma negativa.

1. Levante usted el capó, por favor.

2. Abróchense el cinturón de seguridad.

3. Ve con ellos en el metro.

4. Llegad antes de las siete, por favor.

5. Sé bueno y di la verdad.

6. Llámame y ven a verme.

7. Pídale las llaves, señor.

### C. Empleando un imperativo, reaccione a las siguientes situaciones.

1. Hace tres días que el mecánico le dice que su auto estará listo «mañana». Usted necesita ir a una reunión importante y no puede llegar sin su auto. ¿Qué le dice usted al mecánico?

2. Usted acaba de subir a un taxi, pero parece que el chofer no sabe llegar a la calle que usted le ha nombrado. ¿Qué le dice al chofer?

3. Su amigo/a quiere dar una fiesta y le pregunta a usted a quién invitar y qué preparar.

4. Usted necesita estudiar y su compañero/a de cuarto tiene el tocacasetes puesto, habla por teléfono y ha invitado a su hermanito/a a pasar la noche.

 **Equivalentes de Let's . . .**

**1.** Para expresar oraciones con *let's*, se emplea la forma de la primera persona del plural del modo subjuntivo. Las mismas normas que gobiernan el uso del clítico con otras formas imperativas también gobiernan su uso en la primera persona del plural. (Véanse la página 53.) En construcciones reflexivas, esta forma pierde la **-s** final.

| | |
|---|---|
| Tomemos un taxi. | *Let's take a taxi.* |
| Hagámoslo ahora. | *Let's do it now.* |

No le digamos nada.                 *Let's not tell him anything.*

Sentémonos aquí.                    *Let's sit here.*

La traducción de *Let's go* es **Vámonos.** En oraciones negativas, la posición del clítico es igual a la que se da en los otros imperativos negativos: **No nos vayamos.**

**2. Ir + a +** el infinitivo también expresa *let's* . . .

Vamos a tomar un taxi.             *Let's take a taxi.*

Vamos a sentarnos aquí.            *Let's sit here.*

---

## PRACTIQUEMOS

**A.  Conteste con una forma imperativa en la primera persona del plural.**

1.  ¿Quieres tomar un taxi o vamos en autobús?
2.  ¿Volvemos ahora o nos quedamos aquí un rato más?
3.  ¿Viajamos en avión o prefieres viajar en barco esta vez?
4.  ¿Llamamos a la azafata y le pedimos un par de revistas o vamos a ver el tablero de instrumentos?
5.  ¿Compramos un billete de ida y vuelta, o no?
6.  ¿Quieres tratar de arreglar el auto o arrendamos otro?

**B.  Complete el siguiente diálogo empleando el imperativo de la primera persona del plural del verbo que está entre paréntesis y cualquier otra palabra que sea necesaria.**

> MODELO   ¿Qué quieres hacer hoy?
>
> (dar / paseo) **Demos un paseo por el centro.**

¿Quieres ir en auto o vamos a pie?

(tomar / tranvía) _____

Podemos almorzar en ese pequeño restaurante argentino, si quieres.

(sí / almorzar) _____

Podríamos comer un biftek con papas fritas, ¿qué te parece?

(no / comer / otra cosa) _____

Sería agradable visitar a la tía Ester después.

(no / no visitarla) _____

A mí me gustaría comprarle un regalo a Carmen, ya que vamos a estar en el centro.

(comprarle / regalo) _____

Entonces, tendremos que volver porque los dos tenemos clase mañana.

(volver / temprano) _____

## El subjuntivo (I)

### Ojalá

1. Las formas del subjuntivo se encuentran en el Apéndice.

2. **Ojalá** es una interjección que expresa un deseo fuerte. Proviene del árabe, de la época en que los moros ocupaban una porción de España. Es una combinación de la interjección **Oh** y **Alá,** el nombre que los árabes dan a Dios (Oh Alá quiera que...). **Ojalá** siempre se usa con el subjuntivo. La conjunción **que** puede incluirse u omitirse. Cuando **ojalá** está seguido del *presente* del subjuntivo, significa aproxi-madamente lo mismo que «Espero que...»

Ojalá (que) consigamos billetes de ida y vuelta.  *I hope we get round-trip tickets.*

Ojalá (que) el coche-restaurante esté abierto.  *I hope the dining car is open.*

---

### PRACTIQUEMOS

**A. Complete la oración con el presente del subjuntivo del verbo que está entre paréntesis y cualquier otra palabra que sea necesaria.**

1. (llover) Queremos hacer un pícnic este fin de semana. Ojalá que *no llueva.*

2. (llegar) Estamos atrasados. Ojalá que el autobús *llegue pronto.*

3. (saber) Este avión está moviéndose mucho. Ojalá que el piloto *sepa a conducirlo.*

4. (decir) Voy a llevar a arreglar mi auto esta tarde. Ojalá que el mecánico *me diga que él pueda arreglarlo.*

5. (estar) Creo que ese policía está siguiéndome. Ojalá que mi licencia *esté en mi coche.*

6. (conseguir) Queremos ir a España este verano. Ojalá que *consigamos billetes.*

7. (dar) Necesito pagar un montón de cosas. Ojalá que mi papá *me dé ayuda.*

8. (ir) No hay nada que comer en este departamento. Ojalá que mis compañeros *se vayan.*

**B. Empleando *ojalá*, responda con una oración original.**

1. Va a haber un examen en la clase de español mañana. *Ojalá que no haya*

2. Acabo de comprar un auto nuevo. *Ojalá que se funciona bién.*

3. El mecánico dice que este parachoques ya no sirve. *Ojalá que el pueda arreglarlo* (bumper)

4. Elena va a dar una fiesta fantástica. *Ojalá que mucha gente venga.*

5. Las clases comienzan la semana que viene y aún no encontramos un departamento. (apartamento / piso) *Ojalá que encontremos un departmento.*

6. El Sr. Colón le ha dicho a la reina que ha encontrado una nueva ruta a las Indias. *Ojalá que la reina no le crepra.*

**El subjuntivo en cláusulas nominales**

1. Una cláusula nominal ocupa el mismo lugar en la oración que un substantivo.

| | |
|---|---|
| Quiero **un auto nuevo.** | Quiero **que levante el capó.** |
| Prefiero **la camioneta roja.** | Prefiero **que te sientes aquí conmigo.** |
| Leí **el periódico.** | Leí **que el Presidente iba a renunciar.** |

El verbo de la cláusula dependiente puede usarse en subjuntivo o indicativo.

2. Se emplea el subjuntivo cuando el verbo de la cláusula principal expresa voluntad o deseo de persuadir a otra persona. Los siguientes verbos pueden colocarse en este grupo.

**deseo de una persona de persuadir a otra:** desear, querer, preferir

**necesidad o conveniencia:** necesitar, hacer falta, precisar, ser menester, importar, convenir

**mandato, ruego, consejo o sugerencia:** exigir, ordenar, mandar, pedir, rogar, suplicar, decir*, sugerir*, insistir en*

**permiso o prohibición:** permitir, dejar, prohibir, impedir, oponerse a

3. Se emplea el subjuntivo en la oración subordinada cuando el verbo de la oración principal expresa una emoción o una esperanza.

**emoción:** alegrarse, enojar, molestar, temer, tener miedo, asustar, gustar, encantar, interesar, sentir, estar contento (feliz, alegre, triste, furioso, indignado, etc.)

**esperanza:** esperar

4. Se emplea el subjuntivo en la oración subordinada cuando el verbo de la oración principal expresa duda o negación.

---

*Algunos verbos (decir, sugerir, escribir, insistir) expresan un mandato o una petición en algunos contextos, pero en otros sencillamente relatan información. En el primer caso, se emplea el subjuntivo en la cláusula dependiente. En el segundo, se emplea el indicativo.

| | |
|---|---|
| Le digo que venga. | *I tell her to come.* |
| Le digo que él viene. | *I tell her that he's coming.* |
| Sugiero que te abroches el cinturón de seguridad. | *I suggest that you fasten your seat belt.* |
| Sugiero que es una buena idea abrochar el cinturón de seguridad. | *I'm suggesting that it's a good idea to fasten your seat belt.* |
| Vamos a escribirle que tome el tren. | *We're going to write to him to take the train.* |
| Vamos a escribirle que Margarita se casó. | *We're going to write to him that Margaret got married.* |
| Insistimos en que lo hagan. | *We insist that they do it.* |
| Insistimos en que lo hicieron. | *We insist that they did (in fact) do it.* |

**duda:** dudar, no creer, no imaginar, no parecer(le), no estar seguro (convencido, etc.)

**negación:** negar, no decir

En oraciones interrogativas, el uso del indicativo sugiere que se espera una respuesta afirmativa, mientras que el uso del subjuntivo sugiere que se espera una respuesta negativa.

¿Crees que viene? (El que habla espera una respuesta afirmativa.)

¿Crees que venga? (El que habla espera una respuesta negativa.)

5. El subjuntivo se emplea después de expresiones impersonales con **ser** o **parecer** (seguido de un adjetivo o un substantivo).

**ser / parecer** (posible, probable, dudoso, imposible, increíble, absurdo, maravilloso, una lástima, una ridiculez, etc.)

No se emplea el subjuntivo cuando el adjetivo o substantivo expresa seguridad o certeza (verdad, cierto, seguro, obvio, evidente, etc.)

| | |
|---|---|
| Es verdad que el ferrocarril es excelente. | *It's true that the railroad is excellent.* |
| Es cierto que tiene su licencia de piloto. | *It's true he has his pilot's license.* |

6. También se emplea después de cualquier substantivo relacionado con un adjetivo que requiere el subjuntivo.

| | |
|---|---|
| La posibilidad de que venga... | *The possibility that he may come . . .* |
| La probabilidad de que ganen... | *The probability that they'll win . . .* |

Después de **hecho** se puede emplear el subjuntivo o el indicativo. El uso del subjuntivo implica posibilidad, mientras que el uso del indicativo implica seguridad.

| | |
|---|---|
| El hecho de que diga eso... | *The fact that he may say that . . .* |
| El hecho de que dice eso... | *The fact that he says that . . .* |

7. El indicativo se emplea en oraciones en las cuales el verbo de la cláusula subordinada sencillamente comunica información.

| | |
|---|---|
| Leí que han bajado los precios de los autos. | *I read that prices of cars have gone down.* |
| Sé que van a hacer un viaje en barco. | *I know that they're going to take a trip on a ship.* |
| Nos contó que había visitado la cabina del piloto. | *He told us that he had visited the pilot's cabin.* |

Nótese que muchas expresiones que requieren el uso del subjuntivo en el negativo (no creer, no parecer, no ser verdad), requieren el indicativo en oraciones afirmativas.

Creo que viene.        No creo que venga.

**8.** Nótese que aunque a veces la conjunción *that* se omite en inglés, **que** siempre se emplea para enlazar dos cláusulas en español.

No creo **que** haya asientos libres.        *I don't think there are any free seats.*

## PRACTIQUEMOS

**A. Sustituya las palabras que están subrayadas por las que están entre paréntesis y haga cualquier otro cambio que sea necesario.**

1. Me dijeron que no hay taxis a esta hora. (Es posible que)
2. Creo que tenemos que tomar el autobús. (Temo que) *tengamos*
3. Sé que están arreglando su auto. (Es lástima que) *estén*
4. Es seguro que los amortiguadores ya no sirven. (Es probable que) *shock absorbers* *sirvan*
5. Me parece que necesitas un auto nuevo. (No me parece que) *necesites*
6. Me imagino que sabes eso. (Espero que) *sepas*

**B. Complete cada oración.**

1. Toda la clase quiere que el profesor _no venga_
2. Siempre he querido que mis padres _sean ricos_.
3. Quisiera hacer un viaje en barco pero no es probable que _vaya_.
4. Creo que este auto _funciona_ bien.
5. Si no te abrochas el cinturón de seguridad, es posible que _te mueras_.
6. Podrías ir en taxi pero prefiero que tú _vayas conmigo_.
7. Este tren parece bastante viejo. Todos esperamos que el maquinista _venga_.
8. Vamos a aterrizar. Voy a pedirle a la azafata que _pueda ir al baño_.
9. El freno de mano de esta bicicleta no funciona bien. No creo que tú _debas ir_.
10. Es verdad que los autos norteamericanos _no son tan buenos como los otros_.
11. Nos hablan de la posibilidad de _felicidad_.
12. Me molesta el hecho de _la violación de derechos humanos occure con frequencia_.

**C. Forme oraciones usando las siguientes palabras. No es necesario incluir los pronombres de sujeto (*yo, tú, él*, etc.).**

1. yo / no creer / él / saber / manejar  _No creo que él sepa a manejar_
2. ella / querer / nosotros / poner / cosas / guantera  *quiere que* *pongamos*
3. nosotros / creer / limpiaparabrisas / estar / descompuesto  *→ windshield wipers*
4. chicos / haberme pedido / yo / comprarles / bicicleta  *me han pedido que les compre*
5. mecánico / decirme / yo / llevar / coche / taller / mañana

6. ser / obvio / frenos / no funcionar / bien *Es obvio que los frenos no*

7. yo / saber / este / coche / necesitar / trabajo

8. ser / necesario / nosotros / gastar / mucho dinero / arreglarlo *Es que gastamos*

**D. Cambie las siguientes oraciones a la forma negativa.**

1. Creo que este tren va a Madrid.

2. Me parece que éste es el departamento de fumadores.

3. Es verdad que tenemos un billete de ida y vuelta.

4. Me imagino que se puede almorzar en el tren.

5. Es cierto que el ferrocarril me gusta.

6. Es obvio que usted viaja mucho en tren.

**E. Diálogo: usted y su amigo van a hacer un viaje a Europa. Complete el siguiente diálogo con un compañero de clase.**

—No es una buena idea viajar durante las Navidades. Creo que es mejor que nosotros _____.

—Es verdad que _____, pero creo que _____.

—Mis padres prefieren que nosotros _____, especialmente mi mamá, porque ella no confía mucho en los aviones.

—Pero si sólo tenemos un mes, es absurdo que _____.

—Sé que tú _____, pero la verdad es que yo también prefiero que _____.

—Bueno, pero vamos a perder mucho tiempo. Y en cuanto a los hoteles, quieres que yo _____ o le pido a un agente de viajes que _____.

—Yo creo que es mejor que un agente de viajes _____. ¿Qué te parece a ti?

**F. Conteste las siguientes preguntas.**

1. ¿Qué quiere usted que hagamos en clase hoy?

2. ¿Qué esperan sus padres que usted haga después de graduarse?

3. ¿Es necesario que usted vaya a la biblioteca hoy? ¿Por qué?

4. ¿Qué prefiere usted que sus amigos le regalen para su cumpleaños?

5. ¿Qué es urgente que usted haga hoy?

6. ¿Por qué es importante que ustedes aprendan el subjuntivo?

### El infinitivo en vez del subjuntivo

1. Nótese que se emplea el subjuntivo en la oración subordinada nominal cuando el sujeto es **diferente** del de la oración principal.

**Nosotros** queremos que **ustedes** tomen un taxi.    *We want you to take a taxi.*

**Yo** necesito que **el mecánico** me arregle el motor.    *I need the mechanic to fix the motor.*

**Ella** no cree que **nosotros** podamos ayudar.    *She doesn't think that we can help.*

2. Cuando el sujeto de la oración subordinada es igual al de la oración principal, se usa el verbo en el infinitivo.

Nosotros queremos tomar un taxi.    *We want to take a taxi.*

Yo necesito arreglar el motor.    *I need to fix the motor.*

Ella no cree poder ayudar.    *She doesn't think she can help.*

3. Cuando ciertos verbos (mandar, ordenar, exigir, obligar [a], dejar, impedir, permitir, prohibir) se usan en la oración principal, se puede emplear el subjuntivo o el infinitivo.

Me manda hacerlo inmediatamente.
Me manda que lo haga inmediatamente.  } *He orders me to do it immediately.*

Le ordena salir.
Le ordena que salga.  } *She orders him to leave.*

No me deja manejar su auto.
No deja que maneje su auto.  } *He doesn't let me drive his car.*

Vamos a impedirles salir con la suya.
Vamos a impedir que salgan con la suya.  } *We're going to prevent them from getting away with it.*

Nos prohíben fumar.
Prohíben que fumemos.  } *They forbid us to smoke.*

Muchos verbos comunes (decir, pedir) admiten sólo el uso del subjuntivo en la oración subordinada. No admiten el infinitivo.

Voy a decirle que venga.    *I'm going to ask him to come.*

Te he pedido muchas veces que me ayudes.    *I've asked you to help me many times.*

## PRACTIQUEMOS

**A. Exprese la misma idea cambiando la estructura de la oración.**

MODELO    El profesor nos permite usar un diccionario.
**El profesor permite que usemos un diccionario.**

1. El jefe no nos deja fumar en la oficina.
2. Quieren impedir que hablemos.

3. Voy a mandar que abran las ventanas.
4. Nos exigen llegar temprano.
5. No dejes al mecánico sacar el motor.
6. Prohíbo que mi compañero de cuarto traiga a sus amigos.

**B. Traduzca al español.**

1. I don't think I can fix this car.
2. I don't think you can fix this car.
3. I'm going to ask my father to buy me a convertible.
4. They always tell us to fasten our seat belts.
5. We need to change the tire.
6. We need for him to change the tire.
7. I suggest that they buy a station wagon.
8. Dad doesn't let us take the bus. He prefers for us to walk.
9. The economic situation prevents us from renting a house in the city.
10. The landlady forbids us to have animals in the apartment.

**C. Complete las siguientes oraciones.**

1. En los vuelos cortos no se permite que los pasajeros _____.
2. En esta universidad no se nos permite _____.
3. El chofer del autobús deja a los niños _____.
4. Esta moto me costó una fortuna y por eso no dejo que nadie _____.
5. Aunque no me gusta la idea, no puedo impedir que mis amigos _____.
6. Le quité la llave del auto y le impedí _____.
7. Si la llevas en tu coche, dile que _____.
8. El maquinista va a pedirle a todo el mundo que _____.

## Equivalentes de *let* . . .

La idea *Let* . . . o *Have* . . . se expresa en español con una oración subordinada aislada en la cual se usa el verbo en el subjuntivo.

| | |
|---|---|
| Que lo arregle el mecánico.<br>(o Que el mecánico lo arregle.) | *Let the mechanic fix it.* |
| Que maneje el chofer.<br>(o Que el chofer maneje.) | *Have the chauffeur drive.* |
| Que se vayan ahora. | *Let them leave now.* |

## PRACTIQUEMOS

**A. Responda con una oración con *que* . . .**

> EJEMPLO    Ana quiere manejar el auto deportivo.
> **Muy bien, que lo maneje entonces.**

1. Los chicos quieren entrar ahora.
2. Los estudiantes quieren descansar.
3. El taxista quiere tomar otra ruta.
4. Eva prefiere venir en metro.
5. El chofer se niega a mostrar su licencia.
6. El señor rico quiere ir a la reunión en su limusina.

**B. Traduzca al español.**

1. Have the guests come in and give you their coats.
2. Have them sit in the living room.
3. Let them rest a while.
4. Let them have a cup of coffee and look at some magazines.
5. Then have the maid call me.

───────────── *Expresiones problemáticas* ─────────────

1. **dejar, abandonar, partir, salir, marcharse, irse**

   **dejar** = *to leave (behind)*

   | | |
   |---|---|
   | Dejé las llaves en el auto. | *I left the keys in the car.* |

   **dejar, abandonar** = *to leave, abandon*

   | | |
   |---|---|
   | Dejó su puesto. / Abandonó su puesto. | *He left his job.* |
   | Dejó a su esposa. / Abandonó a su esposa. | *He left his wife.* |

   **partir** = *to set out (for someplace); to leave (like* **irse***)*

   | | |
   |---|---|
   | Colón partió para el Oriente en agosto de 1492. | *Colombus left for the Orient in August, 1492.* |
   | ¿Vas a Nueva York? ¿Cuándo vas a partir? | *Are you going to New York? When are you leaving?* |

   **salir** = *to leave* (en el sentido de *to exit, to go out of*) to emerge from

   | | |
   |---|---|
   | Salió de su oficina. | *He left (went out of) his office.* |
   | ¿Dónde está Juan? ¿Ya salió para la reunión? | *Where is Juan? Did he already leave for the meeting?* |

⚹ Entrar en   y   salir de ⚹

**marcharse, irse** = *to leave (a place)*, especialmente cuando no se menciona el destino.

| | |
|---|---|
| Todo el mundo se marchó temprano. | *Everybody left early.* |
| ¿Margarita? Se fue con Héctor. | *Margarita? She left (went off) with Hector.* |

2. **dejar de, cesar de, detener, detenerse, parar, parar de, pararse**

**dejar de, cesar de, parar de** (infinitivo) = *to stop (doing something)* (**Dejar de** se usa más que cesar de en la conversación.)

| | |
|---|---|
| Deja de manejar un rato. | *He stops driving a while.* |
| ¡Dejen de discutir! | *Stop arguing!* |
| Paró de llover. | *It stopped raining.* |

**detener** = *to stop (somebody or something)* to arrest — siempre

| | |
|---|---|
| Detuve a un señor y le hice una pregunta. | *I stopped a gentleman and asked him a question.* |

**detenerse** = *to stop (oneself)*

Se detuvo a mirar los pájaros.

| | |
|---|---|
| Me detuve un rato para descansar. | *I stopped a while to rest.* |

**parar** = *to stop (somebody or something)*

| | |
|---|---|
| Vamos a parar esa discusión. | *We're going to stop that argument.* |
| Nada para a esa chica. | *Nothing stops that girl.* |

**parar** = *to stop (over); to end up; to stop (oneself)*

| | |
|---|---|
| Vamos a parar en México. | *We're going to stop (over) in Mexico.* |
| Pararon en un hotel esa noche. | *They stopped (over) in a hotel that night.* |
| ¿Adónde vas a parar con esas tonterías? | *Where are you going to end up with that nonsense?* |

**pararse** = **ponerse de pie,** *to stand up*  Se levantó de la mesa

más común

| | |
|---|---|
| Se paró y se fue. | *He got up and left.* |

3. **bajar, bajarse; subir, subirse**

**bajar** = *to lower; to go down, downstairs*

| | |
|---|---|
| Vamos a bajar el estante. | *We're going to lower the shelf.* |
| Han bajado los precios. | *Prices have come down.* |
| Mamá bajó al sótano. | *Mom went down to the basement.* |
| María ya va a bajar. | *María will be down in a minute.* |

**bajarse** = *to get out, off (of a car, a bus, etc.); to get off (a horse)*

| | |
|---|---|
| Nos bajamos aquí. | *We get off here.* |

**subir** = *to raise; to go up, upstairs; to come to (a price, a bill)*

| | |
|---|---|
| Vamos a subir el cuadro. | *We're going to raise the picture.* |
| No oigo nada, sube el volumen. | *I can't hear anything, turn up the volume.* |
| Están subiendo los precios. | *Prices are going up.* |
| Estoy cansada, voy a subir. | *I'm tired, I'm going upstairs.* |
| La cuenta sube a veinte pesos. | *The bill comes to twenty pesos.* |

**subirse** = *to get into, onto (a car, bus, a horse, etc.)*

| | |
|---|---|
| Súbete al auto. | *Get into the car.* |

## PRACTIQUEMOS

**A.  Complete cada oración con uno de los verbos que están en la lista. (En algunos casos, hay más de una respuesta posible.)**

1. subir / subirse

    a.  ¿A cuánto _____ la cuenta?

    b.  Vamos a _____ al avión ahora.

    c.  _____ los precios el año pasado.

    d.  Los niños ya _____ a acostarse.

2. parar / pararse / parar de

    a.  Por favor, no _____ usted. Siéntese, por favor.

    b.  Nosotros _____ en un pequeño pueblo muy bonito.

    c.  La profesora tiene que _____ esa pelea.

    d.  Ayer no _____ llover en todo el día.

    e.  Hay que _____ a ese hombre antes de que cause más problemas.

3. dejar / dejar de / abandonar / detener / detenerse

    a.  No encuentro mis llaves. Tal vez las _____ en mi oficina.

    b.  El señor Pla _____ su puesto y fue a vivir en una isla desierta.

    c.  La señora _____ un taxi en la Calle Matías Rojas.

    d.  No quiero que tú _____ de estudiar.

    e.  Los dos señores _____ en la esquina y se pusieron a conversar.

4. bajar / bajarse

    a.  ¡_____ ustedes el volumen, por favor! ¡No puedo estudiar!

    b.  Espérate tú en el auto. Yo voy a _____ a buscar un mapa.

    c.  Los precios nunca _____ .

5. dejar / salir / irse

    a. Es necesario que la profesora _____ del cuarto un momento.

    b. Dudo que ella _____ sus cosas con nosotros.

    c. Espero que los chicos no _____ sin decirme.

    d. Ella _____ de Nueva York el 13 de agosto y llegó a Los Angeles el 2 de septiembre.

6. ir / salir / partir / marcharse

    a. Elena _____ de la tienda y buscó un taxi.

    b. El avión _____ para Buenos Aires a mediodía.

    c. Esa gente _____ y nunca más volvió.

    d. Mañana yo _____ al cine con Carlos.

# *Selecciones literarias*

*El quincentenario del primer viaje de Cristóbal Colón, celebrado en 1992, provocó una plétora de polémicas acerca del Descubrimiento. En los siguientes artículos, dos respetados intelectuales colombianos, María Isabel Rueda y Mauricio Obregón, presentan puntos de vista opuestos.*

## COLON NO ES COMO LO PINTAN
*María Isabel Rueda*

Así, mientras para los españoles la conmemoración del 12 de octubre de 1492 señala el comienzo de su expansión territorial más allá de sus propias fronteras, y la oportunidad de acumular tanta riqueza y poder como antes de esta fecha era
5  inimaginable, para muchas naciones constituye el aniversario de una auténtica violación hemisférica en la que mucho, tal vez demasiado, fue sacrificado en nombre de la «civilización».

    Un furibundo debate se ha producido sobre el descubrimiento del Nuevo Mundo, porque para muchos
10  Cristóbal Colón, el forjador de esta hazaña, se ha convertido en la personificación de la devastación y la esclavitud en nombre del progreso. La desmitificación de Colón no radica

solamente en aceptar la tesis de que su llegada al continente
15 americano fue fatal para los territorios que invadió. Ni en
aceptar que las culturas indígenas fueron arrasadas° por la    arruinadas
brutalidad europea, ni que el regalo de Colón para esta cultura que lo recibió y lo acogió fuera finalmente el sometimiento, el genocidio, el ecocidio y la explotación. Los
20 revisionistas de Cristóbol Colón van más allá, hasta el punto
de denunciar al Almirante por todos los pecados imaginables.
Avaricia, paranoia, ferocidad, crueldad, doble carácter y de-
sarraigo°. Incluso lo acusan de ser un mal marino, descuidado°    *uprooting (a people)*
con sus barcos e incapaz de manejar el desafío de los vientos.    *careless*

25     Es curioso que el primer revisionista del Gran Navegante
no sea un historiador de este siglo, sino un contemporáneo
suyo, fray Bartolomé de las Casas[1], quien lo denuncia por la
brutalidad con que trató a los aborígenes americanos. Los indígenas fueron torturados, asesinados, dados como alimento
30 a los perros de los europeos y contagiados de viruela°, dif-    *smallpox*
teria y tos ferina°, males que la llegada de Colón a América    ***tos...*** *whooping cough*
puso en movimiento. En vista de estas acusaciones, es ine-
vitable que formulemos esta pregunta: ¿Para los americanos,
el aniversario del descubrimiento es una fecha para celebrar o
35 para llorar?

     La primera gran desmitificación de la hazaña de Colón
consiste en demostrar que sus móviles° no eran científicos, ni    motivos
muchísimo menos religiosos, como insistentemente sugiere
en su diario de a bordo. Antes de partir del puerto de Palos[2],

---

[1]Bartolomé de las Casas (1474–1566) fue un misionero dominico español conocido por su actuación en
favor de los indios. Combatió incansablemente contra los abusos de los conquistadores. Conocido por el
nombre «apóstol de los indios», escribió *Brevísima relación de la destrucción de las Indias* en que enu-
meró las atrocidades de los españoles. Sin embargo, hoy en día ciertos historiadores revisionistas han
señalado que el libro del padre de Las Casas contiene muchas exageraciones y han sugerido que el cura
fue más motivado por la ambición y la gloria que por una sincera preocupación por los nativos de
América.

[2]Colón embarcó del puerto de Palos de la Frontera, en el sureste de España, el 3 de agosto de 1492 en su
primer viaje.

media hora antes del amanecer de un viernes de agosto de
1492, el Capitán General ya ha convencido a los reyes de España, don Fernando y doña Isabel, de que el principal motivo
de su viaje es «convertir a los príncipes y gentes de esas remotas tierras a la sagrada fe». Y resulta por lo menos curioso
45 que en una cruzada religiosa semejante, Colón no lleve en su
primer viaje ningún sacerdote, misionero, monje u hombre
alguno con hábito religioso. E igualmente sorprendente resulta el hecho de que, a pesar de que la orden real es «des-
cubrir y adquirir» nuevas tierras, ningún tripulante° de las          *crew member*
50 carabelas tenga conocimientos naturalistas o, por lo menos,
rudimentarias nociones sobre flora y fauna, o habilidad para
describir—algo imprescindible en una expedición científica
semejante—analizar, registrar° o preservar los nuevos es-          *examinar, señalar, notar*
pecímenes que, sin duda, serán descubiertos en esas nuevas y
55 remotas latitudes.

La tesis más aceptada por los historiadores, es que la razón que impulsa los sueños de Colón es en primer lugar el oro, en segundo lugar el oro, y en tercero la gloria: oro, oro y gloria. Y pare de contar.

60    Los móviles religiosos y científicos de los viajes de Colón son apenas parte de los mitos que los historiadores revisionistas de hoy han intentado desbaratar.°                          deshacer

Al lado de ellos existe todo un anecdotario romántico que va desde la forma como Colón convenció a sus contem-

65    poráneos de que el mundo no era plano, y que deberían darle la oportunidad de demostrar que era redondo, hasta la versión de que la reina Isabel, encendida de credulidad, vendió las joyas de la Corona para sufragar° los gastos del primer viaje          costear, pagar por del Almirante. También se dice que Colón murió solo, olvi-

70    dado y desposeído de bienes materiales, y más bien consumido por las deudas y la miseria.

Para comenzar, a finales del siglo XV ya no es posible que ninguna persona instruida, y ni siquiera los marineros de la época, crean algo distinto a que la Tierra es redonda. La

75    versión de que Isabel vendió sus joyas es pura ficción. La fuente de los fondos que sufragaron la aventura de Colón fue Luis de Santángel, acomodado comerciante de la época.

En cuanto a la muerte de Colón, es cierto que murió olvidado, pero no pobre. En sus últimos años, invirtiendo el

80    tiempo en que habría podido gastar en organizar y aclarar sus nuevas concepciones geográficas en forma coherente, tanto para su Gobierno como para el resto del mundo, sólo se ocupó de asegurarse las recompenas para sí y para sus dos hijos.

85    Aunque no existe estudio concreto sobre los talentos de «El Almirante del Mar Océano», hay elementos que permiten pensar que sus habilidades como marinero dejaban mucho de desear. Examinados con cuidado, los cuatro viajes de Colón, aparte de su coraje y fortaleza, están repletos de errores,

90   planes de navegación mal concebidos, descuido en el man-
tenimiento mínimo de los barcos y rebeldía contra las reglas
básicas de la seguridad, por una terca actitud suya de
demostrar la superioridad humana sobre los fenómenos naturales. Continuamente se equivocó en la lectura de los cielos
95   para determinar su ubicación.°                              *location*

No es extraño, entonces, que Colón nunca haya entendido que lo que había descubierto era un nuevo continente.
Es una gran ironía de la historia que los indios se llamen indios, porque Colón jamás salió del error de que había llegado
100   a la India.

Es absurdo que sigamos hablando del aniversario del
descubrimiento de América. Cristóbal Colón, como descubridor, es una creación de la mente europea, porque el
continente americano ya era conocido por los millones de
105   habitantes que lo poblaban antes de la llegada de Colón. Se
calcula que América estaba poblada desde 900 años antes de
Cristo.

Europa no descubrió a América. La incorporó a través de
la conquista, la colonización, la explotación y el comercio.
110   Pero es inútil que debatamos, más de 500 años después del
viaje de Colón, si América es mejor o peor porque los españoles la conquistaron. La historia, al fin y al cabo, es lo que
pasó.

Pero si deja algún beneficio este debate revisionista
115   sobre el Almirante y el Descubrimiento, es que termina la era
de los libros de historia que durante 500 años arrancaron° con   *empezaron*
la llegada de Colón al continente americano, como si antes de
eso aquí no hubiera pasado nada. Lo que hubo en 1492 no fue
un descubrimiento, fue la colisión de dos mundos que hasta
120   ese momento no se conocían.

Quinientos años después de ese episodio, ha llegado la
hora de que seamos los americanos quienes descubramos a
Colón.

# «DESCUBRIR SIN CONTAR EL CUENTO, NO ES DESCUBRIR»
*Mauricio Obregón*

Algunos insisten en que Colón no descubrió nada. Dicen que los indios ya estaban aquí, y que los vikingos llegaron 500 años antes que Colón. Pero descubrir sin contar el cuento no es descubrir, es dejar cubierto, y ni los indios ni los vikingos se lo contaron al mundo. Colón sí.

Otros dicen que Colón, lejos de ser un gran navegante, simplemente topó° con América por pura casualidad°. Lo del primer viaje sí fue casualidad. Pero en el segundo Colón regresó directamente a donde quería ir, y en el tercero viró al norte justo a tiempo para Trinidad, y de ahí atravesó el Caribe hasta Santo Domingo. Esas ya no fueron casualidades, y quien lo dude, que lo pruebe «a la estima».°

Algunos culpan a Colón por la eventual traída de esclavos negros a América, olvidando que los que iniciaron el tráfico de esclavos fueron los portugueses y los ingleses que se los compraban a los reyes africanos. Colón nunca tuvo un esclavo negro; Washington y Jefferson sí, y a nadie se le ocurre transformarlos en los malos de la película.

Otros atacan a Colón por lo que ocurrió entre el primer viaje y el segundo. Cuando perdió la Santa María, Colón dejó a 40 españoles en la La Navidad cerca a Cap Haitien. Era como quedarse solos casi un año en Marte,° pero en el siglo XV, y no es muy sorprendente que estos «invitados», al fin abusaran de sus «anfitriones»,° como tampoco es sorprendente que los indios no se lo aguantaran y destruyeran La Navidad. Al regreso, Colón tuvo que fundar La Isabela, en Santo Domingo, y desde ahí Ojeda y Margarit montaron las primeras expediciones punitivas. Colón, que estaba consiguiendo menos oro que el que había prometido, resolvió dividir a los prisioneros entre «indios buenos» que se podían

*bumped into*
*accidente*

método que usa un marinero para determinar la posición física de un barco sin el uso de instrumentos

*Mars*

*hosts*

catequizar,° e «indios malos» que se pondrían a trabajar en las nefandas° encomiendas.° La historia no se justifica: es como es.

> instruir en la doctrina cristiana
> infames
> parcela de tierra, con sus indios, que se le daba a un español, llamado **encomendero.** Los indios debían trabajar para el **encomendero** o pagarle un tributo.

Pero durante el primer viaje de Colón, el de hace 500
35 años, su relación con los indios fue idílica, y en sus escritos declara su amor por *«esta jente tan dulce»* y por su maravilloso Caribe, donde no faltaba *«más que el canto de el ruiseñor».°* Además, sin los guías de la isla de San Salvador, y sin el cacique° Guaranagar, de La Navidad, Colón segura-
40 mente no hubiera logrado regresar a Europa, de modo que sin la ayuda de los indios no habría habido Descubrimiento.

> *nightingale*
>
> jefe de una tribu de indios

Cada cual celebrará el año 1992 como le parezca: los españoles seguramente recordarán el Descubrimiento; los italianos recordarán a un navegante genovés;° nosotros, los
45 americanos, recordaremos 500 años de historia; y los indios recordarán que el idilio duró poco. Pero en lo que a Colón se refiere, no nos dejemos enredar° en el péndulo de las controversias.

> Colón nació en Génova.
>
> *get mixed up*

## PREGUNTAS

1. Según María Isabel Rueda, ¿por qué significa el Descubribiento algo diferente para muchas naciones latinoamericanas que para España?
2. ¿Qué debate surgió a raíz del Descubrimiento?
3. ¿En qué radica la desmitificación de Colón? ¿De qué lo acusan los revisionistas?
4. ¿Quién fue el primer crítico importante de Colón? ¿De qué le culpó?
5. ¿Qué evidencia presenta la autora para probar que los móviles de Colón no eran ni religiosos ni científicos?
6. Según ella, ¿cuál es la tesis más aceptada acerca de los motivos de Colón?
7. ¿Qué otros mitos que existen acerca de Colón trata de derrumbar?
8. ¿Por qué dice que es «una gran ironía de la historia que los indios se llamen indios»?
9. Según ella, ¿en qué sentido es Colón, como descubridor, una creación de la mente europea?
10. ¿Por qué, según la autora, no vale la pena que sigamos debatiendo este tema? ¿Cuál ha sido el beneficio de este debate?

11. ¿Por qué dice Mauricio Obregón que «descubrir sin contar el cuento no es descubrir»?

12. ¿Qué respuesta les da a los que dicen que Colón no fue un gran navegante?

13. Según Obregón, ¿es Colón responsable del tráfico de esclavos en las Américas? ¿Por qué?

14. ¿Qué dice de los abusos que los 40 españoles que Colón dejó en La Navidad perpetraron contra los indios? ¿Cómo reaccionaron los indios?

15. ¿Por qué dividió Colón la población nativa en indios buenos y malos?

16. ¿Por qué dice Obregón que durante su primer viaje, la relación de Colón con los indios fue idílica?

## ANALISIS

1. Estudie el uso del presente del subjuntivo en los ensayos de Rueda y Obregón. ¿Cómo emplea Rueda las expresiones impersonales («Es curioso que...» «Es obvio que...») para la argumentación?

2. ¿Qué otras técnicas usan estos dos autores para persuadirnos de su punto de vista?

3. ¿Qué argumentos válidos presenta cada autor? ¿Cuáles de sus argumentos no son válidos?

4. En su opinión, ¿cuál de los dos autores es más convincente? ¿Por qué?

5. ¿Qué actitud comparten los dos autores?

6. ¿Fue el descubrimiento de América un verdadero descubrimiento o fue una «colisión de dos mundos»? Explique su respuesta.

7. ¿Piensa usted que se debe celebrar el aniversario del descubrimiento de América o no? ¿Por qué?

# Composición

## ESCRIBIR PARA PERSUADIR

1. La meta de la argumentación es persuadir al lector.

2. Es importante que el escritor identifique primero al lector. Debe hacerse las siguientes preguntas: ¿Es el lector amigo o adversario? ¿Está indeciso o tiene un punto de vista? ¿Necesito convencerlo, reforzar su opinión o tratar de hacer que cambie de idea? ¿Cuánto sabe el lector acerca del tema? ¿Necesito informar al lector u organizar de una manera convincente la información que ya tiene?

3. La tesis del ensayo normalmente se presenta en el primer párrafo. Siguen dos ejemplos de párrafos iniciales.

Para muchas naciones la conmemoración del 12 de octubre constituye el aniversario de una auténtica violación hemisférica en la que mucho, tal vez demasiado, fue sacrificado en nombre de la «civilización».

Algunos insisten en que Colón no descubrió nada. Dicen que los indios ya estaban aquí, y los vikingos llegaron 500 años antes de Colón. Pero descubrir sin contar el cuento no es descubrir.

En algunos casos es útil que el escritor establezca su autoridad, sus conocimientos o sus intenciones. Siguen dos ejemplos de párrafos de este tipo.

Con la ayuda de una beca del gobierno español, construí tres carabelas y traté de reproducir el viaje de Colón. Mis experiencias me enseñaron lo difícil que fue atravesar el Atlántico bajo las condiciones que existían cuando Colón hizo su primer viaje.*

Mis estudios de antropología y arqueología me han permitido apreciar la gran complejidad de las civilizaciones precolombinas y comprender que la europeización de las Américas no produjo el progreso sino un retroceso.

4. En el cuerpo del ensayo, el escritor presenta argumentos para apoyar su tesis. Puede emplear varias técnicas:

a. causa / efecto: Una enumeración de causas y los efectos positivos o negativos que han tenido que refuerzan su argumento.

Los constantes debates sobre la personalidad y móviles de Colón han conducido a una obfuscación de la verdadera importancia de sus cuatro viajes a América.

A causa del debate revisionista, hemos llegado a una comprensión más clara del hecho que Colón, como descubridor, no es más que una invención europea.

b. comparación:

Para los españoles la conmemoración del 12 de octubre de 1492 señala el comienzo de su expansión territorial más allá de sus propias fronteras. Sin embargo, para muchas naciones americanas constituye el aniversario de una auténtica violación hemisférica.

Colón nunca tuvo un esclavo negro; Washington y Jefferson sí, y a nadie se le ocurre transformarlos en los malos de la película.

c. enumeración de ejemplos:

Los revisionistas de Cristóbal Colón denuncian al Almirante por todos los pecados imaginables: avaricia, paranoia, ferocidad, crueldad, doble carácter y desarraigo. Incluso lo acusan de ser un mal marino.

---

*De hecho, en 1939–40 la Harvard Columbus Expedition, organizada por Samuel Eliot Morison, reprodujo el primer viaje de Colón. Mauricio Obregón participó en este proyecto.

d. análisis:

Colón declara que su objetivo es «convertir a los príncipes y gentes de esas remotas tierras a la sagrada fe». Por lo tanto, es curioso que no lleve en su primer viaje ningún sacerdote, misionero, monje u hombre alguno con hábito religioso.

e. clarificación, explicación o justificación de los hechos:

La versión de que Isabel vendió sus joyas es pura ficción. La fuente de los fondos que sufragaron la ventura de Colón fue Luis de Santángel, acomodado comerciante de la época.

Colón dejó a 40 españoles en La Navidad. Era como quedarse solos casi un año en Marte. Eran hombres del siglo XV, con los valores y prejuicios de un pueblo que era uno de los más influyentes de Europa y que había combatido contra los moros infieles durante 800 años. No es sorprendente, entonces, que los «invitados» al fin abusaran de los «anfitriones».

f. clasificación:

El anecdotario romántico va desde la forma como Colón convenció a sus contemporáneos de que el mundo no era plano hasta la versión de que la reina Isabel vendió las joyas para sufragar los gastos del primer viaje. La historia de que Colón murió pobre y olvidado también se puede clasificar como mito.

5. El ensayo termina con una conclusión que reitera la tesis que el escritor acaba de probar.

Lo que hubo en 1492 no fue un descubrimiento, fue la colisión de dos mundos que hasta ese momento no se conocían.

Cada cual celebrará el año 1992 como le parezca. Pero en lo que a Colón se refiere, no nos dejemos enredar en el péndulo de las controversias.

6. Aunque esta manera de organizar un ensayo de argumentación es la más común, también es posible comenzar con la tesis del adversario y luego destruirla punto por punto, presentando el punto de vista del autor al final, como conclusión.

### ANTES DE ESCRIBIR

1. Decida para quién escribe este ensayo. (¿Quién será el lector?)
2. Organice su material. (¿Cuál es su tesis? ¿Cuáles serán sus argumentos? ¿Qué hechos va a incluir? ¿Cuál será su conclusión?)
3. Decida cómo va a establecer su autoridad.
4. Decida qué técnicas de argumentación va a usar. (Las siguientes expresiones le ayudarán a construir un argumento convincente: **Es obvio que... Es evidente que...**

**Es urgente que... Es dudoso que... Es curioso que... Es imperativo que... Me parece necesario que... Es poco probable que... Se necesita que... Dudo que...)**

5. Haga una lista de palabras claves.

## DESPUES DE ESCRIBIR

1. Examine los verbos. (¿Usó correctamente el indicativo y el subjuntivo? ¿Usó el infinitivo en situaciones en que la oración principal y la subordinada tienen el mismo sujeto?)
2. Examine los adjetivos. (¿Concuerdan con los substantivos que modifican?)
3. Examine la ortografía, en particular, los acentos.

# EJERCICIOS DE COMPOSICION

1. Escriba un breve ensayo defendiendo uno de los siguientes puntos de vista.
   a. Es absurdo que celebremos el aniversario del Descubrimiento de América.
   b. Es lógico que celebremos el aniversario del Descubrimiento de América.
   c. Es inútil que sigamos debatiendo el valor del Descubrimiento.
      1. Identifique la introducción, argumentos y conclusión de su ensayo.
      2. Articule su tesis de una manera clara.
      3. Haga una lista de hechos que servirán para apoyar su punto de vista. Analice y clasifique los hechos.
      4. Haga una lista de argumentos que usan sus adversarios, para combatirlos.
      5. Formule por lo menos un argumento de causa y efecto, una comparación, una justificación o aclaración.
      6. Organice su material, eliminando cualquier elemento que le parezca superfluo.
      7. Articule su conclusión.
      8. Escriba su ensayo.

2. Escriba un breve ensayo apoyando una de las siguientes proposiciones.
   a. Es imperativo que cada estudiante universitario aprenda una lengua extranjera.
   b. El estudio de las lenguas extranjeras no debe ser obligatorio.

   a. El gobierno debe limitar la importación de autos extranjeros.
   b. Es contraproducente limitar la importación de autos extranjeros.

   a. Hoy en día el ferrocarril ofrece una buena alternativa al avión.
   b. El ferrocarril es un modo de transporte anticuado.

## El hotel

1. el vestíbulo, la recepción, el hall
2. el casillero del correo, las casillas
3. el tablero de llaves
4. el encargado

de la recepción, el recepcionista
5. las llaves
6. el huésped
7. la maleta, la valija
8. el botones

9. el ascensor, el elevador
10. el bar del hotel
11. taburete del bar
12. el mostrador
13. el cantinero, el barman

**VOCABULARIO ADICIONAL:**
1. el pasaporte   2. la propina   3. el restaurante   4. el camarero principal
5. el camarero/la camarera, el mesero/la mesera, el mozo/la moza   6. el mozo, el camarero/la camarera de habitación   7. el menú, la carta   8. la lista de vinos
9. la cuenta

**ADDITIONAL VOCABULARY:**
1. passport   2. tip   3. restaurant   4. maitre d'   5. waiter/waitress   6. chambermaid (person who makes up the room)   7. menu   8. wine list   9. the bill

# El balneario

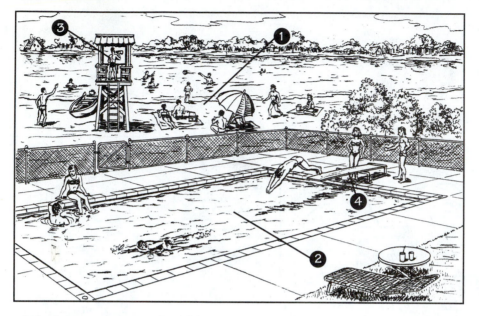

1. la playa
2. la piscina, la alberca

3. el (la) salvavidas

4. la palanca, la plataforma, el trampolín, la tabla de saltar

**VOCABULARIO ADICIONAL:**
1. la caseta de baño  2. la cabina (para cambiarse de ropa)  3. las duchas
4. el traje de baño (de una pieza, de dos piezas)  5. el camping  6. el turismo

**ADDITIONAL VOCABULARY:**
1. public bathroom  2. changing booth  3. showers  4. (one-piece, two-piece) bathing suit
5. camping  6. tourism, touring, sight-seeing

# Los puntos cardinales

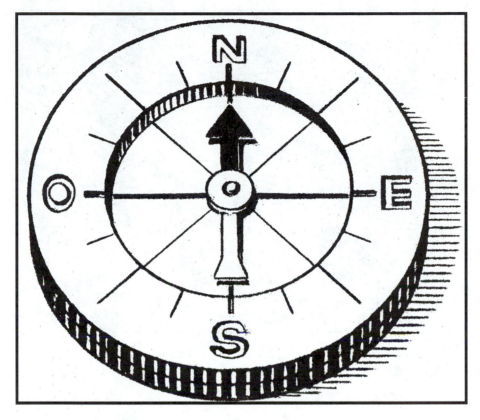

**VOCABULARIO ADICIONAL:**
1. la brújula   2. los puntos cardinales   3. el norte   4. el sur   5. el este
6. el oeste   7. el nordeste, el noreste   8. el noroeste   9. el sudeste
10. el suroeste, el sudoeste

**ADDITIONAL VOCABULARY:**
1. compass   2. compass points   3. north   4. south   5. east   6. west   7. northeast
8. northwest   9. southeast   10. southwest

## La tierra

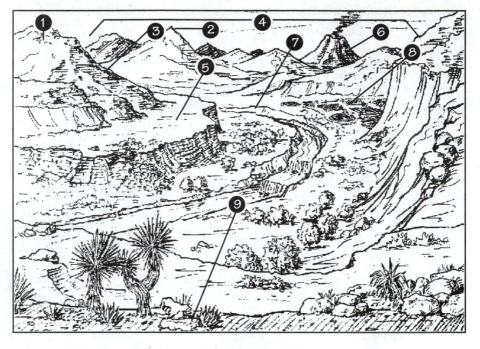

1. la montaña
2. la cima de la
   montaña
3. la espalda de
   la montaña
4. la cordillera
5. la meseta
6. el volcán
7. el valle
8. la vega
9. el desierto

**VOCABULARIO ADICIONAL:**
1. la cueva   2. la península   3. el pantano   4. los hemisferios
5. los países, las naciones

**ADDITIONAL VOCABULARY:**
1. cave   2. peninsula   3. swamp, marsh   4. hemispheres   5. countries, nations

# Los cuerpos de agua

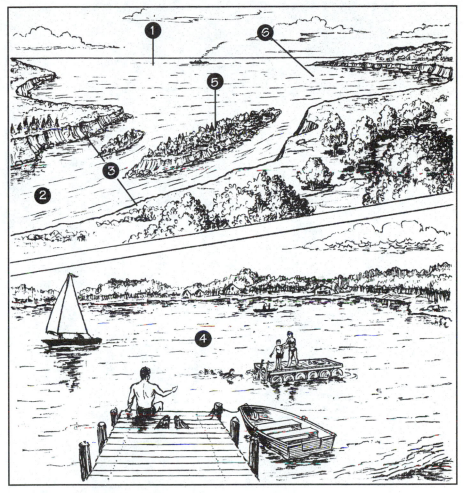

1. el mar
2. el río
3. la orilla, la ribera
4. el lago
5. la isla
6. la bahía

**VOCABULARIO ADICIONAL:**
1. la ola   2. el arroyo   3. la laguna   4. la costa

**ADDITIONAL VOCABULARY:**
1. wave   2. stream   3. lagoon   4. coast

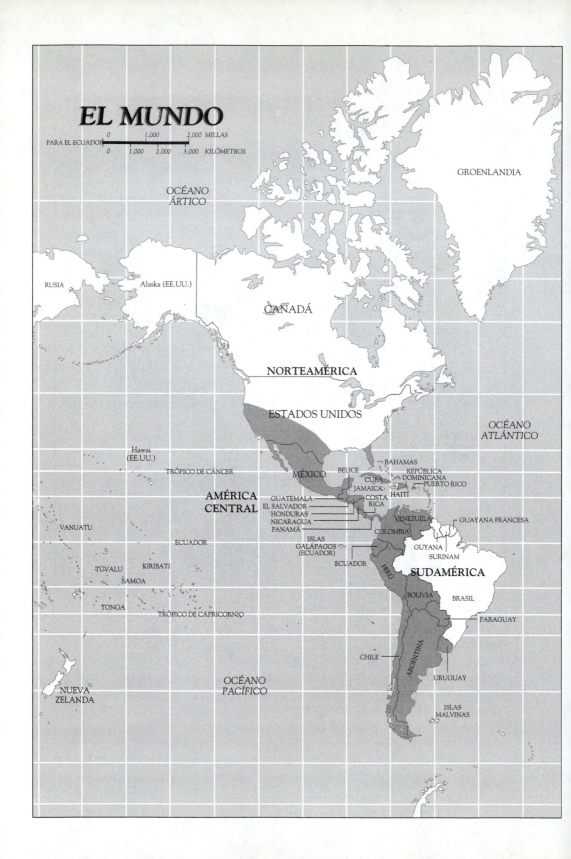

# EL MUNDO

PARA EL ECUADOR

| 0 | 1,000 | 2,000 MILLAS |
| 0 | 1,000 | 2,000 | 3,000 KILÓMETROS |

GROENLANDIA

OCÉANO
ÁRTICO

RUSIA

Alaska (EE.UU.)

CANADÁ

NORTEAMÉRICA

ESTADOS UNIDOS

OCÉANO
ATLÁNTICO

Hawai
(EE.UU.)

TRÓPICO DE CÁNCER

MÉXICO

BELICE

BAHAMAS

CUBA

JAMAICA

REPÚBLICA
DOMINICANA

PUERTO RICO

HAITÍ

COSTA
RICA

AMÉRICA
CENTRAL

GUATEMALA
EL SALVADOR
HONDURAS
NICARAGUA
PANAMÁ

VANUATU

ECUADOR

ISLAS
GALÁPAGOS
(ECUADOR)

VENEZUELA

GUAYANA FRANCESA

COLOMBIA

GUYANA

SURINAM

TUVALU

KIRIBATI

SAMOA

ECUADOR

PERÚ

SUDAMÉRICA

BRASIL

TONGA

TRÓPICO DE CAPRICORNIO

BOLIVIA

PARAGUAY

CHILE

ARGENTINA

URUGUAY

OCÉANO
PACÍFICO

NUEVA
ZELANDA

ISLAS
MALVINAS

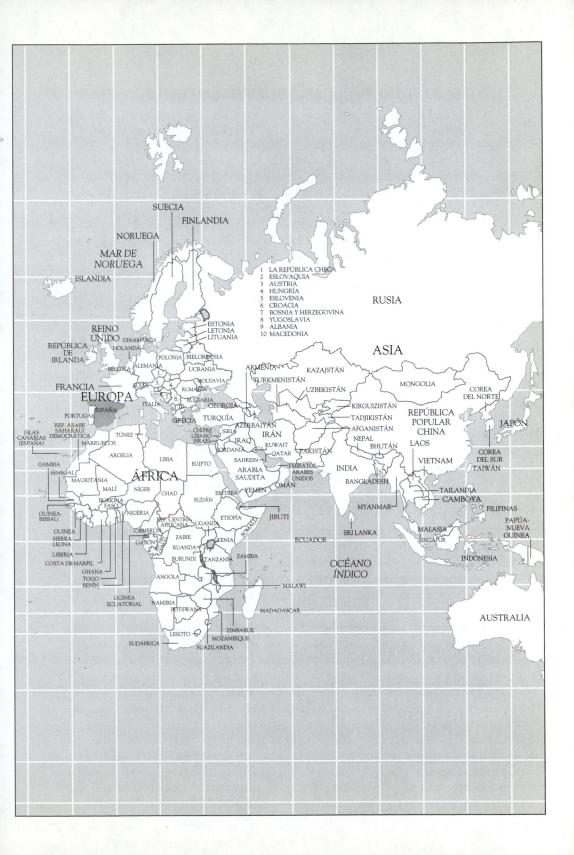

SUECIA

FINLANDIA

NORUEGA

MAR DE
NORUEGA

ISLANDIA

| | |
|---|---|
| 1 | LA REPÚBLICA CHECA |
| 2 | ESLOVAQUIA |
| 3 | AUSTRIA |
| 4 | HUNGRÍA |
| 5 | ESLOVENIA |
| 6 | CROACIA |
| 7 | BOSNIA Y HERZEGOVINA |
| 8 | YUGOSLAVIA |
| 9 | ALBANIA |
| 10 | MACEDONIA |

RUSIA

REINO
UNIDO

REPÚBLICA
DE
IRLANDA

DINAMARCA

HOLANDA

ESTONIA
LETONIA
LITUANIA

POLONIA    BIELORRUSIA

ALEMANIA

BÉLGICA

UCRANIA

ARMENIA

ASIA

KAZAJSTÁN

MONGOLIA

COREA
DEL NORTE

FRANCIA

SUIZA

MOLDAVIA

TURKMENISTÁN

UZBEKISTÁN

EUROPA

ESPAÑA

ITALIA

RUMANIA

BULGARIA

GEORGIA

TURQUÍA

KIRGUIZISTÁN

TADJIKISTÁN

REPÚBLICA
POPULAR
CHINA

JAPÓN

PORTUGAL

REP. ÁRABE
SAHARAUI
DEMOCRÁTICA

GRECIA

CHIPRE
LÍBANO
ISRAEL

SIRIA

AZERBAIYÁN

IRÁN

AFGANISTÁN

NEPAL

BHUTÁN

LAOS

COREA
DEL SUR

TAIWÁN

ISLAS
CANARIAS
(ESPAÑA)

TÚNEZ

MARRUECOS

IRAQ

JORDANIA

KUWAIT

QATAR

PAKISTÁN

VIETNAM

GAMBIA

SENEGAL

ARGELIA

LIBIA

EGIPTO

BAHREIN

ARABIA
SAUDITA

EMIRATOS
ÁRABES
UNIDOS

INDIA

BANGLADESH

TAILANDIA

CAMBOYA

FILIPINAS

MAURITANIA

ÁFRICA

NÍGER

CHAD

SUDÁN

ERITREA

YEMEN

OMÁN

MYANMAR

MALASIA

SINGAPUR

PAPÚA-
NUEVA
GUINEA

GUINEA-
BISSAU

BURKINA
FASO

NIGERIA

REP. CENTRO
AFRICANA

UGANDA

ETIOPÍA

JIBUTI

SRI LANKA

ECUADOR

INDONESIA

GUINEA

SIERRA
LEONA

LIBERIA

COSTA DE MARFIL

CAMERÚN

GABÓN

ZAIRE

RUANDA

BURUNDI

KENIA

TANZANÍA

SOMALIA

ZAMBIA

OCÉANO
ÍNDICO

GHANA

TOGO

BENÍN

ANGOLA

MALAWI

GUINEA
ECUATORIAL

NAMIBIA

BOTSWANA

MADAGASCAR

AUSTRALIA

SUDÁFRICA

LESOTO

ZIMBABUE

MOZAMBIQUE

SUAZILANDIA

# El *desarrollo del turismo en* Latinoamérica

Hoy en día el turismo es una de las industrias más importantes de Latinoamérica, aunque no todos los países gozan de la infraestructura y de los atractivos geográficos necesarios para desarrollar el mercado turístico. La gran mayoría de los turistas latinoamericanos viajan a balnearios, zonas históricas o ciudades dentro de su
5   mismo país o a un país vecino. Un 25 por ciento visitan los Estados Unidos o Canadá, aunque México y el Caribe también atraen a muchos turistas. Otros importantes centros turísticos son Brasil, Chile, Colombia y Argentina, países que tienen costas, lagos y montañas hermosas. Además de sus lindas playas, Argentina y Chile tienen famosos centros de esquí que atraen no sólo a esquiadores latinoamericanos,
10   sino también a norteamericanos y europeos, durante los meses de junio, julio y agosto que es el invierno en el hemisferio del sur.

   Durante las dos últimas décadas del siglo XX varios países de Latinoamérica han hecho un gran esfuerzo por promoverse turísticamente. Con este fin se firmaron numerosos convenios bilaterales relacionados con el transporte aéreo. México, por
15   ejemplo, llegó a acuerdos con nueve países latinoamericanos durante los años ochenta. Algunos países han invitado a compañías extranjeras a invertir grandes capitales a fin de explotar el turismo. La compañía hotelera española Meliá, por ejemplo, ha construido hoteles en Cancún y todos los años llegan aviones llenos de turistas españoles a gozar de la hermosa costa tropical de México. Aun Cuba, por
20   años hostil a la idea de explotar el turismo, ha empezado a permitir la construcción de nuevos hoteles y clubes nocturnos. En este caso también, España ha sido una importante fuente de turistas.

   Las necesidades del turista latinoamericano no son siempre las mismas que las del norteamericano. El latinoamericano suele partir de vacaciones con toda su fa-
25   milia. Lleva no sólo a su esposa y a sus hijos, sino también a la abuela y a la empleada. Los hijos adolescentes no viajan en grupos independientes, sino que van de vacaciones con el resto de la familia. A veces varias familias emparentadas veranean juntas, lo cual permite que los niños tengan siempre con quien jugar. A causa de esta costumbre de viajar en grupos, el turista latinoamericano necesita encontrar
30   un lugar de vacaciones que sea adecuado para toda la familia y que proporcione actividades para todas las edades y para todos los gustos.

   ¿Qué busca un turista típico? Por lo general busca un sitio atractivo o por lo menos pintoresco que tenga hoteles decentes y no muy caros, con habitaciones limpias, baños modernos y buenos restaurantes. Sin embargo, no todo el mundo se
35   aloja en un hotel cuando está de vacaciones. Algunas familias tienen parientes que las hospedan o disponen de su propia casa de verano. Puesto que muchas familias de clase media o alta viajan con su empleada, prefieren alquilar una casa de verano si no la tienen ya.

   Para desahogarse de las presiones de la vida moderna no hay como apartarse de
40   la ciudad. A algunas familias les gusta pasar las vacaciones en la playa. Entonces, buscan un balneario bonito donde no haya demasiada gente y donde los niños puedan jugar tranquilamente y sin peligro. Es preferible un lugar donde el mar sea calmo y no haya muchas olas, puesto que en Latinoamérica pocos balnearios dispo-

nen de salvavidas de servicio. En las playas públicas hay cabinas para cambiarse de
45  ropa, casetas de baño y duchas.

Hay innumerables balnearios excelentes en Latinoamérica. Las playas de Rio[1]
de Janeiro, famosas en el mundo entero, atraen a muchos turistas nacionales e internacionales, aunque durante la segunda mitad de la década de los ochenta el turismo
extranjero disminuyó. El balneario Angra Dos Reies, situado entre Rio de Janeiro y
50  São Paulo, se considera un verdadero paraíso terrenal. En Colombia, uno de los
atractivos turísticos más notables es el archipiélago de San Andrés, Providencia y
Santa Catalina. La capital, San Andrés, es un balneario internacional además de un
puerto libre de gran actividad comercial.

Algunas familias prefieren el camping. Buscan un lugar que esté a orillas de un
55  lago o de un río o, si no, que esté en un valle fresco o en una montaña que tenga una
linda vista. Aunque este tipo de vacaciones es menos popular que en los Estados
Unidos, existen en Latinoamérica sitios de camping que tienen agua corriente, electricidad y aun piscina. La ventaja de este tipo de vacaciones es que no cuesta mucho
y da la oportunidad de escapar del corre-corre de la vida urbana.

60  A mucha gente le agrada la idea de visitar monumentos históricos. Las ruinas
precolombinas atraen a miles de turistas todos los años. Machu Picchu, antigua ciudad sagrada de los incas, es uno de los centros turísticos más importantes del Perú.
En Chichén Itzá, antigua ciudad maya que se encuentra al norte del Yucatán, la
pirámide El Castillo y el templo de los Guerreros cautivan a los turistas mexicanos
65  tanto como a los extranjeros. La vertiente oriental de la región andina de Colombia
es una zona de gran atractivo por sus reliquias precolombinas. Comprende el departamento[2] de Boayacá y el norte de Cundinamarca, hasta cerca de Bogotá. Allí se encuentran magníficas muestras de la orfebrería precolombina además de hermosos
ejemplos de la arquitectura colonial. La Isla de Pascua, situada en el Océano Pací-
70  fico a 3.700 kilómetros de la costa chilena, no es un lugar de turismo masivo, pero
tiene muchos encantos para el aventurero que desee ver algo realmente exótico. Allí
están las inmensas estatuas de piedra conocidas como *moais,* que fueron construidas
por alguna civilización desaparecida de la cual se sabe muy poco. Los arqueólogos
aún no han descifrado el significado de estas figuras.

75  El turista latinoamericano con dinero puede darse el lujo de viajar a capitales
lejanas. Buenos Aires, Santiago de Chile, Lima, Bogotá, Rio, Caracas, La Paz,
México D.F. y todas las otras capitales latinoamericanas tienen grandes hoteles de
lujo capaces de hospedar a miles de huéspedes, con restaurantes, bares, piscina,
gimnasio, salón de belleza y peluquería para los caballeros. Además de museos,
80  monumentos históricos, teatros y cines, el turista podrá visitar los elegantes clubes
nocturnos. Algunos turistas prefieren visitar lugares más exóticos—los países de la
Europa Mediterránea, de Escandinavia o del Medio Oriente, por ejemplo.

A pesar del esfuerzo que se ha hecho para fomentar el turismo, quedan varios

---

[1]*Rio* se escribe sin acento en Portugués.

[2]División territorial administrativa de ciertos países, similar a un estado o provincia. Colombia está divi-
dida en departamentos.

problemas por resolver. Todavía no hay un plan colectivo que promocione y comer-
85  cialice el turismo en Europa y en los Estados Unidos. Otro problema son las tarifas
aéreas elevadas que impiden que el latinoamericano viaje dentro de su propio continente y que el norteamericano o europeo visite Latinoamérica. Para que el extranjero pueda pasar sus vacaciones en Machu Picchu, Copacabana o un centro de esquí
como Farellones, en Chile, se necesita proponer «paquetes» baratos y atractivos.
90      Otro problema serio es la violencia que resulta de la inestabilidad política. Por
hermoso e interesante que sea un lugar, si el turista teme desórdenes peligrosos, no
querrá visitarlo. La desaparición de algunos turistas extranjeros durante los años
ochenta resultó en una baja en el turismo en ciertas capitales latinoamericanas. Hoy
en día la amenaza de grandes revueltas políticas ha disminuido grandemente en
95  muchas partes. Sin embargo, crisis como el estado de sitio declarado por el presidente Fujimori en Lima en abril de 1992 o las revueltas políticas en Chiapas, México, en 1994 no son poco comunes y repercuten negativamente en el turismo. Aunque
casi no quedan dictaduras en Latinoamérica y la democracia se ha arraigado a través
de la región, la situación política de algunos países sigue siendo volátil. A menos
100 que puedan deshacerse de su imagen de violencia, será difícil que estos países de-
sarrollen el turismo.
        No obstante las dificultades, Latinoamérica tiene muchísimo que ofrecer al tu-
rista. Así que cuando usted tome sus próximas vacaciones, ¿por qué no visita a Latinoamérica?

# *Para enriquecer su vocabulario*

El prefijo **-des** denota negación u oposición. Se emplea con muchas palabras comunes.

| | |
|---|---|
| ahogarse | desahogarse (descansar) |
| agradar | desagradar |
| aparecer | desaparecer |
| aparición | desaparición |
| hacer | deshacer; deshacerse de (*to get rid of*) |
| orden | desorden |
| ventaja | desventaja |

## EJERCICIOS

**A. Complete las siguientes frases, empleando la palabra que está entre parén-
tesis.**

1. (ascensor) Para llegar al quinto piso _____.

2. (pasaporte) Para viajar a Alemania _____.

3. (huésped) Ese hotel inmenso _____.

4. (brújula) Para no perderse _____.

5. (cordillera) Los Andes son _____.

6. (desierto) El Mojave es _____.

7. (isla) Para desahogarse de las presiones de la vida urbana _____.

8. (balneario) Vamos de vacaciones a _____.

9. (vestíbulo) Después de cenar me encuentro contigo en _____.

10. (camarero) Aún no traen el menú. Voy a _____.

11. (salvavidas) Cuando voy a la piscina _____.

12. (arroyo) En la propiedad de nuestros amigos, _____.

## B. Temas de conversación

1. Describa un hotel de lujo. Explique la función de cada persona que trabaja en el hotel. ¿Cuáles son las ventajas y desventajas de alojarse en un hotel de este tipo?

2. ¿Dónde prefiere pasar las vacaciones, en una ciudad extranjera, en la playa o en las montañas? ¿Por qué?

3. ¿Le gusta hacer turismo? ¿Por qué? ¿Qué tipo de actividad turística le agrada? ¿Qué aspecto del turismo le desagrada?

4. ¿Hay mucho turismo en el lugar donde usted vive? ¿Qué beneficios y problemas trae el turismo?

5. ¿Cuáles son los países de Europa Occidental? ¿De Europa Central? ¿De Europa Oriental? ¿De Africa? ¿Del Medio Oriente? ¿De Latinoamérica? ¿Cuáles de estos países le gustaría visitar? ¿Por qué?

## C. Pro y contra: temas de debate

1. Es mejor que los jóvenes pasen las vacaciones con su familia en vez de viajar solos o en grupos de personas de su misma edad.

2. Cuando uno viaja a un país extranjero, es mejor alojarse en un hotel de lujo donde todo es igual que en el país de uno.

3. Si uno ve algo que le parezca injusto o moralmente reprensible en un país extranjero, debe expresar su opinión.

4. Cuando uno viaja, es mejor alojarse en casa de un amigo o pariente.

## D. Situaciones: represente las siguientes escenas con un compañero de clase.

1. Usted está cenando en un restaurante de lujo pero el servicio es malísimo. El camarero no llega nunca con el menú, se olvida de la lista de vinos y comete un error en la cuenta. Y luego se enoja cuando usted se niega a dejar una propina.

2. Usted está alojándose en un pequeño hotel donde hay muchos problemas: cierran la recepción a las diez de la noche, no hay botones, la camarera no limpia bien los cuartos, el ascensor no funciona y hay mucho ruido en los corredores. Quéjese al dueño, mencionando las dificultades que usted ha tenido.

3. Usted va a la playa para descansar, pero el señor que ocupa el puesto al lado de usted es muy ruidoso y desagradable. Lo peor es que quiere conversar con usted.

La playa está llena de gente y no hay donde moverse. Por más que trate de deshacerse del señor, él sigue molestando.

4. Usted y su amigo/a están viajando en un país extranjero. Él/ella quiere visitar los museos y monumentos históricos, pero usted quiere pasar la tarde en un café observando a la gente. Traten de llegar a un acuerdo que sea aceptable a los dos.

5. Usted está en un pueblo pequeño en un país extranjero. Usted entra en una tienda y compra varias cosas. Quiere pagar con un cheque de viajero, pero el vendedor no comprende este concepto. Explíquele el concepto y convénzale de que debe aceptar el cheque.

# GRAMATICA
## *El subjuntivo (II)*

### El subjuntivo en cláusulas adjetivales

1. Una cláusula adjetival modifica un substantivo y ocupa la misma posición en la oración que un adjetivo.

Buscamos un hotel **pintoresco.**

Buscamos un hotel **que tenga habitaciones limpias.**

Buscamos un hotel **que está al otro lado de la isla.**

Nótese que el verbo de la cláusula adjetival puede estar en el subjuntivo o en el indicativo.

2. Cuando el substantivo que se modifica no se refiere a una cosa o persona específica, se emplea el subjuntivo en la cláusula adjetival. En el segundo ejemplo que se cita arriba, no se refiere a un hotel específico y no se sabe si tal hotel existe o no.

3. Cuando el substantivo que se modifica se refiere a una cosa o persona específica, se emplea el indicativo en la cláusula adjetival. En el tercer ejemplo se trata de un hotel específico que el que habla tiene en mente.

4. En oraciones negativas, casi siempre se emplea el subjuntivo en una cláusula adjetival.

No hay ninguna aerolínea que ofrezca «paquetes» baratos.

*There is no airline that offers cheap package deals.*

No conozco ningún restaurante donde sirvan comida chilena.

*I don't know of any restaurant where they serve Chilean food.*

5. En oraciones interrogativas, se puede emplear el subjuntivo o el indicativo en la cláusula adjetival. El subjuntivo se emplea para referirse a algo indefinido, hipotético o inexistente.

¿Hay algún hotel que tenga piscina y sala de ejercicios?

*Is there any hotel that has a pool and an exercise room?* (El que habla no sabe si tal hotel existe o no.)

El indicativo se emplea para referirse a algo real o definido.

¿Conoce usted el hotel
   que da a la playa?

*Do you know the hotel that faces
   the beach?* (El que habla sabe que este
   hotel existe.)

**A. Reemplace la expresión que está subrayada con las palabras que están entre paréntesis.**

1. (Quieren encontrar) Alquilaron una casa que tiene una piscina.
2. (Queremos pasar las vacaciones en algún pueblo) Siempre pasamos las vacaciones en el pueblo que está al lado del lago.
3. (Buscan algún departamento) Se alojan en un departamento que da al mar.
4. (Tienen que encontrar) Tienen un guía que conoce la zona.
5. (Necesitan ofrecer) Crearon un programa que le permite al turista visitar varios países.
6. (Estoy buscando algún restaurante) Allí hay un restaurante donde sirven paella.

**B. Cambie las siguientes oraciones al negativo.**

1. Conozco a un agente de viajes que consigue buenos precios. (**No conozco a ningún agente de viajes que...**)
2. Tengo un amigo que ha estado en Suiza.
3. Aquí hay una señora que sabe hablar noruego.
3. He encontrado un hotel que es limpio y barato.
4. Existen balnearios donde hay cabinas para cambiarse de ropa.
5. He visto turistas que se portan bien.

**C. Termine cada frase con una cláusula adjetival.**

1. Necesito encontrar un hotel *que tenga largas camas.*
2. ¿Conoce usted a un agente de viajes _____?
3. ¿Hay alguien aquí _____?
4. No hay ningún turista _____.
5. Buscamos alguna playa _____.
6. Tengo varios amigos _____.
7. Acabamos de comprar una casa de verano _____.
8. Necesito encontrar una habitación _____.
9. Aquí hay un botones _____.
10. Conseguí una maleta _____.

**D. Complete el siguiente párrafo con las palabras y expresiones que le parezcan adecuadas.**

Quiero pasar las vacaciones en un lugar que _____. No importa que _____, pero sí es esencial que _____. Como pienso pasar todo el verano allí, es necesario que _____. En estos momentos estoy buscando una casa de verano que _____. Debe estar en un sitio que _____. También necesito encontrar un agente de viajes que _____. ¿Conoces a alguien que _____?

### Cláusulas adverbiales: conjunciones que se emplean sólo con el indicativo o sólo con el subjuntivo

1. Una cláusula adverbial tiene la misma función en la oración que un adverbio:

   Habla **constantemente.**
   Habla **de manera que los turistas extranjeros entiendan.**

2. Una conjunción introduce la cláusula adverbial. Ciertas conjunciones requieren el uso del indicativo. Otras requieren el uso del subjuntivo.

| CONJUNCIONES QUE REQUIEREN EL INDICATIVO | CONJUNCIONES QUE REQUIEREN EL SUBJUNTIVO |
|---|---|
| porque | para que |
| puesto que | a fin de que |
| ya que | a menos que |
| como (al principio de una frase) | salvo que |
| | antes (de) que |
| ahora que | con tal (de) que |
| desde que | sin que |
| | en caso (de) que |
| | a condición (de) que |
| | a no ser que |

3. Nótese que **puesto que, ya que** y **desde que** significan *since.* **Puesto que** y **ya que** indican una relación de causa y efecto:

   Puesto que el hotel es tan barato, nos quedamos una noche más.     *Since the hotel is so cheap, we'll stay another night.*

   Ya que tú estás aquí, podemos partir.     *Since you're here, we can leave.*

**Desde que** expresa una relación temporal. Nótese que se emplea el presente del indicativo en español, mientras que se emplea el presente perfecto en inglés.

| | |
|---|---|
| Desde que estamos en México, sólo hablamos español. | *Since we've been in México, we've only spoken Spanish.* |

**4.** Cuando no hay cambio de subjeto, no se emplea una conjunción seguida de una cláusula, sino una preposición seguida de un infinitivo.

| | |
|---|---|
| Vamos a la playa para que los niños naden. | *Let's go to the beach so that the children can swim.* |
| Vamos a la playa para nadar. | *Let's go to the beach to swim. (We go to the beach, we swim.)* |
| Lo hago con tal que ustedes tengan tiempo. | *I'll do it provided that you have time.* |
| Lo hago con tal de tener tiempo. | *I'll do it provided I have time.* |

## PRACTIQUEMOS

**A. Repita cada oración, usando las conjunciones que están entre paréntesis.**

1. Yo me meto al agua ya que tú te metes. (con tal que, porque, antes de que)
2. Ella lo hace porque tú lo haces. (a condición de que, a no ser que, puesto que)
3. Vamos al restaurante a condición de que ustedes tengan hambre. (ya que, con tal de que, ahora que)

**B. Complete cada oración con el verbo que está entre paréntesis y cualquier otra palabra que sea necesaria.**

1. (limpiar) Salgamos para que la camarera _____.
2. (haber) Voy a dejar que los niños vayan a la playa, puesto que _____.
3. (funcionar) Necesito hablar con el recepcionista porque el aire acondicionado del cuarto _____.
4. (llegar) Saca unas monedas antes de que el botones _____.
5. (estar) No saltes de la tabla a menos que el salvavidas _____.
6. (dar) Ceno contigo en el restaurante esta noche con tal que mi padre _____.
7. (venir) Dejaré un recado en la recepción en caso de que ellos _____.
8. (pagar) Les ayudaré a condición de que ustedes _____.
9. (prestar) No podemos hacer un viaje a Europa sin que el banco _____.
10. (saber) Como todo el mundo _____, los precios de los viajes han subido considerablemente.

## C. Complete cada frase con cualquier verbo que tenga sentido.

1. Vamos al bar del hotel para _____ un café.

2. Como _____ muy cansados, vamos a volver a la habitación.

3. Ella quiere visitar Alemania desde que yo la _____. *a ella o Alemania?*

4. Antes de que nosotros _____ lo que queremos comer, es necesario que el camarero nos traiga el menú.

5. En caso de _____ la información, te llamo.

6. No podemos cambiar de hotel sin que el agente de viajes _____ los arreglos. *he repairs*

7. Nunca viajan a un país extranjero sin _____ algunas palabras de la lengua.

8. Tenemos que ver el menú antes de _____.

### Cláusulas adverbiales: conjunciones que se emplean con el indicativo y el subjuntivo

1. Después de ciertas conjunciones, se puede emplear el indicativo tanto como el subjuntivo. Si el verbo comunica información (ya sea verdadera, ya sea falsa) se emplea el indicativo. Si el verbo se refiere a una acción o condición insegura o posible, se emplea el subjuntivo.

2. Estas conjunciones se pueden dividir en tres categorías:    *As soon as*

   a. conjunciones temporales: cuando, hasta que, tan pronto como, en cuanto, apenas, después (de) que, al mismo tiempo que, a la vez que, mientras    *As soon as*

   *as soon as / while (ind) / for as long as (subj)*

   El verbo se usa en el subjuntivo si la acción aún no se ha realizado. En este caso, el verbo de la cláusula principal está en presente o futuro; nunca está en pretérito o imperfecto.

   | | |
   |---|---|
   | Apenas llegue al hotel, voy a tirarme a la piscina. | *As soon as I get to the hotel, I'm going to jump into the pool.* |
   | Cuando estemos en Madrid, veremos una corrida de toros. | *When we're in Madrid, we'll see a bullfight.* |
   | Tan pronto como consiga la plata, va a hacer un viaje. | *As soon as he gets the money, he's going to take a trip.* |
   | Te llamo en cuanto sepa algo. | *I'll call you as soon as I know something.* |

   Cuando se trata de una acción repetida o habitual, o de una acción que se llevó a cabo en el pasado, se usa el indicativo en la cláusula subordinada.

   | | |
   |---|---|
   | Apenas llego al hotel, me tiro a la piscina. | *As soon as I get to the hotel, I jump into the pool. (always)* |

| | |
|---|---|
| Cuando estamos en Madrid, vamos a la corrida. | When we are in Madrid, we go to the bullfights. (always) |
| Tan pronto como consiguió la plata, hizo un viaje. | As soon as he got the money, he took a trip. |
| Te llamé en cuanto supe algo. | I called you as soon as I found out something. |

*en el pasado. prét.*

Cuando se emplea con el indicativo, la conjunción **mientras** significa *while;* cuando se emplea con el subjuntivo, la traducción es *for as long as.*

| | |
|---|---|
| Los niños juegan en la ribera mientras yo leo un libro. | The children play on the shore while I read a book. |
| Las cosas no se arreglarán mientras él sea el jefe de estado. | Things won't get better as long as he's chief of state. |

**b. conjunciones concesivas: aun si, aun cuando, aunque, a pesar de que, pese a que, no obstante, siquiera**

*even if? even when? Even though   In spite of the fact   Neither   Ins pix of*

Con estas conjunciones se emplea el subjuntivo cuando la acción es insegura o hipotética; el verbo de la cláusula principal está en presente, futuro o imperativo.

*sub = might*

| | |
|---|---|
| Aunque esté lloviendo, vamos a la costa. | Even though it may be raining, we're going to the coast. |
| Aunque está lloviendo, vamos a la costa. | Even though it is (in fact) raining, we're going to the coast. |
| No obstante lo que digan, partiremos. | In spite of what they may say, we'll leave. |
| No obstante lo que dicen, partiremos. | In spite of what they're saying, we'll leave. |
| A pesar de que haga frío, nos divertiremos. | In spite of the fact that it might be cold, we'll have a good time. |
| A pesar de que hacía frío, nos divertimos. | In spite of the fact that it was cold, we had a good time. |

**c. conjunciones condicionales o causales: como, donde, de modo que, de manera que, según**

*sub = condición*

Cuando se emplean con el subjuntivo, estas conjunciones expresan una condición. Cuando se emplean con el indicativo, expresan una relación de causa y efecto.

*ind = causa y efecto*

| | |
|---|---|
| Como vuelvas a tirar arena, te castigaré. | If you throw sand again, I'll punish you. |
| Como volvió a tirar arena, lo castigué. | Since he threw sand again, I punished him. |
| Iremos adonde tú quieras. | We'll go wherever you want. |

*might like*

| | |
|---|---|
| Fuimos adonde tú querías. | *We went where (to the place that) you wanted.* |
| Lo explicarán de manera que los turistas entiendan. | *They'll explain it so that the tourists understand.* |
| Lo explicaron de manera que los turistas entendieron. | *They explained it in a way that the tourists understood.* |

3. En caso de que exista una preposición relacionada a la conjunción (**después de, hasta, a pesar de**), se emplea generalmente la preposición seguida de un infinitivo cuando el sujeto de las dos cláusulas es el mismo.

| | |
|---|---|
| Voy a salir después de que los niños coman. | *I'm going to leave after the children eat.* |
| Voy a salir después de comer. | *I'm going to leave after I eat (after eating).* |

En el caso de conjunciones como **cuando, mientras, aunque,** etc., se emplea un verbo conjugado aun cuando el sujeto de las dos cláusulas es el mismo.

| | |
|---|---|
| Cuando tenga tiempo, lo haré. | *When I have time, I'll do it.* |

### PRACTIQUEMOS

**A. Complete la oración con el verbo que está entre paréntesis.**

1. (estar) Mientras _____ vivo, ellos no carecerán de nada.

2. (resolver) Cuando yo _____ este problema, quiero pasar un par de días en las montañas.

3. (poder) Compraron los boletos, de manera que todo el mundo _____ ir al teatro.

4. (llegar) Después de que _____ Javier, partiremos para la costa.

5. (querer) Lo haremos como tú _____.

6. (nadar) Los niños juegan en la orilla mientras yo _____ en el lago.

7. (conseguir) Tan pronto como nosotros _____ los pasaportes, ustedes podrán pedir los boletos.

8. (decir) Hicimos las maletas según nos _____ el director del grupo.

9. (pasar) Vamos a visitar Italia después de _____ varias semanas en la Península Ibérica.

10. (tener) A pesar de no _____ un centavo, vamos a partir de vacaciones.

**B. Traduzca al español.**

1. Whenever she visits her family in Finland, she crosses the border and goes into Russia. / When she visits her family in Finland, she'll cross the border and go into Russia.

2. In spite of the fact that the prices are high, France is a wonderful place to spend a vacation. / In spite of the fact that the prices may be high, France is a wonderful place to spend a vacation.

3. After they returned from Scotland, they went to Brazil. / After they return from Scotland, they'll go to Brazil.

4. As soon as they get to Switzerland, they go skiing. (always) / As soon as they get to Switzerland, they'll go skiing.

5. We waited until they returned from England. / We'll wait until they return from England.

6. Even though it's hot, we're going to the desert. / Even though it may be hot, we're going to the desert.

**C. Complete las siguientes oraciones.**

1. Algunos países de Latinoamérica no pueden promover el turismo porque

   _____.

2. No van a poder atraer al turismo masivo hasta que _____.

3. Numerosos convenios bilaterales relacionados con el transporte aéreo se han firmado a fin de que los países _____.

4. Las firmas hoteleras extranjeras van a invertir capitales cuando _____.

5. Otros países han promovido el turismo con mucho éxito a pesar de que

   _____.

6. Los jóvenes hispanoamericanos prefieren veranear con su familia mientras que los norteamericanos _____.

7. Los chicos hispanoamericanos suelen pasar las vacaciones con su familia aun después de _____.

8. Muchas familias se alojan con parientes para que los niños _____.

9. El turismo va a disminuir a menos que _____.

10. Muchas personas tienen miedo de viajar pese a que _____.

### El subjuntivo en cláusulas independientes

Además de con **ojalá** (véase la página 56), el subjuntivo se emplea en cláusulas independientes en los siguientes casos:

**1.** Después de **quizás, quizá, tal vez** y **acaso** se emplea el subjuntivo para expresar incertidumbre, mientras que se emplea el indicativo para expresar una actitud más positiva de parte del que habla.

Quizás pasemos las vacaciones en Polonia con la abuela. (Pero lo dudo.)

Quizás pasamos las vacaciones en Polonia con la abuela. (Creo realmente que esto puede ocurrir.)

**2. Que** + el subjuntivo se emplea para expresar *let . . .* o *have . . .*

| | |
|---|---|
| Que consiga los billetes Arturo. | *Let Arturo get the tickets.* |
| Que entren los señores. | *Have the gentlemen come in.* |

### Otros usos del subjuntivo

**1. Por más que** + el subjuntivo expresa *no matter how (much, hard) . . .*

Por más que traten, no pueden
resolver el problema.

*No matter how hard they try, they
can't solve the problem.*

Por hermoso que sea un lugar, si
los turistas tienen miedo, no
querrán visitarlo.

*No matter how beautiful a place is, if
tourists are afraid, they won't want
to visit it.*

**2. Ya** + el subjuntivo, **ya** + el subjuntivo expresa *whether . . . or whether . . .*

Ya sean los terremotos, ya sean
los políticos, siempre hay
problemas.

*Whether it's the earthquakes or whether
it's the politicians, there are always
problems.*

**Ya** se puede omitir en estas oraciones.

Esté en Roma o esté en París,
hay que encontrarlo.

*Whether he's in Rome or whether he's
in Paris, we have to find him.*

## PRACTIQUEMOS

**A. Responda a las siguientes afirmaciones empleando una oración con *que* +
el subjuntivo.**

MODELO    Los chicos no quieren visitar el museo con nosotros.

**Que se queden en el hotel, entonces.
Muy bien, que vayan a la playa.
Está bien, que hagan otra cosa.**

1. Los chicos quieren ir a la piscina.
2. Los turistas no quieren ver los monumentos.
3. El agente de viajes quiere conseguirnos los boletos.
4. El botones quiere llevar las maletas.
5. La camarera quiere limpiar el cuarto.

**B. Traduzca las siguientes oraciones.**

1. Maybe we'll go to Sweden. Maybe we'll go to Norway. I really don't know.
2. No matter how cheap the rooms are, I won't stay at that hotel.
3. Is that the hotel maid? Have her come in.

4. Whether they're in Poland or in Hungary, they're still in Eastern Europe.

5. Whether he's from Belgium or Egypt, he's welcome in my home.

6. No matter how small the stream is, I don't want the children to play there.

**C. Complete el párrafo.**

Este verano vamos a hacer un viaje a Chile. Como va a ser invierno allá, vamos a esquiar a menos que ①_____. Vamos a llevar nuestros equipos de esquí—esquíes, palos, botas—aunque ②_____. Todavía no hemos reservado un cuarto de hotel, pero yo creo que por más ③_____, vamos a encontrar donde alojarnos. Ya he empezado a ahorrar dinero para ④_____, pero como el viaje en avión ⑤_____, es posible que ⑥_____. Mi compañera de cuarto de la universidad quiere ir también, a pesar de que nosotros ⑦_____. Sus padres le han dicho que nos puede acompañar a condición de que ⑧_____. Antes de que yo ⑨_____, ella tendrá que darme una respuesta definitiva. Estoy muy entusiasmada con este viaje. Pronto voy a ir a ver a mi agente de viajes a fin de que ella ⑩_____. Y cuando ⑪_____, lo primero que voy a hacer es ponerme el traje de esquí y tirarme a la nieve.

─────────── *Expresiones problemáticas* ───────────

**1. pero, sino, sino que, no sólo... sino también**

**pero** = *but*

La traducción más común de *but* es **pero.**

| | |
|---|---|
| Quisiera hacer un viaje a Grecia, pero no tengo bastante dinero. | *I'd like to take a trip to Greece, but I don't have enough money.* |

**sino** = *but*

**Sino** se emplea en oraciones negativas en que se indica que una opción se acepta y otra se rechaza.

| | |
|---|---|
| No fueron al Japón, sino a Corea. | *They didn't go to Japan, but to Korea.* |
| No viajaron en avión, sino en tren. | *They didn't travel by plane, but by train.* |

**sino que** = *but* (seguido de una cláusula)

Cuando una cláusula sigue **sino,** la introduce la conjunción **que.**

| | |
|---|---|
| Los hijos adolescentes no viajan en grupos independientes, sino que van de vacaciones con su familia. | *Adolescent children don't travel in independent groups, but go on vacation with their parents.* |

**no sólo... sino también** = *not only... but also*

| | |
|---|---|
| Lleva no sólo a su esposa y a sus hijos, sino también a la abuela. | *He takes along not only his wife and children, but also the grandmother.* |
| Vamos no sólo a España sino también a Marruecos. | *We're going not only to Spain but also to Morocco.* |

## 2. único, sólo, solamente, solo

**único** = *only, unique*

Unico expresa *only* empleado como adjetivo. En este caso, **único** se coloca antes del substantivo.

| | |
|---|---|
| Es el único lugar que visitamos. | *It was the only place we visited.* |

Unico significa *unique* cuando se coloca después del substantivo.

| | |
|---|---|
| Es un volcán único. | *It's a unique volcano.* |

La expresión **hijo único** significa *only child.*

| | |
|---|---|
| María es hija única. | *María is an only child.* |

**sólo, solamente** = *only*

**Sólo** y **solamente** expresan *only* empleado como adverbio.

| | |
|---|---|
| Sólo (solamente) tenemos dos semanas de vacaciones. | *We only have two weeks of vacation.* |
| El viaje en avión vale sólo $500. | *The air fare is only $500.* |

**solo** = *alone*

El adjetivo **solo** expresa *alone.*

| | |
|---|---|
| Los niños están solos. | *The children are alone.* |
| Fui sola. | *I went alone.* |

## 3. el capital, la capital, el capitolio, capital (adjetivo)

**el capital** = fondos, cantidad de dinero

| | |
|---|---|
| No dispone del capital necesario para poner un negocio. | *He doesn't have the necessary capital to begin a business.* |
| Varias compañías extranjeras han invertido grandes capitales. | *Several foreign companies have invested great sums of money.* |

**la capital** = ciudad en la que residen los poderes públicos

| | |
|---|---|
| La capital de Bélgica es Bruselas. | *The capital of Belgium is Brussels.* |

**capitolio** = edificio majestuoso

| | |
|---|---|
| ¿Has visto el Capitolio de Washington, D. C.? | *Have you seen the Capitol in Washington, D. C.?* |

**capital** = esencial, principal, importante (adjetivo)

| | |
|---|---|
| Es un problema capital. | *It's a major problem.* |
| Lo capital es desarrollar la infraestructura. | *The essential thing is to develop the infrastructure.* |

**capital** = que cuesta la vida, mortal

| | |
|---|---|
| Aquí no existe la pena capital. | *Capital punishment doesn't exist here.* |
| Los siete pecados capitales son el orgullo, la avaricia, la lujuria, la envidia, la ira, la gula y la pereza. | *The seven deadly sins are pride, greed, lechery, envy, ire, gluttony, and sloth.* |

## PRACTIQUEMOS

A. Complete cada oración con una de las palabras que están en la lista.

1. pero / sino / sino que

   a. No vive en la montaña _____ en el valle.

   b. No nadan en el mar _____ juegan en la arena.

   c. No puedo ir a la Argentina este año _____ me gustaría ir el año que viene.

2. el capital / la capital / capital

   a. _____ es esencial para poner un negocio.

   b. Algunas personas creen que la pena _____ es inmoral.

   c. _____ de Chile es Santiago.

3. único / solo / sólo

   a. No quiero trabajar esta tarde; _____ quiero descansar.

   b. María y Luisa están viajando por Europa _____.

   c. Este muchacho es el _____ botones del hotel.

4. único / solo / solamente

   a. Mi amigo es hijo _____. Por eso goza tanto de la compañía de sus amigos.

   b. Tengo _____ veinte pesetas. ¿Puedes pagar tú esta vez?

   c. Ahora que estoy lejos de mi familia me siento muy _____.

5. pero / sino / sino que

   a. No sólo toca el piano _____ también baila ballet.

   b. Quisiera sentarme en un taburete del bar _____ tengo que volver al cuarto inmediatamente.

   c. No fueron al bar _____ al restaurante.

6. capital / el capitolio / el capital

   a. Estas son ideas de una importancia _____.

   b. _____ es un edificio alto y blanco con una gran cúpula.

   c. Hay que invertir _____.

# Selección literaria

*Cuando se viaja, se sale de la rutina y la banalidad de la vida cotidiana y se entra en otra dimensión: la de la magia. Cuando se viaja, todo es posible.*

## UN VIAJE O EL MAGO INMORTAL
### Adolfo Bioy Casares*

*El cómo o para qué nos encantó nadie lo sabe.*
Don Quijote, II, 22[1]

Para alcanzar la muerte no hay vehículo tan veloz como la costumbre, la dulce costumbre. En cambio, si usted quiere vida y recuerdos, viaje. Eso sí, viaje solo. Demasiado confiado juzgo a quien sale con su familia, en pos de la aventura.

5  Dentro del territorio de la República (estamos de acuerdo) *todo se da°*; pero si puede vaya por el agua, a otro país. Imíteme quien se anime; como yo, bese anteayer a *la Gorda,°* a los chicos y con el pretexto de que la compañía lo manda, parta al infinito azul...

     °**todo...** todo se encuentra; cualquier cosa puede ocurrir
     °la esposa (**Gorda** es un apodo cariñoso, semejante a "honey".)

10     En cuanto subí al barco de la carrera divisé a una corista, señorita Zucotti, que en años de juventud inflamó mi espe-

---

*Escritor argentino de gran renombre, Adolfo Bioy Casares ha publicado unos veinte libros, cinco de los cuales son novelas y once de los cuales son de cuentos. Los demás son ensayos y estudios de diversos tipos. Sus temas predilectos son la fantasía, la personalidad y el tiempo. Como su antiguo amigo y colaborador Jorge Luis Borges (1899–1986), construye una imagen laberíntica del universo. Sus personajes a veces aparecen y reaparecen en una sucesión vertiginosa de réplicas. Le fascinan la novela policial y la ciencia ficción, géneros que él mismo ha cultivado. En 1990 Bioy Casares ganó el prestigioso Premio Cervantes. Nació en Buenos Aires en 1914.

[1]*Don Quijote de la Mancha,* por Miguel de Cervantes (1547–1616), es uno de los monumentos de la literatura española. En el Capítulo XXII empiezan las aventuras de Don Quijote en la Cueva de Montesinos, donde el caballero andante dice conocer al mago Montesinos. La cita es realmente del Capítulo XXIII, en el que el mago le cuenta a Don Quijote que Merlín, que «sabe un punto más que el diablo», los encantó a él y a muchas otras personas que se encuentran ahora en la Cueva.

Alejandro Xul Solar, *Noche,* 1933, tempera and pencil on paper, 12¾″ × 18″. Courtesy Rachel Adler Gallery, New York, N.Y.

ranza. Aunque ahora es menos linda—calculo que se le alargó una cuarta la cara—me prometí el festín de esa misma noche visitarla en su cabina particular. Como para coristas
15 fue el viaje.° El río estaba bravo, la píldora contra el mareo no se asentaba en la boca del estómago; más de una vez gemí por no hallarme en tierra firme y, ya que me hamacaba, ¿por qué no en brazos de la corista o de *la Gorda?* Procuré leer. Entre mis petates° encontré, amén de la falta de revistas°, *El*
20 *diablo cojuelo.*° ¡Las tretas a que recurre la pobre *Gorda,* en el afán de educarme! No tardé una línea en comprender que con esa joya de la literatura nunca olvidaría la famosa polca que bailaban río y barco. Cuando por fin me levanté —ignoro si en toda la noche habré cerrado alguna vez el ojo, para
25 parpadear— me reanimé con café con leche tibio y con una gruesa de medialunas° de la víspera. Sobre piernas flojas bajé a tierra uruguaya.

Juraría que al *chauffeur* del taxímetro le ordené: «Al hotel Cervantes». Cuántas veces, por la ventana del baño,
30 que da a los fondos°, con pena en el alma habré contemplado,

*As if that trip were the kind where you wind up with chorus girls.*

valijas (regionalismo)
**amén...** *to make up for the lack of magazines*
*El diablo cojuelo* es una novela picaresca escrita por Luis Vélez de Guevara (1579–1644).

**una gruesa...** *a bunch of croissants* (Técnicamente una *gruesa* es doce docenas.)

**da...** *faces the back*

a la madrugada, un árbol solitario, un pino, que se levanta en
la manzana° del hotel. Miren si lo conoceré;° pero el terco del
conductor me dejó frente al hotel La Alhambra. Le agradecí
el error,° porque me agradan los cuartos de La Alhambra,
35  amplios, con ese lujo de otro tiempo; diríase que en ellos
puede ocurrir una aventura mágica. Me apresuro a declarar
que no creo en magos, con o sin bonete°, pero sí en la magia
del mundo. La encontramos a cada paso: al abrir una puerta o
en medio de la noche, cuando salimos de un sueño para en-
40  trar, despiertos, en otro. Sin embargo, como la vida fluye y no
quiero morir sin entrever° lo sobrenatural, concurro a lugares
propicios y viajo. ¡En el viaje sucede todo! Animosamente,
pues, me dirigí al señor de la recepción, que me dijo:

—Lo lamento, pero con el Congreso de Fabricantes de
45  Marionetas para Ventrílocuos, Titiriteros° y Afines° no me
queda una triste habitación.°

No hubo más remedio que cruzar la plaza, con mi vali-
jita, y tratarse a cuerpo de rey° en el Nogaró, donde, no sin
cabildeos° y la mejor voluntad, porque alojaban la *troupe*
50  completa del Berliner Ballet, me consignaron a un cuarto de
matrimonio. En el quinto piso, yendo por el corredor hacia la
izquierda, mi cuarto era el último; es decir que yo tenía, a la
derecha, otra habitación, y a la izquierda, la pared medianera
y el vacío. Pedí los diarios. A medida que los ojeaba, dejaba
55  caer las páginas al suelo. Por la ventana veía la plaza, la es-
tatua, la gente, las palomas. De pronto me acongojé.° ¿Por el
trajinar° de allá abajo, símbolo del afán inútil? ¿Por el desorden de papel de diario, disperso por mi habitación? ¿Por el
frío en los pies y en los hombros? ¿Por el cansancio de la
60  noche en vela?° Reaccionemos, me dije, y sin averiguar el origen de la congoja salí del hotel, me encontré en la plaza, a las
nueve de la mañana, demasiado temprano para presentarme
en las oficinas de la compañía, rama uruguaya. Vagué por las
calles de la Ciudad Vieja, pensando que no almorzaría tarde,

*block*
**Miren...** *I know it really well*

**Le...** *I was grateful for his mistake*

gorro que usan los clérigos o, en este caso, los magos

*catch a glimpse of*

*Puppeteers Related Fields*
**no...** *I don't have one single room left*

**a...** *como un rey*

*certain scheming, certain ulterior motives*

me sentí aflijido

corre-corre, movimiento excesivo

**en...** *sin dormir*

65  que a las doce en punto haría mi entrada en el Stradella.° A
    todo eso iba del lado de la sombra y volví a enfriarme; cam-
    bié de vereda, justamente a la altura de una negra apostada en
    un zaguán de azulejos verdes; como yo valoro mi salud y soy
    tímido, pasé de largo. A las diez visité la compañía. Me
70  agasajaron como saben hacerlo, hasta que el jefe de Rela-
    ciones Públicas me despidió, a las diez y trece. Permitió mi
    buena estrella° que en plena puerta giratoria me presentaran a
    un caballero, un charlatán que vende solares,° con quien en-
    tretuve, por así decir, veinte minutos en un café de la pasiva;
75  lo embrollé astutamente y convinimos en que a la otra
    mañana, a las ocho en punto, iría a recogerme al hotel, para
    llevarme en automóvil a examinar el santo día° solares en
    Colonia Suiza. Antes de las once me hallé de nuevo en la
    calle, más muerto que vivo.

80      Mirando cómo evolucionaban las palomas y unas mu-
    jerzuelas que usted confundía con mendigas, me repuse un
    poco en un banco, al sol, en la plaza Matriz. En el Stradella
    articulé un menú a base de ají, pimienta, otros picantes y
    mostaza, mucha carne, mariscos, vino tinto y café. Comí
85  como lobo. Porque era temprano me despacharon pronto y a
    las doce y media yo disponía de todo el día por delante. Para
    bajar mi alimentación bebí más café en el bar del Nogaró.
    Allí contemplé por primera y última vez en mi vida a dos
    altas muchachas del Berliner Ballet: una con cara de gato,
90  ligeramente vulgar y muy hermosa; la otra, rubia, fina, una
    sílfide,° con nariz grande y derecha, con senos pequeños y
    derechos.

        Aunque me derrumbaba el sueño, no subí a dormir la
    siesta, porque el recuerdo de las muchachas era demasiado
95  vívido. En el *hall,* donde permanecí en asiento de gamuza
    una hora larga, tuve ocasión de contemplar a buen número de
    brasileros, los más niños y ancianos, con el agregado de tres
    o cuatro señoritas con todo lo necesario para encabritar al

nombre de un restaurante

suerte

terrenos

el santo... *the whole darn day*

ninfa

prójimo.° Una de ellas, casada con seguridad, mirando en mi

100  dirección, propuso:

—¿Vamos a dormir la siesta?

Me pregunté si yo soñaba—lo que era bastante probable, porque el cansancio me aplastaba el cráneo—cuando se incorporó un hombrote, surgido de un sillón, a mis espaldas.

105  Yo también hubiera subido a acostarme, pero en mi tesitura,° reflexioné, más valía cansar el animal. Me saqué a tomar aire por esas calles de Dios, las mismas que recorrí a la mañana. Por pura curiosidad quise rever el zaguán de los azulejos. No lo encontré al principio y cuando, al fin, di con

110  él, faltaba la eva de ébano, joven y bien modelada, que al pasar yo, horas antes, masculló su palabra: no lo digo por vanagloria. Me encaminé a la plaza Matriz; aparte de palomas, apenas quedaban niños y lustrabotas. La verdad es que yo estaba tan cansado como inquieto. Recordando que el

115  sueño, esquivo en la cama, suele buscarnos en lugares públicos, entré en un ínfimo cinematógrafo, donde pasaban una película sueca, más bien° alemana, que bajo la carnada de magníficas fotografías y tedio, resultó una formidable exhortación a la lujuria. Al salir de allí no hice más que cruzar

120  la calle, para meterme en un barcito. Mientras bebía el *marraschino,*° mordiendo trozos de un queso notable por lo pungente, se apersonaron al mostrador dos damiselas, lujosamente ataviadas con terciopelo, borravino° y azul, anudado y levantado como telón de teatro, debajo de la cin-

125  tura, por la parte trasera, y entablaron palique con el *barman,* sonriéndole como tamañas° gatas. Cuando partieron lo felicité; respondió:

—Señor, lo que es mío, es suyo.

Sonó hueca mi risotada, no me atreví a pedir aclaración,

130  me retiré al hotel. Ni bien entré me pasaron al comedor, donde di pronta cuenta del menú. Arrastrándome como pude, subí, por ascensor, al quinto piso. No daban las diez en el

**con...** *with all the necessary equipment to drive a guy crazy*

disposición del ánimo

**más...** *rather*

marrasquino: licor hecho con cerezas y azúcar

rojo oscuro

grandes

reloj de la catedral cuando, en la enormidad de mi cama ca-
mera, me volteó el sueño.

135   A las doce y minutos me despertaron voces en el cuarto
contiguo. Distinguí dos voces, una femenina y otra masculina: desde el principio escuché únicamente la femenina,
que era muy suave. Imaginé a una mujer delicada y morena;
una peruana, quizá. Las mujeres que prefiero corresponden a
140   otro tipo, pero ésta me gustaba. Algunos me reputarán tonto,
por hablar así de una mujer que yo no veía. Lo cierto es que
me la representaba perfectamente. ¿De qué hablaban? No sé,
ni me interesa. Tampoco sé por qué no me dormía; estaba
alerta, como si esperara algo.

145   Ay, a la una empezó. Mis primeras reacciones fueron inquietud, desazón, voluntad de huir. De veras no quería estar
presente, pues me jacto de no tener por costumbre el husmear
al vecino. ¿Lo creerán ustedes? Me bajó pudor,° como si al     **Me...** Me dio vergüenza
verme en la coyuntura me avergonzara de mí mismo. Salté de
150   la cama, para dar nudillos° en la pared, acaso por respeto al     **dar...** *rap, knock*
pudor universal, acaso por el maligno deleite de interrumpir-
los. Iba a gritarles: «¡Piedad! ¡Un momento! ¡Ya me voy!»,
cuando recordé que no tenía dónde ir, porque el hotel estaba
repleto. Recordé también la vulgaridad de nuestros contem-
155   poráneos y comprendí que me exponía a quién sabe qué im-
properios.°                                                                                      insultos

Había que olvidar a la pareja, so° pena de caer en el in-     bajo
somnio, lo que era intolerable: la noche y el día anteriores
fueron duros; el programa del día siguiente, que empezaba a
160   las ocho de la mañana y abarcaba Colonia Suiza, no debía
tomarse a la ligera. Yo estaba exhausto. Resolví, cuerda-
mente, regresar al lecho, no sin antes aplicar, una última vez,
la oreja. La suavísima peruana se había vuelto más ronca; en
una interminable frase, que no tenía pausas y que era un sus-
165   piro, repetía: «Te juro te juro te juro te juro». Con una mueca
sardónica, murmuré: «Nunca juramento tan sentido será olvi-

dado tan pronto». El temor de que me oyeran me paralizó.
¿Había hablado en voz alta? Por un instante, en el cuarto de
al lado, hubo silencio. Afirmaría que lo hubo, pero luego el
170 jaleo continuó, a más y mejor.

Ahora anotaré una circunstancia curiosa: la peruana gritaba, suspiraba, respiraba, resoplaba—sí, resoplaba, como la
foca en el estanque del zoológico—y a ella brindaba yo mi
benevolencia, jamás a su discreto compañero, que sólo de
175 tarde en tarde se manifestaba, entonces repugnantemente,
como un gordo imbécil y moribundo, que agonizara ba-
beando.

La situación abundaba, quién lo duda, en ribetes aptos
para turbar a un hombre profundamente humano. Cuando me
180 ponía festivo, menos mal: proyectaba al punto, con carcajada
insensata, la broma de correr por debajo de la puerta una tarjeta de visita, donde no sólo figura mi nombre y apellido,
sino mi jerarquía en la fábrica, con el mensaje: «Señor, si se
fatiga ¿me la pasa?». Lo grave era cuando me irritaba. Si us-
185 tedes imaginaran el cariz de mi cólera, se asustarían. En mi
furor, con sombrío júbilo, auguraba el fulmíneo triunfo del
comunismo, tildaba de canalla al vecino y quería arrebatarle
la mujer. Tragándome la rabia, musité: «Yo también tengo a
*la Gorda*», lo que no era igual y en aquel instante resultaba
190 tan lejano que se volvía materia de conjetura. Luego, conmovido, me comparaba con la pobre Pelusa—un libro para
niños que *la Gorda* me propinó, más o menos de contra-
bando—, me comparaba con la pobre Pelusa, cuando llega
junto a los altos muros del palacio, para ella de transparente
195 cristal, contempla el festín, clama y no la oyen. No pude
aguantar, corrí a la cama, me cubrí con las cobijas, que resul-
taron excesivas.

El esfuerzo para no asfixiarme y el calor en tal grado me
congestionaron que al mirarme en el espejo, cuando encendí

200 la luz, temí haber contraído la rubeola o el sarampión, hipóte-
sis que, felizmente, no se cumplió.

Fuera de las mantas respiraba con libertad, pero en com-
pensación oía a la pareja. ¿Qué murmuraba ahora la peruana?
Suspiraba en voz ronquísima: «Me muero me muero me
205 muero me muero». Casi le grito: «Ojalá y de una vez,° por   *Go ahead and do it (die)!*
favor». Busqué refugio en *El diablo cojuelo;* seguía oyendo.
Busqué refugio en el sueño; apagué la luz, cerré los ojos,
traté de abstraerme: seguía oyendo. En el preciso momento
en que, por lo bajo, les echaba en cara a los vecinos mi in-
210 somnio, comprobé que ellos, como lo proclamaban sus ron-
quidos alternados, por fin dormían. Con repugnancia
comenté: «Deben de ser animales marcadamente fisiológi-
cos», para en seguida agregar: «¡Cerdos!».

Lejos de aliviarme, la casi perfecta calma que se estable-
215 ció en el cuarto de al lado me exasperaba. ¿Por qué negarlo?
Ahora echaba de menos aquel rumor, tan matizado y suges-
tivo. Me hallé desvelado y extrañamente solo. Pensé en *la
Gorda;* loco de mí, pensé en la vecina. Cavilé. Volví a odiar
al hombre, con su reposo actual me ofendía aún más que
220 antes.

Quise romper mi pasividad. «Si voy a actuar», me dije,
«actuaré con provecho». Trabajé, pues, un plan, para
despachar abajo al hombre y visitar, en el ínterin, a la mujer.
No era posible eliminar totalmente el peligro de un escán-
225 dalo, más o menos incómodo; pero la presa bien valía el
riesgo.

Cuando yo montaba los últimos pormenores de mi plan,
sonó en el otro cuarto la imperiosa campanilla de un desper-
tador. Vi, en mi reloj, que eran las siete y media. A conti-
230 nuación, hubo el habitual trajín de gente que se levanta. Con
presencia de espíritu, yo me levanté paralelamente, sin
perderles pisada, porque tenía un propósito que no dejaría de

cumplir. No era un plan delirante, como el de la noche; era un
propósito humilde, como correspondía a la sensata luz
235   diurna. Me apresuré, saqué ventaja a los vecinos, me planté
en la puerta del cuarto. Lo reconozco: el plan se había re-
ducido de modo absurdo; ahora consistía en ocupar, con la
prelación conveniente, un punto de mira. Mi ambición era
modesta, mi voluntad, tremenda. Yo vería a la peruana. Nadie
240   se mofe: sólo quien poco espera contempla lo increíble. Eso,
innegablemente, es lo que me ocurrió a mí.

Yo aguardaba, como dije, en mi posición estratégica. Oí
los pasos; ya venían, en precipitado tropel por el corredorcito
interno, que va del dormitorio a la puerta de salida. Se abrió
245   la puerta. ¿Qué vieron mis ojos maravillados? Un anciano
diminuto, flaco y gris, imberbe de puro viejo,° que representaba mil años° y estaba completamente solo.

— ¿Puedo hacer la pieza?—preguntó inopinadamente
uno de esos criados que merodean, cepillo en ristre, por los
250   corredores de todo hotel.

—Cómo no—contestó el vejete, lo más garifo°, y creí
discernir, en sus ojillos chispeantes, que por un segundo me
miraron, un dejo de burla.°

En cuanto el viejo se alejó, articulé:
255   —Permiso ¿puedo pasar?

Con el pretexto de averiguar cuánto tardaría el lavadero
en devolverme una camisa imaginaria, me colé en la
habitación. Mientras departía con el criado, lo examiné todo.
Allí no había peruanas.
260   Sonó, en mi cuarto, la campanilla del teléfono. Lo
atendí. Me dijeron que un señor me esperaba. «¿A estas
horas?», pregunté airadamente. Con desesperación recordé al
charlatán de los lotes en Colonia Suiza. Hubiera querido que
me tragara o, mejor, que lo tragara la tierra. Hubiera querido
265   ser mago y hacerle creer que lo acompañaba y mandarlo solo
a ver sus lotes. Partí a mi suerte.

**imberbe...** *so old he had no beard left*
**representaba...** *he looked a thousand years old*

*vivo, animoso*

**un dejo...** *a touch of mockery*

Al entregar la llave, pregunté:

—¿Cómo se llama el señor de la habitación contigua a la mía?

270   Consultaron libros y respondieron:

—Merlín.

El nombre me suena, pero ni antes ni después de esa mañana vi al sujeto.°                                    tipo, hombre

## PREGUNTAS

1. ¿Por qué dice el autor que «Para alcanzar la muerte no hay vehículo tan veloz como la costumbre»?
2. Según él, ¿qué debe hacer una persona para vivir plenamente?
3. ¿En quién se fija el narrador en el barco? ¿Qué revelan sus observaciones acerca de su estado de ánimo?
4. ¿A qué hotel quiere ir el narrador? ¿Adónde lo lleva el taxista? ¿Dónde se aloja finalmente? ¿Cree usted que es pura casualidad o hay un elemento de magia en todo esto?
5. ¿En qué tipo de magia cree el narrador?
6. ¿Por qué le atrae la idea de alojarse en el Nogaró? ¿Por qué cree usted que se acongoja en el cuarto?
7. ¿Cómo le va en la reunión de la compañía?
8. ¿Qué hace después de almorzar? ¿A quiénes contempla en el bar del hotel?
9. ¿Tiene sueño? ¿Qué hace en vez de subir al cuarto? ¿Por qué?
10. ¿Qué le dice la mujer en el hall del hotel? ¿Sabemos realmente si esto ocurrió o si el narrador se lo imaginó? ¿Cómo ayuda este episodio a definir aún más el estado de ánimo del narrador?
11. ¿Sigue sintiéndose cansado? ¿A qué tipo de película va?
12. Describa la escena en el bar donde el narrador bebe un marrasquino.
13. Una vez en su cuarto, ¿qué voces lo despiertan?
14. ¿Qué cree que está pasando en el cuarto contiguo? ¿Cómo se imagina a la mujer?
15. ¿Qué hace para ver a la peruana a la mañana siguiente? ¿La ve? ¿Por qué no? ¿Quién sale del cuarto? ¿Cómo se llama?

## ANALISIS

1. ¿Cómo crea el autor un ambiente de magia desde el principio del cuento?
2. Explique la importancia de los siguientes detalles: termina en un hotel diferente de aquél en el que había pensado alojarse; el segundo hotel se llama El

Alhambra y se alojan allí fabricantes de marionetas para ventrílocuos, titiriteros y afines; las palabras del barman son ambiguas; oye voces en el cuarto contiguo; el nombre del habitante del cuarto contiguo es Merlín.

3. ¿Cómo sabemos que el narrador ve el viaje como un escape de la rutina cotidiana?

4. ¿Qué busca el narrador desde su partida? ¿Qué mujeres describe? ¿Habla realmente con alguna de estas mujeres? ¿Qué significan las numerosas referencias a «la Gorda»?

5. ¿Cuál es la importancia del hecho de que el narrador esté cansadísimo? En su opinión, ¿cómo afecta el cansancio su mente?

6. ¿Cree usted que el encuentro amoroso del cuarto contiguo es una invención del mago Merlín o de la imaginación de la mente agobiada del narrador? Tomando en cuenta la definición de la magia del narrador, ¿hay un verdadero conflicto entre las dos interpretaciones?

# Composición

## COMO CORREGIR SU COMPOSICION

1. Antes de entregar su composición es esencial revisarla y corregirla con cuidado. Si lo permite su profesor, puede ser ventajoso pedirle a un amigo que la lea y haga sugerencias, ya que un segundo par de ojos a veces ve errores que se nos escapan. Si su profesor no quiere que le muestre su trabajo a un compañero, es aconsejable escribir la primera versión un día y revisarla otro para verla con «ojos descansados».

2. Primero revise el contenido de su composición. ¿Presenta usted la tesis claramente en la introducción? ¿Da información para apoyar esta tesis en los párrafos siguientes? ¿Está organizado el material lógicamente? ¿Resume sus ideas en la conclusión?

3. Luego revise la forma.

   a. El vocabulario

   Antes de empezar a escribir, usted debería haber hecho una lista de palabras claves sacadas de su vocabulario activo y de su lección. Si necesita usar el diccionario, tenga mucho cuidado. Una palabra inglesa puede tener muchos equivalentes en español.

   Pongamos que usted está escribiendo una composición sobre la construcción de una casa pero no sabe cómo se dice *nail*. La oración que necesita completar es la siguiente: En esta parte de la pared se colocan _____ a cada diez centímetros para asegurar su estabilidad.

   Si busca la palabra *nail* en un diccionario bilingüe, encontrará las siguientes definiciones: **uña, garra, clavo, clavar, clavetear, fijar.** ¿Cómo sabe usted cuál debe emplear? Primero, identifica la función gramatical de la palabra. Entre las definiciones de *nail* se incluyen substantivos y verbos. Como busca un substantivo, puede eliminar las tres últimas traducciones.

Luego, defina el contexto en que va a usar la palabra. Ya que está describiendo la construcción de una casa, *nail* no se refiere a una parte del cuerpo *(fingernail)* sino a algo que se usa en la construcción. Busque las tres primeras palabras en la parte española de un diccionario. Encontrará las siguientes definiciones: **uña:** *nail, fingernail;* **garra:** *claw, talon;* **clavo:** *nail, boil, corn, clove.*

Claro que la segunda palabra es incorrecta. Si todavía tiene dudas, busque la primera y la última en un diccionario español. Encontrará las siguientes definiciones: **uña:** parte córnea que cubre la punta de los dedos; **clavo:** piececilla de hierro, con cabeza y punta, que se hunde en un cuerpo para asegurar algunas cosas. **Clavo** es claramente la palabra que usted busca.

b. La ortografía

Por lo general, la ortografía española no es difícil para el anglófono. Sin embargo, conviene recordar ciertas reglas.

Con la excepción de **cc, ll, nn, rr** no hay letras dobles en español. **Ll** y **rr** no se consideran letras separadas. En palabras con la combinación **cc,** cada una de las **c** se pronuncia. La primera se pronuncia **[k]** y la segunda, **[s]: acción; lección.** La combinación **nn** no es común en español, pero aparece en algunas palabras que comienzan con el prefijo **in: innato, innovación.**

Tenga cuidado con las palabras que tienen afines con **ss** en inglés. El equivalente español tiene sólo una **s: clase, profesor.**

c. El acento escrito

Recuerde que el acento escrito es parte de la ortografía de una palabra. La palabra está mal escrita si le falta el acento. Por lo tanto, conviene aprender las siguientes reglas:

1. Cuando la palabra que termina en vocal, en **-n** o en **-s** se acentúa oralmente en la penúltima sílaba, normalmente no lleva acento escrito: **uruguaya, derecha, pensando, triste, titiriteros, hablan.**

2. Cuando la palabra que termina en una consonante que no sea **-n** o **-s** se acentúa oralmente en la última sílaba, no lleva acento escrito: **profesor, español, pared, reloj.**

3. Cuando una palabra no sigue ninguna de estas dos reglas, requiere un acento escrito: **ventrílocuo, Bárbara, hablé, llegó, habitación, interés, alemán, árbol, difícil.** (Note que la forma plural de las palabras que terminan en una vocal acentuada + **s** no requiere un acento: **interés, intereses; alemán, alemanes.**)

4. A veces el acento se emplea para distinguir entre dos palabras con funciones y significados diferentes: **si** *(if),* **sí** *(yes, himself);* **tu** *(your),* **tú** *(you);* **mi** *(my),* **mí** *(me);* **el** *(the),* **él** *(he);* **mas** *(but),* **más** *(more).* En estos casos, la palabra que se acentúa fonéticamente dentro de la oración se es-

cribe con acento. (Por ejemplo, **el** *(the)* no puede acentuarse por su posición dentro de la oración, mientras que **él** puede acentuarse.)

Las palabras interrogativas y exclamativas se escriben con acento: **qué, quién, dónde, adónde, cuánto, cómo, por qué.**

¿Cómo se llega al Hotel Nogaró?
¡Qué idea más estupenda!

Los pronombres relativos correspondientes se escriben sin acento:

Demasiado confiado juzgo a quien sale con su familia...
Me dirigí al señor de la recepción que me dijo...

Los demostrativos se escriben con acento cuando se nominalizan. En este caso funcionan como pronombres y corresponden a "this one", "that one", en inglés. El pronombre **esto** nunca lleva acento.

¿Las habitaciones? Me gusta ésta más que aquélla.
¿Los restaurantes? Me parece que éste es francés y ése es italiano.
No entiendo esto.

Los adjetivos demostrativos no llevan acento.

Me gusta esta habitación pero la otra me parece muy pequeña.
Me dijeron que este restaurante era francés.

Hoy en día **fui** y **fue** se escriben sin acento. Los pretéritos irregulares (dijo, anduve, hice, etc.) siguen las mismas reglas que otras palabras y, por lo tanto, no llevan acento.

5. Un diptongo se forma cuando una vocal fuerte (**a, e, o**) se combina con una vocal débil (**i, u**). Juntas forman una sola sílaba dominada por la vocal fuerte. En la palabra **Mario**, por ejemplo, la **i** se reduce al sonido [y]; en la palabra **contiguo**, la **u** se reduce al sonido [w]. Para «romper» el diptongo y darle valor a la vocal débil, se le coloca un acento: **María, oímos, frío.**

d. El silabeo

Cuando usted necesite dividir una palabra al final de un renglón, tenga en mente las siguientes reglas:

1. Generalmente las sílabas terminan en vocal: **ma-ña-na; ha-bla-do; ti-ti-ri-te-ro**

2. Con las excepciones que se mencionan abajo, los grupos de dos consonantes se dividen: **es-pañol; par-tieron; tragan-do.**

   Nótese que a diferencia del inglés, la **-s** no se combina con la siguiente consonante para formar una sílaba: **es-cribir; es-candinavo; es-lavo.**

3. Cada una de las siguientes combinaciones—**ch, rr,** y **ll**—forman una sola letra y no pueden dividirse. Y no pueden dividirse: **mu-cho; pe-rro; desarro-llo.**

4. Con la excepción de la **-s,** no se divide una combinación de consonantes en la que la segunda letra es **l** o **r: en-friar; ma-trimonio; enci-clopedia.**

5. Las combinaciones de vocales siempre se dividen, a menos que una de las vocales sea **i** o **u** sin acento. Si la **i** o **u** lleva acento, forma una nueva sílaba: **cabilde-os; emple-ado; m**u**er-te; c**iu**-dad; Ma-r**io**; esquí-an; continú-en; Marí-a.**

e. La mayúscula

Nótense las siguientes diferencias entre el uso de la mayúscula en inglés y español.

1. En español sólo la primera letra de un título es mayúscula: **«El mago inmortal».**

2. En español los nombres de los meses y de los días de la semana se escriben con minúscula: **lunes, mayo, diciembre.**

3. En español las nacionalidades y las lenguas se escriben con minúscula: **francés, alemán, chino.** Como en inglés, los nombres de los países se escriben con mayúscula: **Francia, Alemania, China.**

# EJERCICIOS DE COMPOSICION

**A. Corrija el siguiente párrafo.**

Un viaje problemático

Me dirigi al señor de la recepcion y el me dijo que no habia habitaciones disponibles. Entonces cruce la plaza y fui al Hotel International. Alli hable con una señorita que me aseguro que iba a poder encontrarme un cuarto, pero despues de consultar con el gerente volvio al mostrador y me dijo que con el Congreso de Fabricantes de Automoviles ya no les quedaban cuartos. Sali a la calle y detuve un taxi. Le pedi al taxista que me llevara al Hotel Brasil. El chofer era un hombre Español muy locuaz qué me dijo que a causa del turísmo casi no habia habitaciones disponibles en toda la ciudad. Entonces ofrecio alojarme en su casa por solo 150 dolares la noche.

**B. Escriba una composición adoptando uno de los siguientes puntos de vista.**

El narrador de «Un viaje o El mago inmortal» se imagina todo el episodio en el cuarto contiguo.

Desde el principio de su viaje todas las acciones del narrador son controladas por el mago Merlín.

**C. Siguiendo los pasos que se recomiendan en «Cómo corregir su composición», revise y corrija lo que ha escrito.**

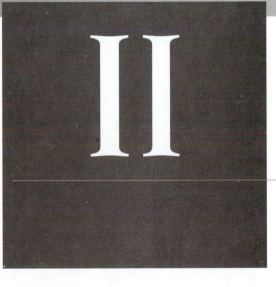

*Segunda parte*

# El verbo (II)

## II

# Hogar, familia y compañeros

## La boda, el matrimonio

**1.** el novio*  **2.** la novia*

**VOCABULARIO ADICIONAL:**
**1.** el matrimonio, la pareja  **2.** el esposo, el marido  **3.** la esposa, la mujer, la señora
**4.** el prometido, la prometida  **5.** el enamorado, la enamorada  **6.** el noviazgo
**7.** enamorarse (de alguien)  **8.** comprometerse  **9.** casarse con (alguien)
**10.** separarse de (alguien)  **11.** divorciarse de (alguien)  **12.** el estado civil  **13.** casado
**14.** viudo  **15.** divorciado  **16.** soltero

**ADDITIONAL VOCABULARY:**
**1.** the couple  **2.** the husband  **3.** the wife  **4.** fiancé(e)  **5.** sweetheart  **6.** engagement
**7.** to fall in love (with someone)  **8.** to get engaged  **9.** to get married to (someone)
**10.** to get separated from (someone)  **11.** to get divorced from (someone)  **12.** civil marital state
**13.** married  **14.** widowed  **15.** divorced  **16.** single

---

*«Novio» significa *groom* y «novia» significa *bride*. «Novio» también se refiere a una persona que está próxima a casarse o que tiene la intención de casarse; es sinónimo de «prometido». Hoy el día, sin embargo, «novio» se usa popularmente para significar *boyfriend* en algunos países; en este caso no implica que la persona tenga necesariamente la intención de casarse.

# La familia Gómez

Luis Gómez Luján

Elena Villar de Gómez

Silvia Gómez Villar

Julia Ochoa de Gómez

Andrés Gómez Pérez

Gerardo Gómez Ochoa

María Pérez de Gómez

Eduardo Gómez Villar

Raúl Padilla Hernández

Anita Gómez de Padilla

Simón Padilla Gómez

Mariana Padilla Gómez

Julio Padilla Gómez

Tomás Gómez Pérez

Cecilia García de Gómez

Juan Gómez García

Marta Gómez García

Mirta Gómez García

Filipe Gómez García

Fabián Gómez Villar

Alba Sánchez Marín

Mario Gómez Sánchez

Dolores Carrasco de Gómez

Guillermo Gómez Carrasco

## LA FAMILIA INMEDIATA

1. Anita y Raúl son los **padres** de Mariana Padilla.
2. Julio, Mariana y Simón son los **hijos** de Anita y Raúl Padilla.
3. Mariana es la **hija**; Simón es el **hijo mayor** y Julio es el **hijo menor**.
4. Julio y Simón son **hermanos**; Mariana es la **hermana** de Julio y Simón.
5. Gerardo Gómez es un **hijo único**.
6. Juan es el **hijo adoptivo** de Cecilia y Tomás Gómez.
7. Marta y Mirta son **mellizas (gemelas)**. Felipe es su **hermano mayor** y Juan es su **hermano menor**.

## LA FAMILIA EXTENDIDA

1. Eduardo y María Gómez son los **abuelos** de Mariana. Mariana es su **nieta**. Eduardo y Anita tienen ocho **nietos**.
2. Eduardo también es el **abuelo** de Mirta y Marta.
3. María también es la **abuela** de Felipe.
4. Andrés y Julia Gómez son los **tíos** de Mariana. Andrés es el **tío** y Julia es la **tía**.
5. Guillermo Gómez es el **tío segundo** de Mariana.
6. Fabián Gómez es el **tío abuelo** de Mariana.
7. Felipe, Mirta, Marta y Juan son los **primos (primos hermanos)** de Mariana.
8. Mariana es la **sobrina** de Cecilia y Tomás.
9. Eduardo es el **suegro (padre político)** de Raúl Padilla; María es su **suegra (madre política)**. Eduardo y María son los **suegros (padres políticos)** de Raúl.
10. Raúl es el **cuñado** de Andrés.
11. Fabián y Alba se divorciaron. Su hijo Mario es el **medio hermano** de Guillermo.

**VOCABULARIO ADICIONAL:**
1. el padrastro
2. la madrastra
3. el hermanastro
4. la hermanastra

**ADDITIONAL VOCABULARY:**
1. stepfather   2. stepmother   3. stepbrother   4. stepsister

## El bautismo

El sacerdote bautiza a Carlitos, **hijo** de Alberto y Carolina. Laura y Roberto son sus mejores amigos. Son los **padrinos**[1] (el **padrino** y la **madrina**) del bebé. Roberto y Laura son los **compadres**[2] (el **compadre** y la **comadre**) de Carolina y Alberto.

---

[1]Los que asisten a un niño para recibir el bautismo; los padrinos se comprometen a ayudar y a proteger al niño durante toda su vida.

[2]Padrinos de un niño respecto a los padres de éste.

## Los empleados domésticos

1. la empleada, la sirvienta, la criada, la mucama
2. la cocinera, el cocinero
3. el jardinero
4. el chófer
5. el mayordomo

# La familia latinoamericana en transición

Como en muchas partes del mundo, la familia en Latinoamérica está evolucionando. Las realidades económicas, la liberación femenina, la legalización del divorcio en algunos países y la influencia extranjera han ayudado a crear nuevas actitudes hacia la familia. Otro factor importante es la disminución de la autoridad de la Iglesia Católica en ciertos sectores de la población, en particular en las zonas urbanas.

Hace cincuenta años la familia tradicional aún se consideraba la norma, por lo menos en las clases media y alta, aunque estudios recientes han demostrado que nunca ha habido una sola norma en las clases humildes. Según este modelo el padre era el jefe absoluto del hogar. Era responsable de proveer a la familia de casa y comida, además de otros bienes materiales. Le tocaba a él mantener el nivel social y económico de su familia y tomar todas las decisiones importantes respecto a la vivienda, la educación de los niños y aun la conducta de su esposa. En algunos países, por ejemplo el Ecuador, una mujer no podía viajar sin el permiso de su marido. En varios, la propiedad de la mujer pasaba automáticamente al esposo después del matrimonio.

La madre era el centro espiritual de la familia. Rara vez trabajaba fuera del hogar, sino que se dedicaba exclusivamente a su esposo y a sus hijos. Era responsable de la educación religiosa de los niños y del bienestar de todos. Estaba encargada de la vida social de la familia, la cual veía como una responsabilidad seria. A ella le tocaba mantener el prestigio de su esposo al organizar fiestas y otras actividades sociales. Se reunía a menudo con otras señoras para charlar y jugar a las cartas y a veces se dedicaba a obras de caridad o a otras actividades de la Iglesia.

El concepto latino de la familia incluía no sólo a padres e hijos, sino también a abuelos, tíos, primos y compadres. Al quedarse viuda, una mujer solía ir a vivir con uno de sus hijos. Así que era común que una abuela o una tía soltera viviera con la familia y ayudara a la madre. A menudo las familias eran grandes y en las casas se disponía de pocos aparatos modernos. Como la familia de clase media o alta solía tener varios empleados domésticos—entre ellos una cocinera, una o más niñeras, mucamas que limpiaban la casa y un jardinero—la señora desempeñaba más bien el papel de administradora. No se consideraba «sólo una ama de casa»; al contrario, opinaba que su papel era esencial y fundamental, noción que la sociedad reforzaba.

A pesar del cuadro idealizado que a menudo se ha pintado del hogar tradicional hispánico, estudios hechos en los años ochenta y noventa demuestran la existencia de numerosos problemas sociales resultantes del concepto jerárquico de la familia. La dominación masculina era la norma tanto en el hogar como en la sociedad. El hombre gozaba de gran libertad dentro y fuera de la casa, mientras que el dominio de la mujer se limitaba estrictamente al hogar. El «machismo»—concepto que afirma la superioridad del hombre sobre la mujer—encerraba la noción de que el varón era seductor por naturaleza y, por lo tanto, se consideraba aceptable que tuviera relaciones sexuales con varias mujeres. Aunque, claro está, no todos los hombres mantenían amantes, no era poco común que un señor tuviera relaciones con una empleada de la casa o con otra mujer de clase inferior a la suya. A consecuencia

de esta práctica, muchísimas mujeres de condición humilde tenían que criar a sus
hijos naturales por su cuenta. De hecho, la madre soltera era y sigue siendo un fenó-
45  meno bastante común y aceptado en la clase baja en muchas partes de Latinoamérica, en particular en el Caribe. En algunos casos el hombre proveía a la
mujer y a sus hijos naturales, pero de todos modos éstos no tenían ni derechos ni
protección bajo la ley.

La familia tradicional también se usaba en las clases bajas, aunque no era nece-
50  sariamente la norma, ya que muchas parejas no se casaban por razones económicas
y sociales. También influían factores étnicos, puesto que entre las poblaciones indígenas y africanas el matrimonio católico no siempre se consideraba una necesidad.
Otro factor era la Iglesia Católica: como el divorcio no se legalizó en algunos países
de Latinoamérica sino hasta hace relativamente poco, a veces los casados se separa-
55  ban y volvían a formar hogares con otra persona sin poder contraer matrimonio.

A veces, aun sin el beneficio del matrimonio, hombre y mujer se mantenían
juntos durante toda la vida, creando una unidad familiar estable. Sin embargo, en
muchos casos estas uniones eran muy fluidas y la madre terminaba criando al niño
sola. A diferencia de la mujer de clase media o alta, la de clase baja a menudo traba-
60  jaba. A veces cultivaba la tierra, vendía productos agrícolas o artefactos que ella
misma producía como canastas o telas, o trabajaba de sirvienta en una casa. Estas
actividades le daban una libertad considerable. Por esta razón y por la tendencia de
los hombres a rechazar la monogamia, la mujer de clase baja dependía menos del
varón que sus hermanas más aventajadas.

65  Estudios recientes demuestran que la familia encabezada por una mujer es un
fenómeno que empezó a extenderse en el siglo XVI. Cuando llegaron los españoles
al Nuevo Mundo, muchos se unieron con mujeres nativas a las cuales abandonaron
más tarde, dejando a sus hijos mestizos a cargo de la madre. Aunque siempre han
coexistido numerosos tipos de familia en Latinoamérica, durante las últimas dé-
70  cadas del siglo XX varios factores contribuyeron a un aumento en el número de familias encabezadas por mujeres.

Uno de ellos es la inestabilidad económica y el resultante desempleo que
obligaron a miles de personas a dejar su hogar y a migrar a otros lugares. En algunos casos las revueltas políticas fueron la causa de estas migraciones. Aunque en
75  el pasado no era poco común que un hombre saliera de su pueblo a buscar trabajo
en la capital, durante la última parte del siglo XX aumentó el número de mujeres
que emprendieron viajes en busca de nuevas oportunidades de trabajo. A causa de
estas migraciones—ya fueran a la capital, ya fueran a un país extranjero—mujeres
tanto como hombres se encontraban en relaciones poco estables que a veces pro-
80  ducían hijos naturales.

Otro factor es la legalización del divorcio, la cual ha afectado a hombres y mujeres de todas las clases sociales. Mientras que antes la mujer estaba más dispuesta a
tolerar a un esposo abusivo o una situación matrimonial repugnante, con el advenimiento del divorcio la situación empezó a cambiar. El divorcio le ofreció protec-
85  ción financiera a la esposa y a sus hijos y legalizó muchas separaciones *de facto*.
Aunque el divorcio todavía no se acepta en todos los sectores de la sociedad his-

pánica y la mujer divorciada aún lleva un estigma, especialmente en la clase alta, muchas mujeres prefieren sufrir el desprecio que compartir el hogar con un hombre que ya no aman.

En Latinoamérica la liberación femenina nunca adquirió el aspecto militante que la caracterizó durante los años setenta en los Estados Unidos. Sin embargo, ha tenido el efecto de abrir nuevos horizontes para la mujer. Muchos oficios que antes le estaban cerrados ya no lo están. Además, en varios países—Chile, Argentina, Venezuela, Colombia, Costa Rica, Panamá—la tasa de alfabetismo es casi igual para hombres y mujeres. Estos desarrollos le han dado mayor independencia a la mujer, lo cual ha contribuido posiblemente al número creciente de familias encabezadas por mujeres.

No es automático que una mujer se separe de su familia y establezca su propio hogar al tener un hijo natural. En un estudio publicado en 1988 Susan de Vos y Kerry Richter señalaron que menos de la mitad de las madres solteras incluidas en su investigación eran cabezas de familia. Lo más común era que la mujer siguiera viviendo con su propia familia—probablemente encabezada por su madre o su abuela—aun después de dar a luz. Entre las madres solteras de menos de 20 años de edad, sólo el cinco por ciento establecía su propio hogar. En cambio, entre las madres solteras que tenían de 45 a 49 años de edad, el 35 por ciento era jefe de familia.

Hoy en día aun la familia tradicional está empezando a cambiar, especialmente en las áreas urbanas. Una de las razones son las influencias extranjeras que llegan a través de la televisión, el cine y la prensa. A medida que Latinoamérica se integra en el mundo moderno, la influencia de la Iglesia Católica va disminuyendo y los tabúes contra el divorcio y la anticoncepción van eliminándose. En las grandes ciudades muchas parejas limitan el tamaño de su familia para poder darles a sus hijos una mejor educación y más ventajas materiales. Otro factor es la tendencia de los hijos adultos en unos países a salir del hogar paterno, a veces para estudiar o para buscar trabajo, o porque se han casado. En el pasado los hijos a menudo seguían viviendo bajo el techo de los padres, aun después de casarse—fenómeno que todavía se produce en el campo. En un estudio publicado a fines de 1989 Susan de Vos demostró que en el Perú, por ejemplo, era cinco veces más probable para un residente de área rural vivir con sus padres, que para un habitante de área urbana. También era más común para la hija dejar la casa paterna que para el hijo, no sólo porque las mujeres se casaban antes, sino también porque la familia tenía más interés en mantener al hijo varón en casa, ya que tendía a ser más productivo económicamente y a contribuir más a la familia.

¿Qué será de la familia hispánica dentro de veinte o treinta años? ¿Será tan fuerte y unida como lo ha sido tradicionalmente o sufrirá cambios radicales? Por ahora, a pesar de las presiones de la modernización, la familia hispánica sigue siendo el núcleo de la sociedad y un factor importante en la vida social, económica, religiosa y política. Muchas fiestas se organizan para celebrar cumpleaños, santos, bautizos, primeras comuniones, bodas y otros acontecimientos familiares. Es muy común que los negocios sean de familias enteras y no sólo de un individuo.

Además, es bastante aceptado que un político ayude a sus parientes y que nombre a hijos, primos, cuñados, tíos o compadres a puestos importantes cuando tiene la oportunidad. Es decir, la familia—tradicional o no—sigue manteniendo su dominio en la vida individual y colectiva. Pero con los cambios que están produciéndose, quién sabe qué traerá el futuro.

*135*

# Para enriquecer su vocabulario

Muchas palabras son iguales en español e inglés:

| | |
|---|---|
| el sector | *sector* |
| considerable | *considerable* |
| natural | *natural* |

No se olvide que, con la excepción de la **ll** y la **rr,** no hay letras dobles en español.*

| | |
|---|---|
| la cla<u>s</u>e | *class* |
| el profe<u>s</u>or | *professor* |

Las palabras que terminan en *-tion* en inglés a menudo corresponden a palabras que terminan en **-ción** en español. Nótese que el substantivo español siempre es femenino.

| | |
|---|---|
| la noción | *notion* |
| la tradición | *tradition* |
| la legalización | *legalization* |

Cuidado con las palabras **educación, discusión** y **población. Educación** tiene un sentido más amplio que *education,* ya que se refiere a la formación completa—social, intelectual y espiritual—de una persona, mientras que la palabra inglesa se refiere únicamente a la formación académica. **Discusión** a menudo significa *argument.* **Población** no se escribe igual a *population* en inglés.

Las palabras que terminan con *-tional* en inglés a menudo corresponden a palabras en español que terminan en **-cional.**

| | |
|---|---|
| tradicional | *traditional* |
| racional | *rational* |

Las palabras que terminan en *-ty* en inglés a menudo corresponden a palabras que terminan en **-dad** o **-tad** en español. Nótese que el substantivo español siempre es femenino.

---

*Una excepción notable: cuando el prefijo **-in** se agrega a una palabra que comienza con la letra **n,** se produce la combinación **nn: innumerables, innovador.**

| la actividad | *activity* |
|---|---|
| la oportunidad | *opportunity* |

Nótese la diferencia entre *responsibility* y **respons a̲bilidad.**

Las palabras que terminan en *-am, -em* u *-om* en inglés a menudo corresponden a palabras que terminan en **-ma** en español. Nótese que el substantivo español casi siempre es masculino.

| el programa | *program* |
|---|---|
| el telegrama | *telegram* |
| el problema | *problem* |
| el síntoma | *symptom* |

Las palabras que comienzan con *s-* seguida de consonante en inglés a menudo corresponden a palabras que comienzan con **es-** en español.

| espiritual | *spiritual* |
|---|---|
| esposo | *spouse* |
| el estudio | *study* |
| el español | *Spanish* |

Las palabras que terminan con *-ous* en inglés a menudo corresponden a palabras que terminan en **-oso** en español.

| religioso | *religious* |
|---|---|
| delicioso | *delicious* |

Cuidado con los equivalentes de los adjetivos *serious* y *ridiculous;* son **serio** y **ridículo.**

Las palabras que terminan con *-ist* en inglés a menudo corresponden a palabras que terminan en **-ista** en español. Nótese que el substantivo español puede ser masculino o femenino.

| el artista, la artista | *artist* |
|---|---|
| (*male artist, female artist*) | |
| el comunista, la comunista | *communist* |
| el economista, la economista | *economist* |

Nótese que muchas palabras que terminan en *-istic* en inglés también corresponden a palabras que terminan en **-ista** en español.

| materialista | *materialistic* |
|---|---|
| realista | *realistic* |

Los verbos que terminan en *-tract* en inglés a menudo corresponden a verbos que terminan en **-traer** en español. El verbo español se conjuga como **traer: distraigo, distraes...**

| contraer | *contract* |
|----------|-----------|
| atraer | *attract* |
| distraer | *distract* |

Los verbos que terminan en *-pose* en inglés a menudo corresponden a verbos que terminan en **-poner** en español. El verbo español se conjuga como **poner: supongo, supones...**

| componer | *compose* |
|----------|-----------|
| disponer | *dispose* |
| suponer | *suppose* |

Nótese que el equivalente de *repose* es **reposar**.

Los verbos que terminan en *-tain* en inglés a menudo corresponden a verbos que terminan en **-tener** en español. El verbo español se conjuga como **tener: mantengo, mantienes...**

| mantener | *maintain, support*\* |
|----------|-----------|
| contener | *contain* |
| retener | *retain* |
| sostener | *sustain* |
| abstener | *abstain* |

## EJERCICIOS

### A.  Emplee las dos palabras en una frase.

1. novios / casarse
2. hermana / cuñado
3. contraer / matrimonio
4. mantener / hijos
5. niñera / niño
6. enamorarse de / compañero de clase
7. mellizos / idénticos
8. abstener / fumar
9. hija / yerno
10. empleada / limpiar
11. condiscípulos / clase
12. jardinero / flores

### B.  Explique el significado de los siguientes términos.

1. hijo político
2. primo hermano
3. condiscípulo
4. suegra
5. viudo
6. padrino
7. hermanastro
8. novio
9. comprometerse
10. hijo único

---

\**To support (a family)* = **mantener;** *to put up with, to tolerate* = **soportar**

11. compañero de trabajo
12. tío abuelo

13. mayordomo
14. compadre

## C. Temas de conversación

1. Describa a su familia. No se olvide de mencionar a sus abuelos, tíos abuelos, tíos, primos, cuñados y padrinos. Describa sus trabajos, pasatiempos, intereses especiales, etc.

2. ¿Diría usted que la familia norteamericana está en transición? ¿Qué factores han contribuido a esta transición? Si no está en transición, ¿por qué no?

3. ¿Qué diferencias existen entre la familia hispana y la norteamericana?

4. ¿Es la familia el núcleo de la sociedad en los Estados Unidos? Explique su respuesta.

5. ¿Prefiere usted las familias grandes o las pequeñas? ¿Por qué?

6. ¿Cuáles son las ventajas y desventajas de ser hijo único? ¿Es más difícil criar a un solo hijo que a varios? ¿Por qué?

## D. Pro y contra: temas de debate

1. La familia tradicional no corresponde a las realidades de la vida moderna y por lo tanto va a desaparecer.

2. El divorcio es un mal necesario.

3. A causa del rápido crecimiento de la población, es necesario que las parejas practiquen la anticoncepción.

4. Los hijos únicos tienden a ser consentidos y desagradables.

## E. Situaciones: represente las siguientes escenas con un compañero de clase.

1. Hace seis meses que usted sale con su amigo/a y él/ella ya quiere casarse. En cambio, usted quiere terminar sus estudios y viajar antes de contraer matrimonio.

2. Usted está en la boda de su mejor amigo. El cura pregunta si alguien tiene alguna objeción. Usted posee información terrible y escandalosa sobre la novia.

3. Usted está en una reunión de familia. Una señora que se identifica como una prima lejana suya empieza a contarle historias largas y complicadas sobre la familia. Usted no quiere ser descortés, pero no reconoce a esta señora y no quiere hablar con ella.

4. En una clase usted conoce a una persona que resulta ser un pariente suyo. Los dos están sorprendidos y encantados.

5. Un amigo lo/la invita a su casa. Al llegar, lo/la recibe un mayordomo y lo/la atiende una empleada que le sirve té. Usted no sabía que su amigo vivía así y no sabe exactamente cómo reaccionar.

6. Usted llega a casa con su prometido/a, pero a sus padres no les gusta. Trate de convencerles de que es una persona decente y simpática.

# GRAMATICA
## Ser y estar

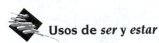 **Usos de *ser* y *estar***

1. Las conjugaciones de **ser** y **estar** se encuentran en el Apéndice. Ambos **ser** y **estar** son equivalentes del verbo inglés *to be*.

2. Hay ciertas situaciones en que siempre se emplea **estar:**

   **a.** Para referirse a la localidad de una persona o cosa. En este caso es equivalente a **hallarse, encontrarse** o **quedar.**

   | | |
   |---|---|
   | La mucama está en el dormitorio. | *The maid is in the bedroom.* |
   | La mucama se encuentra en el dormitorio. | |
   | Nuestra casa está lejos. | *Our house is far away.* |
   | Nuestra casa queda lejos. | |

   **b.** Para formar el progresivo.

   | | |
   |---|---|
   | La familia está evolucionando. | *The family is evolving.* |
   | Las cosas están cambiando. | *Things are changing.* |
   | Estaban componiendo una canción. | *They were composing a song.* |

3. Hay otras situaciones en que siempre se emplea **ser:**

   **a.** Para unir cualquier combinación de substantivos o pronombres.

   | | |
   |---|---|
   | El padre era el jefe absoluto. | *The father was the absolute boss.* |
   | Ella es ama de casa. | *She's a housewife.* |
   | Este es mi cuñado. | *This is my brother-in-law.* |
   | El mío es el azul. | *Mine is the blue one.* |

   **b.** Para expresar posesión.

   | | |
   |---|---|
   | Este departamento es de Lidia Soto. | *This apartment is Lidia Soto's.* |
   | El auto rojo es suyo. | *The red car is his.* |

   **c.** Para expresar origen.

   | | |
   |---|---|
   | Mis padrinos son de Chile. | *My godparents are from Chile.* |
   | Este vestido es de la tienda más elegante de la ciudad. | *This dress is from the most elegant store in the city.* |

   **d.** Para expresar el material del cual se ha hecho una cosa.

   | | |
   |---|---|
   | El collar de mi suegra es de perlas auténticas. | *My mother-in-law's necklace is of real pearls.* |
   | Su traje es de encaje. | *Her outfit is (of) lace.* |

*¿Qué hora es?*

**e.** Para expresar la hora o el tiempo.

| | |
|---|---|
| Es tarde.* | *It's late.* |
| Son las dos de la tarde. | *It's two in the afternoon.* |

**f.** Para expresar donde un acontecimiento tiene lugar.

| | |
|---|---|
| La fiesta va a ser en casa de mi abuela. | *The party is going to be at my grandmother's house.* |
| La protesta fue delante de la Casa Blanca. | *The protest was (took place) in front of the White House.* |

Note la diferencia entre estas dos oraciones:

La comida está aquí.                    La comida es aquí.

En la primera, **comida** se refiere a objetos (carne, legumbres, frutas, vino, etc.). En la segunda, se refiere a un acontecimiento.

**g.** En expresiones impersonales.

| | |
|---|---|
| Es esencial examinar la naturaleza de la familia no-tradicional. | *It's essential to examine the nature of the nontraditional family.* |
| Es difícil comprender la situación. | *It's hard to understand the situation.* |

**h.** En frases invertidas.

| | |
|---|---|
| Aquí es donde van a hacer la reunión. (Inversión de: **Van a hacer la reunión aquí.**) | *Here is where they're going to have the meeting.* |
| California es donde quiero vivir. (Inversión de: **Quiero vivir en California.**) | *California is where I want to live.* |

**i.** Para expresar la voz pasiva.

| | |
|---|---|
| La reunión de familia será organizada por mi tía. | *The family reunion will be organized by my aunt.* |
| La universidad fue cerrada por el rector. | *The university was closed by the president.* |

4. **Ser** tanto como **estar** puede ir seguido de un adjetivo calificativo. Sin embargo, hay diferencias fundamentales entre los dos verbos. A pesar de que el equivalente inglés de los dos es *to be,* no significan lo mismo. Para escoger correctamente entre **ser** y **estar** es esencial comprender el sentido de cada uno.

---

*Para expresar *I am late* no se emplea **tarde** sino **atrasado: Estoy atrasado.**

a. El verbo **ser** se relaciona con el substantivo **ser** *(being)*. Se emplea con un adjetivo para expresar una cualidad que el que habla considera esencial o fundamental a la persona o la cosa que describe. Los adjetivos que se refieren a la nacionalidad, religión o afiliación política de una persona se emplean con **ser.**

> Mi hermana es bella. (Considero la belleza una de sus características normales.)
>
> La familia es inmensa. (Esta es una característica fundamental de esta familia.)
>
> Enrique es mexicano. (nacionalidad)
>
> Mi padre es muy conservador. (afiliación política)

b. El verbo **estar** se relaciona con el substantivo **estado** *(state).* Se emplea con un adjetivo para comentar el estado o condición de alguna cosa o persona.

> Mi abuelo está enfermo. (Este es el estado en el cual se encuentra ahora.)
>
> Mi tocacasetes está descompuesto. (Esta es la condición en la cual se encuentra ahora.)

El hecho de que uno comente el estado de una persona o cosa no excluye la posibilidad de que el adjetivo pueda referirse también a una característica de esta persona o cosa. Por ejemplo, si Ana acaba de salir de la peluquería, podemos comentar: **¡Qué bonita está Ana!** En este caso, no estamos insinuando que Ana no es realmente bonita, sino que estamos reaccionando a su estado o condición en ese momento. También es posible decir de la misma persona: **¡Qué bonita es Ana!** En este caso, nos referimos a una característica que consideramos intrínseca a su apariencia física.

A pesar de que tradicionalmente se ha dicho que **ser** se refiere a lo permanente, mientras que **estar** se refiere a lo transitorio, esta explicación es inexacta. Hay numerosos ejemplos en que la distinción entre **permanente** y **temporal** sencillamente no explica el uso de un verbo o el otro. Por ejemplo, en la oración **Está muerto,** se usa el verbo **estar** (a pesar de que no hay nada más permanente que la muerte) porque **muerto** es un estado (uno está o vivo o muerto), no una característica intrínsica.

c. Nótese la diferencia entre estas dos oraciones.

> ¿Cómo son tus padres?        *What are your parents like?*
>
> ¿Cómo están tus padres?       *How are your parents?*

En la primera, se pide una descripción, es decir, se pregunta cuáles son las características de los padres. (Son simpáticos pero estrictos, bastante conservadores, muy trabajadores y poco tolerantes de las locuras de sus hijos.) En la segunda, se pregunta por el estado de la salud de los padres. (Están bien.)

**d.** **Estar** puede llevar la implicación de que ha habido un cambio en la cosa o persona que se describe.

Mi primito está alto. (Ha crecido.)
Mi tía está delgada. (Ha adelgazado.)

Nótese que en los tres ejemplos que están arriba, no se está clasificando a las personas, sino que se está comentando su estado actual. Compare los ejemplos con las oraciones que siguen.

Mi primito es alto. (Es un niño alto; ser alto es una característica de mi primito.)
Mi tía es delgada. (Es una mujer delgada; la delgadez es una de sus características.)

**e.** **Estar** se emplea para indicar una reacción subjetiva de parte de la persona que habla. A veces el equivalente inglés es *look, taste, smell, feel, seem* o algún otro verbo.

Este plato está riquísimo.　　　*This dish tastes really delicious.*
La casa de mis abuelos está nueva.　*My grandparents' house looks new.*

Nótese la diferencia entre estas dos oraciones y las siguientes: **La comida cubana es deliciosa.** (Esta es una característica de la comida cubana.) **La casa de mis abuelos es nueva.** (Acaba de construirse.)

**f.** El equivalente inglés de algunos adjetivos varía según se emplee con **ser** o **estar.** Nótese que cuando se emplea con **ser,** el adjetivo se refiere a una característica mientras que cuando se emplea con **estar,** se refiere a un estado.

| Adjetivo | Ser | Estar |
|---|---|---|
| abierto | *frank, open* | *open* |
| aburrido | *boring* | *bored* |
| alegre | *lighthearted, tipsy* | *happy* |
| callado | *taciturn* | *silent* |
| cerrado | *narrow-minded* | *closed* |
| crudo | *coarse, crude* | *raw* |
| dispuesto | *handy* | *willing* |
| distraído | *absent-minded* | *distracted* |
| interesado | *selfish* | *interested* |
| listo | *clever* | *ready* |
| malo | *bad* | *rotten* |
| molesto | *bothersome* | *bothered, uncomfortable* |
| seguro | *safe* | *sure* |

| Adjetivo | Ser | Estar |
|----------|-----|-------|
| verde | *unripe* | *green* |
| vivo | *lively, clever* | *alive* |

**g.** Varias expresiones se forman con **estar de** + substantivo. Todas se refieren a estados o condiciones.

| | |
|---|---|
| estar de mudanza | *to be moving (changing residence)* |
| estar de regreso, de vuelta | *to be back* |
| estar de turno | *to be on duty* |
| estar de profesor (secretaria, mesero, etc.) | *to be working as a teacher (secretary, waiter, etc.)* |
| estar de vacaciones | *to be on vacation* |
| estar de viaje | *to be on a trip* |
| estar de visita | *to be visiting* |

**h.** **Estar por** + infinitivo significa *to be on the verge of* o *to be in favor of*.

| | |
|---|---|
| Estoy tan frustrado que estoy por matar a alguien. | *I'm so frustrated I'm on the verge of killing somebody.* |
| Está por volverse loca. | *She's on the verge of going crazy.* |

**Estar por** + infinitivo también se refiere a un acto que no se ha hecho todavía.

| | |
|---|---|
| Esta casa está por pintar. | *This house still isn't painted.* |
| Este trabajo está por hacer. | *This work still isn't done.* |

**i.** **Estar para** significa *to be about to*.

| | |
|---|---|
| Están para salir. | *They're about to leave.* |
| Estamos para empezar. | *We're about to begin.* |

## PRACTIQUEMOS

**A. Forme oraciones usando *ser* o *estar*.**

1. abuelos / de visita
2. vestido / encaje
3. todavía / temprano
4. provisiones / despensa
5. tarea / por completar
6. madrastra / en California
7. nosotros / para irnos
8. estudiantes / extranjero / de Latinoamérica
9. huelga / declarado / por los obreros
10. ¿quiénes / ustedes?
11. México / donde / querer / vivir
12. conferencia / sala

**B. Complete con la forma correcta de *ser* o *estar*.**

Yo _____(1)_____ chileno y _____(2)_____ estudiante de filosofía en la Universidad Católica de Valparaíso. Por ahora _____(3)_____ en los Estados Unidos donde _____(4)_____ de profesor en una escuela secundaria. _____(5)_____ por volverme loco porque todavía no entiendo muy bien el inglés y a veces no comprendo cuando la gente me habla. En clase _____(6)_____ bien porque _____(7)_____ enseñando castellano y no tengo que hablar un idioma extranjero, pero apenas salgo del aula todo el mundo me bombardea con preguntas en inglés. Los estudiantes _____(8)_____ simpáticos y algunos _____(9)_____ muy listos. Todos _____(10)_____ dispuestos a trabajar duro. Pero el que trabaja más _____(11)_____ yo[1].

El otro día yo _____(12)_____[2] corrigiendo exámenes cuando apareció una chica y me dijo algo en inglés. _____(13)_____ muy bonita y conversadora y yo no quería que supiera que no había entendido nada.

—Plis rrripeeet—le dije. Yo _____(14)_____ nerviosísimo.

—XQMTSWPZZ—dijo ella.

—Plis rrripeeet—le volví a decir. _____(15)_____ muy avergonzado.

—QTWBMKLP—dijo la chica.

No quería que ella pensara que yo _____(16)_____ tonto, entonces me hice el valiente y le dije:

—Dot ees berry nice.

Cuando le miré la cara me di cuenta de que la chica _____(17)_____ indignada. Después supe que me había dicho que su mamá _____(18)_____ muy enferma y que no iba a _____(19)_____ en clase al día siguiente.

Ahora sé que a pesar de que me gustan mucho los Estados Unidos, Chile _____(20)_____ donde quiero vivir porque, aunque he aprendido mucho, el inglés _____(21)_____ un idioma muy difícil. _____(22)_____ posible que cambie de idea más tarde, sin embargo, porque la verdad _____(23)_____ que ya _____(24)_____ hablando mucho mejor que antes.

**C. Traduzca al español.**

1. My step-sister is a teacher. She's working as a secretary during the summer.

---

[1]Escriba el verbo en la primera persona singular.

[2]Use el imperfecto para los números 12 a 19.

2. Our uncle is very handy. He's always willing to help us.

3. The biology professor is boring. All of his students are bored.

4. All of my relatives are very frank. Their house is always open.

5. My great-aunt is a widow. My aunt is divorced.

6. The bride and groom are on the verge of going crazy. There's a lot of work still undone.

7. The apples are green. (That's their natural color.) The fruit is unripe.

8. Her son-in-law is very closed-minded. His office is closed.

9. All of my office mates are on vacation. I'm still working.

10. My little cousin is about to fall asleep. He's adorable.

11. Your mother-in-law looks old in this picture. Your mother-in-law is old.

12. This coffee tastes bad. Coffee is bad (for you).

**D. Complete cada oración con *ser* o *estar* y cualquier predicado.**

1. María y Eugenio quieren casarse y _____.

2. El año pasado murió mi tío y mi tía _____

3. Hace varios años que mis padres _____.

4. No me gusta esta clase porque todos mis condiscípulos _____.

5. Además de eso, el profesor _____.

6. No voy a comer esta carne porque _____.

7. Mi nuera y yo vamos a cocinar esta noche porque la cocinera _____.

8. El jardinero me ha dicho que hay muchas plantas que _____.

9. Ahora que has pintado tu casa _____.

10. El profesor siempre se olvida de las cosas; _____.

### La voz pasiva; *estar* seguido del participio pasado

**A.** La voz pasiva se usa cuando la acción es sufrida por el sujeto, es decir, cuando el sujeto no hace sino que recibe la acción. La voz pasiva se forma con **ser** + el participio pasado. Como el participio pasado funciona como adjetivo en esta construcción, concuerda con el substantivo que modifica. Compare los siguientes pares de frases.

| **Voz activa** (SVO) | **Voz pasiva** |
|---|---|
| El marido abandonó a su mujer. | La mujer fue abandonada por su marido. |
| El cura casó a los jóvenes. | Los jóvenes fueron casados por el cura. |
| La municipalidad suministra la electricidad. | La electricidad es suministrada por la municipalidad. |

Nótese que a veces el agente (el que hace la acción) no se nombra. Compare los siguientes pares de frases.

*forma que elimine el agente*

| **AGENTE PRESENTE** | **AGENTE AUSENTE** |
|---|---|
| El negocio fue cerrado por la policía. | El negocio fue cerrado por (a causa de) razones de seguridad. |
| La mujer fue abandonada por su marido. | La mujer fue abandonada. |

Aunque en la segunda frase de cada par el agente no se nombra, el uso de la voz pasiva implica que *existe* un agente y que la acción es intencional y no accidental.

**B.** El participio pasado también puede emplearse con **estar.** En este caso, la oración expresa un estado en vez de una acción. Compare las siguientes pares de frases.

| La casa está abandonada. | *The house is abandoned.* (Se refiere al estado en la cual la casa se encuentra: **abandonada** en vez de **ocupada.**) |
|---|---|
| La casa fue abandonada. | *The house was abandoned.* (Se refiere a la acción de haber abandonado la casa: La casa fue abandonada por la gente que vivía allí.) |
| El negocio está cerrado. | *The store (business) is closed (not open).* |
| El negocio será cerrado por el Departamento de Salud Pública. | *The business will be closed by the Department of Public Health.* |

## PRACTIQUEMOS

**A. Complete cada oración con la forma correcta de *ser* o *estar.***

1. *Don Quijote* _____ escrito por Miguel de Cervantes.

2. Si ese niño sigue portándose mal, _____ castigado.

3. Puedes servir la comida ahora. Todos los miembros de la familia _____ sentados en el comedor.

4. El año pasado yo _____ elegido presidente de la clase por mis compañeros.

5. Nosotros_____ enojados porque no nos invitaron a su fiesta.

6. Si este cuadro_____ comprado por alguien, tú ganarás un montón de plata.

7. Yo _____ cansada de esperar.

8. Normalmente dejamos las ventanas abiertas pero ahora _____ cerradas a causa de la lluvia.

**B. Complete cada oración con la voz pasiva o con *estar* + el participio pasado.**

> MODELO
>
> No sé quién construyó esa casa pero _____.
>
> **No sé quién construyó esa casa pero creo que fue diseñada por un arquitecto extranjero.**
>
> **No sé quién construyó esa casa pero está arrendada ahora.**

1. Antes este negocio era de unos chinos pero _____.

2. Trabajé todo el día y ahora _____.

3. Este cuarto fue arreglado por la mucama esta mañana y ahora _____.

4. No sé quién escribió este libro pero _____.

5. Ahora soy presidente de mi clase porque _____.

6. Qué crimen más terrible. Por suerte, _____.

7. El tirano está muerto. El año pasado _____.

8. Podré cambiar el sistema de salud pública si _____.

**C. Responda a cada oración usando *ser* o *estar* seguido del participio pasado.**

> MODELO
>
> La administración ha eliminado muchos cursos esenciales.
>
> **Sí, por eso los estudiantes están tan enojados.**
>
> **Sí, y una huelga fue declarada por los estudiantes en la reunión de anoche.**

1. Todo el mundo está listo para comer.
2. En esta comunidad faltan muchos servicios esenciales.
3. Los obreros dicen que no ganan bastante para vivir.
4. Mi tío abuelo está escribiendo una novela.
5. Mis padres se divorciaron cuando yo tenía seis años.
6. Tengo varios hermanastros y me llevo muy bien con todos ellos.
7. Parece que van a cerrar ese restaurante.
8. Gabriel García Márquez escribió esa novela, ¿no es cierto?

## Concordancia con *ser*

**A.** Generalmente se emplea el plural de **ser** cuando el predicado consta de un substantivo plural. En el equivalente inglés se emplea el singular del verbo *to be*.

| | |
|---|---|
| Una de las razones **son** las influencias extranjeras. | *One of the reasons is foreign influences.* |
| El problema **son** los políticos. | *The problem is politicians.* |

A menudo el sujeto del equivalente inglés es *it*.

| | |
|---|---|
| —¿Quién está a la puerta? —**Son** tus primos. | *Who's at the door? It's your cousins.* |
| ¿El páquete? **Son** los libros que pedí. | *The package? It's the books I ordered.* |

**B.** Generalmente se emplea **ser** en la primera o segunda persona si el predicado es un pronombre de primera o segunda persona.

| | |
|---|---|
| —¿Quién es? —Soy yo. | *Who is it? It's me (I).* |
| El problema eres tú. | *The problem is you.* |
| Los que gastaron más fuimos nosotros. | *The ones who spent the most were us.* |
| —¿Cuántos son ustedes? —Somos tres. | *How many of you are there? There are three.* |

## PRACTIQUEMOS

**A. Traduzca al español.**

1. Who broke Grandma's vase? It wasn't me.
2. Good afternoon, sir. How many of you are there? There are six.
3. What's* the price? It's sixty pesos.
4. The solution to this problem is more taxes.
5. The hope for the future is the children.
6. The politician who understands the situation best is you *(usted)*.
7. The guilty one is you *(tú)*.
8. In the envelope? It's the tickets I bought.

**B. Complete la oración.**

1. Usted entra en un restaurante exclusivo con dos amigos. El jefe de comedor dice, «Buenas tardes, señor(a). ¿Cuántos _____»?

2. Usted contesta, «_____».

3. Alguien rayó la pintura del auto de su padre. El cree que usted lo hizo, pero usted le dice: «No, no _____».

_____
*¿Cuál es...?

4. Usted entra en una zapatería y pregunta cuál es el precio del par de zapatos que está en la vitrina. El vendedor dice: «_____».

5. Los políticos siguen diciendo que el problema principal de este país _____, pero usted cree que _____.

6. Ellos dicen que la solución _____, pero usted dice que _____.


# GRAMATICA
## *Tiempos verbales (II)*

 **El imperfecto y el pretérito**

**A.** Las formas regulares del imperfecto se encuentran en el Apéndice. Sólo tres verbos son irregulares en el imperfecto.

| ver | ir | ser |
|-----|-----|-----|
| veía | iba | era |
| veías | ibas | eras |
| veía | iba | era |
| veíamos | íbamos | éramos |
| veíais | ibais | erais |
| veían | iban | eran |

**B.** Las formas regulares del pretérito se encuentran en el Apéndice. Los verbos que tienen la alternación **e-i / o-u** en el pretérito siguen el modelo indicado abajo.

| pedir | sentir | dormir |
|-------|--------|--------|
| pedí | sentí | dormí |
| pediste | sentiste | dormiste |
| pidió | sintió | durmió |
| pedimos | sentimos | dormimos |
| pedisteis | sentisteis | dormisteis |
| pidieron | sintieron | durmieron |

Los siguientes verbos son irregulares en el pretérito. Estas formas irregulares no llevan acento en la primera y la tercera persona del singular: **tuve, dijo.**

| Infinitivo | Raíz | Terminación |
|---|---|---|
| andar | anduv- | e |
| caber | cup- | iste |
| estar | estuv- | o |
| haber | hub- | imos |
| poder | pud- | isteis |
| poner | pus- | ieron |
| saber | sup- | |
| tener | tuv- | |
| hacer | hic-* | |
| querer | quis- | |
| venir | vin- | |
| decir | dij- | e |
| traer | traj- | iste |
| producir** | produj- | o |
| traducir | traduj- | imos |
| conducir | conduj- | isteis |
| | | eron |
| ir | fu | i |
| ser | fu | e |
| | | iste |
| | | imos |
| | | isteis |
| | | eron |

**C.** Ambos el imperfecto y el pretérito expresan tiempo pasado, pero expresan dos conceptos diferentes.

1. El imperfecto hace hincapié en la naturaleza progresiva de una acción o condición. Enfoca el «centro» de la acción. Es como si uno entrara en un cine después de que hubiera empezado la película y partiera antes de que terminara. Se emplea el imperfecto en las siguientes situaciones.

---

*Nótese que en la tercera persona del singular, la **-z** reemplaza la **-c: hizo.**

**La mayoría de los verbos que terminan en **-ucir** siguen este modelo.

**a.** Para expresar continuidad o repetición, o para referirse a una costumbre en el pasado. (Nótese que el equivalente en inglés a menudo incluye *used to* o *would.*)

| | |
|---|---|
| El padre iba al trabajo todos los días y la madre se quedaba en casa. | *The father used to go to work every day and the mother would stay home.* |
| Se reunía con otras señoras para charlar y jugar a las cartas. | *She would get together with other ladies to chat and play cards.* |
| La mujer de clase baja a menudo trabajaba. | *Lower-class women often worked.* |

**b.** Para expresar que una acción estaba en progreso o que una condición existía en cierto momento. Cuando se habla del pasado, siempre se tiene un momento específico en mente, se mencione o no. Si la acción o condición *ya* existía en ese momento, se emplea el imperfecto. El equivalente en inglés a menudo (pero no siempre) incluye el progresivo.

| | |
|---|---|
| A las cuatro de la tarde leía un artículo sobre la familia en Latinoamérica. | *At four o'clock I was reading an article about the family in Latin America.* |
| Hace treinta años, pocas mujeres de clase media o alta trabajaban. | *Thirty years ago, few middle or upper-class women worked.* |
| Cuando tú llamaste, descansábamos. | *When you called, we were resting.* |

Si se trata de una acción (en vez de una condición), se puede emplear el imperfecto progresivo.

Cuando tú llamaste, estábamos descansando.

**c.** Para describir una escena o una situación en el pasado.

| | |
|---|---|
| Hacía un calor insoportable y el aire estaba tan húmedo que no se podía respirar. | *It was unbearably hot and the air was so humid you couldn't breathe.* |
| La dominación masculina era la norma en el hogar tanto como en la sociedad. | *Male domination was the norm at home as well as in society.* |

**d.** Para expresar coexistencia de una acción o condición con otra.

| | |
|---|---|
| Los gemelos jugaban tenis mientras Carmen y yo conversábamos. | *The twins played tennis while Carmen and I conversed.* |
| Cuando yo era pequeña, mi abuela me contaba cuentos magníficos. | *When I was little, my grandmother would tell me wonderful stories.* |

**e.** A veces el imperfecto se usa en vez del presente por cortesía.

¿Qué deseaba usted, señor?                   *What would you like, Sir?*

2. A diferencia del imperfecto, el pretérito divide el tiempo en segmentos, ya sean largos o cortos. Expresa una acción pasada y acabada. Se emplea en las siguientes situaciones.

   **a.** Para expresar que una acción ocupó un segmento de tiempo definido.

   Entre 1980 y 1990 miles de          *Between 1980 and 1990 thousands*
   mujeres se unieron a la fuerza        *of women joined the work force.*
   laboral.

   Estuvimos allí entre las tres y      *We were there between three and*
   las cinco.                            *five o'clock.*

   Los dinosaurios habitaron la tierra  *Dinosaurs inhabited the earth for*
   por millones de años.                 *millions of years.*

   A menudo el pretérito se usa para enumerar una serie de acciones, cada una de las cuales ocupa un segmento de tiempo.

   Me levanté, me duché, me vestí,      *I got up, took a shower, got*
   desayuné y salí.                      *dressed, had breakfast and left.*

   **b.** Para expresar que una acción está acabada o completa.

   Terminó todo.                        *She finished everything.*

   Con el advenimiento del divorcio,    *With the coming of divorce, the*
   la situación cambió.                  *situation changed.*

   Sólo la mantuvo un par de meses.     *He only supported her for a couple*
                                         *of months.*

   **c.** Para insistir en el principio o en el fin de la acción o condición.

   A las cuatro de la tarde los chicos  *At four in the afternoon the kids did*
   hicieron sus tareas.                  *their homework.*

   Nótese que el énfasis aquí está en el principio de la acción: **Los chicos empezaron a hacer sus tareas a las cuatro.** Compare esta oración con la siguiente: **A las cuatro de la tarde los chicos hacían sus tareas.** En el segundo ejemplo, el imperfecto indica que los chicos ya habían empezado a hacer sus tareas antes de las cuatro.

3. El imperfecto y el pretérito a menudo se emplean en una misma oración. El imperfecto describe la escena o expresa qué acción estaba en progreso. El pretérito se refiere a qué acción tuvo lugar.

   Leía el peródico cuando llegamos.    *He was reading the newspaper*
                                         *when we arrived.*

| | |
|---|---|
| Les di comida porque tenían hambre. | *I gave them food because they were hungry.* |

En la primera frase la acción de leer el periódico ya estaba en progreso cuando se realizó la acción de llegar. En la segunda, la condición de tener hambre ya existía antes de que se realizara la acción de dar comida. Estas dos oraciones se podrían mostrar gráficamente así.

llegamos

~~~~~~ leía el periódico ~~~~~~|~~~~~~

les di comida

~~~~~~ tenían hambre ~~~~~~|~~~~~~

Recuerde que lo que distingue el imperfecto es su cualidad progresiva. Cuando se emplean el imperfecto y el pretérito en la misma oración, no hay necesariamente ninguna implicación de que la acción o condición expresada por el imperfecto haya terminado cuando otra, expresada por el pretérito, ocurrió. De hecho, el uso del imperfecto deja en duda cuándo dejó de hacerse o de existir la primera acción o condición. Así que es posible que el sujeto de la primera frase arriba siguiera leyendo aun después de que «llegamos» y que el de la segunda siguiera teniendo hambre aun después de que «les di comida».

4. El imperfecto y el pretérito a menudo se emplean juntos en el discurso indirecto. Normalmente el verbo de comunicación (**decir, preguntar, contar, relatar, insistir en,** etc.) está en el pretérito mientras que los otros verbos están en el imperfecto.

| | |
|---|---|
| Dijo que tenía ganas de salir. | *He said he felt like going out.* |
| Me contaron que su madre era presidenta de una gran empresa. | *They told me that their mother was president of a big company.* |
| Le pregunté si conocía a Mario Ordóñez. | *I asked her if she knew Mario Ordóñez.* |

5. Algunos verbos tienen equivalentes diferentes en inglés según se usen en el pretérito o el imperfecto.

| | |
|---|---|
| Conocí a tu suegra en la fiesta. | *I met your mother-in-law at the party.* |
| Conocía a tu suegra. | *I knew your mother-in-law.* |

| | |
|---|---|
| Estuve en la universidad a las nueve. | *I got to the university at nine.* |
| Estaba en la universidad a las nueve. | *I was at the university at nine.* |
| Supo que Liliana iba a casarse. | *He found out that Liliana was going to get married.* |
| Sabía que Liliana iba a casarse. | *He knew that Liliana was going to get married.* |
| Quisimos terminarlo. | *We tried (intended, planned, were determined) to finish it.* |
| Queríamos terminarlo. | *We wanted to finish it.* |
| No quiso asistir a la boda. | *He refused to attend the wedding.* |
| No quería asistir a la boda. | *He didn't want to attend the wedding.* |
| Pudieron llegar a la reunión de familia. | *They managed to get to the family reunion.* |
| Podían llegar a la reunión de familia. | *They could get to the family reunion.* |

*(handwritten margin notes: "found out =" next to "Supo que Liliana iba a casarse."; "knew that =" next to "Sabía que Liliana iba a casarse.")*

Los diferentes equivalentes ingleses reflejan los mismos conceptos que ya hemos estudiado. Por ejemplo, *I met* (**conocí**) hace hincapié en el principio de la acción; es decir, *I met* significa *empecé a conocer*. Asimismo, *I found out* (**supe**) significa *empecé a saber*. *I refused* (**no quise**) enfatiza el fin de la acción; la implicación es que «no quise, y por lo tanto, no lo hice».

6. Para cambiar al pasado expresiones con **hace... que...** y **desde hace** siempre se emplea el imperfecto.

| | |
|---|---|
| **Hacía** siglos que las cosas se **hacían** así cuando de repente todo empezó a cambiar. | *Things had been done that way for centuries when all of a sudden everything began to change.* |
| **Hacía** media hora que **esperábamos** cuando finalmente llamaste. | *We had been waiting half an hour when you finally called.* |
| **Estábamos** allí desde **hacía** varias horas cuando anunciaron que se había cancelado el vuelo. | *We had been there for several hours when they announced that the flight had been canceled.* |

7. Para cambiar oraciones con **acabar de** al pasado siempre se emplea el imperfecto.

| | |
|---|---|
| Acabábamos de salir cuando empezó a llover. | *We had just gone out when it began to rain.* |

> Las mujeres acababan de comenzar    *Women had just begun to struggle*
> a luchar por sus derechos cuando      *for their rights when the law*
> se cambió la ley.                      *was changed.*

## PRACTIQUEMOS

**A. Complete los siguientes párrafos con las formas correctas del pretérito o del imperfecto.**

Graciela Rodríguez (ser) _____(1)_____ un ama de casa tradicional. (Ocuparse) _____(2)_____ de sus hijos, (supervisar) _____(3)_____ la cocina y la limpieza de la casa, (asistir) _____(4)_____ reuniones y tés y (organizar) _____(5)_____ fiestas. (Tener) _____(6)_____ una cocinera y dos empleadas que (vivir) _____(7)_____ en casa y otra que (venir) _____(8)_____ una vez por semana a ayudar. Graciela (estar) _____(9)_____ contenta. (Hacer) _____(10)_____ años que (hacer) _____(11)_____ las cosas siempre de la misma manera y no (ver) _____(12)_____ ninguna razón para cambiar.

Pero de repente (empezar) _____(13)_____ a salir artículos en las revistas sobre la liberación femenina. Según estas revistas, (hacer) _____(14)_____ décadas ya que en Europa y los Estados Unidos las mujeres no sólo (trabajar) _____(15)_____ sino que (desempeñar) _____(16)_____ papeles importantes en los negocios, la política y las artes. Aunque en Latinoamérica (haber) _____(17)_____ mujeres que (ocupar) _____(18)_____ puestos importantes, muchas (quedar) _____(19)_____ amarradas a sus antiguos roles.

Graciela (ponerse) _____(20)_____ a pensar. (Decidir) _____(21)_____ que (ir) _____(22)_____ a cambiar de vida. (Ir) _____(23)_____ a una escuela comercial y (inscribirse) _____(24)_____ en un curso. (Hacer) _____(25)_____ un tremendo esfuerzo y pronto (aprender) _____(26)_____ a usar la computadora y el fax. Pero justo antes de salir a buscar un puesto, (saber) _____(27)_____ que (estar) _____(28)_____ embarazada y su marido y ella (pensar) _____(29)_____ que (ser) _____(30)_____ mejor que dejara sus planes de cambiar de vida para más tarde.

**B. Cambie los siguientes párrafos al pasado.**

Hacía ~~Hace~~ generaciones que la familia Morán vivían ~~vive~~ en Luz Divina, pequeño pueblo a cien kilómetros de la costa. El señor Morán tenía ~~tiene~~ una modesta farmacia en la calle principal y la señora trabaja en la oficina de correos. Llevan una vida muy tranquila. Sus cinco hijos han empezado a casarse y formar sus propias familias y los señores Morán tienen varios nietos. Todos viven dentro de un radio de cinco cuadras de la casa paterna. Hernán y Fernando, gemelos de veintidós años, son los únicos que aún viven con sus padres.

Un día cuando llega el señor a casa, Hernán está leyendo una carta con gran interés. Morán le pregunta a su hijo qué es, y el joven le explica que ha solicitado un trabajo en la capital y parece que tiene la posibilidad de conseguirlo. Acaba de recibir una carta de una gran empresa que lo invita a una entrevista.

El señor se pone lívido. Jamás ninguno de sus hijos se ha atrevido a ir a vivir a otra ciudad. Pero aunque Morán grita y protesta durante más de una semana, la mañana del día de la entrevista Hernán sube al autobús y emprende el largo viaje a la capital. Le va muy bien en la entrevista y la compañía le hace una oferta excelente. Hernán acepta allí mismo.

Cuando lo sabe el señor Morán, se siente orgulloso de su hijo a pesar de todo. Piensa en el asunto largo tiempo y entonces ocurre algo inaudito. El señor Morán abraza a su hijo y le pide perdón. Le dice que se ha dado cuenta de que el futuro está en las grandes ciudades, no en los pueblos como Luz Divina, y le ruega tratar de conseguir también un puesto para su hermano gemelo Fernando.

## C. Termine las siguiente oraciones.

1. Cuando yo era pequeño, todos los años mi familia _____.

2. Ayer cuando volví a mi cuarto, mi compañero/a _____.

3. Cuando regresé a casa durante las vacaciones, mi mamá me dijo que

   _____.

4. Hacía mucho tiempo que mis amigos _____.

5. Le expliqué a mi tía que _____.

6. En clase supimos que _____ .

## D. Traduzca al español.

Last week I went to a terrible party. Everyone else got there early. When I arrived most of the guests were chatting and drinking wine. I didn't know anybody, but I met a very handsome young man who told me that he was a law student. He said he had just arrived from California and was looking for an apartment. He asked me if he could stay with me for a couple of days, but I refused. He told me that at first he hadn't been able to go to school because he was very poor and didn't have the money. Finally he managed to get a scholarship. According to him, the university had offered him a lot of money. The check was going to arrive soon, but he needed about five hundred dollars to buy books. He tried to convince me, but fortunately I didn't lend him any money. Later I found out that he wasn't a law student at all. It was all a big lie.

**E. Escriba una breve composición describiendo un sueño que usted tuvo. Conteste por lo menos cinco de las siguientes preguntas.**

1. ¿Dónde soñó que estaba?
2. ¿Con quién estaba?
3. ¿Cómo era el ambiente?
4. ¿Cómo se sentía usted?
5. ¿Qué dijo o qué hizo usted?
6. ¿Qué reacción provocó?
7. ¿Cómo terminó su sueño?
8. ¿Qué emoción sintió usted después?

## *Expresiones problemáticas*

### 1. conocer, saber

**conocer** = *to know (to be familiar with, to be acquainted with)*

El uso típico es con nombres de personas o ciudades, barrios, parques u otros lugares, libros u obras.

| | |
|---|---|
| Conozco todas las obras de Cervantes. | *I know all of Cervantes' works.* |
| No conocíamos este barrio. | *We didn't know (weren't familiar with) this neighborhood.* |

**conocer** = *to meet*

| | |
|---|---|
| Vas a conocer a gente muy interesante en ese congreso. | *You'll meet very interesting people at that conference.* |
| Conocimos a un señor que tenía más de cien años. | *We met a man who was over a hundred years old.* |

**saber** = *to know (to possess information)*

| | |
|---|---|
| Sé su número de teléfono. | *I know his telephone number.* |

**saber** = *to find out*

| | |
|---|---|
| Si sabes algo, llámame. | *If you find out something, call me.* |
| Supe que mi prima estaba embarazada. | *I found out that my cousin was pregnant.* |
| No sabíamos cómo llegar al centro. | *We didn't know how to get downtown.* |

**saber** = *to know how to*

    No sabe nadar.          *He doesn't know how to swim.*

## 2. pedir, preguntar, preguntar por, hacer una pregunta, buscárselas

**pedir** = *to ask for, to request (someone to do something)*

    Nos pidió ayuda.          *He asked us for help.*
    Le pedí que llegara temprano.          *I asked him to come early.*

**preguntar** = *to ask (information)*

    Me preguntó cómo me llamaba.          *She asked what my name was.*
    Nos preguntaron si podíamos ir.          *They asked us if we were able to go.*

**preguntar por** = *to ask after, to ask (inquire) about*

    Preguntamos por los pagos.          *We asked about the payments.*
    ¿Preguntaste por su bisabuela?          *Did you ask about his great-grandmother?*

**hacer una pregunta** = *to ask a question*

    El profesor hizo preguntas difíciles.          *The professor asked difficult questions.*

**buscárselas** = *to ask for it, to ask for trouble*

    Estás buscándotelas, hijo.          *You're asking for it, son.*

## 3. mirar, ver, buscar, parecer, parecerse a, representar

**mirar** = *to look (at)*

    No me mires de esa manera.          *Don't look at me like that.*
    ¿Qué mira esa gente?          *What are those people looking at?*

**ver** = *to see; to watch, look at (television)*

    No veo nada.          *I can't see anything.*
    Los chicos están viendo televisión.          *The kids are watching television.*

**buscar** = *to look for*

    Estamos buscando cierto libro.          *We're looking for a certain book.*
    Todo el mundo te buscaba.          *Everyone was looking for you.*

**parecer** = *to look, to seem*

    Parece enfermo.          *He looks ill.*
    Esto parece serio.          *This looks serious.*

**parecerse** = *to look like*

Olga se parece a su tía.　　　　　*Olga looks like her aunt.*

No me parezco a mis padres　　　　*I don't look at all like my parents.*
en absoluto.

**representar** = *to look (a certain age)*

Representa su edad.　　　　　　　*He looks his age.*

Tiene sesenta años pero　　　　　　*He's sixty but he looks younger.*
representa menor edad.

## PRACTIQUEMOS

**A. Complete cada frase con una de las expresiones que están en la lista.**

1. mirar / ver / buscar / parecer / parecerse a / representar

   a. Marta es alta y morena como su abuela. _____ mucho a ella.

   b. Yo _____ esos papeles durante media hora pero no los encontré.

   c. Cuando los niños _____ televisión demasiado, no se desarrollan intelectualmente.

   d. Cuando mi abuelo tenía noventa años apenas _____ sesenta.

   e. ¡ _____ usted el regalo que le he comprado!

   f. Tú no _____ estar bien. ¿Tienes fiebre?

   g. Cuando era más joven _____ a mi padre pero ahora _____ más a mi madre.

   h. _____ tus llaves cuando yo entré.

2. pedir / preguntar / preguntar por / hacer una pregunta / buscárselas

   a. Con razón se enojó la maestra. Ese niño _____.

   b. Cuando llegue usted a mi oficina, _____ el señor Olivera.

   c. Oye, hermano, necesito _____ un favor.

   d. Ayer Javier _____ ridícula en clase y toda la clase se rio.

   e. El me _____ dónde vivía pero yo no quise decirle.

   f. Más tarde yo le _____ que nos ayude.

   g. No sé nada. No me _____ ustedes nada.

3. conocer / saber

   a. Ayer yo _____ que Toño y Alejandra pensaban casarse.

   b. Mi mamá no _____ manejar un auto de cambio manual.

   c. Nosotros _____ a muchos autores famosos en la reunión.

   d. ¿ _____ usted cuál es la capital de Ghana?

   e. Cuando era un niño _____ jugar hockey.

   f. Yo _____ bien este parque porque me crié en este barrio.

# Selección literaria

*¿Qué pasa cuando los miembros de una familia muy unida tratan de ocultar una terrible verdad a la madré?*

## LA SALUD DE LOS ENFERMOS
*Julio Cortázar\**

Cuando inesperadamente tía Clelia se sintió mal, en la familia hubo un momento de pánico y por varias horas nadie fue capaz de reaccionar y discutir un plan de acción, ni siquiera tío Roque que encontraba siempre la salida más atinada.° A Carlos lo llamaron por teléfono a la oficina, Rosa y Pepa despidieron a los alumnos de piano y solfeo, y hasta tía

5

**la...** la solución más adecuada

---

\*Julio Cortázar (1914-1984) nació en Bruselas de padres argentinos. Fue uno de los escritores más célebres del «boom», el período de gran actividad literaria que se extendió desde los años sesenta hasta la primera mitad de los setenta. Su novela *Rayuela* se considera una de las más importantes del siglo XX, no sólo en Latinoamérica sino en el mundo occidental. Otros libros de Cortázar son *Final del juego* (cuentos, 1956), *Los premios* (novela, 1962), *Todos los fuegos el fuego* (cuentos, 1966), *Libro de Manuel* (novela, 1973) y *Queremos tanto a Glenda* (cuentos, 1982). En muchos de sus escritos Cortázar explora la línea borrosa entre la realidad y la ficción.

Clelia se preocupó más por mamá que por ella misma. Estaba segura de que lo que sentía no era grave, pero a mamá no se le podían dar noticias inquietantes con su presión y su azúcar;

10 de sobra° sabían todos que el doctor Bonifaz había sido el primero en comprender y aprobar que le ocultaran a mamá lo de Alejandro. Si tía Clelia tenía que guardar cama era necesario encontrar alguna manera de que mamá no sospechara que estaba enferma, pero ya lo de Alejandro° se había vuelto

15 tan difícil y ahora se agregaba esto; la menor equivocación, y acabaría por saber la verdad. Aunque la casa era grande, había que tener en cuenta el oído tan afinado de mamá y su inquietante capacidad para adivinar dónde estaba cada uno. Pepa, que había llamado al doctor Bonifaz desde el teléfono

20 de arriba, avisó a sus hermanos que el médico vendría lo antes posible y que dejaran entornada la puerta cancel° para que entrase sin llamar. Mientras Rosa y tío Roque atendían a tía Clelia que había tenido dos desmayos y se quejaba de un insoportable dolor de cabeza, Carlos se quedó con mamá para

25 contarle las novedades del conflicto diplomático con el Brasil y leerle las últimas noticias. Mamá estaba de buen humor esa tarde y no le dolía la cintura como casi siempre a la hora de la siesta. A todos les fue preguntando qué les pasaba que parecían tan nerviosos, y en la casa se habló de la baja pre-

30 sión y de los efectos nefastos de los mejoradores° en el pan. A la hora del té vino tío Roque a charlar con mamá, y Carlos pudo darse un baño y quedarse a la espera del médico. Tía Clelia seguía mejor, pero le costaba moverse en la cama y ya casi no se interesaba por lo que tanto la había preocupado al

35 salir del primer vahído.° Pepa y Rosa se turnaron° junto a ella, ofreciéndole té y agua sin que les contestara; la casa se apaciguó con el atardecer y los hermanos se dijeron que tal vez lo de tía Clelia no era grave, y que a la tarde siguiente volvería a entrar en el dormitorio de mamá como si no le hu-

40 biese pasado nada.

además

lo... *the business about
Alejandro*

*storm door*

*additives*

*dizziness, fainting spell*
**se...** *took turns*

Con Alejandro las cosas habían sido mucho peores,
porque Alejandro se había matado en un accidente de auto a
poco de llegar a Montevideo donde lo esperaban en casa de
un ingeniero amigo. Ya hacía casi un año de eso,° pero siem-

45  pre seguía siendo el primer día para los hermanos y los tíos,
para todos menos para mamá, ya que para mamá Alejandro
estaba en el Brasil donde una firma de Recife° le había encargado la instalación de una fábrica de cemento. La idea de
preparar a mamá, de insinuarle que Alejandro había tenido un

50  accidente y que estaba levemente herido, no se les había
ocurrido siquiera después de las prevenciones° del doctor
Bonifaz. Hasta María Laura, más allá de toda comprensión
en esas primeras horas,° había admitido que no era posible
darle la noticia a mamá. Carlos y el padre de María Laura via-

55  jaron al Uruguay para traer el cuerpo de Alejandro, mientras
la familia cuidaba como siempre de mamá que ese día estaba
dolorida y difícil. El club de ingeniería aceptó que el velorio
se hiciera en su sede y Pepa, la más ocupada con mamá, ni
siquiera alcanzó a ver el ataúd de Alejandro mientras los

60  otros se turnaban de hora en hora y acompañaban a la pobre
María Laura perdida en un horror sin lágrimas. Como casi
siempre, a tío Roque le tocó pensar.° Habló de madrugada
con Carlos, que lloraba silenciosamente a su hermano con la
cabeza apoyada en la carpeta verde de la mesa del comedor

65  donde tantas veces habían jugado a las cartas. Después se les
agregó tía Clelia, porque mamá dormía toda la noche y no
había que preocuparse por ella. Con el acuerdo tácito de Rosa
y de Pepa, decidieron las primeras medidas, empezando por
el secuestro de *La Nación*—a veces mamá se animaba a leer

70  el diario unos minutos—y todos estuvieron de acuerdo con lo
que había pensado el tío Roque. Fue así como una empresa
brasileña contrató a Alejandro para que pasara un año en Recife, y Alejandro tuvo que renunciar en pocas horas a sus
breves vacaciones en casa del ingeniero amigo, hacer su va-

**Ya...** *That had happened almost a year ago*

ciudad en la costa oriental del Brasil, capital del estado de Pernambuco

*warnings*

**más...** *beyond all understanding at first*

**a...** *it was up to Uncle Roque to do the thinking*

75 lija y saltar al primer avión. Mamá tenía que comprender que
eran nuevos tiempos, que los industriales no entendían de
sentimientos, pero Alejandro ya encontraría la manera de
tomarse una semana de vacaciones a mitad de año y bajar a
Buenos Aires. A mamá le pareció muy bien todo eso, aunque
80 lloró un poco y hubo que darle a respirar sus sales. Carlos,
que sabía hacerla reír, le dijo que era una vergüenza que llo-
rara por el primer éxito del benjamín° de la familia, y que a          hijo menor
Alejandro no le hubiera gustado enterarse de que recibían así
la noticia de su contrato. Entonces mamá se tranquilizó y dijo
85 que bebería un dedo de málaga° a la salud de Alejandro. Car-          un... *a bit of wine*
los salió bruscamente a buscar el vino, pero fue Rosa quien lo
trajo y quien brindó con mamá.

     La vida de mamá era bien penosa, y aunque poco se que-
jaba había que hacer todo lo posible por acompañarla y dis-
90 traerla. Cuando al día siguiente del entierro de Alejandro se
extrañó de que María Laura no hubiese venido a visitarla
como todos los jueves, Pepa fue por la tarde a casa de los Novalli para hablar con María Laura. A esa hora tío Roque estaba en el estudio de un abogado amigo, explicándole la
95 situación; el abogado prometió escribir inmediatamente a su
hermano que trabajaba en Recife (las ciudades no se elegían
al azar en casa de mamá) y organizar lo de la correspondencia. El doctor Bonifaz ya había visitado como por casualidad
a mamá, y después de examinarle la vista la encontró bas-
100 tante mejor pero le pidió que por unos días se abstuviera de
leer los diarios. Tía Clelia se encargó de comentarle las noticias más interesantes; por suerte a mamá no le gustaban los
noticieros radiales porque eran vulgares y a cada rato había
avisos de remedios nada seguros que la gente tomaba contra
105 viento y marea y así les iba.°                                        la... *that people insisted*
                                                                        *on taking and that's*
                                                                        *how it was*
     María Laura vino el viernes por la tarde y habló de lo
mucho que tenía que estudiar para los exámenes de arquitectura.

—Sí, mi hijita —dijo mamá, mirándola con afecto—.
110  Tenés° los ojos colorados de leer, y eso es malo. Ponete unas
compresas con hamamelis,° que es lo mejor que hay.

Rosa y Pepa estaban ahí para intervenir a cada momento
en la conversación, y María Laura pudo resistir y hasta sonrió
cuando mamá se puso a hablar de ese pícaro de novio que se
115  iba tan lejos y casi sin avisar. La juventud moderna era así, el
mundo se había vuelto loco y todos andaban apurados y sin
tiempo para nada. Después mamá se perdió en las ya sabidas
anécdotas de padres y abuelos, y vino el café y después entró
Carlos con bromas y cuentos, y en algún momento tío Roque
120  se paró en la puerta del dormitorio y los miró con su aire
bonachón, y todo pasó como tenía que pasar hasta la hora del
descanso de mamá.

La familia se fue habituando, a María Laura le costó más
pero en cambio sólo tenía que ver a mamá los jueves; un día
125  llegó la primera carta de Alejandro (mamá se había extrañado
ya dos veces de su silencio) y Carlos se la leyó al pie de la
cama. A Alejandro le había encantado Recife, hablaba del
puerto, de los vendedores de papagayos y del sabor de los refrescos, a la familia se le hacía agua la boca° cuando se ente-
130  raba de que los ananás no costaban nada,° y que el café era de
verdad y con una fragancia... Mamá pidió que le mostraran el
sobre, y dijo que habría que darle la estampilla al chico de los
Marolda que era filatelista, aunque a ella no le gustaba nada
que los chicos anduvieran con las estampillas porque después
135  no se lavaban las manos y las estampillas habían rodado por
todo el mundo.

—Les pasan la lengua para pegarlas —decía siempre
mamá— y los microbios quedan ahí y se incuban, es sabido.
Pero dásela lo mismo, total ya tiene tantas que una más...
140  Al otro día mamá llamó a Rosa y le dictó una carta para
Alejandro, preguntándole cuándo iba a poder tomarse vacaciones y si el viaje no le costaría demasiado. Le explicó cómo

**Tienes.** En Argentina la
forma familiar es **vos**
en vez de **tú.** En el
presente del indicativo,
la forma que
corresponde a **vos**
consiste en la raíz del
verbo + **-as, es** o **ís.**
El imperativo es igual
al de **vosotros,** menos
la **-d: cantá, vení.**
*witch-hazel*

**se...** *their mouths watered*

**no...** costaban muy poco

se sentía y le habló del ascenso que acababan de darle a Carlos y del premio que había sacado uno de los alumnos de
145  piano de Pepa. También le dijo que María Laura la visitaba
sin faltar ni un solo jueves, pero que estudiaba demasiado y
que eso era malo para la vista. Cuando la carta estuvo escrita,
mamá la firmó al pie con un lápiz, y besó suavemente el
papel. Pepa se levantó con el pretexto de ir a buscar un sobre,
150  y tía Clelia vino con las pastillas de las cinco° y unas flores     **de...** *five o'clock*
para el jarrón de la cómoda.

    Nada era fácil, porque en esa época la presión de mamá
subió todavía más y la familia llegó a preguntarse si no
habría alguna influencia inconsciente, algo que desbordaba
155  del comportamiento de todos ellos,° una inquietud y un     **algo...** *something that exuded from their behavior*
desánimo que hacían daño a mamá a pesar de las precau-
ciones y la falsa alegría. Pero no podía ser, porque a fuerza de
fingir las risas todos habían acabado por reírse de veras con
mamá, y a veces se hacían bromas y se tiraban manotazos
160  aunque no estuvieran con ella, y después se miraban como si
se despertaran bruscamente, y Pepa se ponía muy colorada y
Carlos encendía un cigarrillo con la cabeza gacha. Lo único
importante en el fondo era que pasara el tiempo y que mamá
no se diese cuenta de nada. Tío Roque había hablado con el
165  doctor Bonifaz, y todos estaban de acuerdo en que había que
continuar indefinidamente la comedia piadosa,° como la cali-     **comedia...** *white lie*
ficaba tía Clelia. El único problema eran las visitas de María
Laura porque mamá insistía naturalmente en hablar de Alejandro, quería saber si se casarían apenas él volviera de Re-
170  cife o si ese loco de hijo iba a aceptar otro contrato lejos y
por tanto tiempo. No quedaba más remedio que entrar a cada
momento en el dormitorio y distraer a mamá, quitarle a
María Laura que se mantenía muy quieta en su silla, con las
manos apretadas hasta hacerse daño, pero un día mamá le
175  preguntó a tía Clelia por qué todos se precipitaban en esa
forma cuando María Laura venía a verla, como si fuera la

única ocasión que tenían de estar con ella. Tía Clelia se echó
a reír y le dijo que todos veían un poco a Alejandro en María
Laura, y que por eso les gustaba estar con ella cuando venía.

180        —Tenés razón, María Laura es tan buena —dijo
mamá—. El bandido de mi hijo no se la merece, creeme.

—Mirá quién habla —dijo tía Clelia—. Si se te cae la
baba° cuando nombrás a tu hijo.

**Si...** *Why, you drool*

Mamá también se puso a reír, y se acordó de que en esos
185    días iba a llegar carta de Alejandro. La carta llegó y tío
Roque la trajo junto con el té de las cinco. Esa vez mamá
quiso leer la carta y pidió sus anteojos de ver cerca. Leyó
aplicadamente, como si cada frase fuera un bocado que había
que dar vueltas y vueltas paladeándolo.

190        —Los muchachos de ahora no tienen respeto —dijo sin
darle demasiada importancia—. Está bien que en mi tiempo
no se usaban esas máquinas,° pero yo no me hubiera atrevido
jamás a escribir así a mi padre, ni vos tampoco.

**en...** *in my day nobody used typewriters*

—Claro que no —dijo tío Roque—. Con el genio° que
195    tenía el viejo.

*temper*

—A vos no se te cae nunca eso del viejo,° Roque. Sabés
que no me gusta oírtelo decir, pero te da igual.° Acordate
cómo se ponía mamá.

**A...** *You never stopped calling him "viejo."* **Viejo** se usa informalmente para referirse al padre. Mamá lo considera una falta de respeto. **da...** no importa

—Bueno, está bien. Lo de viejo es una manera de decir,
200    no tiene nada que ver con el respeto.

—Es muy raro —dijo mamá, quitándose los anteojos y
mirando las molduras del cielo raso—. Ya van cinco o seis
cartas de Alejandro, y en ninguna me llama... Ah, pero es un
secreto entre los dos. Es raro, sabés. ¿Por qué no me ha lla-
205    mado así ni una sola vez?

—A lo mejor al muchacho le parece tonto escribírtelo.
Una cosa es que te diga...¿cómo te dice?...

—Es un secreto —dijo mamá—. Un secreto entre mi hijito y yo.

210        Ni Pepa ni Rosa sabían de ese nombre, y Carlos se
encogió de hombros cuando le preguntaron.

—¿Qué querés, tío? Lo más que puedo hacer es falsificarle la firma. Yo creo que mamá se va a olvidar de eso, no te lo tomés tan a pecho.°

*a...* to heart

215     A los cuatro o cinco meses, después de una carta de Alejandro en la que explicaba lo mucho que tenía que hacer (aunque estaba contento porque era una gran oportunidad para un ingeniero joven), mamá insistió en que ya era tiempo de que se tomara unas vacaciones y bajara a Buenos Aires. A
220     Rosa, que escribía la respuesta de mamá, le pareció que dictaba más lentamente, como si hubiera estado pensando mucho cada frase.

—Vaya a saber° si el pobre podrá venir—comentó Rosa como al descuido°—. Sería una lástima que se malquiste° con
225     la empresa justamente ahora que le va tan bien y está tan contento.

**Vaya...** Quién sabe

**al...** *off-handedly* provoque una pelea o enemistad

Mamá siguió dictando como si no hubiera oído. Su salud dejaba mucho que desear y le hubiera gustado ver a Alejandro, aunque sólo fuese por unos días. Alejandro tenía que
230     pensar también en María Laura, no porque ella creyese que descuidaba a su novia, pero un cariño no vive de palabras bonitas y promesas a la distancia. En fin, esperaba que Alejandro le escribiera pronto con buenas noticias. Rosa se fijó que mamá no besaba el papel después de firmar, pero que
235     miraba fijamente la carta como si quisiera grabársela en la memoria. «Pobre Alejandro» pensó Rosa, y después se santiguó bruscamente sin que mamá la viera.

—Mirá —le dijo tío Roque a Carlos cuando esa noche se quedaron solos para su partida° de dominó—, yo creo que
240     esto se va a poner feo. Habrá que inventar alguna cosa plausible, o al final se dará cuenta.

*match*

—Qué sé yo, tío. Lo mejor será que Alejandro conteste de una manera que la deje contenta por un tiempo más. La pobre está tan delicada, no se puede ni pensar en...

245     —Nadie habló de eso, muchacho. Pero yo te digo que tu madre es de las que no aflojan. Está en la familia, che.°

interjección para llamar la atención que se usa en Argentina

Mamá leyó sin hacer comentarios la respuesta evasiva de Alejandro, que trataría de conseguir vacaciones apenas entregara el primer sector instalado de la fábrica. Cuando esa tarde

250 llegó María Laura, le pidió que intercediera para que Alejandro viniese aunque no fuera más que una semana a Buenos Aires. María Laura le dijo después a Rosa que mamá se lo había pedido en el único momento en que nadie más podía escucharla. Tío Roque fue el primero en sugerir lo que todos

255 habían pensado ya tantas veces sin animarse a decirlo por lo claro, y cuando mamá le dictó a Rosa otra carta para Alejandro, insistiendo en que viniera, se decidió que no quedaba más remedio que hacer la tentativa y ver si mamá estaba en condiciones de recibir una primera noticia desagradable. Car-

260 los consultó al doctor Bonifaz, que aconsejó prudencia y unas gotas.° Dejaron pasar el tiempo necesario, y una tarde tío Roque vino a sentarse a los pies de la cama de mamá, mientras Rosa cebaba un mate° y miraba por la ventana del balcón, al lado de la cómoda de los remedios.

265 —Fíjate que ahora empiezo a entender un poco por qué este diablo de sobrino no se decide a venir a vernos —dijo tío Roque—. Lo que pasa es que no te ha querido afligir, sabiendo que todavía no estás bien.

Mamá lo miró como si no comprendiera.

270 —Hoy telefonearon los Novalli, parece que María Laura recibió noticias de Alejandro. Está bien, pero no va a poder viajar por unos meses.

—¿Por qué no va a poder viajar? —preguntó mamá.

—Porque tiene algo en un pie, parece. En el tobillo,

275 creo. Hay que preguntarle a María Laura para que diga lo que pasa. El viejo Novalli habló de una fractura o algo así.

—¿Fractura de tobillo? —dijo mamá.

Antes de que tío Roque pudiera contestar, ya Rosa estaba con el frasco de sales. El doctor Bonifaz vino en seguida, y

280 todo pasó en unas horas, pero fueron horas largas y el doctor

*drops of medicine*

especie de té que se toma en Argentina. Se hace de las hojas de la planta mate.

Bonifaz no se separó de la familia hasta entrada la noche. Recién dos días después mamá se sintió ya bastante repuesta como para pedirle a Pepa que le escribiera a Alejandro. Cuando Pepa, que no había entendido bien, vino como siem-
285 pre con el block y la lapicera, mamá cerró los ojos y negó con la cabeza.

—Escribile vos, nomás. Decile que se cuide.

Pepa obedeció, sin saber por qué escribía una frase tras otra puesto que mamá no iba a leer la carta. Esa noche le dijo
290 a Carlos que todo el tiempo, mientras escribía al lado de la cama de mamá, había tenido la absoluta seguridad de que mamá no iba a leer ni a firmar esa carta. Seguía con los ojos cerrados y no los abrió hasta la hora de la tisana;° parecía haberse olvidado, estar pensando en otras cosas.

té; bebida medicinal que se obtiene cociendo las hojas de ciertas hierbas o plantas

295 Alejandro contestó con el tono más natural del mundo, explicando que no había querido contar lo de la fractura para no afligirla. Al principio se habían equivocado y le habían puesto un yeso° que hubo de cambiar, pero ya estaba mejor y en unas semanas podría empezar a caminar. En total tenía
300 para unos dos meses, aunque lo malo era que su trabajo se había retrasado una barbaridad° en el peor momento, y...

*cast*

*mucho*

Carlos, que leía la carta en voz alta, tuvo la impresión de que mamá no lo escuchaba como otras veces. De cuando en cuando miraba el reloj, lo que en ella era signo de impacien-
305 cia. A las siete Rosa tenía que traerle el caldo con las gotas del doctor Bonifaz, y eran las siete y cinco.

—Bueno —dijo Carlos, doblando la carta—. Ya ves que todo va bien, al pibe° no le ha pasado nada serio.

*muchacho (argentinismo)*

—Claro —dijo mamá—. Mirá, decile a Rosa que se
310 apure, querés.

A María Laura, mamá le escuchó atentamente las explicaciones sobre la fractura de Alejandro, y hasta le dijo que le recomendara unas fricciones° que tanto bien le habían hecho a su padre cuando la caída° del caballo en Matanzas. Casi en

*rub-downs*

**cuando...** *when he took a fall*

315 seguida, como si formara parte de la misma frase, preguntó si
no le podían dar unas gotas de agua de azahar,° que siempre          *citrus*
le aclaraban la cabeza.

La primera en hablar fue María Laura, esa misma tarde.
Se lo dijo a Rosa en la sala, antes de irse, y Rosa se quedó
320 mirándola como si no pudiera creer lo que había oído.

—Por favor —dijo Rosa—. ¿Cómo podés imaginarte
una cosa así?

—No me la imagino, es la verdad —dijo María Laura—.
Y yo no vuelvo más, Rosa, pídanme lo que quieran, pero yo
325 no vuelvo a entrar en esa pieza.

En el fondo a nadie le pareció demasiado absurda la fantasía de María Laura, pero tía Clelia resumió el sentimiento
de todos cuando dijo que en una casa como la de ellos un
deber era un deber. A Rosa le tocó ir a lo de los Novalli, pero
330 María Laura tuvo un ataque de llanto tan histérico que no
quedó más remedio que acatar° su decisión. Pepa y Rosa em-          respetar
pezaron esa misma tarde a hacer comentarios sobre lo mucho
que tenía que estudiar la pobre chica y lo cansada que estaba.
Mamá no dijo nada, y cuando llegó el jueves no preguntó por
335 María Laura. Ese jueves se cumplían diez meses de la partida
de Alejandro al Brasil. La empresa estaba tan satisfecha de
sus servicios, que unas semanas después le propusieron una
renovación del contrato por otro año, siempre que aceptara
irse de inmediato a Belén° para instalar otra fábrica. A tío          importante puerto fluvial
340 Roque le parecía eso formidable, un gran triunfo para un          en el Amazonas;
muchacho de tan pocos años.                                           capital del estado de
                                                                      Pará, en Brasil

—Alejandro fue siempre el más inteligente —dijo
mamá—. Así como Carlos es el más tesonero.°                           persistente

—Tenés razón —dijo tío Roque, preguntándose de
345 pronto qué mosca le habría picado aquel día a María
Laura—. La verdad es que te han salido unos hijos que valen
la pena, hermana.

—Oh, sí, no me puedo quejar. A su padre le hubiera gustado verlos ya grandes. Las chicas, tan buenas, y el pobre
350 Carlos, tan de su casa.

—Y Alejandro, con tanto porvenir.

—Ah, sí—dijo mamá.

—Fijate nomás en ese nuevo contrato que le ofrecen...
En fin, cuando estés con ánimo le contestarás a tu hijo; debe
355 andar con la cola entre las piernas pensando que la noticia de
la renovación no te va a gustar.

—Ah, sí —repitió mamá, mirando al cielo raso—.
Decile a Pepa que le escriba, ella ya sabe.

Pepa escribió, sin estar muy segura de lo que debía de-
360 cirle a Alejandro, pero convencida de que siempre era mejor
tener un texto completo para evitar contradicciones en las respuestas. Alejandro, por su parte, se alegró mucho de que
mamá comprendiera la oportunidad que se le presentaba. Lo
del tobillo iba muy bien, apenas pudiera pediría vacaciones
365 para venirse a estar con ellos una quincena.° Mamá asintió          quince días, dos semanas
con un leve gesto, y preguntó si ya había llegado *La Razón*
para que Carlos le leyera los telegramas.° En la casa todo se          *news releases*
había ordenado sin esfuerzo, ahora que parecían haber termi-
nado los sobresaltos y la salud de mamá se mantenía esta-
370 cionaria. Los hijos se turnaban para acompañarla; tío Roque
y tía Clelia entraban y salían en cualquier momento. Carlos le
leía el diario a mamá por la noche, y Pepa por la mañana.
Rosa y tía Clelia se ocupaban de los medicamentos y los
baños; tío Roque tomaba mate en su cuarto dos o tres veces
375 al día. Mamá no estaba nunca sola, no preguntaba nunca por
María Laura; cada tres semanas recibía sin comentarios las
noticias de Alejandro; le decía a Pepa que contestara y
hablaba de otra cosa, siempre inteligente y atenta y alejada.

Fue en esa época cuando tío Roque empezó a leerle las
380 noticias de la tensión con el Brasil. Las primeras las había

escrito en los bordes del diario, pero mamá no se preocupaba por la perfección de la lectura y después de unos días tío Roque se acostumbró a inventar en el momento. Al principio acompañaba los inquietantes telegramas con algún
385  comentario sobre los problemas que eso podía traerle a Alejandro y a los demás argentinos en el Brasil, pero como mamá no parecía preocuparse dejó de insistir aunque cada tantos días se agravaba un poco la situación. En las cartas de Alejandro se mencionaba la posibilidad de una ruptura
390  de relaciones, aunque el muchacho era el optimista de siempre y estaba convencido de que los cancilleres arreglarían el litigio.

Mamá no hacía comentarios, tal vez porque aún faltaba mucho para que Alejandro pudiera pedir licencia, pero una
395  noche le preguntó bruscamente al doctor Bonifaz si la situación con el Brasil era tan grave como decían los diarios.

—¿Con el Brasil? Bueno, sí, las cosas no andan muy bien —dijo el médico—. Esperemos que el buen sentido de los estadistas...

400  Mamá lo miraba como sorprendida de que le hubiese respondido sin vacilar. Suspiró levemente, y cambió la conversación. Esa noche estuvo más animada que otras veces, y el doctor Bonifaz se retiró satisfecho. Al otro día se enfermó tía Clelia; los desmayos parecían cosa pasajera, pero el doc-
405  tor Bonifaz habló con tío Roque y aconsejó que internaran a tía Clelia en un sanatorio. A mamá, que en ese momento escuchaba las noticias del Brasil que le traía Carlos con el diario de la noche, le dijeron que tía Clelia estaba con una jaqueca° que no la dejaba moverse de la cama. Tuvieron toda

° dolor de cabeza fuerte

410  la noche para pensar en lo que harían, pero tío Roque estaba como anonadado después de hablar con el doctor Bonifaz, y a Carlos y a las chicas les tocó decidir. A Rosa se le ocurrió lo de la quinta de Manolita Vallé, y el aire puro; al segundo día

de la jaqueca de tía Clelia, Carlos llevó la conversación con
415 tanta habilidad que fue como si mamá en persona hubiera
aconsejado una temporada en la quinta de Manolita que tanto
bien le haría a Clelia. Un compañero de oficina de Carlos se
ofreció para llevarla en su auto, ya que el tren era fatigoso
con esa jaqueca. Tía Clelia fue la primera en querer des-
420 pedirse de mamá, y entre Carlos y tío Roque la llevaron pa-
sito a paso para que mamá le recomendase que no tomara frío
en esos autos de ahora y que se acordara del laxante de frutas
cada noche.

—Clelia estaba muy congestionada—le dijo mamá a
425 Pepa por la tarde—. Me hizo mala impresión, sabés.

—Oh, con unos días en la quinta se va a reponer lo más
bien. Estaba un poco cansada estos meses; me acuerdo de
que Manolita le había dicho que fuera a acompañarla a la
quinta.

430 —¿Sí? Es raro, nunca me lo dijo.

—Por no afligirte, supongo.

—¿Y cuánto tiempo se va a quedar, hijita?

Pepa no sabía, pero ya le preguntarían al doctor Bonifaz
que era el que había aconsejado el cambio de aire. Mamá no
435 volvió a hablar del asunto hasta algunos días después (tía
Clelia acababa de tener un síncope° en el sanatorio, y Rosa se
turnaba con tío Roque para acompañarla).

—Me pregunto cuándo va a volver Clelia—dijo mamá.

—Vamos, por una vez que la pobre se decide a dejarte y
440 a cambiar un poco de aire...

—Sí, pero lo que tenía no era nada, dijeron ustedes.

—Claro que no es nada. Ahora se estará quedando por
gusto, o por acompañar a Manolita; ya sabés cómo son de
amigas.°

445 —Telefoneá a la quinta y averiguá cuándo va a volver —
dijo mamá.

**síncope** pérdida momentánea del movimiento y de la sensibilidad causada por una breve detención del funcionamiento del corazón

**ya...** *you know what good friends they are*

Rosa telefoneó a la quinta, y le dijeron que tía Clelia estaba mejor, pero que todavía se sentía un poco débil, de manera que iba a aprovechar para quedarse. El tiempo estaba
450 espléndido en Olavarría.

—No me gusta nada eso—dijo mamá—. Clelia ya tendría que haber vuelto.

—Por favor, mamá, no te preocupés tanto. ¿Por qué no te mejorás vos lo antes posible, y te vas con Clelia y Manolita a
455 tomar sol a la quinta?

—¿Yo?—dijo mamá, mirando a Carlos con algo que se parecía al asombro, al escándalo, al insulto. Carlos se echó a reír para disimular lo que sentía (tía Clelia estaba gravísima, Pepa acababa de telefonear) y la besó en la mejilla como a
460 una niña traviesa.

—Mamita tonta—dijo, tratando de no pensar en nada.

Esa noche mamá durmió mal y desde el amanecer preguntó por Clelia; como si a esa hora se pudieran tener noticias de la quinta (tía Clelia acababa de morir y habían
465 decidido velarla en la funeraria). A las ocho llamaron a la quinta desde el teléfono de la sala, para que mamá pudiera escuchar la conversación, y por suerte tía Clelia había pasado bastante buena noche aunque el médico de Manolita aconsejaba que se quedase mientras siguiera el buen tiempo. Carlos
470 estaba muy contento con el cierre de la oficina por inventario y balance, y vino en piyama a tomar mate al pie de la cama de mamá y a darle conversación.

—Mirá—dijo mamá—, yo creo que habría que escribirle a Alejandro que venga a ver a su tía. Siempre fue el preferido
475 de Clelia, y es justo que venga.

—Pero si tía Clelia no tiene nada, mamá. Si Alejandro no ha podido venir a verte a vos, imaginate...

—Allá él°—dijo mamá—. Vos escribile y decile que Clelia está enferma y que debería venir a verla.

**Allá...** *That's his business*

480     —Pero, ¿cuántas veces te vamos a repetir que lo de tía Clelia no es grave?

—Si no es grave, mejor. Pero no te cuesta nada escribirle.

Le escribieron esa misma tarde y le leyeron la carta a
485  mamá. En los días en que debía llegar la respuesta de Alejandro (tía Clelia seguía bien, pero el médico de Manolita insistía en que aprovechara el buen aire de la quinta), la situación diplomática con el Brasil se agravó todavía más y Carlos le dijo a mamá que no sería raro que las cartas de Ale-
490  jandro se demoraran.

—Parecería a propósito—dijo mamá—. Ya vas a ver que tampoco podrá venir él.

Ninguno de ellos se decidía a leerle la carta de Alejandro. Reunidos en el comedor, miraban al lugar vacío de tía
495  Clelia, se miraban entre ellos, vacilando.

—Es absurdo—dijo Carlos—. Ya estamos tan acostumbrados a esta comedia, que una escena más o menos...

—Entonces llevásela vos—dijo Pepa, mientras se le llenaban los ojos de lágrimas y se los secaba con la servilleta.
500     —Qué querés, hay algo que no anda. Ahora cada vez que entro en su cuarto estoy como esperando una sorpresa, una trampa, casi.

—La culpa la tiene María Laura—dijo Rosa—. Ella nos metió la idea en la cabeza y ya no podemos actuar con natu-
505  ralidad. Y para colmo° tía Clelia...

                                                        **Y...** *And on top of everything*

—Mirá, ahora que lo decís se me ocurre que convendría hablar con María Laura—dijo tío Roque—. Lo más lógico sería que viniera después de sus exámenes y le diera a tu madre la noticia de que Alejandro no va a poder viajar.
510     —Pero, ¿a vos no te hiela la sangre que mamá no pregunte más por María Laura, aunque Alejandro la nombra en todas sus cartas?

—No se trata de la temperatura de mi sangre—dijo tío
Roque—. Las cosas se hacen o no se hacen, y se acabó.°

515     A Rosa le llevó dos horas convencer a María Laura, pero
era su mejor amiga y María Laura los quería mucho, hasta a
mamá aunque le diera miedo. Hubo que preparar una nueva
carta, que María Laura trajo junto con un ramo de flores y las
pastillas de mandarina que le gustaban a mamá. Sí, por suerte
520   ya habían terminado los exámenes peores, y podría irse unas
semanas a descansar a San Vicente.

    —El aire del campo te hará bien—dijo mamá—. En
cambio a Clelia... ¿Hoy llamaste a la quinta, Pepa? Ah, sí, recuerdo que me dijiste... Bueno, ya hace tres semanas que se
525   fue Clelia, y mirá vos...

    María Laura y Rosa hicieron los comentarios del caso,
vino la bandeja del té, y María Laura le leyó a mamá unos
párrafos de la carta de Alejandro con la noticia de la inter-
nación° provisional de todos los técnicos extranjeros, y la
530   gracia que le hacía° estar alojado en un espléndido hotel
por cuenta del gobierno, a la espera de que los cancilleres
arreglaran el conflicto. Mamá no hizo ninguna reflexión,
bebió su taza de tilo° y se fue adormeciendo. Las muchachas
siguieron charlando en la sala, más aliviadas. María Laura es-
535   taba por irse cuando se le ocurrió lo del teléfono y se lo dijo a
Rosa. A Rosa le parecía que también Carlos había pensado en
eso, y más tarde le habló a tío Roque, que se encogió de hombros.° Frente a cosas así no quedaba más remedio que hacer
un gesto y seguir leyendo el diario. Pero Rosa y Pepa se lo
540   dijeron también a Carlos, que renunció a encontrarle explicación a menos de aceptar lo que nadie quería aceptar.

    —Ya veremos—dijo Carlos—. Todavía puede ser que se
le ocurra y nos lo pida. En ese caso...

    Pero mamá no pidió nunca que le llevaran el teléfono
545   para hablar personalmente con tía Clelia. Cada mañana pre-

*se... that's the end of it*

*detainment*

*la... how amusing he found it*

*linden tea*

*se... shrugged his shoulders*

guntaba si había noticias de la quinta, y después se volvía a
su silencio donde el tiempo parecía contarse por dosis de
remedios y tazas de tisana. No le desagradaba que tío Roque
viniera con *La Razón* para leerle las últimas noticias del con-
550 flicto con el Brasil, aunque tampoco parecía preocuparse si el
diariero llegaba tarde o tío Roque se entretenía más que de
costumbre con un problema de ajedrez. Rosa y Pepa llegaron
a convencerse de que a mamá la tenía sin cuidado que le le-
yeran las noticias, o telefonearan a la quinta, o trajeran una
555 carta de Alejandro. Pero no se podía estar seguro porque a
veces mamá levantaba la cabeza y las miraba con la mirada
profunda de siempre, en la que no había ningún cambio,
ninguna aceptación. La rutina los abarcaba a todos, y para
Rosa telefonear a un agujero negro en el extremo del hilo era
560 tan simple y cotidiano como para tío Roque seguir leyendo
falsos telegramas sobre un fondo de anuncios de remates o
noticias de fútbol, o para Carlos entrar con las anécdotas de
su visita a la quinta de Olavarría y los paquetes de frutas que
les mandaban Manolita y tía Clelia. Ni siquiera durante los
565 últimos meses de mamá cambiaron las costumbres, aunque
poca importancia tuvieran ya. El doctor Bonifaz les dijo que
por suerte mamá no sufriría nada y que se apagaría° sin sen-     **se...** *she would pass away*
tirlo. Pero mamá se mantuvo lúcida hasta el fin, cuando ya
los hijos la rodeaban sin poder fingir lo que sentían.

570 —Qué buenos fueron conmigo—dijo mamá—. Todo ese
trabajo que se tomaron para que no sufriera.

Tío Roque estaba sentado junto a ella y le acarició
jovialmente la mano, tratándola de tonta.° Pepa y Rosa, fin-     **tratándola...** *calling her*
giendo buscar algo en la cómoda, sabían ya que María Laura               *silly*
575 había tenido razón: sabían lo que de alguna manera habían
sabido siempre.

—Tanto cuidarme...—dijo mamá, y Pepa apretó la mano
de Rosa, porque al fin y al cabo esas dos palabras volvían a

poner todo en orden, restablecían la larga comedia necesaria.
580   Pero Carlos, a los pies de la cama, miraba a mamá como si
supiera que iba a decir algo más.

—Ahora podrán descansar—dijo mamá—. Ya no les
daremos más trabajo.

Tío Roque iba a protestar, a decir algo, pero Carlos se le
585   acercó y le apretó violentamente el hombro. Mamá se perdía
poco a poco en una modorra, y era mejor no molestarla.

Tres días después del entierro llegó la última carta de
Alejandro, donde como siempre preguntaba por la salud de
mamá y de tía Clelia. Rosa, que la había recibido, la abrió y
590   empezó a leerla sin pensar, y cuando levantó la vista porque
de golpe las lágrimas la cegaban, se dio cuenta de que mientras la leía había estado pensando en cómo habría que darle a
Alejandro la noticia de la muerte de mamá.

## PREGUNTAS

1. ¿Cómo era la familia de «La salud de los enfermos»? ¿Qué relación existía
   entre mamá y los otros?
2. ¿Cómo reaccionó la familia cuando de repente tía Clelia se sintió mal?
3. ¿Qué le había pasado a Alejandro? ¿Qué decidió hacer la familia para que
   mamá no sufriera?
4. ¿Qué relación existía entre el doctor Bonifaz y la familia?
5. ¿Qué relación existía entre María Laura y mamá? ¿Piensa usted que
   reaccionaría así una novia norteamericana bajo las mismas circunstancias?
6. ¿Dónde le dijeron a mamá que estaba Alejandro? ¿Dónde lo velaron y
   enterraron?
7. ¿Qué medidas tomaron para que mamá no se enterara de la verdad? ¿Qué papel
   le tocaba a María Laura?
8. ¿Cómo se arregló el problema de la correspondencia?
9. ¿Qué cosas contaba Alejandro en sus cartas? ¿De qué se extrañó mamá?
10. ¿Qué excusas inventaron los miembros de la familia para explicar que
    Alejandro no se tomara vacaciones?
11. ¿Por qué decidió María Laura no volver a conversar con mamá?
12. ¿Cómo sabemos que mamá empezaba a sospechar la verdad? ¿Qué indicios dio
    ella de no creer las excusas de sus hijos y hermanos?
13. ¿Qué decidieron hacer cuando se enfermó tía Clelia?

14. ¿Qué dijo mamá antes de morir que reveló que sabía la verdad?

15. ¿De qué se dio cuenta Rosa al leer la última carta de Alejandro?

## ANALISIS

1. Estudie el uso de los tiempos pasados en «La salud de los enfermos». ¿Cuenta el autor la historia cronológicamente? ¿Por qué empieza con la enfermedad de tía Clelia?

2. Cuente la historia cronológicamente. ¿Cómo cambia el relato?

3. ¿Cómo da Cortázar un tono conversacional a su cuento?

4. ¿Cómo comunica el gran cariño que une a todos los personajes?

5. ¿Qué dice Cortázar sobre la realidad y la fantasía en este cuento? ¿Cuál es más real psicológicamente para los personajes?

# Composición

## COMO SE NARRA UNA HISTORIA (EN EL PASADO)

Como se explica en el Capítulo 1, el enfoque de una narración es la acción. Aunque no se cuente cronológicamente, es esencial que el escritor tenga una noción clara de la cronología para emplear correctamente las formas verbales (pretérito, imperfecto, pluscuamperfecto, etc.)

## ANTES DE ESCRIBIR

1. Defina el ambiente. (¿Cómo estaba el día? ¿Cómo era la casa, la ciudad, los personajes? ¿Qué otra información sobre el ambiente quiere usted incluir? ¿Qué tiempo verbal va a usar? (No es necesario que usted empiece su composición con una descripción, pero es importante que tenga una idea clara del ambiente.)

2. Haga una lista cronológica de los acontecimientos. Recuerde que si no los cuenta en orden cronológico, necesita usar el pluscuamperfecto para relatar una acción que ocurrió antes de la que acaba de contar: «Cuando inesperadamente tía Clelia se sintió mal, hubo un momento de pánico... Con Alejandro las cosas *habían sido* mucho peores, porque Alejandro se *había matado* en un accidente de auto...»

3. Decida desde qué perspectiva va a relatar la historia. (¿Quién es el narrador?)

4. Organice su material (¿En qué orden va usted a relatar los hechos? Repase la lista de términos útiles en la página 42.

5. Identifique las partes principales: introducción (presentación de la situación), exposición (complicación que mete en marcha la acción, obligando a los personajes a reaccionar), clímax, desenlace (resolución). Ahora trate de variar el orden de las partes principales para crear un relato más interesante.

6. Decida qué tono tendrá su narración.

7. Haga una lista de palabras claves.

8. Trate de usar varios tiempos verbales.

### DESPUES DE ESCRIBIR

1. Examine los verbos. (¿Usó correctamente el imperfecto, el pretérito y el pluscuamperfecto? ¿Concuerdan los verbos con el sujeto?)

2. Examine los adjetivos. (¿Concuerdan con los substantivos que modifican?)

3. Examine la organización. (¿Relató los acontecimientos en el orden más apropiado?)

4. Examine la ortografía.

## EJERCICIOS DE COMPOSICION

1. Escriba una historia basada en «La salud de los enfermos» desde el punto de vista de la madre justo antes de su muerte. Conteste las siguientes preguntas:

   a. ¿Cuándo se dio cuenta de la verdad?

   b. ¿Cuáles eran sus motivos por no decirle a la familia que había descubierto su secreto?

2. Escriba una historia basada en «La salud de los enfermos» cambiando el orden de los acontecimientos y el final.

3. Relate algún incidente interesante que le pasó a su familia.

# Los deportes

## La natación / el remo

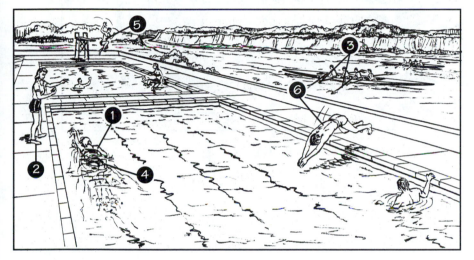

1. el (la) atleta
2. la entrenadora, el entrenador
3. los remos

4. nadar
5. saltar (de la tabla, del trampolín)

6. zambullirse, clavarse

**VOCABULARIO ADICIONAL:**
1. la natación   2. el remo   3. remar   4. la canoa   5. el kayac

**ADDITIONAL VOCABULARY:**
1. swimming   2. rowing   3. to row   4. canoe   5. kayak

# El ciclismo / la equitación

**1.** la equitación          **2.** la carrera de bicicletas

**VOCABULARIO ADICIONAL:**
**1.** montar a caballo    **2.** el ciclismo    **3.** montar en bicicleta

**ADDITIONAL VOCABULARY:**
**1.** to go horseback riding    **2.** cycling    **3.** to ride a bicycle

# El fútbol

1. el terreno de juego, el campo (la cancha) de fútbol
2. el partido de fútbol
3. los jugadores
4. el equipo
5. el arquero, el portero
6. el marcador
7. el empate
8. el árbitro
9. la defensa
10. el defensa izquierdo
11. el defensa derecho
12. la media
13. los medios
14. la delantera
15. los delanteros

**VOCABULARIO ADICIONAL:**
1. el puntaje, el resultado    2. golpear la pelota, pegarle a la pelota (con el pie)
3. el balonmano    4. el hockey sobre hierba

**ADDITIONAL VOCABULARY:**
1. the score, the final score    2. to kick the ball    3. handball    4. field hockey

# El baloncesto, el básquetbol

1. la pista de básquetbol, baloncesto

2. el cesto, la canasta

3. el balón

**VOCABULARIO ADICIONAL:**
1. disparar (lanzar) el balón al gol    2. tiro libre    3. el doble    4. rebotar    5. el rebote

**ADDITIONAL VOCABULARY:**
1. to shoot the ball    2. free throw    3. field goal (two-point shot)    4. to bounce    5. bounce

# El béisbol

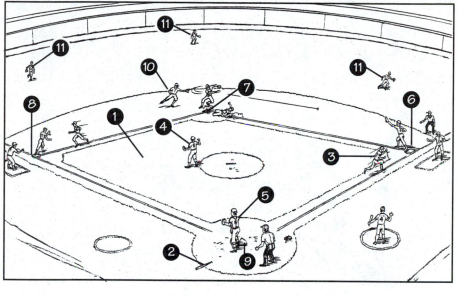

1. el diamante, el cuadro
2. el bate
3. el bateador
4. el lanzador

5. el receptor
6. la primera base
7. la segunda base
8. la tercera base
9. la base del bateador

10. el shortstop
11. el jardinero

**VOCABULARIO ADICIONAL:**
1. el árbitro   2. la entrada   3. el jonrón   4. el golpe   5. golpear   6. la pelota
7. el strike   8. lanzar   9. ponchar   10. el ponche

**ADDITIONAL VOCABULARY:**
1. umpire   2. inning   3. homerun   4. hit   5. to hit   6. ball   7. strike   8. to pitch
9. to strike out   10. strikeout

# El tenis, el voleibol, y el golf

**1.** la cancha de tenis      **2.** la raqueta      **3.** la red

VOCABULARIO ADICIONAL:
**1.** servir, sacar la pelota    **2.** el servicio, el saque    **3.** el balonvolea, el voleibol    **4.** el palo
**5.** la pelota    **6.** el tee    **7.** la cancha de golf    **8.** el hoyo    **9.** la pista    **10.** el césped
**11.** el obstáculo de arena

**ADDITIONAL VOCABULARY:**
**1.** to serve the ball    **2.** the service    **3.** volleyball    **4.** golf club    **5.** ball    **6.** tee
**7.** golf course    **8.** (golf) hole    **9.** fairway    **10.** green    **11.** sand trap

# El boxeo, el pugilismo

**1.** el boxeador     **2.** el cuadrilátero, el ring     **3.** los guantes

**VOCABULARIO ADICIONAL:**
**1.** boxear     **2.** la lucha libre     **3.** el luchador

**ADDITIONAL VOCABULARY:**
**1.** to box     **2.** wrestling     **3.** wrestler

## El esquí y el patinaje

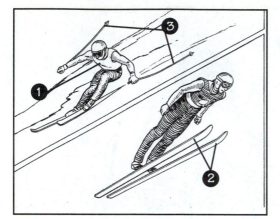

1. el esquiador
2. los esquíes, los esquís

3. los palos
4. el patinador

5. los patines

VOCABULARIO ADICIONAL:
1. esquiar   2. la pista de esquí   3. patinar   4. los patines de ruedas

**ADDITIONAL VOCABULARY:**
1. to ski   2. ski trail   3. to skate   4. rollerskates

## La corrida de toros

1. la arena, el ruedo
2. el torero, el matador
3. la capa
4. el picador
5. el banderillero

**VOCABULARIO ADICIONAL:**
1. la muleta

**ADDITIONAL VOCABULARY:**
1. short cape used in final "act" of bullfight

# El fútbol sigue siendo rey, pero...

El fútbol, que se originó en la China y se juega en una forma u otra desde 200 antes de Cristo, sigue siendo el deporte más popular del mundo. El fútbol moderno ha evolucionado a través del tiempo. En versiones primitivas del juego se permitía que los jugadores usaran las manos; por ejemplo, entre los griegos y romanos se dejaba
5   que los jugadores llevaran la pelota en brazos o la driblaran. El juego actual tiene sus orígenes en la Inglaterra medieval, donde, según la leyenda, la primera pelota fue la cabeza de un soldado danés. El rey Eduardo III prohibió que se jugara fútbol en 1365 porque lo encontraba demasiado violento y temía que sus soldados dedicaran demasiado tiempo al deporte, quitándoles horas a sus ejercicios militares.
10  Sin embargo, el fútbol ya había llegado a ser tan popular que fue imposible que se eliminara.

Los primeros partidos organizados no se parecían en nada a los de hoy. Antes de que se limitara el número de jugadores y se estableciera el tamaño de la cancha, los equipos constaban de parroquias enteras y los goles estaban separados por una
15  distancia de cinco o seis kilómetros. No fue sino hasta el siglo diecinueve que las reglas y distinciones entre los jugadores (defensas, medios, delanteros) que caracterizan el juego actual empezaron a codificarse. En 1857 se formó la Asociación del Fútbol, en Sheffield, Inglaterra, que sería el modelo para casi 140 asociaciones nacionales que se formarían más tarde. La Asociación limitó el número de jugadores a
20  once y decretó que sólo el arquero usara las manos. Cualquier fútbol que se jugara bajo la jurisdicción de la Asociación se llamaba «association football». Más tarde el término se abrevió a «assoc.» y con el tiempo se trasformó en «soccer»—nombre por el cual se conoce este deporte en los Estados Unidos. En 1913 las diferentes asociaciones nacionales se unieron para formar la Federación Internacional de Fut-
25  bolistas Asociados (FIFA), la cual ha organizado competencias importantes tales como la Copa Mundial.

El fútbol existe en forma organizada en unas 140 naciones y la Copa Mundial de 1978, en que Argentina ganó a los Países Bajos, se transmitió a todas partes del mundo aproximadamente a mil millones de televidentes. Desde los años setenta, la
30  popularidad del fútbol ha crecido tremendamente en los Estados Unidos, tanto que en 1992 los norteamericanos ganaron la Copa E. U. contra Portugal, Italia e Irlanda. La Copa Mundial de 1994 tuvo lugar en nueve ciudades norteamericanas.

En el mundo hispánico el fútbol es el deporte de las masas porque, a diferencia del tenis o el golf, no requiere más equipo que una pelota. Y si falta una pelota, a
35  veces los jugadores usan una lata de estaño o cualquier otro objeto. El fútbol se juega en escuelas, en parques, en terrenos abandonados—cualquier espacio abierto puede convertirse en una cancha de fútbol. Muchos países tienen magníficos estadios, por ejemplo, el Maracaná en Brasil, donde caben más de 200.000 personas. Jugar fútbol es el pasatiempo favorito de millones de chicos, y de muchas chicas y
40  adultos también.

En España, aunque el fútbol sigue siendo rey de los deportes populares, el baloncesto está atrayendo a miles de nuevos aficionados todos los días. Las últimas décadas del siglo veinte han visto una explosión de interés por el básquetbol. Nu-

merosas revistas dedicadas al básquetbol—*SuperBasket* y *La revista oficial de la*
45   *NBA,* por ejemplo—presentan artículos sobre jugadores norteamericanos y análisis
detallados de los playoffs de la NBA. Otras publicaciones, como *Marca* y *AS,* diarios gráficos deportivos, también le dedican mucho espacio al baloncesto—a veces
tanto como al fútbol. Colegiales tanto como aficionados adultos estudian con
cuidado las jugadas y trampas de los jugadores norteamericanos de moda, seguros
50   de que podrán aprender secretos que les ayudarán a mejorar su juego. Cuando, en
1992, el equipo de baloncesto Real Madrid obtuvo el título de Campeón de la Copa
de Europa en Nantes (Francia), la prensa madrileña describió a los jugadores como
héroes nacionales. Si hubieran ganado una batalla su acogida por el público no
habría sido más calurosa. El básquetbol parece tener un atractivo especial para las
55   mujeres. En muchas escuelas las chicas lo prefieren al fútbol y a otros deportes, y
existen numerosos equipos femeninos.

Otro deporte que goza de gran popularidad en España es el ciclismo. La Vuelta
a España atrae a miles de espectadores. No es sorprendente que la mayoría de los
ganadores de la Vuelta a España hayan sido españoles (aunque también han ganado
60   franceses, belgas, italianos, holandeses y alemanes—además de un irlandés y un
colombiano), pero los ciclistas españoles han triunfado en la arena internacional
también. En 1992 Miguel Induráin, ya campeón del Giro de Francia, llegó a ser el
primer ciclista español en ganar el Giro de Italia.

Como en España, en Latinoamérica el fútbol compite con otros deportes por la
65   atención de los aficionados. El béisbol se juega en los países del Caribe, además de
México y Colombia. De hecho, algunos de los jugadores más sobresalientes de las
ligas norteamericanas nacieron en Latinoamérica. Curiosamente, en Cuba, cuya
posición política es violentamente antiamericana desde que Fidel Castro subió al
poder en 1959, el béisbol sigue siendo el deporte preferido por las masas.

70   Aunque el béisbol nunca ha sido popular en España, existe cierta fascinación
por este deporte, que algunos españoles consideran emblema de la cultura norteamericana. Se ha citado a menudo al historiador francés Jacques Barzun, quien
afirma que si se quiere entender al norteamericano, hay que entender el béisbol
porque, además de ser un deporte democrático, el béisbol encierra las tensiones que
75   existen en los Estados Unidos entre el individualismo y el colectivismo, ya que cada
jugador es un especialista al mismo tiempo que miembro de un equipo.

Si bien el béisbol es más bien un juego de las masas, entre la gente adinerada se
juegan el tenis y el golf. En el Cono Sur se goza del esquí en el invierno, pues Chile
y Argentina tienen magníficas pistas. Cuando es verano en el hemisferio norte, los
80   equipos Olímpicos europeos y norteamericanos a veces se entrenan en Portillo,
estación de esquí chilena. También se practica el polo en la Argentina, aunque sólo
las personas con muchísimo dinero pueden darse el lujo de comprar un par de caballos de polo.

Otra diversión importante son los toros, aunque los aficionados dirían que no se
85   trata de un deporte, sino de un arte. En la mayoría de los países de Latinoamérica la
corrida está prohibida. El torear se permite en México, Perú, Colombia, Venezuela,
Ecuador y Panamá, donde las corridas son muy populares. Aun en los países en los
cuales es legal, hay personas que dicen que ojalá no lo fuera. Algunos insisten en
que si se hiciera como en Portugal, donde no se mata al toro, la corrida sería mucho

90  más agradable. Pero los aficionados afirman que esta noción es absurda, que la corrida simboliza una confrontación del hombre con la muerte y por lo tanto tiene dimensiones transcendentales. Si se eliminara el sacrificio final, perdería todo su valor. Además, torear requiere gran destreza y poder físico, además de un fino sentido estético. No se trata de un espectáculo vulgar, sino de una experiencia sublime.

95  En el mundo hispánico el deporte tiene gran importancia. Une a miles de personas y, en el caso de equipos regionales, les da un sentido de unidad y de identidad. Hoy en día, debido a la influencia norteamericana y europea, nuevos deportes están atrayendo la atención de los espectadores. Pero a pesar de la importancia del básquetbol, del ciclismo, del béisbol y de otros deportes, a través del mundo hispánico,
100  el fútbol sigue siendo rey.

## *Para enriquecer su vocabulario*

Muchos substantivos que terminan en **-or** se refieren a la persona que desempeña la función o hace la acción indicada por el verbo correspondiente. La forma femenina de estos substantivos termina en **-ora.**

| | |
|---|---|
| jugar | jugador, jugadora |
| ganar | ganador, ganadora |
| esquiar | esquiador, esquiadora |
| matar | matador, matadora |
| boxear | boxeador, boxeadora |
| lanzar | lanzador, lanzadora |
| luchar | luchador, luchadora |
| patinar | patinador, patinadora |
| entrenar | entrenador, entrenadora |

Nótese que el equivalente más común de *bullfighter* es **torero.** Aunque **toreador** se encuentra en el diccionario, muchas personas lo consideran un anglicismo.

### EJERCICIOS

**A. Complete las siguientes oraciones, empleando la palabra que está entre paréntesis.**

MODELO  (arquero) Tengo miedo que perdamos hoy porque _____.
**Tengo miedo que perdamos hoy porque el arquero no está en forma; está dejando pasar la pelota.**

1. (zambullirse) Hace tanto calor que tengo ganas de _____.
2. (árbitro) ¡Qué injusto! No tenemos ninguna posibilidad de ganar si _____.
3. (partido) En vez de estudiar esta tarde voy a _____.
4. (lanzador) En un partido de béisbol, _____.

5. (patinar) En el invierno, _____.

6. (esquiar) Todos van a la nieve excepto Maricarmen porque ella _____.

7. (cancha) Para jugar tenis se necesita _____.

8. (torear) Vamos a la corrida este domingo porque mi torero favorito _____.

9. (montar) El día está lindo y no tengo nada especial que hacer. Me gustaría _____.

10. (natación) Para adelgazar, _____.

## B. Emplee las dos palabras en una frase.

| | |
|---|---|
| 1. golpear / pelota | 7. lanzador / béisbol |
| 2. red / balón volea | 8. corrida / banderillero |
| 3. remar / canoa | 9. jai-alai / jugar |
| 4. saltar / tabla | 10. equitación / montar |
| 5. equipo / esquí | 11. zambullirse / piscina |
| 6. árbitro / resultado | 12. marcador / empate |

## C. Temas de conversación

1. Relate brevemente la historia del fútbol. ¿Cómo ha cambiado el deporte a través de los siglos?

2. ¿Qué factores pueden ayudar a explicar la nueva importancia del fútbol en los Estados Unidos? ¿Qué diferencias hay entre el fútbol y el fútbol norteamericano? ¿Cuál de los dos es más divertido? ¿Cuál de los dos es más peligroso? ¿Cuál prefiere usted? ¿Por qué?

3. Además del fútbol, ¿qué otros deportes son populares en España? ¿Cómo refleja el fanatismo español por el baloncesto la internacionalización del deporte?

4. ¿Cuáles son los deportes más populares de Latinoamérica? ¿Cómo influye la posición económica de una persona en el tipo de deportes que practica?

5. ¿Qué opiniones existen sobre la corrida de toros? ¿Por qué cree usted que la corrida no se ha aceptado en los Estados Unidos?

6. ¿Qué hace usted en su tiempo libre? ¿Practica algún deporte? ¿Prefiere usted ser espectador o participante? ¿Por qué?

## D. Pro y contra: temas de debate

1. Los niños pasan demasiado tiempo haciendo deportes e insuficiente tiempo estudiando.

2. Para entender el carácter norteamericano, hay que entender el béisbol.

3. La corrida de toros es cruel e injusta, y debe ser abolida.

4. El fútbol norteamericano es un deporte brutal.

5. Se le da demasiada importancia al deporte en las universidades norteamericanas.

6. Es injusto que se les preste menos atención a las mujeres atletas que a los hombres.

### E. Situaciones

1. Usted es espectador en un partido de fútbol que promete ser muy emocionante. La acción comienza. El medio izquierdo le quita la pelota a un jugador del otro equipo y se la pasa al delantero. Este corre, corre, avanza la pelota. El adversario amenaza, trata de quitársela pero no, no puede... el delantero sigue corriendo. Apunta, pega, ¡GOL! Usted empieza a gritar como loco. De repente se da cuenta de que está en la sección equivocada del estadio. Todos sus vecinos son aficionados del otro equipo y lo están mirando con caras de vinagre.

2. Para impresionar a su nuevo/a amigo/a usted le dice que es un/a jugador/a de tenis magnífico. Un día él/ella sugiere que vayan al club a jugar. Usted se pone muy nervioso/a porque nunca ha tenido una raqueta en las manos.

3. Usted se encuentra con un viejo amigo que insiste en contarle todos los detalles del último partido de béisbol. A usted no le interesa el deporte. Trate de cambiar de tema, aunque su amigo sigue hablando.

4. Su amigo acaba de perder un campeonato importante y se siente horrible. Usted trata de consolarlo.

# GRAMATICA
## *Tiempos verbales (III)*

### El futuro y el potencial

1. En sus formas regulares, el futuro y el potencial coinciden con las del infinitivo más las terminaciones que se encuentran en el Apéndice. Las formas irregulares se encuentran a continuación.

| INFINITIVO | RAÍZ | TERMINACIONES DEL FUTURO | TERMINACIONES DEL POTENCIAL |
|---|---|---|---|
| caber | cabr– | | |
| haber | habr– | | |
| poder | podr– | -é | -ía |
| querer | querr– | -ás | -ías |
| saber | sabr– | -á | -ía |
| | | -emos | -íamos |
| poner | pondr– | -éis | -íais |
| salir | saldr– | -án | -ían |
| tener | tendr– | | |
| valer | valdr– | | |
| venir | vendr– | | |
| | | | |
| decir | dir– | | |
| hacer | har– | | |

Con la excepción de la que corresponde a **vosotros,** las terminaciones son las formas de **haber**\* (sin la consonante **h**). Nótese que en el primer grupo de verbos, la **e** se elimina del infinitivo: **poder, podr-.** En el segundo grupo, se agrega una **d** antes de la **r** del infinitivo. El tercer grupo es completamente irregular.

2. El presente a menudo se emplea para referirse al futuro inmediato.

| | |
|---|---|
| El partido termina dentro de cinco minutos. | *The game will be over in five minutes.* |
| Compramos boletos para el partido mañana. | *We'll buy tickets for the game tomorrow.* |

El futuro se emplea para referirse al futuro remoto.

| | |
|---|---|
| Algún día veré un partido profesional. | *Someday I'll see a professional game.* |
| Cuando me gradúe, tendré más tiempo para los deportes. | *When I graduate, I'll have more time for sports.* |

También se emplea para el énfasis.

| | |
|---|---|
| Lo haré. | *I shall do it.* |
| Triunfaremos. | *We shall triumph.* |

Nótese que el futuro no corresponde a *shall* o *will* en las preguntas.

| | |
|---|---|
| ¿Te ayudo con eso? | *Shall I help you with that?* |

3. El potencial corresponde al *conditional* en inglés. Se usa en construcciones en las que se emplea *would* en inglés, excepto cuando *would* se refiere al pasado. En este caso, se emplea el imperfecto.

| | |
|---|---|
| Se formó la Asociación del Fútbol, que sería el modelo para casi 140 otras asociaciones nacionales. | *The Football Association, which would be the model for 140 other national associations, was formed.* |
| Yo no diría eso. | *I wouldn't say that.* |

Pero...

| | |
|---|---|
| Siempre pasaba los veranos jugando tenis. | *I would always spend the summers playing tennis.* |

4. El potencial puede emplearse para suavizar una petición o una crítica.

| | |
|---|---|
| ¿Podría Ud. prestarme su raqueta de tenis? | *Could you lend me your tennis racket?* |
| ¿Tendría tiempo para ayudarme? | *Would you have time to help me?* |

---

\*En el español antiguo, el futuro se formaba con el infinitivo y una forma de **haber: hablar he.**

## PRACTIQUEMOS

**A. Termine cada oración con el futuro del verbo que está entre paréntesis y cualquier otra palabra que sea necesaria.**

1. Cuando vengan mis primos a visitar, nosotros (jugar) _____.
2. Si mi hermana se casa, yo (estar) _____.
3. Mientras sea posible, yo (vivir) _____.
4. Aunque esté nevando, mis hermanos (esquiar) _____.
5. A pesar de que hace mal tiempo, nosotros (salir) _____.
6. Si me permites hablar, te (decir) _____.
7. Apenas termine los estudios, yo (hacer) _____.
8. Tan pronto como llegue mi compañero de casa, tú y yo (poder) _____.
9. Si sus padres les dan el dinero, ellos (venir) _____.
10. Si Angela se sienta en las rodillas de Juan, todos ustedes (caber) _____.

**B. Termine cada oración con el potencial del verbo que está entre paréntesis y cualquier otra palabra.**

1. Mariana me dijo que nos (acompañar) _____.
2. Aun si tuviera mucho dinero, yo no (querer) _____.
3. Mi prima dice que los hombres son imposibles, pero yo (decir) _____.
4. Si hubiera más espacio, nosotros (poner) _____.
5. El entrenador dijo que si no le daban un aumento, (buscar) _____.
6. Aun si no estuviera nevando, ustedes (salir) _____.

**C. Traduzca al español.**

1. Could you coach our team this year?
2. Would you want to play on our team?
3. Would you have time to teach me how to ski?
4. Could you lend me some money?
5. Could you give me some advice?

### Más tiempos compuestos

1. El imperfecto y el pretérito de **haber** se combinan con el participio pasado para formar el pluscuamperfecto y el pretérito anterior. El pluscuamperfecto supone una acción anterior y distante de otra. El pretérito anterior supone una acción anterior y no muy distante de otra. En realidad, el pretérito anterior se usa poco en la conversación.

Cuando volví a mi país, me di
cuenta de que todo había
cambiado.

*When I returned to my country, I realized
that everything had changed.*

Había aprendido español antes de
partir para Latinoamérica.

*I had learned Spanish before leaving for
Latin America.*

Apenas hubo explotado la bomba,
todos se pusieron a correr como
locos.

*As soon as the bomb went off, everyone
began running like crazy.*

2. El imperfecto y el pretérito de **estar** se combinan con el gerundio para formar el
imperfecto o pretérito progresivo.

Los chicos estaban nadando en
la piscina.

*The children were swimming in the pool.*

Las cosas estaban cambiando
rápidamente.

*Things were changing fast.*

¡Estuvimos buscando estacionamiento desde las cuatro hasta
las seis y media!

*We were looking for parking from four
until six thirty!*

3. El futuro y el potencial de **haber** se combinan con el participio pasado para formar el futuro perfecto y el potencial perfecto.

Cuando tú llegues, ya habré
terminado.

*When you arrive, I'll have already
finished.*

Para el año que viene habremos
terminado nuestros estudios.

*By next year we'll have finished our
studies.*

Me habría gustado conocer a
su padrastro.

*I would have liked to meet your
stepfather.*

4. El futuro y el potencial de **estar** se combinan con el gerundio para formar el futuro y el potencial progresivo.

A la hora que venga estaremos
cenando.

*By the time he gets here we'll be having
dinner.*

Dijo que estaría trabajando todo
el verano.

*She said she'd be working all summer.*

**PRACTIQUEMOS**

**A. Emplee las palabras en una oración según el modelo, poniendo el primer
verbo en el pretérito y el segundo en el pluscuamperfecto.**

MODELO   (ellos) llegar / jardinero / terminar / trabajo
**Cuando llegaron a casa, el jardinero ya había terminado su
trabajo.**

1. Juan / volver / pueblo / enamorada / casarse / con otro
2. (nosotros) darse cuenta / problema / (ellos) divorciarse
3. profesor / pedir / exámenes / (yo) no hacer / nada
4. (yo) / salir / empezar / llover
5. Carlos / conocer / Angela / (ella) enamorarse / Javier
6. (ellos) llegar / comenzar / boda

**B.  Sustituya con un tiempo compuesto las formas que están subrayadas.**

El otro día yo esperaba el autobús y leía el periódico. Según un artículo, la inflación aumentaba tremendamente. De hecho, la moneda bajaba de valor tan rápido que pronto no compraría nada. Yo pensaba en este problema cuando se me acercó un hombre que vendía lápices en la calle. Me dio mucha pena ver a esa persona tan digna que ofrecía lápices a los transeúntes. Metía la mano en el bolsillo para sacar un par de monedas cuando él me dijo el precio de sus lápices. Eran tan caros que no pude comprar ninguno.

**C.  Termine cada oración con el futuro perfecto de cualquier verbo. Después, agregue «Dije que...» (o «Dijo, dijeron que, etc.») al principio de la frase y cambie el verbo al potencial perfecto.**

> MODELO   Para diciembre, *yo ya habré terminado todo mi trabajo.*
> **Dije que para diciembre,** *ya habría terminado todo mi trabajo.*

1. Para el verano, yo ya _____.
2. Para el año próximo, nosotros _____.
3. Para el año 1999, la situación económica _____.
4. Para mi próximo cumpleaños, mis padres _____.
5. Para el fin del semestre, el profesor _____.

**D.  Termine cada oración con el futuro progresivo de cualquier verbo. Después, agregue «Dije que...» (o «Dijo, etc. que...») al principio de la frase y cambie el verbo al potencial progresivo.**

> MODELO   En el año 2000, yo *estaré viviendo en un departamento grande y elegante en Río de Janeiro.*
> **Dije que en.el año 2000,** *estaría viviendo en un departamento grande y elegante en Río de Janeiro.*

1. A fines del verano nosotros _____.
2. En la primera década del siglo XXI, ustedes _____.
3. Al final del curso, el profesor _____.
4. En septiembre del año próximo, yo _____.
5. La semana entrante tú _____.

## El futuro y el potencial de probabilidad

**1.** El futuro a menudo expresa probabilidad en el presente. Los equivalentes en inglés usualmente incluyen expresiones como *probably, must, wonder, could.*

| | |
|---|---|
| ¿Qué será de Alejandro? | *I wonder what is going on with Alejandro.* |
| Estará tratando de estacionar el auto. | *He must be trying to park the car.* |
| ¿Cuántos años tendrá Abuelita ahora? | *I wonder how old Grandma is now.* |

Los verbos de condición (**ser, estar, tener,** etc.) tienden a emplearse para expresar probabilidad más que los verbos de acción.

**2.** El condicional y el futuro perfecto expresan probabilidad en el pasado.

| | |
|---|---|
| ¿Qué significaría? | *I wondered what it meant.* |
| ¿Adónde habrán ido? | *Where could they have gone?* |
| ¿Qué le habrá dicho? | *I wonder what she said to him.* |

### PRACTIQUEMOS

**A. Traduzca al español.**

1. I wonder how many children that couple has.
2. It must be a very large family.
3. They'll probably want to sit all together.
4. Where could they have come from?
5. They probably got off that bus.
6. I wonder if that's the bus from El Paso.

**B. Responda a cada oración usando el futuro o el potencial de probabilidad.**

1. Alguien está tocando a la puerta.
2. La señora Hernández se ve muy joven.
3. Mario salió muy temprano esta mañana.
4. Hace tiempo que Alicia no nos escribe.
5. Parece que Hernán se casó el año pasado.

## Usos del infinitivo

**1.** En español el infinitivo tiene el valor de substantivo. Por ejemplo, puede funcionar como el sujeto de la oración, solo o precedido del artículo. Nótese que en inglés el gerundio tiene una función similar.

Jugar fútbol es el pasatiempo favorito de miles de chicos. | *Playing soccer is the favorite pastime of thousands of kids.*

Torear requiere gran destreza. | *Bullfighting requires great skill.*

2. Como substantivo, puede funcionar como complemento del verbo.

Quiero explicarte una cosa. | *I want to explain something to you.*

Deseaba hablar con usted. | *I'd like to speak with you.*

Mandé lavar el auto. | *I had the car washed.*

Hice limpiar la casa. | *I had the house cleaned.*

Nos prohíben usar el estéreo. | *They forbid us to use the stereo.*

Algunos verbos requieren una preposición antes del complemento: **Insiste en hablar.** Una lista de estos verbos está en las páginas 453–455.

3. Como substantivo, puede funcionar como el complemento de una preposición.

Las diferentes asociaciones se unieron para formar la FIFA. | *The different associations united to form FIFA.*

Pocas mujeres tienen su propia casa o departamento antes de casarse. | *Few women have their own house or apartment before marrying.*

4. El infinitivo puede usarse después de un verbo de percepción (**ver, oír, sentir,** etc.).

Oí llegar a mi primo. | *I heard my cousin arrive.*

Vi jugar a los Yankees. | *I saw the Yankees play.*

Si el énfasis está en la naturaleza progresiva de la acción, se puede usar el gerundio en vez del infinitivo.

La oí llorando. | *I heard her (in the act of) crying.*

Vi al niño jugando. | *I saw the child playing.*

PP. 16—18

## PRACTIQUEMOS

**A. Traduzca las siguientes oraciones al español.**

1. Seeing is believing.
2. Even when a woman works, taking care of the children is usually her responsibility.
3. We heard her crying in the other room.
4. I heard the guests arrive.
5. You shouldn't go out without eating.
6. After finishing our homework, we played baseball.
7. We had them come in.

8. She resolved not to get married immediately.

9. Mom sent the maid to buy fresh fruits and vegetables.

10. I promised to go out with my boyfriend this afternoon.

# GRAMATICA
## El subjuntivo (III)

### El pasado de subjuntivo

1. El pasado de subjuntivo coincide con la raíz de la tercera persona del plural de pretérito más las terminaciones indicadas a continuación. Nótese que en cuanto al significado, no hay ninguna diferencia entre los dos juegos de terminaciones, aunque en Hispanoamérica se tiende a preferir la primera.

| INFINITIVO | PRETERITO: TERCERA PERSONA DEL PLURAL | RAÍZ | TERMINACION #1 | TERMINACION #2 |
|---|---|---|---|---|
| jugar | jugaron | juga- | -ra | -se |
| meter | metieron | metie- | -ras | -ses |
| salir | salieron | salie- | -ra | -se |
| poner | pusieron | pusie- | ´-ramos | ´-semos |
| decir | dijeron | dije- | -rais | -seis |
| ser | fueron | fue- | -ran | -ses |

2. El pasado de subjuntivo se emplea para referirse al tiempo pasado en las mismas situaciones mencionadas para el presente de subjuntivo. (Véase las páginas 57–59, 88–89, 90–91, 92–94 y 95–96.)

Se permitía que los jugadores usaran las manos.

El rey prohibió que se jugara fútbol.

Temía que los soldados dedicaran demasiado tiempo al deporte.

Cualquier fútbol que se jugara bajo la jurisdicción de la Asociación se llamaba «association football».

Antes de que se limitara el número de jugadores, los equipos constaban de parroquias enteras.

3. El pasado de subjuntivo de verbos como **querer, deber, haber** y **poder** se emplea para suavizar pedidos o críticas.

| | |
|---|---|
| Quisiera pedirte un favor. | *I'd like to ask you for a favor.* |
| No debiera agarrar el bate así. | *You really shouldn't hold the bat like that.* |

| Hubiera sido mejor decirle la verdad. | It would have been better to tell him the truth. |
| ¿Pudiera Ud. enseñarme a jugar al tenis? | Could you please teach me to play tennis? |

4. El pasado de subjuntivo de **haber** se combina con el participio pasado para formar el pluscuamperfecto de subjuntivo.

| Aunque me hubiera invitado, no habría ido. | Even if she had invited me, I wouldn't have gone. |
| Temía que hubiéramos perdido el partido. | He was afraid we had lost the match. |

## PRACTIQUEMOS

### A. Cambie las siguientes oraciones al pasado.

1. Se permite que los jugadores usen las manos.
2. Se deja que lleven la pelota en brazos o driblen.
3. El rey teme que sus soldados dediquen demasiado tiempo al deporte.
4. Es imposible que se elimine el fútbol.
5. Antes de que ustedes puedan jugar, es esencial que se encuentre una nueva cancha.
6. Vamos a los playoffs con tal de que ganemos este partido.
7. Buscamos un árbitro que sea más justo.
8. A menos que venga el arquero, no podemos jugar.

### B. Termine cada oración con el pasado de subjuntivo de cualquier verbo.

1. Nosotros queríamos que el entrenador _____.
2. Era imposible que el equipo _____.
3. El lanzador temía que el receptor _____.
4. El bateador no creía que el jugador de primera base _____.
5. Sabíamos que no podíamos ganar a menos que el bateador _____.
6. El equipo necesitaba un nuevo entrenador que _____.

### C. Traduzca al español.

1. You really shouldn't play handball this afternoon.
2. I would like to suggest something.
3. Could you possibly accompany me to the soccer game?
4. He really shouldn't criticize the kids so much.
5. Would you like something else to drink?

———————   *Expresiones problemáticas*   ———————

### 1. jugar, tocar, poner

**jugar** = *to play (a sport, a game)* (Algunos hispanohablantes prefieren decir **jugar al** + un deporte. Sin embargo, en los informes periodísticos y en la conversación a menudo se omite la palabra **al.**)

| | |
|---|---|
| Mi hermana mayor juega hockey. | *My older sister plays hockey.* |
| No es cierto que sepa jugar al tenis. | *It's not true that he knows how to play tennis.* |

**tocar** = *to play (an instrument, a piece of music)*

| | |
|---|---|
| ¿Tocas el piano? | *Do you play the piano?* |
| El conjunto toca rock. | *The band plays rock.* |

**poner** = *to play (a tape, a record)*

| | |
|---|---|
| ¿Quieres que ponga este disco? | *Do you want me to play this record?* |

### 2. tirar, lanzar, arrojar, echar, botar

**tirar, lanzar, arrojar** = to throw (a ball, an object)

| | |
|---|---|
| El lanzador tiró la pelota. | *The pitcher threw the ball.* |
| Arrojaron los papeles en el aire. | *They threw the papers up in the air.* |
| El chico lanzó una piedra. | *The boy threw a stone.* |

**tirar, botar, echar** = *to throw away*

| | |
|---|---|
| Voy a tirar la basura. | *I'm going to throw out the garbage.* |
| Botaron su ropa vieja. | *They threw out their old clothes.* |
| Echa eso a la basura. | *Throw that in the garbage.* |

### 3. coger, agarrar, atrapar, prender, tomar, pescar

**coger, agarrar** = *to catch, to seize (a ball, an object)*

| | |
|---|---|
| Cogió la pelota. | *He caught the ball.* |
| Cogieron el dinero y se fueron. | *They took the money and left.* |
| El perro agarró el palo en el aire. | *The dog caught the stick in the air.* |
| Me agarró de la manga. | *He caught me by the sleeve.* |

**atrapar, prender** = *to catch, to capture*

| | |
|---|---|
| Atraparon un oso. | *They caught a bear.* |
| El policía prendió al criminal. | *The policeman caught the criminal.* |

**coger, tomar** = *to catch (a taxi, a bus, a train, a plane)*

| | |
|---|---|
| Vamos a coger un taxi. | *We're going to catch a taxi.* |
| Tomemos el autobús. | *Let's catch the bus.* |

**pescar** = *to catch a fish*

| | |
|---|---|
| Pescaron un atún inmenso. | *They caught an immense tuna fish.* |

**pescar** = *to catch, get, catch on* (informal y regional)

| | |
|---|---|
| Lo pescaron en el ascensor. | *They caught him in the elevator.* |
| Volví a casa a pescar mis cosas. | *I went back home to get my things.* |
| No pesqué lo que estaban diciendo. | *I didn't catch (get) what they were saying.* |

**4. dar un puntapié, dar una patada, dar una coz, pasar / mandar de una patada, mover las piernas**

**dar un puntapié, dar una patada** = *to kick (a person or object)*

| | |
|---|---|
| Le dio un puntapié. | *She kicked him.* |
| El niño está gritando y dando patadas. | *The child is screaming and kicking.* |
| Juan le pasó la pelota a Sixto de una patada. | *Juan kicked the ball to Sixto.* |

**dar una coz** = *to kick, buck (said of animals)*

| | |
|---|---|
| El caballo estaba dando coces en el corral. | *The horse was kicking in the corral.* |

**mover las piernas** = *to kick (move one's legs)*

| | |
|---|---|
| ¡Nada más rápido! ¡Mueve las piernas! | *Swim faster! Kick!* |
| El bebé mueve las piernas. | *The baby is kicking.* |

**5. meter, marcar un gol** = *to kick, score a goal (in soccer)*

| | |
|---|---|
| Yo metí tres goles. | *I scored three goals.* |
| Necesitamos marcar un gol más. | *We need to score one more goal.* |

## PRACTIQUEMOS

**A. Traduzca las siguientes oraciones.**

1. Throw me an oar!
2. I'm going to throw away these old papers.

3. In order to swim well, you have to kick correctly.

4. The forward kicked a goal.

5. The left halfback kicked the ball to the right halfback.

6. The donkey was kicking and refused to walk.

7. The catcher caught the ball.

8. The detective caught the criminal.

9. We have to catch a plane at ten thirty.

10. Catching wild animals is not permitted in this area.

11. They caught a boot and an old hanger, but no fish.

12. We didn't catch the message.

# Selección literaria

## EL MEDIO-NIÑERO°
### *Bárbara Mujica\**

*The baby-sitter halfback*

*Para mi hijo Mauro, medio feroz de los Whirlwinds*

El tiempo estaba perfecto para el fútbol. El aire olía a manzanas y bellotas y el cielo relucía como una paleta° azul.

*Popsicle*

    Las pruebas eran el martes para las chicas y el miércoles
para los muchachos. Todos los amigos de Juan José se iban a
5  presentar.

    —Le dije a la señora que viene a buscarme después de
clases que llegara más tarde—, dijo Ray, mordiendo con
ganas un sánduich de atún. Era la hora del almuerzo y los
muchachos se habían reunido en el patio de la escuela.

10    —Le dije a mi tía que no me esperara a la hora normal—, dijo James, tragándose un par de pasas.

---

\*Bárbara Mujica es una novelista, cuentista y ensayista cuyas obras más recientes son *The Deaths of Don Bernardo* (novela, 1990) y *Far from My Mother's Home* (cuentos, 1996). En 1992 ganó el Premio Inter-nacional de Ficción E. L. Doctorow y en 1990 su ensayo sobre el bilingüismo fue seleccionado por el New York Times como una de las mejores piezas de opinión de la década. Los artículos y cuentos de Bárbara Mujica se han publicado en inglés y español en cientas de publicaciones.

—Le pedí a mi mamá que llamara a la chica que me
ayuda con las tareas para decirle que se olvidara del miércoles—, dijo Harris.

15   —Juan José sabía que aunque ninguno de los chicos
había usado la palabra «niñera», de eso estaban hablando. A
los muchachos de once años no les gustaba reconocer que
tenían niñeras, pero todos los compañeros de Juan José
tenían a alguien que los cuidaba después de clases. Juan José,
20   en cambio, no tenía que ocuparse de cancelar a la niñera. El
problema de Juan José era diferente: él era el «niñero».°

Todos los días Juan José recogía a Diego del kínder y lo
llevaba a casa. A Juan José le tocaba darle a Diego algo que
comer y hacerle dormir la siesta. Mientras Diego descansaba,
25   Juan José hacía sus tareas o veía televisión y entonces,
cuando se despertaba el niño, jugaba con él hasta que sus
padres llegaban del trabajo—normalmente a eso de las seis.
A Juan José nunca se le había ocurrido preguntar por qué

Esta palabra normal-
mente no se emplea en
la forma masculina, ya
que en los países his-
pánicos las personas
que cuidan a niños son
mujeres. En este caso,
sin embargo, se trata
de un muchacho que se
ocupa de un niño.

tenía que cuidar a su hermanito mientras otros niños monta-
30  ban en bicicleta o jugaban a la pelota en la calle. Eran extranjeros y para los extranjeros así era la cosa.° No había con
quién contar. Había que valerse por su cuenta° y no pedirle
favores a nadie.

  Juan Ramón Moreno había encontrado un puesto de ca-
35  jero en un restaurante pero para su esposa había sido más
difícil. Cándida Moreno chapurreaba° el inglés y sabía más o
menos escribir a máquina, pero aun así le había costado un
mundo° encontrar trabajo. Había recorrido el barrio entero y
finalmente se había aventurado hasta la Connecticut Avenue°
40  para pedir una entrevista en una oficina donde anunciaban
que necesitaban una secretaria bilingüe. Finalmente encontró
un puesto en un salón de belleza lavándoles la cabeza a las
clientas y limpiando el piso después de cada corte de pelo. A
pesar de este triunfo no poco significativo, la mamá de Juan
45  José no estaba muy contenta. La verdad de las verdades era
que sus hijos aún estaban pequeños y Cándida Moreno realmente habría preferido no trabajar, pero en este país de rentas
exorbitantes y autos indispensables que costaban un dineral y
se tragaban litros de gasolina, no se podía existir sin dos
50  sueldos. Y para colmo° no había parientes o amistades que
ayudaran con los niños. Aquí los Moreno estaban solos, sin
familia, sin nadie. Así que aun después de haber resuelto el
problema del trabajo, Cándida Moreno se sentía anonadada
por las circunstancias.

55    —Si estuviéramos en nuestro país, podría contar con mi
mamá para ocuparse de Dieguito—lamentaba. —O podría
pedirle a mi hermana que viniera en las tardes. O a doña
Elvira, la de la casa rosada con techo de tejas... tú sabes, Juan
Ramón, la que vivía en la esquina al lado de...
60    —Ya, córtala°, Cándida—decía Juan Ramón Moreno. —
Ya no estamos allí, estamos aquí y tendrás que arreglártelas°
de alguna manera.

**así...** *that's just how it was.*
**valerse...** *manage alone*

hablaba con dificultad

**le...** le había sido muy difícil
en Washington, D. C.

**para...** *on top of every-thing*

*cut it out*

*to manage*

—Pues no tenemos plata para pagarle a una niñera y además, no me gusta dejar a mis hijos con una extraña.

65    —No sé—, decía el papá de Juan José. Fumaba mecánicamente mientras leía los anuncios clasificados del diario latino. —No sé qué decirte. Estoy tratando de encontrar un puesto que dé más plata o tal vez un trabajo nocturno. Pero mientras tanto tú tienes que trabajar. Así que de alguna ma-

70    nera...

La única solución era hacer que Juan José se encargara de Diego todas las tardes. Juan Ramón Moreno le explicó la situación a su hijo.

—Mira—, le dijo. —Aquí la cosa no es fácil. Aquí la

75    cosa es pura lucha. Uno se mata trabajando pero, por lo menos, si tienes suerte y todo va bien, puedes ganar bastante para tener una vida decente, ¿me entiendes, hijo? Pero todos tenemos que tirar juntos porque de otra manera no llegamos a ninguna parte. Yo, tu mamá, hasta tú y Diego, cada uno tiene

80    que hacer su parte.

Juan José respiró hondo y dijo que sí, muy bien, no te preocupes Papá, voy a cuidar al mocoso°, y en verdad no le          *kid* molestaba tener que volver a casa todos los días después del colegio para ocuparse de Diego. Le hacía sentirse importante,

85    maduro. Pero eso fue antes de que anunciaran las pruebas para el equipo de fútbol.

—Puedes dejar a Diego con otra persona por una vez—, le dijo Harris.

—Claro—, dijo Mike. —Hombre, tienes que presentarte.

90    Eres un fenómeno para el fútbol. Deja a Diego con una vecina o algo.

—No puedo hacer eso—, dijo Juan José. —Tengo que cuidarlo. Le prometí a mi mamá.

—Llévalo contigo—, sugirió Harris.

95    Pero eso no funcionaría tampoco porque Diego tenía que dormir en la tarde.

Juan José se puso a reflexionar. Sus padres confiaban en él. No podía llegar y descuidar° a su hermanito. Por otro lado, ésta era una verdadera oportunidad. Había aprendido

100 inglés rápido, mucho más rápido que sus padres, pero en clase siempre se había sentido marginado. Estaba atrasado en todo—en matemáticas, en geografía. De historia norteamericana no entendía ni pito° y de ciencias entendía aún menos. En su país apenas había asistido a la escuela. La

105 guerra interminable, el hambre y la escasez de trabajo eran lo que le preocupaba a la gente, no si los chicos sabían cuál era la capital de Francia o dónde había nacido Carlos V.° Los colegios a menudo estaban cerrados por la violencia y cuando no, costaba tanto retomar el hilo° después de las

110 largas interrupciones que había que volver al principio y no se avanzaba nada. Cuando Juan José llegó a Estados Unidos lo colocaron en una clase donde le enseñaban inglés y trataban de ponerlo al día°, pero, aunque el chico hizo un tremendo esfuerzo, nunca llegó a sentirse cómodo en esas

115 aulas donde la maestra hablaba demasiado rápido y daba por sentado° que sabía un motón de cosas de las cuales no tenía ni idea. Mrs. Selitti, una de las profesoras de Juan José, aseguró a Cándida que su hijo era muy inteligente y le sugirió que lo metiera en algunas actividades «extracurricu-

120 lares».

—¿Extracurriculares? —dijo Cándida. —¿Qué es eso?

—Deportes, clubes... —explicó Mrs. Selitti. —Ese tipo de actividad ayudaría a Juan José a integrarse al grupo más rápidamente.

125 —Ah ya, —dijo Cándida, y olvidó las palabras de la maestra instantáneamente. Por el momento Cándida tenía otros problemas en la cabeza. Además, para ella el deporte no era una «actividad». No era algo que se organizaba. Era sencillamente algo que los chicos hacían en la calle durante sus

130 ratos libres.

**No...** *He couldn't just up and abandon*

**ni...** absolutamente nada

(1500–1558), rey de España y emperador del Sacro Imperio Romano Germánico
**retomar...** *pick up where they left off*

**ponerlo...** *catch him up*

**daba...** *assumed, took for granted*

Juan José se sentía como un inútil en clase. Todos los días la maestra le devolvía sus trabajos llenos de tinta roja. Todos los días él tenía menos ganas de levantar la mano o de aprender las tablas de multiplicación.

135 Pero en la cancha de fútbol era diferente. En la cancha de fútbol Juan José se sentía como un héroe. Era un medio feroz, capaz de atacar y defender con igual destreza. Jugaba fútbol desde que caminaba y no había nada que no pudiera hacer con una pelota. Los otros chicos lo respetaban y lo ad-

140 miraban. Si en la sala de clase no era nadie, en la cancha de fútbol era el protagonista de la película. Era Rambo, el Terminador y Batman todos juntos.

Eso era en los partidos del recreo. Juan José nunca había jugado con un verdadero equipo. Nunca había tenido que pre-

145 sentarse a una prueba. Sería fantástico que lo seleccionaran, pensaba. Sería maravilloso que delante de todos los otros chicos llamaran su nombre y reconocieran que él, Juan José Moreno, aunque extranjero y mal estudiante, fuera digno de representar a su colegio en torneos y campeonatos.

150 —Mira—, le dijo Ray, un chico alto y negro con una sonrisa fácil —puede ser que no te tomen, pero por lo menos debes ir a las pruebas. Todos los demás van a estar.

Cómo que° no me van a tomar, pensó Juan José. Claro que me van a tomar.

**Cómo...** *What do you mean*

155 Pero... ¿y Diego?

Esa noche a Juan José se le ocurrió pedir que le dieran la tarde del miércoles libre, pero su padre parecía preocupado y su madre se acostó temprano. Juan José tenía el alma en el suelo.°

**tenía...** estaba muy triste

160 Mientras sacaba la basura, divisó a la señora González, quien paseaba a su perro. La señora González era una anciana que vivía sola en una casita pulcra y bonita al otro lado de la calle. A veces trabajaba de voluntaria en la iglesia, pero,

que supiera Juan José,° no tenía empleo y todos sus hijos es-
165 taban crecidos y casados. Tal vez, pensó el muchacho, la
vecina estaría dispuesta a echarle una mano° con Diego.

—¡Hola, señora González! —llamó.

—¡Hola, Juán José! Ven a hacerle un cariñito° a Loco—,
llamó la anciana desde el otro lado de la calle. —¡Hace
170 tiempo que no te ve y te echa de menos!°

Juan José colocó el tarro de basura donde lo vieran los
basureros y atravesó la calle. Volvió a saludar a la señora
González y a Loco. Mientras le hacía cariño al peludo terrier
negro, le explicó su problema a la señora González.

175 —Hay algo especial que tengo que hacer mañana después de clases—, le dijo. —¿Podría usted ocuparse de Dieguito sólo esta vez?

A Juan José no se le pagaba por cuidar a su hermanito y
por lo tanto no se le ocurrió ofrecerle dinero a la señora
180 González, pero a pesar de eso ella dijo que sí, que Diego
podía pasar la tarde con ella y dormir la siesta en su sofá.

Juan José sintió como si se le hubieran quitado una
piedra de encima.° Pero al día siguiente, al llevar a Diego a la
casa de la señora González antes de volver al colegio para las
185 pruebas, empezó a tener remordimientos. ¿Qué pasaría si sus
padres se enteraran° de lo que había hecho? Al fin y al cabo,
lo habían encargado a él que cuidara a Diego. —No sirvo
para niñero—, se dijo. —No sirvo para nada. Siempre lo em-
barro° todo.

190 Mientras esperaba que el entrenador les diera indica-
ciones° a los muchachos, le entró un pánico. ¿Qué pasaba si
sus padres llamaban a casa y nadie contestaba? ¿O si Diego
les contaba que había pasado la tarde con la señora González
a pesar de su promesa de guardar el secreto? Diego tenía sólo
195 cinco años, se decía Juan José. Probablemente no sabía lo
que significaba una promesa.

que... *as far as Juan José knew*

echar... ayudar

hacerle... *pet*

echa... *misses*

como... muy aliviado

*found out*

*mess up*

*instructions*

Pero una vez que empezaron las pruebas, a Juan José se le olvidó por completo su problema.

El entrenador le tiró la pelota a cada chico, quien debía
200 devolverla sin dejarla parar. Luego la tiró más fuerte y los muchachos tenían que hacerla girar y pasársela a un compañero. En el siguiente ejercicio, hizo que los muchachos le pegaran contra un muro repetidamente sin dejarla nunca descansar. Luego tuvieron que hacer malabares° con la pelota   *juggle*
205 usando las rodillas, las piernas y la cabeza. En un ejercicio tuvieron que hacer avanzar la pelota el largo de la cancha mientras que otros muchachos trataban de quitársela. En otro tuvieron que bloquearla con la cabeza y el pecho. Y en otro tuvieron que defender el gol. Finalmente, el entrenador orga-
210 nizó un partido y observó cómo los chicos corrían, pegaban y bloqueaban. Mientras los jóvenes jugaban, él apuntaba en un largo bloc amarillo.

A eso de las cinco, hizo que los muchachos se sentaran en la hierba y les agradeció por haber venido. Luego llamó
215 los nombres de los que habían sido seleccionados: «Ray... Matt... Scott... Brad...» Juan José dejó de respirar. Diego estaba miles de kilómetros de sus pensamientos. Lo único que tenía en la cabeza en ese momento era cuánto quería jugar fútbol, cuánto quería que lo aceptaran en el equipo.
220 El entrenador siguió: «Santiago... Mauro... Gary... Juan José... James...»

Juan José pegó un grito que hizo que el entrenador levantara la vista. El muchacho se calló instantáneamente. El señor MacDonald era un hombre fuerte y exigente que no to-
225 leraba tonterías.

—Muy bien, chicos—, dijo después de haber leído los nombres de los nuevos miembros. —El nombre de nuestro equipo es Los Tigres. Las prácticas serán los martes y los jueves por la tarde, desde las 3:30 hasta las 5:30. Los partidos

230  serán los viernes. Tendrán que ser puntuales y llegar listos para trabajar. Empezaremos la semana que viene. Sé que ésta va a ser una temporada magnífica. ¡Felicitaciones y buena suerte!

Al dirigirse hacia su casa Juan José estaba demasiado emocionado° para pensar en qué iba a hacer con Diego du-

235  rante las prácticas.

*excited*

Encontró a su hermanito en la cocina de la señora González, sentado a la mesa, tratando de armar las piezas de un rompecabezas. La señora González estaba tratando de ayudarle a encontrar el trozo que necesitaba para completar

240  la imagen de un elefante. Loco correteaba por todos lados, tratando de agarrar el cordón del zapato de Diego.

Tanto Diego como la señora González parecían perfectamente contentos. Juan José tomó a su hermanito de la mano y agradeció a su vecina. Entonces salió para la casa.

245  Eran más de las seis cuando llegaron sus padres. Juan Ramón empezó a pelar papas y Cándida fue a bañar a Diego. Juan oyó a su hermanito jugando en la tina y se mordió el labio. ¿Le contaría Diego a Mamá dónde había pasado la tarde? Juan José se puso al lado de la puerta para escuchar.

250  Tenía el estómago hecho un nudo° y le sudaban las palmas de las manos. Pero al poco rato empezó a tranquilizarse. Parecía que todo iba tal como había planeado. Diego y Mamá hablaban de una excursión que iban a hacer los niños del kínder al museo de insectos.

**Tenía...** Estaba muy nervioso

255  Durante la cena Diego seguía balbuciendo° acerca del viaje y Papá y Mamá hablaban de su amigo Pedro que había perdido su empleo en la fábrica de muebles, de su amiga Zulma que se iba a operar de la vesícula° y de los Rojas que iban a divorciarse porque ella decía que él tomaba demasiado

*babbling*

*gallbladder*

260  y él decía que ella no hacía más que pintarse las uñas todo el día. Esta noche Mamá parecía estar llena de energía, aun después de una jornada° en la peluquería. Juan José callaba y la

*día de trabajo*

miraba hablar. Sus ojos negros brillaban y su piel oscura estaba tiesa y juvenil.

265 —¿Y cómo te ha ido a ti? —le preguntó Papá a Juan José después de un tiempo. —¿Todo bien?

—Este°... claro... macanudo°.

*Uh...*
*fantástico*

—¿Te pasa algo?

—Pues, nada... Es decir, me preguntaba°... si...

*I was just wondering...*

270 —¡Cómete la carne, Juan José! —interrumpió Cándida. Por Dios, no te das cuenta de lo que cuesta la comida. Te juro que no voy a botar un solo trozo de estofado.° En esta familia cada uno tiene que hacer su parte y en este momento el trabajo tuyo es comerte todo lo que está en tu plato sin

*stew*

275 desperdiciar ni una arveja y sin tontear.

—¿Sí? —dijo Papá. —¿Qué te preguntabas, hijo?

—Nada—, dijo Juan José.

Durante todo el fin de semana Juan José pensó en qué haría con Dieguito una vez que empezaran las prácticas. Es-
280 taba tan preocupado que se le olvidó terminar el informe que tenía que escribir sobre las exploraciones espaciales y también se le olvidó llevar su ropa sucia al cuarto de lavar para que Mamá la lavara.

El lunes por la tarde, antes de que sus padres llegaran del
285 trabajo, tocó a la puerta de la señora González.

—Este... perdone que la vuelva a molestar—, dijo—pero ¿me podría ayudar de nuevo mañana, señora?

La señora González mostró menos entusiasmo esta vez que la primera, pero dijo que sí.

290 La práctica estuvo estupenda. El entrenador hizo trabajar duro a los muchachos, pero a Juan José le encantó porque sabía que estaba aprendiendo. El señor MacDonald y su ayudante, el Sr. Rosenberg, analizaron las habilidades de cada muchacho y le dijeron cómo podía mejorar su técnica y su-
295 perar sus debilidades. Entonces los chicos practicaron varios ejercicios. Finalmente se dividieron en dos grupos y jugaron

un partido para practicar ciertas estrategias y aprender a funcionar como equipo.

300     Después de la sesión el entrenador le dijo a Juan José: —
Tienes un potencial bárbaro, hijo. Naciste para medio.

Juan José casi se puso a gritar de alegría, pero recordó lo
que el señor MacDonald había dicho acerca del control de sí
mismo y se mantuvo callado.

Las alabanzas del entrenador electrizaron a Juan José.
305     Esa tarde, mientras acompañaba a su hermanito a casa,
volvió a oír las palabras del señor MacDonald que se repetían
en su cabeza. «¡Un potencial bárbaro! ¡Naciste para medio»!
Juan José estaba tan emocionado que se le olvidó recordar a
Diego que no les mencionara a sus padres donde había
310     pasado la tarde.

Sin embargo, una vez que llegaron a casa y Dieguito jugaba en la bañera bajo el ojo vigilante de Cándida, se le
volvió a formar el nudo familiar en el estómago. Le había ido
rebien° esa tarde, pensó Juan José. Pero algo horrible podría
315     pasar que echara todo a perder.°

Sin embargo, eso no ocurrió. Ese martes y jueves y los
de las dos semanas siguientes el sistema de Juan José fun-
cionó a las mil maravillas. Recogía a Dieguito del jardín infantil y lo acompañaba a casa de la señora González. Luego
320     volvía corriendo al colegio para la práctica.

Después de tres semanas el entrenador hizo un anuncio:

—Este viernes —dijo —será el primer partido y de allí
en adelante habrá un partido todos los viernes. Quiero que
ustedes sigan trabajando duro, que sigan perfeccionando su
325     técnica, no sólo durante las prácticas sino también en casa.

Aunque los chicos sabían que al señor MacDonald no le
gustaba que alborotaran, esta vez no pudieron contener su
alegría.

Todos se pusieron a vociferar como locos.

330     —¡Eeeeeh!

° muy bien

**echara...** arruinara todo

—¡Fantásticoooo!

—¡Sensacionaaaaal!

En vez de echarles un sermón sobre el control, el señor MacDonald empezó a vociferar con ellos.

335 —¡Me encanta su entusiasmo, muchachos! ¡Esto es lo que se necesita para ganar!

Juan José apenas se acordó de su problema con Dieguito. Al mocoso le encantaba ir donde la vecina. La señora González había criado a cinco hijos y tenía un montón de nie-

340 tos. Sabía un sin fin de juegos y trucos para entretener a un niño. Todo lo que tenía que hacer era avisarle que su herma-nito pasaría tres tardes a la semana con ella en vez de dos.

La reacción de la señora González no fue la que espe-raba Juan José. Tenía otras responsabilidades, le dijo. Traba-

345 jaba de voluntaria en la iglesia y además, tomaba una clase de ejercicio dos tardes por semana. También le gustaba ir a la biblioteca, pasar tiempo con sus nietos y ocuparse de su jardín. Ya no podía hacer ninguna de estas cosas porque tenía que cuidar a Dieguito.

350 —Sólo será por seis semanas más —suplicó Juan José.
—Sólo será hasta que termine la temporada de fútbol.

De puro nervioso° sujetó la respiración.

—Bueno —dijo la señora González. —Pero sólo por seis semanas más. Después de eso no cuentes conmigo.

355 Los Tigres ganaron el primer partido como si nada,° seis a cero. El equipo adversario estaba desorganizado y tenía una defensa débil.

El segundo partido fue más difícil, pero los Tigres metieron un gol al principio de la primera mitad y lograron

360 mantener su ventaja a través del partido.

—Que no se les suban los humitos a la cabeza°—advirtió el señor MacDonald. —La semana que viene jugamos contra los Pumas de Belleville y les aseguro que son realmente fero-ces. Fueron los campeones el año pasado y no han perdido un

**De...** Sólo por estar tan nervioso

**como...** muy fácilmente

**que...** no estén demasiado confiados

365    solo partido hasta ahora. Pero si logramos ganarles este partido, hay una buena posibilidad que vayamos a los finales.

    —¡Vamos a los playoffs! —gritaron los chicos.

    —Entonces, —dijo el señor MacDonald—quiero que peleen con toda su alma.

370    —¡Los mataremos! —gritó Matt.

    —¡Pensarán que se les cayó una bomba encima! —gritó Ray.

    —¡No sabrán qué les pasó! —gritó Brad.

    —Muy bien —dijo el entrenador. —¡Adelante!

375    Los chicos practicaron duro esa semana y la mañana del partido todavía estaban animándose los unos a los otros con gritos de viva y vítor.°

**todavía...** *they were still cheering each other on*

    —¡Los vamos a destruir! —bramó James durante el almuerzo.

380    —No vamos a dejarlos buenos para nada —agregó Mauro.

    Pero ya en la tarde todos tenían mariposas en el estómago. Los Pumas de Belleville eran buenos y los Tigres lo sabían.

385    Todo les fue mal desde el primer momento. Los Pumas eran muchachos altos y grandes—por lo general medían tres o cuatro centímetros más que los Tigres. Uno de sus delanteros, un chico negro enjuto y fuerte que corría como una bala, metió un gol dentro de los primeros momentos. Le pegó

390    a la pelota haciéndola volar alto y aunque Matt, el arquero de los Tigres, saltó, la pelota pasó por encima de su cabeza a la red.

    —Tranquilos —dijo el entrenador. —No se desanimen. El partido acaba de empezar.

395    Los muchachos tomaron sus posiciones. Desde su lugar en el centro de la cancha Juan José evaluó la situación. Los Pumas eran rápidos y poderosos pero les faltaba una estrategia. Si sólo los Tigres pudieran...

Pero ya estaba en marcha la pelota y no hubo más
400   tiempo para reflexionar. Harris la interceptó y se la mandó de
una patada a Mauro, quien intentó pasársela a Juan José. De
repente el Número 2 de los Pumas apareció de la nada y le
pegó de por debajo del pie de Juan José. Este luchó por reco-
brar la pelota y en el proceso le dio un codazo° al otro          **le...** *he elbowed*
405   muchacho.

Silbó el pito del árbitro.

—¡Castigo!° —gritó.                                               *Penalty*

Premió a los Pumas con un tiro libre° desde el lugar             **tiro...** *free kick*
donde había ocurrido la ofensa.

410   El pateador de los Pumas era un muchacho poderoso que
chutaba con precisión. Hizo llegar la pelota bastante cerca del
gol para que el Número 6 pudiera mandarla de una patada
dentro de la red.

—¡¡GOOLLL!! —vociferaron los Pumas.

415   —¡Sustitución! —gritó el señor MacDonald.

—¡Oh no! —se dijo Juan José. —Seguro que me va a
sacar.

Pero no. El señor MacDonald cambió de arquero, sus-
tituyendo a Brad por Matt.

420   De nuevo la pelota volaba por todos lados. Ambos
equipos lucharon por controlarla pero ninguno de los dos
logró meter otro gol durante el resto de la primera mitad.

—No se olviden—dijo el señor MacDonald durante el
descanso —para ganar ustedes tienen que querer ganar. A ver
425   si son Tigres hambrientos. ¡Muestren los dientes! ¡Ataquen
con ganas!

Juan José tomó su lugar en el centro de la cancha. Mauro
era el medio izquierdo y Scott era el medio derecho. Los dos
defensas eran Gary y Santiago.

430   Juan José apretó los dientes.

—Ya, defensas—gritó. —Esta vez no vamos dejar pasar
a esos tipos.

—¡Exacto! —contestó Mauro.

Los muchachos cumplieron su promesa. Apenas los
435 Pumas trataron de romper la línea de defensa de los Tigres,
Gary se adelantó corriendo y tirando con todas sus fuerzas le
pasó la pelota a Juan José, quien a su turno se la pasó a Harris.

—¡Así se hace! —gritaron los espectadores—por la
440 mayor parte alumnos que habían venido a ver jugar a sus
compañeros de clase.

Harris adelantó la pelota mientras los Números 4 y 11 de
los Pumas lo seguían de cerca.

—¡Magnífico! —gritó el señor MacDonald.
445 Harris le pasó la pelota a Juan José, quien intentó meter
un gol. El arquero lo paró, pero la pelota todavía estaba bastante cerca para que los Tigres volvieran a probar. Esta vez
Harris la mandó de una patada dentro de la red.

—¡¡¡GOOOLLLL!!! Los espectadores se volvían locos.
450 Dentro de poco los Tigres metieron otro gol. Ahora iban
dos a dos. ¡Un empate! Los compañeros de curso de los Tigres vociferaban y saltaban. El entrenador le gritaba indicaciones a todo el mundo. Quedaban sólo cinco minutos de
juego.

455 Juan José sentía que sus músculos se ponían tensos.
Tenía la boca seca como si hubiera estado chupando cenizas.
Las mariposas revoloteaban° en su estómago.                      *fluttered*

Los Pumas luchaban por romper la línea de defensa de
sus adversarios, pero los Tigres estaban empeñados en im-
460 pedir que salieran con la suya.° Mauro disputó la pelota al      **salieran...** *get away with*
Número 10 de los Pumas y por fin logró arrebatársela. Se la          *it*
pasó a Juan José. ¡Un pase estupendo!

Juan José la mandó volando con una patada impecable.
El golpe llevó la pelota hasta el otro lado de la cancha. Un
465 Puma intentó devolverla pero los Tigres estaban allí esperando. Esta vez Harris la interceptó y se la pasó a Ray,

quien la tiró directo hacia la red. El arquero de los Pumas se arrojó encima, extendiendo los brazos. Se resbaló. Pero la pelota se movía demasiado rápido. No pudo pararla. Los Ti-
470 gres habían marcado un gol.

El vocerío de los espectadores le dio escalofríos a Juan José.

El árbitro tocó el pito. Había terminado el partido. Los Tigres se pusieron a gritar, a saltar de alegría, a dar palmadas,
475 a abrazarse. Todos felicitaron a Ray, a Harris, a Mauro, a Juan José. Entonces formaron una cola° para darles la mano a sus adversarios y agradecerles.

*Formaron... They got in line*

El alborozo de Juan José era tanto que se sentía mareado. Miró las caras de los espectadores. Le parecía que había una
480 tremenda muchedumbre. Allí estaban sus profesoras, las señoras Selitti y Tolkach, gritando y celebrando el triunfo de sus alumnos. Con los dedos formaban una V para «victoria». Marcos, Frank, Carmen, Terry y muchos otros compañeros de clase estaban allí, saltando y riéndose.
485 Y entonces, de repente, a Juan José se le heló la sangre.

Allí a un lado estaba una cara que no había pensado ver esa tarde. Un señor fornido y moreno con una mandíbula cuadrada y hombros amplios y musculosos estaba parado a una distancia de la demás gente. Tenía los brazos cruzados y
490 no estaba sonriendo.

—Ay Dios —dijo Juan José.

En un instante la alegría del muchacho se convirtió en pavor.

Caminó hacia el costado del campo de fútbol, la cabeza
495 agachada. Hubo un silencio terrible.

—Eres un atleta magnífico—dijo Juan Ramón Moreno finalmente. —Ese fue un golpe sensacional.

Su voz era profunda y no le temblaba. Hablaba bajo y casi sin expresión. Juan José no estaba seguro si su padre
500 hablaba en serio o si le tomaba el pelo.°

*le... he was teasing him*

505     —Gracias—dijo, mordiéndose el labio.

—Vamos—dijo su padre. —Tenemos que hablar.

—Sí —dijo Juan José. —Ya lo sé. Tenía miedo de lo que pudiera suceder. Estaba seguro de una cosa: había terminado su carrera futbolística.

510     Los dos anduvieron en silencio durante un tiempo. Una vez que habían salido del patio del colegio, habló Juan Ramón.

—Sabes—, dijo—te busqué por horas. Llegué temprano del trabajo porque me sentía mal y al ver que tú no estabas en
515  casa con Dieguito, me entró un pánico. Fui a las casas de todos los vecinos del vecindario. Estaba que° llamaba a la policía cuando topé con la señora González. Había sacado a pasear a Dieguieto y a Loco.

    Estaba**...** *I was about to*

Sonaba severo, pero no alzó la voz.

520     A Juan José no se le ocurrió nada que decir. Tenía una piedra en la garganta. Papá estaba más calmado de lo que debía, pensó.

—¿Le dijiste a Mamá? —balbuceó el muchacho.

—Por supuesto. La llamé a la peluquería inmediata-
525 mente. Estaba loca de preocupación, pero le dije que no volviera todavía, que te iba a buscar. Pero tú conoces a Mamá, me dijo que regresaba en seguida a ayudarme. De hecho, estaba recogiendo sus cosas para ir a casa cuando la llamé de vuelta para decirle que había encontrado a Diego
530 con la señora González.

—Me imagino que ella te dijo donde estaba.

—Claro. De hecho, no sólo me dijo dónde estabas, sino que también me dijo que le debía $150.

—¡Cómo!

535     —La señora González cobra $10 la hora por cuidar niños.

Juan José sintió que la sangre se le helaba. Se pasó la lengua por los labios.

—Pero y... yo... ay Dios... no jugué fútbol durante quince
540 horas.

—Ah sí. Dos horas por semana durante tres semanas y
tres horas por semana durante tres semanas. La señora
González lleva cuentas° muy detalladas y exactas.

**lleva...** *keeps records*

Juan José respiró hondo. Apretó los labios para impedir
545 que temblaran.

—No tenemos plata para pagarles a niñeras, Juan José.
Ciento cincuenta dólares es un montón de plata.

—Lo sé—dijo Juan José en voz baja. —Su... supongo
que esto significa que... que tengo que salir del equipo... ten-
550 dré que abandonar el fútbol.

Ahora le tocó a Juan Ramón suspirar. —Es una lástima
—dijo. —Eres un medio realmente fantástico.

Juan José no dijo nada.

—Sin embargo—siguió Papá—lo que hiciste fue muy
555 irresponsable. No tenía idea dónde estabas. ¿Qué habría
hecho en caso de emergencia, Juan José? ¿Qué habría hecho
si hubiera tenido que ubicarte? Y dejar que se acumulara una
cuenta de $150 con la señora González—por Dios, hijo, esto
es imperdonable. ¿De dónde voy a sacar dinero para pagarle?

560 —¿Qué vas a hacer? —dijo el niño. Apenas se le oía la
voz. Se sentía miserable.

—No sé. Mereces que te castigue. ¿No estás de acuerdo?

—Sí...

—Por otro lado, tu mamá cree que era injusto que te
565 pidiéramos que cuidaras a tu hermanito todas las tardes de la
semana, sin dejarte un solo día libre para jugar con tus amigos. Dijo que recordaba vagamente que algo le habían dicho
tus profesoras—que a veces es bien difícil que los chicos extranjeros se integren a la clase y que necesitabas hacer de-
570 portes y pasar tiempo con tus compañeros para ir mejorando
tu uso del inglés y trabar amistades. Así que tu mamá insiste

en que nosotros no hemos sido justos contigo al impedir que participes en estas actividades extracurriculares que, según tus maestras, son muy importantes en este país.

575 —Pero—dijo Juan José—en nuestra familia cada uno tiene que hacer su parte y mi deber era cuidar a mi hermanito. Yo era el «niñero».

—Sí—dijo Juan Ramón—es cierto.

—Entonces—dijo Juan José en voz baja—¿cuál es la 580 solución?

—No sé—contestó Papá. —Pensemos. Tratemos de encontrar una.

Ya—dijo el niño, de nuevo tan inaudible que su padre apenas pudo entender su respuesta.

585 —Pensemos—repitió Juan Ramón.

Puso el brazo alrededor de los hombros de su hijo y los dos se dirigieron a casa.

## PREGUNTAS

1. ¿Por qué no tenía Juan José que cancelar a la niñera para las pruebas de fútbol? ¿Por qué tenía que ocuparse de Diego todas las tardes?
2. Describa la situación de la familia Moreno.
3. ¿Por qué le importaban tanto a Juan José las pruebas de fútbol?
4. ¿Qué solución encuentra a su problema?
5. ¿Cómo le va en las pruebas? ¿Qué nuevo problema surge a causa de las prácticas? ¿Cómo lo resuelve?
6. ¿Qué comentario hace el entrenador con respecto al talento de Juan José? ¿Cómo reacciona el muchacho?
7. ¿Cómo respondió la señora González cuando Juan José le dijo que Diego iba a pasar tres tardes con ella en vez de dos?
8. ¿Cómo les fue a los Tigres en el primer partido?
9. Describa el partido que jugaron contra los Pumas.
10. ¿Qué cara inesperada vio Juan José entre los espectadores?
11. Describa la actitud ambigua de Juan Ramón ante la actuación de su hijo. Explique la opinión de Cándida.
12. ¿Cómo resuelven el dilema?

1. ¿Qué factores contribuyen al dilema de Juan José? Haga una lista de causas y efectos.

2. Describa la situación desde cuatro puntos de vista: el de Juan José, el de la señora González, el de Juan Ramón y el de Cándida. ¿Con cuál de los puntos de vista está usted de acuerdo?

3. ¿Cree usted que Cándida tiene razón al decir que era injusto exigirle a Juan José que se ocupara de su hermano todos los días de la semana? ¿Por qué?

4. En su opinión, ¿era especialmente importante que Juan José se integrara al grupo? ¿Por qué? ¿Justifica esto la decisión de descuidar a su hermanito para jugar fútbol?

5. ¿Qué solución sugiere usted al dilema de los Moreno?

6. ¿Qué problemas especiales tienen los extranjeros al empezar a integrarse a la sociedad norteamericana? ¿Cree usted que el proceso es más fácil o más difícil para los niños que para los adultos? ¿Por qué? ¿Cree usted que será más fácil para Diego que para su hermano mayor?

7. Explique la actitud de Cándida hacia las actividades extracurriculares. ¿Cómo cambia su actitud?

# Composición

## CAUSA Y EFECTO

1. Una manera de desarrollar un argumento es por medio de causas y efectos. Al escoger su tema, haga una lista de hechos pertinentes, por ejemplo:

   a. Juan José necesita cuidar a su hermanito después de clases.
   b. A Juan José le importa mucho jugar fútbol con el equipo de su colegio.

   Analice cada hecho, preguntándose ¿por qué? para descubrir las causas. Después analice las consecuencias o efectos.

2. Busque no sólo las causas inmediatas, sino también las subyacentes, por ejemplo:

   Juan José necesita cuidar a su hermanito después de clases porque...

| CAUSAS INMEDIATAS | CAUSAS SUBYACENTES |
|---|---|
| Su mamá trabaja. | Los Moreno son extranjeros y no tienen familiares en los Estados Unidos. |

| **CAUSAS INMEDIATAS** | **CAUSAS SUBYACENTES** |
|---|---|
| La familia no tiene dinero para pagarle a una niñera. | Cándida y Juan Ramón apenas saben inglés y les ha costado conseguir trabajo. |
| A la mamá no le gusta dejar a Diego con cualquier persona. | |

Cuidado con no postular una relación de causa y efecto entre dos acontecimientos únicamente porque uno precede al otro.

**3.** Las siguientes expresiones son útiles para desarrollar argumentos de causa y efecto.

| | |
|---|---|
| así (que) | *thus* |
| a su turno | *in turn* |
| a causa de (que) | *because* |
| a consecuencia de | *as a consequence of* |
| causar | *to cause* |
| como consecuencia de | *as a consequence of* |
| como resultado de | *as a result of* |
| consecuentemente | *consequently* |
| deberse a | *due to, owing to* |
| debido a (que) | *due to* |
| entonces | *then* |
| luego | *then* |
| por consiguiente | *therefore* |
| por eso | *therefore* |
| porque | *because* |
| por lo tanto | *therefore* |
| por tanto | *therefore* |
| producir | *to cause, produce* |
| provocar | *to cause, produce* |
| puesto que | *since, because* |
| la razón (por la cual) | *the reason (why)* |
| resultar en | *to result in, to produce* |
| resultar de | *to stem from* |
| el resultado | *the result* |
| ya que | *since, because* |

Vuelva a escribir la lista que usted hizo para contestar la pregunta 1 de la sección titulada **Análisis** empleando una de estas expresiones para unir cada causa y efecto.

**4.** Un argumento de causa y efecto puede tomar varias formas. Por ejemplo, se puede comenzar con la causa y luego exponer los resultados:

> Los recién llegados a los Estados Unidos se enfrentan con ciertos problemas. A causa de no dominar el inglés, les es difícil conseguir buenos empleos y esto, a su vez, produce consecuencias serias...

En el primer párrafo se explica la causa. En los siguientes párrafos se desarrolla cada uno de los resultados. En el último, se resume y se presenta la conclusión.

También se puede comenzar con un efecto y exponer las causas:

Los recién llegados a los Estados Unidos a menudo ocupan puestos que pagan muy poco. Una de las razones es que no dominan el inglés...

Otra es que no tienen una red de contactos que les permita enterarse de empleos más deseables...

En el primer párrafo se presenta un resultado. En los siguientes párrafos se desarrolla cada una de las causas. En el último, se resume y se presenta la conclusión.

Una tercera posibilidad es la estructura circular: En el primer párrafo se presenta un hecho. En los siguientes se analizan las causas y los resultados. Luego se vuelve a desarrollar el hecho y se presentan más causas y resultados. En el último párrafo se presentan un resumen y la conclusión.

## ANTES DE ESCRIBIR

1. Explore su tema. Apunte sus ideas. Para cada una, pregúntese ¿por qué? y ¿cuáles son los resultados? o ¿cuáles son las consecuencias?
2. Formule su tesis.
3. Haga una lista de palabras claves.
4. Haga una lista de causas y efectos para defender su tesis. Emplee la lista de términos que se encuentra en la página 215.
5. Identifique a su lector. ¿Qué argumentos servirán para convencer a este lector?
6. Decida qué forma va a tomar su composición. ¿Va a presentar una causa y analizar los resultados o al revés? ¿O va a darle a su composición otra estructura?
7. Organice su material. ¿En qué orden lo va a presentar?
8. Formule su conclusión.

## DESPUES DE ESCRIBIR

1. Revise sus argumentos. ¿Son válidos? ¿Son lógicos? ¿Se trata en cada caso de causa y efecto o hay instancias de mera precedencia cronológica? ¿Ha incluido bastantes detalles para que una persona que no conozca su tema entienda sus argumentos? ¿Hay información superflua? Elimine cualquier argumento falaz o improcedente.

2. Revise su organización. ¿Apoya cada argumento su tesis? ¿Se siguen los argumentos lógicamente?

3. Revise su conclusión. ¿Es lógica? ¿Está basada en sus argumentos?

4. Revise las formas verbales. ¿Concuerdan con el sujeto? ¿Ha usado correctamente los tiempos? ¿Ha escrito bien las formas del pasado y presente de subjuntivo? Identifique las cláusulas subordinadas nominales, adverbiales y adjetivales. ¿Ha empleado el subjuntivo siempre que se requiera?

5. ¿Ha usado correctamente **ser** y **estar?**

6. Revise los adjetivos. ¿Concuerdan con los substantivos que modifican?

7. Revise el vocabulario.

8. Revise la ortografía.

## EJERCICIOS DE COMPOSICION

Escriba una composición empleando argumentos de causa y efecto para defender una de las siguientes tesis:

a. Juan José actuó de una manera irresponsable al decidir dejar a un hermanito con la señora González sin avisar a sus padres.

b. Cándida y Juan Ramón actuaron de una manera injusta al exigir que su hijo de once años se privara de toda actividad extracurricular.

c. Los deportes son especialmente importantes para el desarrollo psicológico de un niño como Juan José.

d. La solución del problema de Juan José es...

1. Apunte sus ideas sobre cada tema. Pregúntese ¿por qué? y ¿cuáles son las consecuencias? Escoja su tesis.

2. Repase el vocabulario del cuento y haga una lista de palabras claves.

3. Haga una lista de causas y efectos para defender su tesis. Explore los motivos de los personajes. Analice su situación social y sus características psicológicas. ¿Qué importancia tienen los siguientes elementos?: El hecho de que sean extranjeros. El hecho de que Juan José se sienta marginado en clase. El hecho de que Cándida y Juan Ramón tengan poco tiempo que pasar con sus hijos. ¿Cuál es el papel del azar en este cuento? No se olvide de emplear los términos que se encuentran en la lista de la página 215.

4. Ordene sus causas y efectos de una manera lógica.

5. Revise su lista, eliminando cualquier punto que muestre una relación cronológica en vez de una de causa y efecto.

6. Identifique a su lector y decida qué organización estructural será más adecuada para defender su tesis para ese lector.

7. Escriba su ensayo.

# Actualidades

## Las noticias

**1.** el locutor,
la locutora

# Las noticias

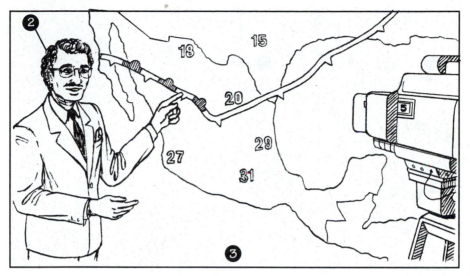

2. el meteorólogo       3. el pronóstico
                            del tiempo

**VOCABULARIO ADICIONAL:**
1. el televisor    2. la pantalla    3. los botones    4. la antena    5. el control remoto
6. los televidentes    7. la grabadora de videos (vídeos), el VCR    8. los medios de difusión
9. el cable, la cablevisión    10. prender, encender el televisor    11. apagar el televisor
12. el canal    13. arrendar, alquilar un video (vídeo), un videocasete    14. grabar una
película, un programa    15. el reportero, la reportera    16. las noticias internacionales
17. las noticias nacionales    18. las noticias locales    19. las noticias deportivas
20. la retransmisión deportiva    21. el cronista deportivo, la cronista deportiva
22. las noticias financieras, el informe financiero    23. pronosticar el tiempo
24. el boletín meteorológico    25. los anuncios comerciales

**ADDITIONAL VOCABULARY:**
1. TV set    2. screen    3. buttons    4. antenna    5. remote control    6. TV viewers
7. videocassette recorder, VCR    8. the media    9. cable, cable TV    10. to turn on the TV
11. to turn off the TV    12. channel    13. to rent a videocassette    14. to record a film, a program
15. reporter (male, female)    16. international news    17. national news    18. local news
19. sports news    20. sports playback    21. sportscaster (male, female)    22. business report
23. to forecast the weather    24. weather bulletin    25. commercials

# El periódico

| | | |
|---|---|---|
| **1.** la cabecera | **4.** el pie de | **5.** la columna |
| **2.** los titulares | fotografía | |
| **3.** la fotografía | | |
| de prensa | | |

**VOCABULARIO ADICIONAL:**

**1.** la página editorial     **2.** el editorial     **3.** la caricatura     **4.** la esquela mortuoria, de defunción     **5.** los anuncios, avisos clasificados     **6.** los anuncios de propaganda
**7.** el (la) periodista     **8.** imprimir un periódico     **9.** subscribirse a un periódico, estar subscrito a un periódico.

**ADDITIONAL VOCABULARY:**
**1.** editorial page     **2.** editorial     **3.** cartoon     **4.** obituary notice     **5.** classified ads
**6.** advertisements     **7.** journalist     **8.** to print a newspaper     **9.** to subscribe to a newspaper

**La revista**

# Temas de actualidad: la ecología

**1.** la conservación del medio ambiente     **2.** la contaminación del medio ambiente

**VOCABULARIO ADICIONAL:**
**1.** contaminar el medio ambiente   **2.** conservar los recursos naturales   **3.** malgastar los recursos naturales   **4.** la capa de ozono, ozonosfera

**ADDITIONAL VOCABULARY:**
**1.** to pollute the environment   **2.** to conserve natural resources   **3.** to waste natural resources
**4.** the ozone layer

# Temas de actualidad: la economía

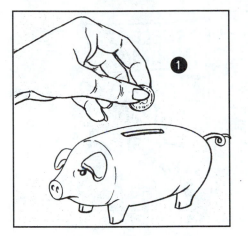

**1.** ahorrar dinero

**2.** el desempleo,
el paro

## Temas de actualidad: la economía

3. la protesta, la
   manifestación

# Temas de actualidad: la política

### la democracia

**VOCABULARIO ADICIONAL:**
**1.** las elecciones   **2.** presentarse como candidato   **3.** votar por un candidato
**4.** elegir un candidato   **5.** los partidos políticos   **6.** el (la) presidente (a)
**7.** el gobernador, la gobernadora   **8.** el alcalde, la alcaldesa   **9.** los ministerios
**10.** el ministro de educación   **11.** el ministro de hacienda   **12.** el ministro de defensa
**13.** el ministro de asuntos extranjeros   **14.** el sistema bicameral   **15.** el sistema
parlamentario   **16.** las cámaras   **17.** la cámara alta   **18.** la cámara baja
**19.** el senado   **20.** la cámara de diputados, de representantes   **21.** el congreso
**22.** Cámara de los Lores   **23.** la Cámara de los Comunes, de los Diputados
**24.** el parlamento   **25.** las Cortes   **26.** conservador   **27.** liberal   **28.** moderado
**29.** derechista   **30.** izquierdista   **31.** centrista

### la monarquía

**VOCABULARIO ADICIONAL:**
**1.** el/la monarca   **2.** el rey, la reina   **3.** el príncipe, la princesa   **4.** el infante, la infanta

### la dictadura

**VOCABULARIO ADICIONAL:**
**1.** el dictador, la dictadora

**ADDITIONAL VOCABULARY:**
**1.** elections   **2.** to run (for office)   **3.** to vote for a candidate   **4.** to elect a candidate
**5.** political parties   **6.** president   **7.** governor   **8.** mayor   **9.** the ministries, secretaries
**10.** Secretary of Education   **11.** Secretary of Finance (the Treasury)   **12.** Secretary of Defense
**13.** Secretary of State   **14.** bicameral system of legislature   **15.** parliamentary system
**16.** the houses   **17.** upper house   **18.** lower house   **19.** senate   **20.** house of representatives
**21.** congress   **22.** House of Lords   **23.** House of Commons   **24.** parliament   **25.** the **Cortes**
(Spanish Parliament)   **26.** conservative   **27.** liberal   **28.** moderate   **29.** rightist, right-wing
**30.** leftist, left-wing   **31.** centrist, middle-of-the road

**ADDITIONAL VOCABULARY:**
**1.** monarch   **2.** king, queen   **3.** prince, princess   **4.** any son (daughter) of the king of Spain other
than the eldest

**ADDITIONAL VOCABULARY:**
**1.** dictator

## Temas de actualidad: el acoso sexual

**VOCABULARIO ADICIONAL:**
1. la liberación femenina

**ADDITIONAL VOCABULARY:**
1. women's liberation

# Temas de actualidad: la salud pública

**VOCABULARIO ADICIONAL:**
**1.** el SIDA   **2.** el cólera   **3.** el aborto

# El crimen

**1.** el (la) criminal;            **2.** la víctima
el (la) delincuente

**VOCABULARIO ADICIONAL:**
**1.** el ladrón   **2.** el robo   **3.** robar   **4.** el asalto, el ataque, el atraco
**5.** asaltar, atacar   **6.** el asesinato   **7.** asesinar   **8.** la violación   **9.** violar
**10.** la droga   **11.** el (la) narcotraficante   **12.** el drogadicto, la drogadicta   **13.** la policía
**14.** el policía   **15.** la mujer policía

**ADDITIONAL VOCABULARY:**
**1.** AIDS   **2.** cholera   **3.** abortion

**ADDITIONAL VOCABULARY:**
**1.** thief   **2.** robbery   **3.** to rob, steal   **4.** assault, holdup, mugging   **5.** to assault, hold up
**6.** murder   **7.** to murder   **8.** rape   **9.** to rape   **10.** drugs   **11.** drug trafficker   **12.** addict
**13.** police force   **14.** policeman   **15.** policewoman

## Temas de actualidad: la justicia

1. el (la) juez
2. el abogado,
   la abogada
3. el jurado[1]
4. el (la) testigo

**VOCABULARIO ADICIONAL:**

1. el testimonio   2. el veredicto   3. la sentencia   4. inocente   5. culpable

**ADDITIONAL VOCABULARY:**

1. testimony   2. verdict   3. sentence   4. innocent   5. guilty

---

[1]En los países hispánicos no se usa el mismo sistema jurídico que en los Estados Unidos y por lo general no se emplea jurado en un juicio.

# Temas de actualidad: la circulación

1. el embotellamiento, el atasco, el lío de tráfico

# *Encuesta: hablan los jóvenes*

Según una encuesta publicada por el Instituto de Juventud en España, los jóvenes españoles son bastante conservadores con respecto a la familia y la Corona, pero más bien progresistas en cuanto a las relaciones sexuales prematrimoniales, el divorcio y la legalización del aborto. Para conseguir estos datos se entrevistó a 1.210
5   jóvenes de entre quince y veintinueve años. Los resultados demuestran que por lo general los jóvenes no se consideran «pasotas»—es decir, indiferentes o negativos—ante los pilares de la sociedad establecida, pero tampoco aceptan con los ojos cerrados los valores de la generación de sus padres.

Según la encuesta, la mayoría de los jóvenes tienen una opinión favorable de la
10   institución monárquica, de los ayuntamientos y de los gobiernos autonómicos.[1] El rey don Juan Carlos y la reina Sofía han sabido ganar el afecto de sus súbditos y son especialmente populares entre los jóvenes. «Nuestros padres sufrieron la dictadura hasta la muerte de Franco[2]», dice Roberto López Quintana,[3] de 25 años. «Nosotros, en cambio, hemos podido gozar de la libertad, la cual ha traído el desarrollo
15   económico y la integración al resto de Europa. Si don Juan Carlos hubiera tratado de establecer una monarquía absoluta tal como Franco había soñado, tal vez hubiéramos tenido otra guerra civil en España.[4] Y si hubiéramos tenido otra guerra civil, España estaría en un estado de atraso hoy en día, en vez de tener una de las economías más dinámicas de Europa. Pero por suerte, el rey apoyó los elementos
20   moderados y democráticos y sigue apoyándolos».

Si la Corona inspira confianza en los jóvenes, éstos tienen una opinión bastante negativa de la administración de Justicia, los partidos políticos, el Ejército y la Iglesia. En cuanto a los partidos políticos, sólo la mitad de los entrevistados piensan que hay una verdadera diferencia entre la izquierda y la derecha. «Antes los izquierdis-
25   tas eran muy militantes», dice Raquel Pares Chacón, de 19 años. «Si eras de derechas, te pegaban un sermón, te insultaban, te decían capitalista y no sé qué más. Hoy en día nadie es así. Yo por lo menos no conozco a nadie que sea así». Esta falta

---

[1]Después de un largo período autoritario, Don Juan Carlos I de Borbón subió al trono en 1975 y se estableció una monarquía democrática en España. En 1979 se promulgaron estatutos de autonomía en el País Vasco, Cataluña y Asturias y más tarde en Galicia, Cantabria, Navarra, Aragón, Rioja, Castilla-León, Madrid, Castilla-La Mancha, Murcia, Extremadura, Andalucía, Valencia, Canarias y Baleares. Hoy en día España consta de diecisiete Comunidades Autónomas.

[2]Francisco Franco, dictador de España desde 1939 hasta su muerte en 1975.

[3]En los países hispánicos es común usar dos apellidos. El primero es el del padre y el segundo es el de la madre. Así que en el caso de Roberto López Quintana, López es el apellido de su padre y Quintana es el de su madre. Cuando una mujer se casa, típicamente guarda el apellido de su padre y agrega el de su marido, a veces precedido por «de»: Irma Calderón (de) Lepanto. Algunas mujeres siguen usando sus dos apellidos aun después de casarse: María Teresa García López de Oliveira.

[4]En 1936 Franco participó en la rebelión contra la República, la cual inició la Guerra Civil Española (1936–1939). Llegó al poder inmediatamente después.

de militantismo no señala una indiferencia ante la política. El noventa y cinco porciento opina que la democracia es el mejor sistema de gobierno y muchos expresan
30  su intención de votar.

En cambio, el Ejército se ha desprestigiado entre muchos jóvenes. «El Ejército es una institución anticuada», explica Manuel Pérez Sierralta, quien acaba de terminar su servicio militar. «Si alguien quiere ser soldado, bueno, que se inscriba, pero en mi caso, fue una pérdida de tiempo. Yo no tengo ganas de combatir contra nadie.
35  En mi opinión, la conscripción debe abolirse». Enrique Cortés Caso, de 27 años, no está de acuerdo. «Ojalá nunca tengamos otra guerra, pero en caso de que la necesidad surgiera, España tendría que estar preparada. Si queremos integrarnos a Europa, no podemos mantenernos al margen de los conflictos internacionales. Ya visteis lo que pasó en el Golfo.[5] Aunque en esa ocasión España no mandó tropas, quién sabe
40  lo que puede pasar en el futuro. El mundo está muy inestable».

Aunque la gran mayoría de los entrevistados—el ochenta por ciento—son solteros, casi todos piensan casarse o entablar una relación duradera con otra persona. Por lo general, la familia sigue siendo una institución muy importante para ellos. Sin embargo, esto no quiere decir que estos jóvenes sean chapados a la an-
45  tigua. El noventa y cinco porciento está a favor de las relaciones prematrimoniales, el noventa y dos por ciento es partidario del divorcio y el setenta y uno por ciento está a favor de legalizar el aborto. Más de la mitad dice que la fidelidad sexual es esencial en el matrimonio, en gran parte por el riesgo de contraer el SIDA y de infectar a su pareja.

50  En cuanto a la salud pública, el SIDA es la preocupación número 1. «Ojalá se pudiera encontrar una cura para esta horrible enfermedad», dice Lourdes Hurtado de García, de 28 años. «Los medios de difusión han creado una reacción histérica de parte del público», agrega Ana María Vargas Fuentes, de 27 años. «Si en vez de propagar ideas falsas sobre el SIDA se dedicara la misma energía a educar a la
55  gente, tendríamos una sociedad mucho más sana». En general, los jóvenes españoles no rechazan a los enfermos de SIDA. Es decir, es la enfermedad lo que inspira miedo y no la víctima. Tampoco suscitan animadversión en este grupo las personas que son distintas por ideas, creencias, prácticas sexuales o procedencia étnica.

60  La mayoría de los jóvenes españoles rechazan por completo la droga y casi dos tercios de los entrevistados opinan que hay que penalizar el consumo de drogas. Dice María Fernández Quintero, colegiala de 15 años: «A los narcotraficantes hay que meterlos a la cárcel y echar la llave. Si todas las naciones se pusieran de acuerdo para imponerles castigos fuertes, se podría eliminar esta plaga». ¿Y qué
65  dice María con respecto a los drogadictos? «Esos son unos pobres diablos. Son víctimas. Hay que darles la ayuda médica que necesitan—y eso incluye el análisis psiquiátrico—para que se sanen y abandonen la droga para siempre».

---

[5]Se refiere a la Guerra del Golfo Pérsico (1991), en la cual participaron tropas de los Estados Unidos y varios otros países.

El trabajo es otra causa de angustia para los jóvenes españoles. Un cuarenta y uno por ciento de los entrevistados trabaja, mientras que un treinta por ciento estu-
70 dia y un nueve por ciento compatibiliza las dos ocupaciones. Para muchos de los que estudian, la expectativa de encontrar un buen empleo es el motivo que influye más en su selección de materias. «Si no has estudiado», dice Rosario Campos González, de 18 años, «es casi imposible encontrar un trabajo que valga la pena». «Pero no se trata de estudiar cualquier cosa», agrega Carmen Morales del Valle,
75 también de 18 años. «Hoy en día tienes que tener una profesión—médico, abogado, arquitecto—o haber hecho la carrera comercial en la universidad». «Los computadores—ésa es la carrera del futuro», interviene Rosario. «Mis padres me han aconsejado que estudie economía y computadores. Pero aún con un grado universitario, yo veo el futuro como bastante incierto». «Es verdad», dice Carmen. «Por ahora la
80 situación económica está muy bien, pero quién sabe qué traerá el futuro». La mayoría de los entrevistados comparten esta visión pesimista. Aunque un sesenta por ciento cree que el esfuerzo permite al individuo alcanzar sus metas, aun entre los más optimistas se expresa el miedo de que la inflación y el desempleo echen a perder sus planes para el futuro.
85 A pesar de esta preocupación, los jóvenes españoles siguen creyendo en su patria, sus reyes y su propio valor como ciudadanos e individuos.

# *Para enriquecer su vocabulario*

Los números cardinales entre **16** y **29** suelen escribirse como una sola palabra.

| | | | |
|---|---|---|---|
| **16** | dieciséis | **26** | veintiséis |
| **19** | diecinueve | **28** | veintiocho |
| **22** | veintidós | **29** | veintinueve |

Entre **31** y **99** se usan tres palabras: un múltiple de **10** (ej. **30, 40, 90**) + **y** + número.

| | | | |
|---|---|---|---|
| **31** | treinta y uno | **78** | setenta y ocho |
| **46** | cuarenta y seis | **84** | ochenta y cuatro |
| **65** | sesenta y cinco | **99** | noventa y nueve |

Nótese que **-uno** cambia a **-ún** o **un** antes de un substantivo masculino: **veintiún abogados; treinta y un diputados.**

Para números más grandes de 100, se emplea un múltiplo de **100** + número; no se emplea **y.**

| | | | |
|---|---|---|---|
| **101** | ciento uno | **747** | setecientos cuarenta y siete |
| **223** | doscientos vientitrés | **891** | ochocientos noventa y uno |
| **532** | quinientos treinta y dos | **999** | novecientos noventa y nueve |

Nótese que la forma de ciento que se emplea para contar y delante de un substantivo es **cien: cien jóvenes.** Cuando funcionan como adjetivos, los múltiplos de **cien** concuerdan con los substantivos que modifican: **doscientas mujeres; quinientos dólares.**

Los múltiplos de **1000** usan la forma singular: **mil.**

**2000**    dos mil
**5000**    cinco mil

Nótese que en español no se emplea **un** delante de **cien** o **mil,** mientras que en inglés a menudo se emplea el artículo.

cien estudiantes                    *a hundred students*
mil entrevistados                   *a thousand interviewees*

En muchos países hispanohablantes el punto ocupa el mismo lugar que la coma en inglés en los números más grandes de 1000.

Se entrevistó a 1.210 jóvenes.       *They interviewed 1,210 youths.*
Pagaron 1.320.000 pesetas.           *They paid 1,320,000 pesetas.*

Con **millón** y **billón** (millón de millones) se emplea **un** antes del número y **de** antes del substantivo que sigue. A diferencia de **mil, millón** y **billón** tienen formas plurales: **millones, billones.**

un millón de dólares                 *a million dollars*
cuatro billones de pesetas           *four billion pesetas*

Los números ordinales son:

| | | | |
|---|---|---|---|
| primero | séptimo | duodécimo | decimoséptimo |
| segundo | octavo | decimotercero, | decimoctavo |
| tercero | noveno | decimotercio | decimonoveno, |
| cuarto | décimo | decimocuarto | decimonono |
| quinto | onceavo, undécimo, | decimoquinto | vigésimo |
| sexto | onceno | decimosexto | |

Cuando un número ordinal funciona como adjetivo, concuerda con el substantivo que modifica: **la vigésima vez; la cuarta persona.** Las abreviaturas de estos números constan del número cardinal + $^a$ o $^o$: el **4º** piso; la **10ª** pregunta. **Primero** y **tercero** tienen formas especiales que se emplean antes de un substantivo masculino: **el primer muchacho; el tercer piso.** Las abreviaturas terminan en **r:** el **3er** piso.

Los ordinales se emplean para formar fracciones: **1/9 = un noveno; 3/20 = tres vigésimos.** Las excepciones son: **1/2 = una mitad; 1/3 = un tercio.**

Con los nombres de reyes, papas, etc., se emplea el número cardinal.

Carlos V (Carlos Quinto)

Enrique VIII (Enrique Octavo)

Isabel II (Isabel Segunda)

## EJERCICIOS

### A. Emplee las dos palabras en una frase.

1. pantalla / televisión
2. apagar / control remoto
3. noticias financieras / bolsa
4. grabar / película
5. titulares / fotografías de prensa
6. subscribirse / revista
7. malgastar / recursos naturales
8. invertir / corredor de bolsa
9. sindicato / huelga
10. transporte / embotellamiento
11. cámara / senado
12. derechos humanos / encarcelar

### B. Lea en voz alta los siguientes números y palabras.

1. 3.562
2. 8.792
3. 20.881
4. 93.909
5. $1.000.000
6. 500 páginas
7. Juan II
8. Felipe IV
9. 1/4
10. 3/10
11. 7/20
12. 900 pesetas
13. el 23 de noviembre de 1523
14. el 27 de marzo de 1982
15. el 25 de diciembre de 1998
16. el 3er chico
17. 100 televisores
18. la 1ª vez

### C. Conteste las siguientes preguntas.

1. ¿Cuál es el tema de actualidad que le interesa más? ¿Qué sabe usted acerca de este tema?

2. ¿Cuáles son sus medios de difusión preferidos? ¿Por qué?

3. ¿Qué segmento de las noticias televisadas le interesa más? ¿Las noticias internacionales? ¿Los deportes?

4. ¿Ve usted los anuncios comerciales o emplea ese intervalo para hacer otra cosa? ¿Por qué son interesantes los anuncios comerciales?

5. ¿Qué hace un locutor? ¿un reportero? ¿un cronista deportivo? ¿un meteorólogo?

6. Describa las diferentes secciones del periódico. ¿Qué parte prefiere usted? ¿Lee usted las caricaturas? ¿Por qué cree usted que a tantas personas inteligentes y serias les gustan las caricaturas y el horóscopo?

7. ¿Cuáles son algunas de las preocupaciones que tenemos con respecto a la ecología y los recursos naturales?

8. ¿Cuáles son los diferentes aspectos de la economía que son importantes?

9. ¿A usted le interesa la política? ¿Es usted más bien conservador o liberal? En su opinión, ¿qué dirección debe tomar la política norteamericana durante la próxima década?

10. ¿Qué es un sistema bicameral? ¿Cuál es el trabajo de un gobernador? ¿de un alcalde? ¿de un juez? Compare el gobierno norteamericano con el de algún otro país.

## D. Temas de conversación

1. ¿Con qué opiniones de los jóvenes españoles está usted de acuerdo? ¿Con cuáles no está de acuerdo? ¿Diría que los entrevistados son más bien conservadores o progresistas?

2. ¿Por qué cree usted que la Corona es una institución tan atractiva para estos jóvenes?

3. ¿Cómo se explica su actitud negativa hacia el Ejército?

4. ¿Diría usted que los entrevistados son muy diferentes de los jóvenes norteamericanos con respecto a sus opiniones sobre la familia y la fidelidad?

5. ¿En qué aspectos de la encuesta vemos la influencia de la economía? ¿Comparten los jóvenes norteamericanos estas preocupaciones por el trabajo? ¿Influyen en su selección de cursos las consideraciones económicas? ¿Cómo?

6. ¿Son «pasotas» los jóvenes norteamericanos? Explique.

## E. Pro y contra: temas de debate.

1. Hoy en día, debido a la caída del comunismo, ya no es esencial gastar millones de dólares en mantener fuerzas armadas.

2. Los fanáticos han exagerado los peligros al sistema ecológico.

3. Se debe legalizar el uso de la droga.

4. Algunos programas de televisión son dañinos para los niños y deben ser prohibidos por el gobierno.

5. Aunque el aborto no debe considerarse una forma alternativa de anticoncepción, hay casos en que se justifica y por lo tanto debe mantenerse legal.

6. Los sindicatos han hecho más mal que bien en los Estados Unidos.

7. La democracia no es necesariamente la mejor forma de gobierno.

## F. Situaciones.

1. Usted sale con un/a chico/a por primera vez. Encuentra a esta persona extremadamente atractiva y simpática. Ustedes hablan de los deportes, la moda, las películas y los libros. Están de acuerdo en todo hasta el momento de empezar a hablar de política. Entonces descubren que tienen opiniones radicalmente diferentes.

2. Usted y su compañero/a son reporteros para una importante cadena de televisión. Preparen un informe sobre algún tema de actualidad para los televidentes.

3. Usted es un sindicalista que está organizando una huelga de estudiantes y profesores para protestar contra los bajos sueldos de los académicos. Se enfrenta a la junta directiva de la universidad, que se opone violentamente a su causa.

4. Organicen una elección para presidente de su clase. Escojan dos o más candidatos, cada uno de los cuales hará su campaña. Los candidatos deben debatir temas de importancia y tratar de convencer a los demás de su excelencia.

# GRAMATICA
## *El subjunctivo (IV)*

### Usos de *ojalá*

1. **Ojalá** puede emplearse con el presente o el pasado de subjuntivo.

2. Se emplea con el presente de subjuntivo para referirse a una situación neutra, es decir, cuando no hay ninguna implicación de que la situación exista o vaya a ocurrir. En este caso, la oración sencillamente expresa un deseo; **ojalá** significa «espero».

| | |
|---|---|
| Ojalá nunca tengamos otra guerra. | *I hope we never have another war.* *[Maybe we will, maybe we won't.]* |
| Ojalá que este candidato gane la elección. | *I hope this candidate wins the election.* *[Maybe he will, maybe he won't.]* |

3. El pasado de subjuntivo se usa con **ojalá** para referirse a una situación hipotética o inexistente. En este caso, **ojalá** es el equivalente de «I wish». Nótese que **ojalá** + el pasado de subjuntivo no se refiere al pasado, sino al presente o al futuro.

| | |
|---|---|
| Ojalá pudiéramos encontrar una cura. | *I wish we could find a cure.* *[but we can't, for now]* |
| Ojalá no fuese el alcalde. | *I wish he weren't the mayor.* *[but he is]* |

4. Para referirse al pasado, se emplea el pluscuamperfecto de subjuntivo.

| | |
|---|---|
| Ojalá hubiera bajado la tasa de inflación. | *I wish the inflation rate had gone down.* *[but it didn't]* |
| Ojalá no hubieras dicho eso. | *I wish you hadn't said that. [but you did]* |

5. Compare estas tres oraciones:

| | |
|---|---|
| Ojalá se subscriba a un periódico. | *I hope she subscribes to a newspaper.* |
| Ojalá se subscribiera a un periódico. | *I wish she subscribed to a newspaper.* |
| Ojalá se hubiera subscrito a un periódico. | *I wish she had subscribed to a newspaper.* |

En la primera, el que habla expresa un deseo sin saber si se realizará o no. En la segunda, se refiere a una situación inexistente (la idea es que **no** se subscribe a un periódico). En la tercera, se refiere a una situación inexistente en el pasado.

## PRACTIQUEMOS

**A. Complete cada oración con *ojalá* + el presente o el pasado de subjuntivo, según el caso.**

1. No sé si organizarán un boicoteo o no. Ojalá que _____.
2. No sé si participará mucha gente o no. Ojalá que _____.
3. No sé si habrá una manifestación o no. Ojalá que _____.
4. No sé si han pronosticado lluvia para ese día o no. Ojalá que _____.
5. El pueblo no apoya a los obreros. Ojalá que _____.
6. Pocos trabajadores pertenecen al sindicato. Ojalá que _____.
7. Los sindicalistas no pueden resolver el problema. Ojalá que _____.
8. No sé si el alcalde intervendrá o no. Ojalá que _____.

**B. Responda a cada oración con *Ojalá* + el pasado de subjuntivo o el plus-cuamperfecto de subjuntivo, según el caso.**

MODELO    Ha subido la tasa de inflación.
**Ojalá que no estuviera tan alta.**
**o Qué lástima. Ojalá que volviera a bajar.**

1. La gente no puede ahorrar dinero.
2. Nadie quiere invertir.
3. Los precios están por las nubes.
4. Los obreros organizan huelgas.
5. Los líderes pronuncian discursos.
6. Cada partido político le echa la culpa al otro.
7. Mi candidato favorito perdió la elección.
8. Ganó un tipo horrible.
9. Yo no voté en las elecciones.
10. Todo va de mal en peor.

### Cláusulas con *si* y *como si*

1. En cláusulas que empiezan con **si** se puede emplear cualquier tiempo del indicativo o el pasado de subjuntivo. El indicativo indica neutralidad; no indica que la cláusula se refiera a una situación hipotética o inexistente.

| | |
|---|---|
| Si gana esta elección, subirá los impuestos. *predicción* | *If he wins this election, he'll raise taxes.* |
| Si no has estudiado, no puedes conseguir un buen trabajo. | *If you haven't studied, you can't get a good job.* |
| Si eras de derechas, te insultaban. | *If you were on the right, they used to insult you.* |

→ *ambos casos en el pasado*

Si estuvieron en la reunión,        *If they were at the meeting, I didn't see*
  yo no los vi.                          *them.*

2. Después de **no sé si** se puede emplear cualquier tiempo del indicativo o el presente de subjuntivo. El subjuntivo indica mayor duda de parte del que habla.

No sé si vienen.
No sé si vengan. ⟶ *¡nadie lo dice!*  *I don't know if they'll come.*

3. El uso del pasado de subjuntivo en la cláusula subordinada indica que se refiere a una situación hipotética o inexistente. Por lo común el verbo de la cláusula principal está en el potencial.

Si ganara esta elección, subiría     *If he were to win this election, he would*
  los impuestos.                    *raise taxes.*
Si fuera reportero, escribiría sobre   *If I were a reporter, I'd write about*
  asuntos internacionales.          *international affairs.*

Nótese que en este contexto el pasado de subjuntivo se refiere o al presente o al futuro.

4. Para referirse al pasado, se emplea el pluscuamperfecto de subjuntivo. El verbo de la cláusula principal está en el potencial perfecto, aunque a veces se emplea el pluscuamperfecto de subjuntivo con el mismo significado.

Si hubiera ganado la elección,     *If he had won the election, he would have*
  habría subido los impuestos.      *raised taxes.*
Si el rey don Juan Carlos hubiera   *If King Don Juan Carlos had tried to*
  tratado de establecer una        *establish an absolute monarchy, we*
  monarquía absoluta, hubiéramos   *would have had another civil war.*
  tenido otra guerra civil.

5. Sólo el pasado de subjuntivo o el pluscuamperfecto de subjuntivo se emplean después de **como si.**

Habla como si fuera dictador.     *He talks as though he were a dictator.*
Se porta como si ya hubiera      *He behaves as though he had already*
  ganado la elección.              *won the election.*

## PRACTIQUEMOS

A. **Conteste las siguientes preguntas usando una cláusula con** *si.*

    MODELO    ¿Por quién votará usted la próxima vez?
                 **Si se presenta un buen candidato moderado, votaré por él.**
                 **o Si estoy en el país, votaré por el candidato republicano**
                 **(demócrata).**

1. ¿Qué podemos hacer para conservar nuestros recursos naturales?
2. ¿Va a escuchar el pronóstico del tiempo?
3. ¿Qué hará usted cuando se gradúe? *Si me gradúo temprano...*
4. ¿Qué suelen hacer sus amigos los fines de semana?
5. ¿Lee usted el periódico todos los días?
6. ¿Ve las noticias en la televisión todas las noches?
7. ¿Va a arrendar una película este fin de semana?
8. ¿Apaga usted el televisor cuando aparecen los anuncios comerciales?
9. ¿Qué se podría hacer para evitar los embotellamientos?
10. ¿Cómo se podría reducir la contaminación del medio ambiente?
11. ¿Bajo qué condiciones invertiría usted dinero en la bolsa?
12. ¿Bajo qué condiciones participaría usted en una manifestación?

**B. Complete las siguientes oraciones.**

1. Si cortamos demasiados árboles, _____.
2. Se echará a perder la capa de ozono si _____.
3. Se destruirá el equilibrio ecológico si _____.
4. Si no dejamos de malgastar nuestros recursos naturales _____.
5. Si usáramos menos productos de plástico _____.
6. Si leyeras la página editorial _____.
7. Si la droga fuera legal _____.
8. Los obreros declararían una huelga si _____.
9. Yo ahorraría más dinero si _____.
10. Se podría reducir el desempleo si _____.
11. Si el otro partido hubiera ganado la elección, _____.
12. Si hubieras leído los titulares, _____.
13. Si hubiéramos grabado esa película, _____.
14. Habría grabado la película si _____.
15. Habría votado por ese candidato si _____.

**C. Responda a cada comentario con una oración con *como si*.**

MODELO  Juan no es el presidente del club.
**Pero se porta como si lo fuera.**
**o Pero habla como si representara al grupo.**

1. Ana María apenas lee los titulares.
2. Javier no sabe nada sobre las finanzas.
3. Angel es el meteorólogo del canal 7.
4. El juez encontró inocente al acusado.
5. Este candidato ganó por un margen muy pequeño.

### Secuencia de tiempos

**1.** En oraciones que requieren el subjuntivo, las siguientes secuencias son típicas.

| SI EL VERBO DE LA CLÁUSULA PRINCIPAL ESTÁ EN EL: | ENTONCES EL VERBO DE LA CLÁUSULA SUBORDINADA ESTÁ EN EL: |
|---|---|
| **presente:** Le pido...<br>**presente perfecto:** Le he pedido...<br>**futuro:** Le pediré..., voy a pedirle...<br>**futuro perfecto:** Le habré pedido...<br>**imperativo:** Pídale... | **presente de subjuntivo:** ...que se presente como candidato |
| **pretérito:** Le pedí...<br>**imperfecto:** Le pedía...<br>**pasado perfecto:** Le había pedido...<br>**potencial:** Le pediría...<br>**potencial perfecto:** Le habría pedido... | **pasado de subjuntivo:** ...que se presentara como candidato |

**2.** El pasado de subjuntivo puede emplearse en la cláusula subordinada para referirse al pasado, aun si el verbo de la cláusula principal está en el presente.

| | |
|---|---|
| Me alegro que ganara la elección. | *I'm happy that he won the election.* |
| Le da rabia que vinieran. | *He's angry that they came.* |

Sin embargo, muchos hispanohablantes prefieren emplear el perfecto de subjuntivo en esta situación. Nótese que el equivalente inglés del perfecto de subjuntivo puede corresponder al presente perfecto o al pasado.

| | |
|---|---|
| Me alegro de que haya ganado la elección. | *I'm happy that she has won the election.* or *I'm happy that she won the election.* |
| Le da rabia que hayan venido. | *He's angry that they have come.* or *He's angry that they came.* |

## PRACTIQUEMOS

**A. Reemplace el verbo que está subrayado con el que está entre paréntesis.**

1. Les diré que ahorren más. (dije)
2. Te pedí que grabaras la película. (he pedido)
3. Me alegraría de que ganara la elección. (alegra)
4. Quería que invirtiera ese dinero. (voy a querer)
5. Yo te sugiero que te subscribas a esta revista. (sugeriría)
6. Le aconsejé que votara por el otro candidato. (había aconsejado)

**B. Termine la primera oración usando la información que se contiene en la segunda.**

> MODELO    El juez nos dio la razón. Me alegro de que...
> **Me alegro de que el juez nos haya dado la razón.**

1. Organizaron una reunión sobre problemas ecológicos. Me sorprende que...
2. Hablaron de la capa de ozono. No es cierto que...
3. Insistieron sobre la conservación de recursos naturales. Es posible que...
4. Propusieron medidas para evitar la contaminación del medio ambiente. No es probable que...
5. Invirtieron millones de pesos en el proyecto. Es absurdo que...
6. Imprimieron una hoja informativa sobre el tema. Es bueno que...
7. Todos los participantes quedaron contentos. Parece increíble que...

**C. Termine cada oración con las palabras que están en la lista.**

1. Te he pedido cien veces que... ahorrar / dinero
2. Habría sido mejor que... ustedes / votar / candidato / moderado
3. Me alegro de que... científicos / buscar / cura / SIDA
4. Le sugeriré que... invertir / plata / bolsa
5. Yo en tu lugar le diría que... presentarse / candidato
6. Les he prohibido que... hablar / política / casa

---

## *Expresiones problemáticas*

### 1. tratar, tratar de, tratarse de

**tratar** = *to treat*

| | |
|---|---|
| Ese hombre trata mal a su esposa. | *That man treats his wife badly.* |
| Trata el problema objetivamente. | *He treats the problem objectively.* |

**tratar de** = *to treat, to be about*

| | |
|---|---|
| El libro trata de la salud pública. | *The book is about public health.* |
| La conferencia trata del sindicalismo. | *The lecture is about labor unions.* |

**tratarse de** = *to be a matter of*

| | |
|---|---|
| Se trata del orgullo personal. | *It's a matter of personal pride.* |
| Se trata de encontrar una cura. | *It's a matter of finding a cure.* |

Nótese que se emplea **tratarse de** cuando no hay un sujeto definido.

## 2. tratar (tratamiento), atender, tomar

**tratar** = *to treat (a disease)*

| | |
|---|---|
| Los médicos tratan el SIDA con diversas medicinas. | *Doctors treat AIDS with different drugs.* |
| Hay diferentes tratamientos pero no hay cura. | *There are different treatments, but there's no cure.* |

**atender a** = *to treat (a patient)*

| | |
|---|---|
| El médico atiende al paciente. | *The doctor treats the patient.* |

**tomar** = *to treat (something as a joke)*

| | |
|---|---|
| Lo toma a broma. | *He treats it as a joke.* |

## 3. materia, material

**materia** = *physical material, subject (in school), matter (as opposed to spirit or mind)*

| | |
|---|---|
| Estudia la materia fisible. | *He studies fissionable material.* |
| Ese país exporta materia prima. | *That country exports raw material.* |
| ¿Qué materias estudias? | *What subjects do you study?* |
| ¿Cuál es más fuerte, el espíritu o la materia? | *What is stronger, mind or matter?* |

**material** = *material (used for a purpose, such as construction, teaching, advertising)*

| | |
|---|---|
| Necesitan materiales de construcción. | *They need construction materials.* |
| Consiguió materiales escolares. | *She got teaching materials.* |
| Buscan material de publicidad. | *They're looking for advertising material.* |

**material** = *material (adj.)*

| | |
|---|---|
| Las cosas materiales no me interesan. | *Material things don't interest me.* |

## 4. hechos, información, tema, cuestión, asunto

**hechos, información** = *material (information)*

| | |
|---|---|
| Hay mucha información en este artículo. | *There's a lot of material in this article.* |
| Organice los hechos antes de escribir. | *Organize the material before writing.* |

**tema** = *matter, subject*

| | |
|---|---|
| No quiero hablar de ese tema. | *I don't want to talk about that matter.* |
| El tema de su discurso es el medio ambiente. | *The subject of his speech is the environment.* |

**cuestión** = *matter, question*

Es una cuestión de gusto.                        *It's a matter of taste.*

Es una cuestión importante.                  *It's an important matter.*

**asunto** = *matter, affair*

Es un asunto importante.                        *It's an important matter.*

Es director de asuntos culturales.        *He's director of cultural affairs.*

**5. importar, pasar**

**importar** = *to matter (be important)*

No importa que resuelvan el               *It doesn't matter whether they resolve the*
    problema o no.                                       *problem or not.*

Esas cosas no me importan.                 *Those things don't matter to me.*

**pasar** = *to be the matter (to be wrong [with someone, something])*

¿Qué te pasa?                                           *What's the matter with you?*

---

**PRACTIQUEMOS**

**A.  Diga una oración que signifique lo mismo que la primera, empleando la palabra que está entre paréntesis.**

MODELO    Su conferencia trataba de la ecología. (tema)
              **El tema de su conferencia era la ecología.**

1. Se trata de conseguir fondos. (cuestión)
2. El doctor se ocupa del niño. (atender a)
3. Es un tema que me preocupa mucho. (asunto)
4. Este ensayo contiene mucha información. (hecho)
5. El libro es sobre el desarrollo de los centros urbanos. (tratar de)
6. ¿Qué asignaturas te gustan más? (materia)
7. ¿Qué tiene Juan? ¿Está enfermo? (pasar)
8. La profesora busca cosas para usar en clase. (material)

**B.  Traduzca al español.**

1. The United States exports raw material.
2. What is the subject of your composition?
3. It's about crime in the big cities of the United States.
4. That is a matter of great importance to all of us.
5. He treats everything as a joke.
6. That doctor does not treat his nurse with enough respect.
7. I believe that mind is stronger than matter.

8. It's a matter of principle.
9. You should organize your material before you begin your composition.
10. In the small towns there is a lack of teaching materials.
11. I am interested in international affairs.
12. I didn't like that movie, but I suppose it's a matter of taste.
13. Material things don't matter to her.
14. I don't know what's the matter with them.

# Selección literaria

## EL COSTO DE LA SALUD ECOLOGICA
### Helmut Krieg*

En las aras del° progreso la humanidad cava su propia tumba.   **en...** *for the sake of*
Un día fue la amenaza nuclear, hoy es la degradación del
medio ambiente.

Encontrar una solución al problema de la contaminación
5   implica un enorme y complejo ejercicio de carácter
económico-global. Cambios ambientales como el calentamiento de la atmósfera, degradación de la capa de ozono,
pérdida de la biodiversidad y de las masas forestales son apenas el inicio de una lista enorme de problemas que acosan al
10   hábitat.

A esto se suma la monserga° de los que aseguran que con   discurso aburrido
menos estado y más «ley de mercado», la inversión y el crecimiento cobrarán nuevo impulso y el desempleo disminuirá.
En la medida que se ponen en marcha los recetarios dictados
15   por la tecnocracia, efectivamente se genera mayor riqueza,
pero entre grupos reducidos, mientras se ensanchan° los   *widen*
índices de pobreza entre los habitantes y la consecuente devastación de los recursos naturales.

---

*Adaptación de un artículo más largo que apareció en *Visión,* revista noticiera panamericana publicada
en México. Helmut Krieg es uno de los redactores de *Visión.*

Lo cierto es que el incremento de las actividades humanas está destruyendo las reservas de suelo fértil, bosques,
recursos marinos y selvas. Cada año alrededor de 42 millones
de hectáreas° de bosques tropicales son destruidas. La capa
de ozono es cada vez más delgada, mientras la elevación de
la temperatura deja de ser una amenaza para convertirse en
algo real. A esto se suma que seis de las grandes potencias
generan el 45 por ciento de los gases contaminantes que hoy
sofocan al globo terráqueo.°

El 25 por ciento de la población que habita los países altamente industrializados consume el 70 por ciento de los
recursos naturales de la Tierra, y en la medida que las naciones
en vías de desarrollo hagan efectivo su crecimiento
económico, la demanda de recursos se volverá insostenible.

La primera expresión de carácter internacional sobre el
problema ecológico fue la Conferencia de las Naciones
Unidas sobre el Medio Ambiente Humano, realizado en Esto-

medida de superficie de
diez mil metros
cuadrados

el globo... la Tierra

colmo, Suecia, en 1972. Ahí surgió el Programa de las Naciones Unidas para el Medio Ambiente. Años después, ante la creciente gravedad del problema de la ineficacia de las acciones, supuestamente emprendidas desde esa reunión, en
40   1989 se convocó a la Conferencia Internacional del Medio Ambiente y Desarrollo. Entre el 3 y el 14 de junio de 1992 se celebró la Cumbre de la Tierra en Río de Janeiro, en la cual participaron un centenar de líderes de gobierno. A pesar de las preparaciones elaboradas que se hicieron para esta reu-
45   nión, los logros fueron mínimos, ya que surgieron importantes conflictos entre los países.

      Existe una división entre los países desarrollados y los que están en vías en cuanto a cómo ven la crisis ecológica actual. Para los industrializados lo que sucede es un efecto in-
50   deseable pero difícil de evitar para el crecimiento y el desarrollo. Las soluciones que proponen se resumen en la creación de tecnologías más adecuadas al ambiente, eficientes en el uso de energía; establecimiento de impuestos a las empresas contaminantes y la puesta en marcha de amplios
55   programas de control demográfico.

      Para los subdesarrollados la raíz del problema no está tanto en la sobrepoblación como en la inequidad y la injusticia social. Los patrones de consumo de los países del Norte, señalan, devastan y agotan los recursos del planeta. Un caso
60   notorio es Estados Unidos, donde el consumo de energía promedio° *per cápita* es entre 15 y 20 veces mayor que en la India.                        *average*

      Las políticas° de orden económico global que el Norte    *policies* impone al Sur hace más honda la divergencia; los procesos
65   productivos implantados sin mediación fortalecieron la dependencia económica que llevó a la sobreexplotación de los recursos naturales.

      Ante eso, los menos desarrollados se empeñan en enfatizar los problemas de desigualdad, patrones de consumo, de-

70 sarrollo de tecnologías y pobreza. En la víspera a la reunión
en Río de Janeiro, el ministro de Agricultura de Chile, Juan
Agustín Figueroa, dijo que la pobreza de 200 millones de
latinoamericanos es la base de los problemas ambientales de
la región.

75 La Tierra, señalaba Eduard Adema, profesor de estudios
ambientales de la Universidad de Wageningen, Holanda, sólo
puede alimentar a 2.500 millones de personas, cerca de la
mitad de su población actual, sin que se produzcan daños
irreparables en el ecosistema.

80 Las actuales proyecciones sobre el crecimiento demográfico indican que alcanzará los 10 mil millones de habitantes en el año 2040, generando una demanda insostenible
de recursos. «La tragedia es que la humanidad, contraria-
mente a lo que ocurrió con otras especies que se extinguieron
85 durante la evolución, se destruirá a sí misma por su propia
mano», sostuvo el científico. Para evitar la catástrofe, acotó,
la gente no sólo tendría que reducir drásticamente la tasa de
nacimientos sino que debería aceptar también un nivel de
vida más bajo con una consecuente reducción en la ex-
90 plotación de recursos naturales.

La rapidez del crecimiento urbano es una muestra feha-
ciente° del caos que existe en los países subdesarrollados.     *reliable*
Entre 1946 y 1985 sus ciudades se cuadruplicaron, pasando
de 250 millones de habitantes a más de mil millones; en el
95 mismo lapso, la población urbana de los países desarrollados
pasó de 448 a 836 millones. Desde ahora se prevé que la
población urbana mundial va a duplicarse en los próximos 28
años, y las nueve décimas partes de esa explosión afectarán a
los países subdesarrollados.

100 Latinoamérica es la pionera de este movimiento. Concentra ya a cerca de dos terceras partes de su población total
en las ciudades. Para el año 2000 se estima que esta propor-
ción alcance el 77 por ciento.

Pero no es el exceso de población el único foco de
105   degradación del ecosistema. Persisten la deforestación de
bosques y selvas, lo que a su vez causa erosión y pérdida del
suelo fértil; los cambios de ciclos hidrológicos; extinción
total de especies de animales y vegetales.

En la región latinoamericana durante las últimas tres dé-
110   cadas se deforestaron dos millones de kilómetros cuadrados y
alrededor de tres quintas partes de esos desmontes se debieron a la expansión de la ganadería.°   *cattle ranching*

El consumo indiscriminado de combustibles fósiles
(petróleo) y de biomasa (leña y vegetación) son las causas
115   principales de los llamados cambios climáticos globales. Por
un lado están las emisiones de clorofluorocarbonos (CFC),
químicos de aerosoles y sistemas de refrigeración, cuya cu-
mulación en la atmósfera provoca la ruptura de la capa de
ozono.

120   El *efecto de invernadero,*° resultado de la acumulación   *greenhouse*
de bióxido de carbono ($CO_2$) por encima de lo que la naturaleza es capaz de absorber, traerá como consecuencia que la
temperatura en el próximo siglo se eleve a 1.5 a 2.8 grados
más que la actual. Algunos científicos advierten que este in-
125   cremento será el más elevado en los últimos 120 mil años.

El calentamiento provocará, señalan, que el hielo de los
polos se derrita, lo que elevará el nivel del mar entre 20 y 65
centímetros. Esto causaría inundaciones en áreas costeras del
Golfo de México, América Latina, Estados Unidos, Japón,
130   Australia, Venecia, islas del Pacífico, India, China, Indonesia,
Egipto y Bangladesh.

En este marco, y no obstante el peso de los hechos, las
grandes potencias se muestran reticentes a asumir un compromiso.° Los países en vías de desarrollo han pugnado° para   *commitment*
luchado
135   que los industrializados asuman cabal° responsabilidad en el   completa
proceso de ayuda y protección del medio ambiente.

El tema que más tiempo y discusiones consume es el referente al financiamiento. Los gobiernos del hemisferio plantean que es necesaria la partida° de recursos frescos para *allocation* la reconstrucción y saneamiento ambiental. Las grandes potencias reconocen la necesidad de aplicar más recursos, pero se manifiestan imposibilitados para hacerlo en este momento.

El otro aspecto fundamental en la confección de un programa efectivo de protección ecológica es la transferencia de tecnología productiva inocua° para el medio ambiente. Pero *harmless* aquí, al igual que el financimiento, se erige una muralla casi infranqueable. Se necesita crear tecnologías adecuadas a las condiciones del ambiente, pero los países subdesarrollados no cuentan con los recursos financieros para generarlas, ni adquirirlas.

La tecnología se investiga y produce entre los países del Norte. Su patente y transferencia exige un costo, que los del Sur no pueden pagar, y los países industrializados argumentan que facilitar su uso tiende a mermar° el estímulo para *reducir* crearla. Así, el tema está empantanado.° *messy*

En América Latina domina el escepticismo con respecto a encontrar una posible fórmula de cooperación entre los países industrializados y aquéllos que están en vías. Desde Argentina hasta México se hacen esfuerzos denodados° por *valientes* proteger su medio ambiente. Sin embargo, la crisis económica y las exigencias de competividad que dicta el libre mercado tienden a anular cualquier intento.

En Buenos Aires Miguel Pellerano, director de la Fundación Vida Silvestre,° señaló: «Los países industrializados **Vida...** *Wild Life* tienden a culpar a las naciones del hemisferio sur de los desequilibrios ecológicos y se desentienden° de sus responsabili- **se...** no aceptan dades...» Pero «problemas como el calentamiento de la tierra y la destrucción de la capa de ozono dependen sobre todo de las políticas industriales de las naciones desarrolladas».

170     El mayor problema del gigante del Sur, Brasil, reside en
la devastadora y sistemática desforestación del Amazonas.
Esto incrementa las emisiones de gas carbónico, puesto que
reduce el proceso de fotosíntesis.

En Chile, a principios de esta década, se dio a conocer
175  un extenso y detallado estudio sobre el estado que guardaba
su medio ambiente. Se encontró que desde la Antártida hasta
el archipiélago Juan Fernández,° el territorio es acosado por
856 problemas ambientales, que van del daño a los recursos
naturales a aquéllos derivados de la vivienda, la infraestruc-
180  tura vial, los servicios públicos y la estructura urbana, entre
otros tantos. Los autores del estudio señalaron que durante
mucho tiempo la contaminación atmosférica de Santiago fue
objeto de especial atención a nivel nacional, pero ahora se
percatan° en el país que no es ése el único problema que los
185  acosa.

de la provincia de Val-
paraíso; lugar donde se
sitúan las aventuras de
*Robinson Crusoe,* de
Daniel Defoe.

se dan cuenta

Los santiaguinos, además de vivir respirando el aire en-
rarecido de su ciudad (en mayo de 1992, debido a los altos
grados de contaminación, tuvo que reducirse la circulación
de vehículos en un 20 por ciento) están rodeados de otros 77
190  problemas de distinta índole, estrechamente relacionados con
la expansión de la mancha urbana.

En Colombia la variedad de especies de animales y de
plantas es la más grande del mundo después de Brasil, pero
afrontan graves amenazas como consecuencia del rápido de-
195  sarrollo industrial que se produjo en los últimos 50 años.
Ante esta disyuntiva,° el gobierno anunció en agosto de 1991
por vez primera en su historia, un extenso plan ambiental que
incluye la creación de un Ministerio para asuntos ecológicos
y un presupuesto de 972 millones de dólares para los próxi-
200  mos cuatro años.

alternativa entre dos
cosas

El plan incluye la reestructuración de organismos
ecológicos, nuevos impuestos y multas por contaminación,

un programa nacional de educación ecológica e incentivos económicos por la preservación del medio ambiente.

205 Colombia, con menos del uno por ciento de la superficie terrestre del planeta, cuenta con aproximadamente el diez por ciento de las especies de animales y vegetales y ocupa el cuarto lugar en disponibilidad de agua por unidad de superficie global. Sin embargo, enfrenta problemas serios de defo-

210 restación, erosión de la tierra y contaminación de sus aguas.

La ciudad de México está en una situación particularmente grave. Enclavada en un valle, sus 20 millones de habitantes están acosados por un anillo de 30 mil industrias y la circulación de tres millones de automóviles que queman

215 entre 17 y 20 millones de litros de gasolina diariamente. Esta cuota de contaminación hace de la capital mexicana la peor ciudad del mundo para vivir. A corto y mediano plazo° es imposible lograr una reducción drástica del problema, por lo que los habitantes de la urbe deberán acostumbrarse a con-

período de tiempo

220 vivir durante los próximos 15 años con altos índices de contaminantes.

Tres evidencias marcan el por qué de esta situación: 1.) se han alargado los procesos productivos hasta en tres turnos; 2.) se sigue permitiendo la ubicación° de industrias en

*placement*

225 los municipios conurbados° y 3.) su tecnología productiva sigue operando sin control efectivo.

que están formados por la reunión de varias poblaciones vecinas

Aunque desde 1989 está en marcha el plan «Hoy no circula», con el que un automóvil de manera obligatoria no es usado un día a la semana, las emergencias ambientales son

230 ahora comunes. A esto se suma el desconocimiento sobre el manejo de desechos° industriales, que ya cobró una cuota de tragedia el 22 de abril de 1992 en Guadalajara, capital del estado occidental de Jalisco. Kilómetros de la céntrica avenida Reforma, junto con las casas que ahí estaban, desaparecieron

*waste*

235 al estallar el drenaje público, dadas las altas concentraciones

de gasolina y hexano. El resultado fue la muerte a más de 200 personas y multimillonarias pérdidas económicas.

Según datos de instituciones técnicas en la materia, el sector industrial asentado en la capital del país emite a la at-
240 mósfera alrededor de 522 mil toneladas anuales de residuos contaminantes y utiliza el 16 por ciento del agua disponible. Para el Departamento del Distrito Federal, encargado de la administración de la ciudad, son 18 mil las industrias que generan 165 mil toneladas de sustancias tóxicas.

245 Para resolver estos problemas se ha formulado el Plan Integral Ambiental Fronterizo (PIAF) que busca poner en marcha procesos para el tratamiento de aguas residuales, elaborar inventarios de fuentes de aguas compartidas; moni-toreo y control de emisiones contaminantes a la atmósfera,
250 recolección de desechos sólidos municipales y la detección de los sitios destinados al manejo de residuos industriales peligrosos.

Todo esto cuesta millones. Sin embargo, como señala Miguel de la Madrid, ex-presidente de México y miembro de
255 la Comisión Latinoamericana para el Medio Ambiente y De-sarrollo, «de seguir las actuales tendencias del desarrollo, éste sería cada vez menos sostenible° y el riesgo de catástro-fes ambientales y humanas se nos irá acercando cada día más. Un destino trágico nos puede alcanzar si no actuamos
260 con previsión y sensatez».

**éste...** *this (development) would become less and less possible to keep up*

---

## PREGUNTAS

1. ¿Por qué dice el autor que «En las aras del progreso la humanidad cava su propia tumba»?
2. ¿Propone una solución unilateral o global? ¿Por qué?
3. ¿Cuáles son los problemas ecológicos que menciona?
4. ¿Por qué se volverá insostenible la demanda de recursos?
5. ¿Se han reunido representantes de las naciones del mundo para hablar de estos problemas? ¿Cuándo?

6. ¿Qué diferencia existe entre la perspectiva de las naciones industrializadas y las que están en vías de desarrollarse?

7. ¿Qué efectos potencialmente desastrosos produce el rápido crecimiento demográfico? ¿Por qué es un problema tan grave el crecimiento de las poblaciones urbanas?

8. ¿Existe este problema en Latinoamérica? ¿Qué otros problemas ecológicos existen?

9. ¿Cuál es el tema que consume más tiempo en las discusiones de la ecología? ¿Por qué no se ha podido resolver este problema? ¿A qué se debe el escepticismo latinoamericano?

10. ¿Cuáles son algunos de los problemas ecológicos que acosan a los chilenos?

11. ¿Por qué es diferente la situación en Colombia?

12. ¿Por qué está la ciudad de México en una situación particularmente grave? ¿Cuáles son las causas de estos problemas?

13. ¿Qué es el plan «Hoy no circula»? ¿Qué otro proyecto se ha iniciado para tratar de mejorar el estado del medio ambiente?

14. ¿Cuál es la conclusión de Miguel de la Madrid, ex-presidente de México?

## ANALISIS

1. Describa la estructura de este ensayo. Identifique la introducción, la discusión general, la discusión de particulares países latinoamericanos y la conclusión.

2. ¿Cómo nos engancha el autor con su primera afirmación: «En las aras del progreso la humanidad cava su propia tumba»? ¿Qué reacción produce en el lector?

3. ¿Ha organizado el autor su información de una manera lógica? ¿Le parece a usted una buena idea comenzar con lo general y pasar a lo particular? ¿Por qué?

4. ¿Cómo usa el autor las estadísticas? ¿Las usa de una manera efectiva?

5. ¿A qué autoridades cita? ¿Usa las citas de una manera efectiva?

6. ¿Ofrece más de un punto de vista? ¿Qué efecto produce esta técnica? ¿Es el autor completamente objetivo? ¿Favorce a los países industriales o a los que están en vías de desarrollo?

7. ¿Por qué es urgente que intentemos resolver los problemas ecológicos que describe el autor?

8. ¿Comparte usted el escepticismo de los países latinoamericanos al respecto? ¿Por qué?

9. ¿Por qué está la situación tan grave en Latinoamérica?

10. ¿Qué medidas puede tomar cada uno de nosotros para reducir la contaminación ambiental?

# *Composición*

## LA EXPOSICION

1. El propósito de la exposición es informar al lector acerca de un tema específico. La exposición se basa en hechos presentados de una manera lógica y clara.

2. Si el tema abarca muchos aspectos, es esencial limitarlo. El título del ensayo debe darle al lector una idea bastante clara de su enfoque. «La ecología», por ejemplo, sería un nombre demasiado general para un ensayo expositorio. «Consecuencias de la disminución de la capa de ozono» o «¿A qué conducirá la desforestación en Colombia?» son títulos más específicos y claros.

3. El comienzo típico de un ensayo expositorio es una introducción que define la idea central. El hecho de que la exposición se base en datos no quiere decir que tenga que presentar el tema de una manera aburrida. Fíjese una vez más en la afirmación inicial del ensayo «El costo de la salud ecológica», que sirve para enganchar al lector y despertar su interés en el tema.

4. El cuerpo del ensayo expositorio incluye información sobre el tema. Esta información puede organizarse de varias maneras. Por ejemplo, en su ensayo sobre la ecología, Helmut Krieg presenta dos puntos de vista: el de los países industrializados y el de los países menos desarrollados y elabora cada uno. Si usted escribiera una composición sobre la importancia de la familia como tema político en los Estados Unidos, podría elaborar las ideas presentadas por cada partido político al respecto. Si escribiera sobre el aborto, podría presentar los argumentos de los que creen que debe seguir legal y de los que creen que debe ser ilegal. Este tipo de organización le permite mantener su objetividad o, en el caso de que quiera apoyar uno de los puntos de vista, le permite fortalecer sus argumentos mostrando que ha considerado y rechazado los del adversario.

   Otra manera de organizar este tipo de ensayo es exponer primero el tema general y después dar ejemplos específicos. En «El costo de la salud ecológica», Krieg comienza con una vista panorámica del tema, definiendo el problema, mencionando algunas reuniones internacionales, considerando diversos enfoques y enumerando las consecuencias de la inacción. Entonces, da ejemplos de tres países específicos: Chile, Colombia y México.

   Una tercera manera de organizar un ensayo expositorio es dividir el tema en subtemas, elaborando cada uno de ellos. Por ejemplo, si su tema es la degradación del medio ambiente, podría organizar su ensayo así:

   **I.** Introducción (definición del tema): la degradación del medio ambiente
   **II.** Subtema: la contaminación del aire en los centros urbanos
      **A.** Ejemplo: el tránsito
      **B.** Ejemplo: la industria
      **C.** Ejemplo: el crecimiento demográfico
   **III.** Subtema: la desforestación
      **A.** Ejemplo: la reducción del proceso de fotosíntesis

**B.** Ejemplo: la reducción de la biodiversidad
**C.** Ejemplo: la erosión de la tierra
**IV.** Conclusión

**5.** El párrafo final reitera su premisa y resume sus ideas.

**6.** Los siguientes términos y expresiones serán útiles:

### INTRODUCCIÓN

¿Se ha puesto a pensar alguna vez en...?

Conviene considerar (examinar, investigar, dar a entender) que...

En aras del progreso (de la igualdad, de la democracia, de la tecnología, de las ganancias financieras)...

Hoy en día hay que tener presente (tener en cuenta) que...

Se trata de...

### EXPOSICIÓN

Primero, necesitamos examinar (ver de cerca, repasar, reconocer) que...

Respecto a...

En cuanto a...

(No) viene al caso...

(No) tiene que ver...

Consideremos el hecho de que...

Por lo tocante (lo que se refiere) a...

### CONCLUSIÓN

A fin de cuentas (en fin de cuentas)...

Al fin y al cabo...

Bien pensado...

Bien visto...

Con todo...

De lo anterior (lo dicho, lo que precede)... se deduce que, se desprende que...

En breve (pocas palabras)...

En conclusión...

En fin...

En resumidas cuentas...

En resumen...

En todo caso...

Finalmente...

Para concluir...

Para resumir (recapitular)...

Por último...

Resumiendo...

Recapitulando...

## ANTES DE ESCRIBIR

1. Defina y limite su tema. ¿Sobre qué aspectos del tema quiere escribir? ¿Cuál será su tema central?

2. Haga una lista de hechos relacionados con su tema.

3. Haga una lista de palabras claves.

4. Haga una lista de citas interesantes o de estadísticas para desarrollar los subtemas.

5. Identifique a su lector. ¿Es demasiado difícil o demasiado elemental su información para el lector?

6. Identifique sus subtemas y ordénelos de una manera lógica.

7. Ahora ordene las ideas, palabras claves, citas y estadísticas (2, 3 y 4 arriba), colocando cada una bajo el subtema apropiado. Elimine cualquier información que no venga al caso.

8. Formule su conclusión.

9. Piense en una oración introductoria original, llamativa e ingeniosa para despertar el interés de su lector. No se olvide que se puede comenzar un ensayo con una pregunta o una exclamación.

10. Piense en un título que despierte el interés del lector y al mismo tiempo dé una idea clara de su tema.

## DESPUES DE ESCRIBIR

1. Revise su introducción. ¿Define su tema claramente o es demasiado general? ¿Es interesante y enganchadora su oración introductoria?

2. Revise su organización. ¿Están presentados lógicamente los subtemas? ¿Están ordenadas lógicamente la información, las citas y las estadísticas? ¿Apoyan las citas y las estadísticas su idea central? ¿Ha incluido demasiadas estadísticas o citas que no vengan al caso?

3. Revise su conclusión. ¿Resume las ideas presentadas en el ensayo?

4. Revise la gramática (verbos [tiempo y concordancia], **ser** y **estar,** concordancia de adjetivos).

5. Revise el vocabulario.

6. Revise la ortografía.

7. Revise el título. ¿Refleja el contenido del ensayo? ¿Despertará el interés del lector?

# EJERCICIOS DE COMPOSICION

1. Escoja uno de los siguientes temas:
   a. La contaminación del medio ambiente en las ciudades norteamericanas
   b. El sexismo en la universidad
   c. La influencia del SIDA en la conducta de los jóvenes
   d. Los efectos de la televisión en los niños
   e. La legalización de la droga
   f. La redemocratización de España
   g. Los efectos del multiculturalismo en la sociedad norteamericana
   h. El futuro político de los Estados Unidos
   i. Nuevas tendencias democráticas en Latinoamérica

2. Apunte el mayor número posible de ideas sobre su tema. Haga una lista de palabras claves. Defina cualquier término especializado (e.g. «biodiversidad», «fotosíntesis», «ozonosfera»).

3. Examine revistas y periódicos para conseguir información concreta y exacta. Asegúrese de que su información esté al día.

4. Apunte citas y estadísticas que vengan al caso (autoridades sobre el multiculturalismo o estadísticas sobre las raíces étnicas de la población norteamericana, por ejemplo).

5. Como éste no es un trabajo de investigación, no es necesario incluir notas al pie de la página. (En el capítulo 9 usted aprenderá a escribir un trabajo de investigación con notas al pie de la página.) Sin embargo, si usted ha copiado las ideas o palabras de alguna otra persona, es esencial mencionarlo.

6. Organice su información. Ordene los subtemas y la información relacionada con cada uno. Elimine cualquier información que sea superflua.

7. Identifique a su lector. Si su información es demasiado difícil o fácil, ajústelo a su público. (Si está escribiendo para un grupo de especialistas sobre el medio ambiente, por ejemplo, no será necesario definir palabras como «biodiversidad»; si está escribiendo para un público general, será necesario definir palabras especializadas.)

8. Busque una oración introductoria interesante.

9. Escriba su ensayo. Trate de usar por lo menos una de las expresiones que se encuentran en las páginas 255-256 en cada sección de su ensayo.

10. Escoja un título interesante y apropiado.

# substantivos, pronombres y clíticos

III

# La vida profesional

**7**

## Las profesiones

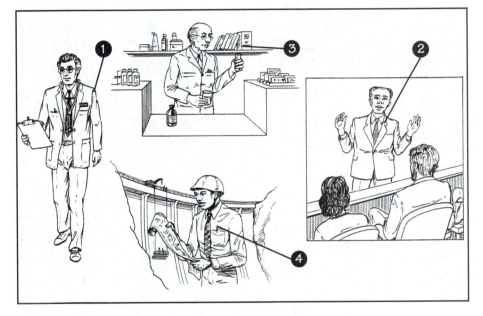

1. el médico, la médica[1]; el doctor, la doctora

2. el abogado, la abogada; el licenciado, la licenciada

3. el farmacéutico, la farmacéutica

4. el ingeniero, la ingeniera

**VOCABULARIO ADICIONAL:**
1. el dentista, la dentista   2. el profesor, la profesora   3. el diplomático, la diplomática
4. el hombre (la mujer) de negocios   5. el ejecutivo, la ejecutiva

**ADDITIONAL VOCABULARY:**
1. dentist   2. professor, teacher   3. diplomat   4. businessman (businesswoman)   5. executive

---

[1]En algunos países se emplean las formas femeninas de las profesiones que terminan en -o. En otros países, siempre se usa la forma masculina, aún cuando se refiere a una mujer.

# Los oficios

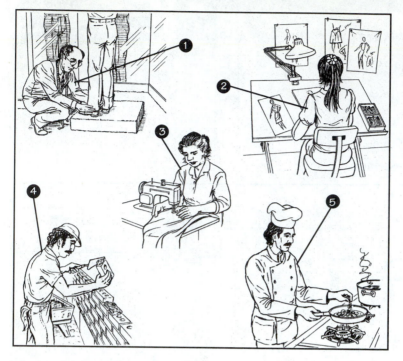

1. el sastre, la sastra
2. el modista, la modista

3. el costurero, la costurera
4. el albañil

5. el cocinero, la cocinera

## OTROS OFICIOS Y ACTIVIDADES:

1. el zapatero, la zapatera[2]   2. el peluquero, la peluquera   3. cortar el pelo
4. peinar, hacer un peinado   5. hacer la permanente   6. el manicuro, la manicura
7. pintar las uñas   8. el carpintero   9. el (la) electricista   10. el plomero
11. el pintor, la pintora   12. el (la) dibujante   13. el jardinero   14. cortar el césped, la hierba, el pasto   15. regar las flores   16. podar los árboles   17. el constructor
18. el chofer   19. el (la) maquinista   20. el (la) aprendiz

## OTHER OCCUPATIONS AND ACTIVITIES:

1. shoemaker   2. barber, hair stylist   3. to cut hair   4. to comb hair   5. to give a permanent
6. manicurist   7. to polish (someone's) nails   8. carpenter   9. electrician   10. plumber
11. painter   12. designer, artist (who draws)   13. gardener   14. to mow the lawn
15. to water the flowers   16. to trim, prune the trees   17. construction worker   18. chauffeur
19. train engineer   20. apprentice

## VOCABULARIO ADICIONAL:

1. coser   2. acortar (una falda, unos pantalones, etc.)   3. alargar (una falda, unos pantalones, etc.)   4. achicar   5. agrandar, ensanchar   6. cocer, cocinar

## ADDITIONAL VOCABULARY:

1. to sew   2. to shorten (a dress, pants, etc.)   3. to lengthen, (a dress, pants, etc.)   4. to make smaller, take in   5. to make larger, let out   6. to cook

---

[2]En algunos países la forma feminina se refiere a la esposa: la zapatera = the shoemaker's wife.

# La oficina, el despacho comercial

**1.** el jefe, la jefa

**2.** el secretario, la secretaria

**3.** el mecanógrafo, la mecanógrafa

**4.** el mensajero, la mensajera

**VOCABULARIO ADICIONAL:**
**1.** escribir a máquina, teclear   **2.** el empleado, la empleada de oficina   **3.** el sueldo
**4.** el salario   **5.** recibir un ascenso   **6.** recibir un aumento   **7.** ser despedido
**8.** despedir a alguien

**ADDITIONAL VOCABULARY:**
**1.** to type   **2.** office employee   **3.** salary   **4.** wages   **5.** to get a promotion   **6.** to get a raise
**7.** to get fired   **8.** to fire someone

## Los útiles y muebles de oficina

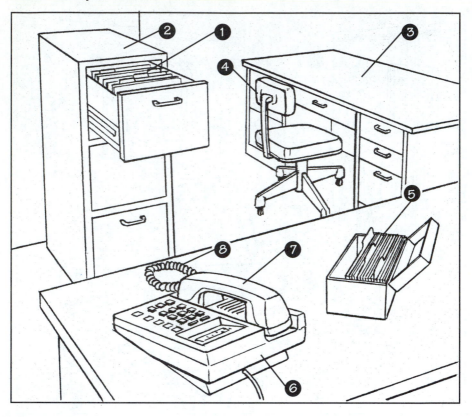

| 1. las carpetas | 4. la silla giratoria | 7. el auricular |
| 2. el archivero | 5. el fichero | 8. el cordón |
| 3. el escritorio | 6. el teléfono | |

**VOCABULARIO ADICIONAL:**
1. la ficha  2. el archivo  3. llamar, comunicar por teléfono, telefonear  4. sonar el teléfono (El teléfono suena.)  5. descolgar el teléfono (La secretaria descuelga el teléfono.)  6. marcar un número (La secretaria marca el número.)  7. estar ocupada la línea  8. tener el número equivocado  9. estar descompuesto el teléfono  10. colgar el teléfono  11. el teléfono de auto (coche, carro)  12. el teléfono portátil, el teléfono sin cordón  13. el anuario, la guía telefónica  14. la cabina telefónica  15. la (máquina) contestadora  16. el fax  17. la (foto)copiadora

**ADDITIONAL VOCABULARY:**
1. file card  2. file (of information)  3. to make a phone call  4. to ring (The phone is ringing.)
5. to pick up the phone (The secretary is picking up the phone.)  6. to dial a number (The secretary is dialing the number.)  7. the line to be busy  8. to have a wrong number  9. the phone to be out of order  10. to hang up the phone  11. car phone  12. cordless phone  13. phone directory
14. phone booth  15. answering machine  16. fax machine  17. (photo)copy machine

# El computador, la computadora; el ordenador, la ordenadora

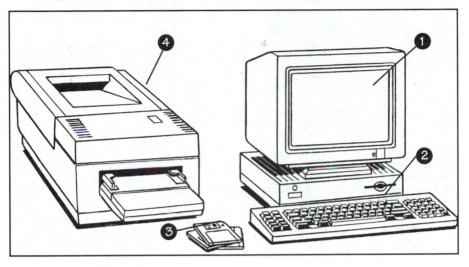

1. la pantalla
2. el teclado
3. el disco
4. la impresora (láser)

VOCABULARIO ADICIONAL:
1. el software    2. el procesador de textos (palabras)

**ADDITIONAL VOCABULARY:**
1. software    2. word processor

# El escritorio

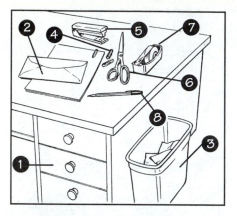

1. el cajón, la
   gaveta
2. el sobre
3. la canasta
   de basura, el
   basurero, la papelera

4. el clip, la presilla,
   el sujetapapeles
5. la engrapadora,
   la grapadora

6. las tijeras
7. la cinta adhesiva
   transparente
8. el bolígrafo

## VOCABULARIO ADICIONAL:

1. la correspondencia    2. la bandeja de correspondencia    3. el bloc de papel
4. el papel con membrete    5. la ventanilla del sobre    6. la estampilla, el sello, el timbre
7. el portafolio, el maletín, la cartera de documentos    8. el pesacartas    9. el fechador,
el sello adjustable    10. los útiles de escritura    11. la pluma estilográfica, la lapicera
12. el lápiz    13. el encuadernador    14. el tarjetero rotatorio    15. la goma de pegar
16. la grapa    17. engrapar, grapar, sujetar con grapas    18. las facturas
19. los recibos    20. las cuentas

## ADDITIONAL VOCABULARY:

1. correspondence    2. correspondence tray    3. note pad, writing pad    4. letterhead paper
5. window of the envelope    6. postage stamp    7. briefcase, attaché case    8. scale for weighing
letters    9. date stamp    10. writing utensils    11. fountain pen    12. pencil    13. large clip
for papers    14. Rolodex card file    15. glue, paste    16. staple    17. to staple    18. invoices
19. receipts    20. bills

# La carta de negocios

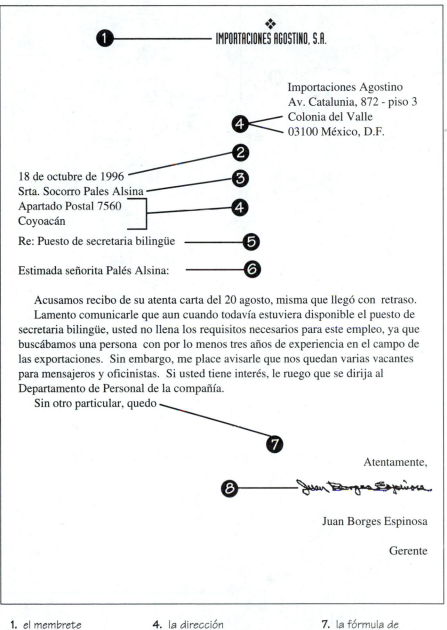

**❖**
**1** ———————————— IMPORTACIONES AGOSTINO, S.A.

Importaciones Agostino
Av. Catalunia, 872 - piso 3
**4** — Colonia del Valle
03100 México, D.F.

**2**

18 de octubre de 1996 —    **3**
Srta. Socorro Pales Alsina —
Apartado Postal 7560     **4**
Coyoacán

Re: Puesto de secretaria bilingüe ———  **5**

Estimada señorita Palés Alsina: ———  **6**

Acusamos recibo de su atenta carta del 20 agosto, misma que llegó con retraso.
Lamento comunicarle que aun cuando todavía estuviera disponible el puesto de secretaria bilingüe, usted no llena los requisitos necesarios para este empleo, ya que buscábamos una persona con por lo menos tres años de experiencia en el campo de las exportaciones. Sin embargo, me place avisarle que nos quedan varias vacantes para mensajeros y oficinistas. Si usted tiene interés, le ruego que se dirija al Departamento de Personal de la compañía.
Sin otro particular, quedo

**7**

Atentamente,

**8** ———— *Juan Borges Espinosa*

Juan Borges Espinosa

Gerente

| | | |
|---|---|---|
| **1.** el membrete | **4.** la dirección | **7.** la fórmula de |
| **2.** la fecha | **5.** la referencia | despedida |
| **3.** el destinatario | **6.** el encabezamiento | **8.** la firma |

# El comercio

**1.** el vendedor, la vendedora

**2.** el comprador, la compradora, el (la) cliente

**3.** el cajero, la cajera

**4.** el gerente, la gerenta

**VOCABULARIO ADICIONAL:**

**1.** la tienda    **2.** el almacén    **3.** el dependiente, la dependiente (dependienta)

**ADDITIONAL VOCABULARY:**

**1.** store, shop    **2.** department store    **3.** clerk

# La pega[3]

Apartado Postal 7560
Coyoacán
20 de agosto de 1996

Importaciones Agostino, S.A.[4]
Av. Catalunia, 872 - piso 3
Colonia del Valle
03100 México, D. F.

Muy señor mío:

Le escribo con referencia al aviso que apareció esta mañana en la sección clasificada del <u>Universal,</u> en el cual su firma anuncia un puesto de secretaria bilingüe con conocimientos del inglés o del francés.

Acabo de graduarme del Instituto Comercial Juárez, donde estudié inglés, mecanografía, contabilidad y computación. También soy diplomada de la Alianza Francesa, donde estudié gramática y cultura francesas. Además de dominar bastante bien el inglés y el francés, sé manejar todas las máquinas de oficina, incluyendo la computadora, la impresora y el fax. Estoy familiarizada con el sistema IBM tanto como el MacIntosh, y estoy dispuesta a aprender todo lo que se necesite para el trabajo.

Creo que soy la persona ideal para el puesto que ustedes anuncian y que podría aportar mucho a su compañía. Tengo buen aspecto físico y excelentes modales. Me gusta trabajar con la gente y soy una persona amistosa y extrovertida.

Puesto que aún no he trabajado en una oficina, no tengo referencias profesionales. Sin embargo, adjunto varias cartas de recomendación de mis profesores del Instituto Juárez y de la Alianza Francesa.

Agradeciéndole de antemano su atención, se despide de usted atentamente,

*Socorro Palés Alsina*

Socorro Palés Alsina

---

[3]The Catch

[4]Sociedad Anónima, equivalente a «Incorporated» en inglés

Importaciones Agostino
Av. Catalunia, 872 - piso 3
Colonia del Valle
03100 México, D. F.
18 de octubre de 1996

Srta. Socorro Palés Alsina
Apartado Postal 7560
Coyoacán

Estimada señorita Palés Alsina:

Acusamos recibo de su atenta carta del 20 agosto, misma que llegó con mucho retraso.

Lamento comunicarle que aun cuando todavía estuviera disponible el puesto de secretaria bilingüe, usted no llena los requisitos necesarios para este empleo, ya que buscábamos una persona con por lo menos tres años de experiencia en el campo de las exportaciones. Sin embargo, me place avisarle que nos quedan varias vacantes para mensajeros y oficinistas. Si usted tiene interés, le ruego que se dirija al Departamento de Personal de la compañía.

Sin otro particular, quedo

Atentamente,

Juan Borges Espinosa
Gerente

Coyoacán, 1 de diciembre de 1996

Querida Teruca[5],

No te imaginas lo difícil que es encontrar un empleo. Hace meses que estoy buscando. Yo pensaba que con diplomas del Instituto Juárez y de la Alianza Francesa, sería cuestión de presentarme en cualquier oficina y todos los ejecutivos estarían peleándose por mis servicios. Pensaba que les tendría que dar números para que cada uno tomara su turno. De veras, ¡creía que estarían haciendo cola para que yo los entrevistara a ellos! Cerraba los ojos y me veía en una oficina elegante como las que se ven en las películas, con una computadora supercomplicada con una pantalla inmensa y un parlante por el cual el jefe (un señor joven y guapísimo) me diera las indicaciones para la mañana. Me imaginaba trabajando para una compañía internacional donde pudiera hablar francés e inglés todos los días. Así terminaría hablando realmente bien (porque en verdad, aunque leo y entiendo bastante, me da vergüenza lanzarme a hablar). Entonces conocería a un ejecutivo extranjero que me llevaría a París o a Los Angeles, donde yo estaría encargada de una sucursal de la compañía y tendría mi propia secretaria bilingüe... o secretario.

Pues, siento decirte que la realidad ha sido otra cosa. Ni siquiera he conseguido una entrevista. Ni siquiera he logrado poner un pie en la oficina de alguno de esos ejecutivos que llevan corbatas de seda y andan con teléfonos portátiles en la mano.

El problema es que no tengo experiencia. Pero dime tú, Teruca, ¿cómo puedo adquirir experiencia si no me dan un puesto? Cada vez que lleno una solicitud de trabajo me dicen que vuelva cuando haya trabajado en otra parte dos o tres años. «Lo siento», me dicen en las Oficinas de Personal. «Nos encantaría emplearla, pero no contratamos aprendices». O si no, me dicen, «Déjenos su número de teléfono y... no nos llame, señorita... nosotros la llamaremos a usted en el caso de que veamos la posibilidad de ocuparla». Y por supuesto, nunca llaman. Así que la pega es que te piden experiencia, pero si no te dan un puesto, es imposible adquirirla.

En una compañía de importaciones me dijeron que podía empezar como mensajera, pero ese tipo de trabajo no me interesa porque no conduce a nada. Al fin y al cabo, los diplomas los tengo, ¿no? Y el inglés y el francés, aunque no los sé perfectamente, los puedo leer y entender. Entonces les dije que no, gracias, que se guardaran su puesto de mensajero o se lo ofrecieran a otra persona porque yo no lo quería. Pero ahora estoy medio arrepentida, ¿sabes? porque estoy pensando que si hubiera aceptado, tal vez ya tuviera un pie en la puerta y pudiera conseguir otra cosa más tarde dentro de la misma compañía. Bueno, ¿qué se va a hacer? Ya es demasiado tarde.

A Maricarmen la vi la semana pasada. Hace un par de semanas ella consiguió un puesto de asistente al gerente de un almacén. Le han dado su propia oficina con un escritorio grande con silla giratoria, y hasta con fax y copiadora. La oficina es preciosa. De verdad. Yo la vi. Mira la suerte de esa chica. Hasta tiene papel membretado con su propio nombre. Y dice que si todo va bien, dentro de seis meses le van a dar un ascenso con un tremendo aumento de sueldo. ¡A ver si me presta su hada madrina!

Bueno, mujer, no sigo quejándome porque voy a terminar por ponerte triste y eso es lo que menos quiero. Escríbeme pronto y cuéntame tus novedades. Mientras tanto, seguiré buscando empleo y tal vez en mi próxima carta te contaré alguna buena noticia.

Te abraza tu prima que te echa de menos y te quiere,

*Arcono*

---

[5]apodo de Teresa

# Para enriquecer su vocabulario

El sufijo **-ero** o **-era** se añade a la base de algunos substantivos para formar el nombre de una persona que desempeña una función relacionada con el substantivo.

| | |
|---|---|
| caja (*cash box*) | cajero, cajera (*cashier*) |
| cocina | cocinero, cocinera |
| costura (*seam*) | costurera (*seamstress*) |
| carpintería | carpintero, carpintera |
| peluca | peluquero, peluquera |
| zapato | zapatero, zapatera |
| jardín | jardinero, jardinera |
| mensaje | mensajero, mensajera |

Como se ha visto en el Capítulo 5, el sufijo **-or** u **-ora** se añade a la base de algunos verbos para formar el nombre de una persona que desempeña una función relacionada con el verbo.

| | |
|---|---|
| vender | vendedor, vendedora |
| profesar | profesor, profesora |
| pintar | pintor, pintora |
| construir | constructor, constructora |

El sufijo **-or** u **-ora** también se emplea para formar el nombre de algunos aparatos o máquinas.

| | |
|---|---|
| copiar | copiadora |
| fechar | fechador |
| engrapar, grapar | engrapadora, grapadora |
| computar | computador, computadora |
| imprimir | impresora |
| contestar | contestadora |
| encuadernar | encuadernador |

El sufijo **-ista** se emplea para formar el nombre de varios oficios o profesiones. Los substantivos que terminan en **-ista** pueden ser masculinos o femeninos, según la persona a la cual se refieren.

el dentista, la dentista
el electricista, la electricista
el maquinista, la maquinista

## EJERCICIOS

**A. Complete las siguientes oraciones, empleando la palabra que está entre paréntesis.**

1. (marcar) Si quieres llamar larga distancia, _____.
2. (copiadora) No puedo hacer copias de este documento porque _____.
3. (teclado) Lo único que no me gusta de esta computadora es que _____.
4. (colgar) Hace horas que Marta está hablando por teléfono y _____.
5. (cajón) Necesito un escritorio que _____.
6. (clip sujetapapeles) Se van a perder estos documentos si _____.
7. (maletín) Un hombre o una mujer de negocios siempre _____.
8. (estampilla) No puede echar esta carta porque _____.
9. (canasta de basura) Si no limpias tu cuarto, voy a _____.
10. (factura) Después de arreglar los interruptores, el electricista _____.

**B. Explique lo que hacen las siguientes personas.**

1. el cocinero
2. la manicura
3. el jardinero
4. la doctora
5. el diplomático
6. el mensajero
7. el farmacéutico
8. el plomero
9. la costurera
10. la profesora
11. la mecanógrafa
12. el peluquero
13. el ejecutivo
14. el maquinista

**C. Explique para qué sirven los siguientes aparatos.**

1. el auricular (de un teléfono)
2. el teléfono portátil
3. la copiadora
4. el pesacartas
5. el bolígrafo
6. la engrapadora
7. las tijeras
8. el fechador
9. el fax
10. el teléfono de automóvil

**D. Emplee las dos palabras en una oración.**

1. aprendiz / carpintero
2. jardinero / podar
3. carpetas / archivero
4. peluquero / peinar
5. computadora / descompuesto
6. papeles / engrapar
7. sobre / destinatario
8. carta / encabezamiento
9. plomero / llave
10. sastre / alargar

### E. Temas de conversación

1. Nombre y describa las diferentes partes de una carta. Identifique estas partes en la carta que Socorro Palés Alsina dirige a Importaciones Agostino. ¿Qué diferencias hay entre las cartas de negocios y las cartas personales? Cuando se escribe una carta solicitando un empleo, ¿cuáles son las cosas que hay que mencionar?

2. ¿Cree usted que la carta que Socorro envía a Importaciones Agostino es adecuada o menciona ella algunas cosas que no debería haber mencionado? Explique.

3. ¿Qué tipo de puesto busca Socorro? En su opinión, ¿está calificada o no? ¿Por qué no le dan el trabajo? ¿Están justificados o no?

4. ¿Qué ilusiones tenía Socorro en cuanto al trabajo? ¿Cree usted que muchos chicos tienen una idea poco realista acerca del mundo del trabajo? ¿Qué ilusiones tienen acerca del sueldo? ¿el estímulo intelectual? ¿los colegas? ¿las posibilidades románticas? ¿las vacaciones? ¿Siempre coincide la realidad con la ilusión? Explique.

5. ¿Cuál es el problema principal de Socorro? Según ella, ¿cuál es la «pega»? ¿Tienen muchos jóvenes el mismo problema que ella?

6. ¿Cree usted que Socorro debería haber aceptado el puesto de mensajero? ¿Por qué? Usted en su lugar, ¿habría aceptado o no? ¿Por qué?

7. ¿Qué enseña el ejemplo de Maricarmen?

8. ¿Para qué profesión estudia usted? Describa el tipo de oficina que le gustaría tener. ¿Qué le gustaría estar haciendo dentro de diez años?

9. ¿Qué hace un aprendiz? ¿Todavía hay aprendices? ¿En cuáles oficios o profesiones? ¿Cuáles son las ventajas y desventajas del sistema de aprendizaje?

10. ¿Cómo debe uno vestirse cuando se presenta para una entrevista? ¿Es importante la ropa o no?

### F. Pro y contra: temas de debate.

1. Hoy en día un oficio da más seguridad económica que una profesión.

2. Algunos oficios y profesiones son más apropiados para los hombres que para las mujeres y al revés.

3. Dentro de un par de décadas las computadoras y los robots industriales habrán reemplazado a las personas.

4. Los inmigrantes ilegales les quitan muchos empleos a los trabajadores norteamericanos.

5. Hay que abolir el sueldo mínimo, ya que impide que muchos dueños de pequeñas compañías empleen a más personas.

6. Hay que imponer más tarifas para evitar que se importen tantos productos extranjeros y así darles más oportunidades a los trabajadores norteamericanos.

7. El Tratado de Libre Comercio entre México, Estados Unidos y Canadá es un desarrollo positivo.

8. Lo primero que hay que establecer en una entrevista para un puesto es el sueldo.

**G. Situaciones.**

1. Usted busca empleo en una gran impresa comercial y ha conseguido una entrevista con el jefe de personal. Explique por qué cree tener las aptitudes requeridas para el puesto, qué experiencia ha tenido en ese campo y qué puede aportar a la compañía. Conteste cualquier pregunta que el jefe de personal le haga.

2. Usted acaba de conseguir un puesto que se ha anunciado como "asistente al gerente" de una empresa. Pero cuando usted se presenta al trabajo el primer día y el gerente le muestra donde va a trabajar y qué va a hacer, usted se da cuenta que en realidad es un puesto de secretario/a.

3. Hace meses que usted busca empleo y se siente muy desanimado. Un día se encuentra con un amigo que acaba de conseguir un trabajo excelente en una compañía donde tiene una oficina estupenda, con un escritorio grande, computadora, impresora láser, fax, copiadora, archivos, teléfonos de todos tipos y una vista preciosa de la ciudad. ¿Qué cosas le dice? ¿Qué preguntas le hace? ¿Le cuenta la verdad acerca de su propia situación o no?

4. Usted quiere construir una nueva casa. Hable con el arquitecto, el constructor, los albañiles, carpinteros, electricistas y plomeros para averiguar qué va a hacer cada uno, cuánto tiempo va a tomar y cuánto va a costar.

5. Usted va a un salón de belleza para un corte de pelo y una manicura. Les explica al peluquero y a la manicura exactamente lo que quiere. Sin embargo, al final se da cuenta de que han hecho algo completamente diferente y usted está indignada.

# GRAMATICA
## *Pronombres y clíticos*

### Los pronombres de sujeto

1. Los pronombres de sujeto son **yo, tú, usted, él, ella, nosotros, vosotros, ustedes, ellos, ellas.** Normalmente se refieren a la persona que ejecuta la acción (en la voz activa) o recibe la acción (en la voz pasiva). El verbo concuerda con el sujeto, aun cuando éste se omita. (Véase el párrafo 3.) También existe un pronombre de sujeto neutro, **ello,** que se describe en el párrafo 9.

| | |
|---|---|
| Yo marqué el número. | *I dialed the number.* |
| Ella fue seleccionada para el puesto. | *She was selected for the job.* |

2. Cuando hay dos o más pronombres de sujeto, el verbo concuerda con **nosotros** si uno de los sujetos es **yo;** si no, el verbo está en la tercera persona de plural.

Tú y yo podemos compartir          *You and I can share an office.*
  un despacho.

El y ella son socios.              *He and she are partners.*

3. El pronombre de sujeto usualmente se omite, excepto en los siguientes casos:

   **a.** para enfatizar el sujeto.

   **Yo** la llamé y **ella** me colgó.    **I** *called her and* **she** *hung up on me.*

   **Tú** no eres el jefe.               **You're** *not the boss.*

   **b.** para contrastar un sujeto con otro.

   **Yo** soy arquitecto y **él** es      **I'm** *an architect and* **he's** *an engineer.*
     ingeniero.

   **c.** para aclarar el sujeto.

   Los dos son ejecutivos pero        *They're both executives but* **she** *earns*
     **ella** gana más dinero.             *more money.*

   **d.** en el caso de **usted** y **ustedes,** por cortesía.

   Por favor pase **usted** a mi       *Please come into my office,* **sir.** *(Speaking*
     despacho, arquitecto.*             *to an architect)*

4. Excepto en situaciones muy extraordinarias, los pronombres de sujeto se refieren
   siempre a personas y no a objetos.

   ¿La goma de pegar? Está en         *The glue? It's in the third drawer.*
     el tercer cajón.

   ¿Las tijeras? Son mías.            *The scissors? They're mine.*

5. En el caso de expresiones impersonales, no se traduce *it.*

   Es imposible que le suba el        *It's impossible for me to raise your*
     sueldo.                             *salary.*

   Es necesario comprar una nueva     *It's necessary to buy a new stapler.*
     engrapadora.

6. Ambos **tú** y **usted** significan *you.* Aunque el uso varía mucho según la región, la
   clase social y la preferencia individual, por lo general **usted** establece cierta distancia entre el que habla y el interlocutor. Se usa para hablar con una persona desconocida, una persona mayor que no sea de la misma familia (aunque en algunas
   familias los niños tratan a los padres y abuelos de **usted**), un profesor, un jefe o
   cualquier otra persona a la cual uno quiere mostrar respeto.

---

*En algunos países de Hispanoamérica—por ejemplo, México—los títulos profesionales se usan en vez
de **señor** o **señora** al referirse o dirigirse a una persona que ejerce la profesión: el arquitecto González; el
ingeniero Montenegro; buenos días, licenciado Quiñones.

**Tú** indica más familiaridad y menos distancia entre la persona que habla y el interlocutor. Por lo común, se emplea entre amigos, miembros de la misma familia y compañeros de clase.

En algunas familias se trata a la empleada doméstica de **usted;** en otras, de **tú.** Muchos profesores tratan de **usted** a sus estudiantes, mientras otros prefieren la forma familiar.

Hoy en día el uso de **tú** y **usted** está evolucionando. En algunas áreas se tiende a emplear la forma familiar mucho más que antes. Sin embargo, si un extranjero tiene dudas, es aconsejable que emplee la forma formal, ya que así hay menos posibilidad de ofender.

7. En España el plural de **tú** es **vosotros (vosotras).** En Hispanoamérica, **ustedes** es el plural de **tú** tanto como de **usted. Vosotros** se emplea ocasionalmente en situaciones muy especiales, por ejemplo, en discursos políticos o académicos o en la iglesia.

8. Los pronombres de sujeto femeninos **nosotras, vosotras** y **ellas** se emplean sólo para referirse a grupos compuestos exclusivamente de mujeres. Para referirse a un grupo mixto, se emplean las formas masculinas.

¿María y Cintia? **Ellas** nunca almuerzan con las otras mecanógrafas.

*María and Cintia? **They** never have lunch with the other typists.*

¿María y Héctor? **Ellos** están encargados de los archivos.

*María and Héctor? **They**'re in charge of the files.*

9. El pronombre de sujeto **ello** es neutro. No se refiere a una persona o cosa específica, sino a una idea general.

Despidieron a todos los empleados de la compañía. Ello creó una catástrofe.

*They fired all the employees in the company. It created a catastrophe.*

Hoy en día **ello** tiende a omitirse o ser reemplazado por los demostrativos **esto, eso** o **aquello.**

## PRACTIQUEMOS

**A. Traduzca las siguientes oraciones al español.**

1. She has letterhead stationery. / *She* has letterhead stationery.
2. I use a pad of paper. / *I* use a pad of paper.
3. He sent a bill. / *He* sent a bill.
4. You *(fam.)* carry a briefcase. / *You* carry a briefcase.
5. You *(formal)* have the wrong number. / *You* have the wrong number.

6. We signed the letter. / *We* signed the letter.
7. She bought a cordless phone but it doesn't work.
8. The boss and the secretary had a fight. It was awful!
9. Since we women are all executives, we should make the decisions.
10. She's an architect and he's an engineer.
11. Laura and Pedro are doctors. He's a pediatrician and she's a psychiatrist.
12. She and I are diplomats from Chile.

**B. Dirija la oración a la persona indicada.**

MODELO    Puede pasar ahora.
              (a un niño)     **Puedes pasar ahora.**
              (a un cliente)   **Ud. puede pasar ahora.**
              (a dos clientes)  **Uds. pueden pasar ahora.**

1. ¿Podría agrandarme estos pantalones?
    (a su mamá)
    (a una costurera)
    (a los sastres de la tienda)
2. ¿Me prestas el pesacartas, por favor?
    (a su jefe)
    (a dos amigas)
    (a su compañero de trabajo)
3. Tráigame un bloc de papel.
    (al nuevo oficinista)
    (a las secretarias)
    (a mí)*
4. Es mejor que pongas las cartas en la bandeja de correspondencia.
    (a los mensajeros)
    (al cartero)
    (a su amigo)

### Pronombres tónicos o preposicionales

**1.** Con la excepción de **yo** y **tú,** los pronombres de sujeto pueden seguir a una preposición. Los pronombres preposicionales de primera y segunda persona son **mí** y **ti.** Después de la preposición **con,** se emplean las formas especiales **-migo** y **-tigo,** las cuales se conectan a la preposición.

Estas facturas son para ustedes, no    *These bills are for you, not me.*
son para mí.

---

*es decir, al profesor que dirige el ejercicio

Se sentó delante de él.  *She sat in front of him.*

El jefe estaba pensando en ti cuando dijo eso.  *The boss was thinking about you when he said that.*

Ven conmigo a hablar con el arquitecto.  *Come with me to talk to the architect.*

¡Es imposible trabajar contigo!  *It's impossible to work with you!*

2. En algunas áreas del mundo hispánico existe la tendencia a evitar las combinaciones **de** + **mí** y **de** + **ti**; se emplea más bien los adjetivos posesivos **mío** y **tuyo.**

El jefe se sentó delante mío.  *The boss sat in front of me.*

Los documentos se encuentran en el archivo que está detrás tuyo.  *The documents are in the file cabinet behind you.*

**De él** (**ella,** etc...). es intercambiable con **suyo; de nosotros** es intercambiable con **nuestro.**

Se puso al lado suyo.  *He stood next to her.*

No hay nadie delante nuestro.  *There's no one in front of us.*

3. El pronombre preposicional reflexivo es **sí,** forma que a menudo va seguida de **mismo/a[s].**

Trabaja para sí.  *He works for himself.*

Hay ciertas cosas que uno hace por sí mismo.  *There are certain things that one does for oneself.*

La forma especial **-sigo** se emplea después de la preposición **con.**

Conversa consigo mismo.  *He's talking to himself.*

4. Cuando hay dos objetos de preposición en una oración, normalmente la preposición precede a cada uno. Cuando hay una preposición compuesta, sólo se repite la segunda parte.

Compraron una nueva computadora para ti y para mí.  *They bought a new computer for you and me.*

No hay nadie sentado detrás de nosotros ni de ella.  *There's no one seated behind us or her.*

5. Después de **entre, según, menos, excepto** y **salvo** se emplea el pronombre de sujeto.

Según tú, van a despedir al gerente.  *According to you, they're going to fire the manager.*

Entre tú y yo, el jefe está loco.  *Between you and me, the boss is crazy.*

Todas las secretarias salieron a almorzar excepto yo.  *All the secretaries went to lunch except me.*

## PRACTIQUEMOS

**A. Termine cada oración con el pronombre preposicional correcto.**

1. Critican mucho al licenciado. No me gusta que hablen contra _____.
2. Quiero que tú me acompañes a la peluquería. Vamos, ve con _____.
3. Voy a darle estos documentos a la ingeniera. Son para _____.
4. Aquí vemos bien. Espero que nadie se siente delante de _____.
5. Dame la correspondencia, por favor. Es para _____.
6. Tú y ella tienen archivos. Pusieron archivos detrás de _____ y de _____.
7. Parece que se nos acercan. Sí, están caminado hacia _____.
8. Tú dices que el médico no dice la verdad. Según _____, el médico está mintiendo.
9. Yo te voy a decir una cosa. Entre _____ y _____, me parece que el jefe está enamorándose de la mecanógrafa.
10. El pintor y el plomero ya han terminado. Ya no tengo que preocuparme por _____.

**B. Traduzca al español.**

1. Everyone received a raise except me.
2. There are envelopes for you and me.
3. The engineers are seated in front of you and the architects are seated next to me.
4. Between you and me, this manicurist doesn't know what she's doing.
5. There are envelopes and letterhead stationery for you and me.

### El complemento directo

1. El **clítico** es una forma pronominal que siempre va unida a un verbo. En español todos los pronombres que funcionan como complemento del verbo son clíticos; es decir, no pueden emplearse independientemente del verbo. Compare las siguientes oraciones en español e inglés.

| | |
|---|---|
| ¿A quién invitaste? | *Whom did you invite?* |
| Lo invité a él. *o* A él. | *I invited him. or Him.* |
| ¿A quiénes busca? | *Whom is he looking for?* |
| Las busca a ellas. *o* A ellas. | *He's looking for them. or Them.* |

En inglés *him* y *them* pueden emplearse solos. En español **lo** y **las** no pueden emplearse sin el verbo. Ahora compare las siguientes pares de oraciones.

¿Quién contestó el teléfono?
Yo.

*enclítico vs. proclítico*

¿A quién llamaban?

Me llamaban a mí.

**Yo** y los otros pronombres de sujeto pueden emplearse solos. Por lo tanto, son verdaderos pronombres. **Me** no puede emplearse independientemente del verbo; como **lo** y **la,** es un clítico. Cuando la forma pronominal se une al verbo precedente, se llama **enclítico.** Cuando se une al verbo siguiente, se llama **proclítico.**

2. El clítico que recibe directamente la acción del verbo es el complemento directo de ese verbo. Los clíticos que funcionan como complementos directos son los siguientes:

*D.O. pronouns?*

| | |
|---|---|
| me *(me)* | nos *(us)* |
| te *(you)* | os *(you, pl.)* |
| lo, la *(him, her, it, you)* | los, las *(them, you, pl.)* |

En casi toda España y algunas zonas de Hispanoamérica **le** se emplea en vez de **lo** como complemento directo para referirse a una persona. Por lo general, **lo** es más común en Hispanoamérica.

3. **Me, te, nos** y **os** no muestran concordancia, mientras que **lo, la, los** y **las** concuerdan con el substantivo que reemplazan. Pueden referirse a una persona o a un objeto y siempre pueden colocarse antes de un verbo conjugado.

| | |
|---|---|
| ¿Los empleados? Los vimos esta mañana. | *The employees? We saw them this morning.* |
| Compró un teléfono portátil y lo dejó en el auto. | *She bought a cordless phone and left it in the car.* |
| ¿La carta? La metí en el cajón. | *The letter? I put it in the drawer.* |
| La llamo* más tarde, Sra. Alvarez. | *I'll call you later, Mrs. Alvarez.* |
| Los invito a tomar una cerveza, chicos. | *I'm inviting you to have a beer, guys.* |

4. No se olvide que la **a** personal precede a un substantivo que funciona como complemento *directo* y se refiere a una persona. Al reemplazar el substantivo, se emplea el clítico directo.

Esperamos al jefe. → Lo esperamos.

Buscábamos a Maricarmen. → La buscábamos.

5. Los clíticos pueden preceder un verbo conjugado o seguir un infinitivo, una forma imperativa *o* un gerundio.

El ejecutivo lo está firmando. *o* El ejecutivo está firmándolo.

Los enclíticos se escriben conectados al verbo. A menudo la combinación de el verbo + clítico requiere un acento escrito. (Véase la página 111.)

---

*En algunas áreas se emplea un complemento indirecto con **llamar: le llamo.**

| | |
|---|---|
| Archívelo bajo el nombre del cliente, por favor. | *File it under the client's name, please.* |
| Esta falda me queda larga; tendré que acortarla. | *This skirt is too long for me; I'll have to shorten it.* |
| Voy a terminar por ponerte triste. | *I'll wind up making you sad.* |
| ¿Los documentos? El jefe está firmándolos ahora. | *The documents? The boss is signing them now.* |

6. El clítico directo reemplaza al substantivo. Normalmente no repite el substantivo excepto cuando éste precede al verbo.

Dejé la guía telefónica encima del escritorio. → La dejé encima del escritorio. (**La** reemplaza **guía**.)

PERO:

La guía telefónica la dejé encima del escritorio. (**La** repite **guía**.)

7. Algunos verbos españoles que se emplean con complementos directos corresponden a verbos ingleses que requieren el uso de una preposición. Algunos de los más comunes son **buscar, mirar, esperar** y **pedir**.

| | |
|---|---|
| ¿El mensajero? Lo buscamos. | *The messenger? We're looking for him.* |
| ¡Apúrate! El jefe te espera. | *Hurry up! The boss is waiting for you.* |
| El dibujante terminó los planos y el arquitecto está mirándolos ahora. | *The draftsman finished the plans and the architect is looking at them now.* |
| Quiero un aumento pero tengo miedo de pedirlo. | *I want a raise but I'm afraid to ask for it.* |

8. **Lo** a menudo se usa después de **ser** o **estar** para referirse a un adjetivo o a una frase adjetival.

| | |
|---|---|
| —¿Está descompuesto el teléfono? —Sí, lo está. | *"Is the telephone out of order?" "Yes, it is."* |
| —Ese mensajero no es perezoso. —Sí, lo es. | *"That messenger isn't lazy." "Yes, he is."* |

**Lo** también puede referirse a una idea. Se emplea comúnmente con **saber**.

| | |
|---|---|
| —Despidieron al dibujante.— —Lo sé. | *"They fired the draftsman." "I know."* |

9. **La** y **las** se emplean en muchas expresiones idiomáticas las cuales no tienen traducción en inglés.

| | |
|---|---|
| Tiene que aprender a arreglárselas por su cuenta. | *He'll have to learn to get along on his own.* |
| Que la pases bien. | *Have a good time.* |

| | |
|---|---|
| El que me la hace, me la paga. | *Whoever pulls anything on me will pay for it.* |
| Me las vas a pagar. | *I'll get even with you.* |

**10.** La preposición **a** + un pronombre preposicional puede emplearse para aclarar o enfatizar cualquier clítico.

| | |
|---|---|
| Lo conozco **a él** pero no la conozco **a ella.** | *I know **him** but I don't know **her.*** |
| Las visitaré **a ustedes** mañana, señoras. | *I'll visit you tomorrow, ladies.* |
| Hacían cola para que yo los entrevistara **a ellos.** | *They were standing in line for me to interview **them.*** |

---

### PRACTIQUEMOS

**A. Complete cada oración con el verbo que está entre paréntesis y el clítico apropiado.**

MODELO  ¿La llave que goteaba? El plomero (arreglar)...
**¿La llave que goteaba? El plomero ya la arregló.** *o*
**El plomero no pudo arreglarla.**

1. ¿Los planos? El dibujante (terminar)...
2. ¿Las flores? El jardinero (regar)... *to water*
3. ¿El interruptor? El electricista (instalar)... *switch*
4. ¿Los documentos? Los abogados (preparar)...
5. ¿La pared? El albañil (construir)... *construction, brick layer*
6. ¿Al paciente? La doctora (atender)...
7. ¿A los clientes? La vendedora (ver)...
8. ¿La engrapadora? La secretaria (encontrar)... *stapler* *(grapadora)*

**B. Conteste las siguientes preguntas usando un clítico directo en cada respuesta.**

1. ¿Conoce usted al rector de la universidad? ¿Conoce a todos los profesores?
2. ¿Me conoce a mí? ¿Me conoce bien? ¿Lo/la conozco a usted?
3. Si usted da una fiesta, ¿invita a sus amigos? ¿Me invita a mí?
4. Si yo doy una fiesta, ¿invito a mis estudiantes? ¿Los/las invito a ustedes?
5. ¿Trajo su bolígrafo a clase o lo dejó en casa? ¿Y sus tijeras? ¿Y sus clips sujetapaples?
6. Si usted tuviera una compañía, ¿emplearía a sus amigos? ¿Me emplearía a mí?
7. Si usted tuviera un problema legal, ¿llamaría a un abogado? ¿Me llamaría a mí?
8. ¿Limpió su cuarto esta mañana? ¿Tendió su cama?

**C. Dirija cada oración a la persona indicada.**

> MODELO    Si hay una vacante, te tomo.
> (a su hermano) **Si hay una vacante, te tomo.**
> (a mí) **Si hay una vacante, lo (la) tomo.**
> (a dos amigos) **Si hay una vacante, los tomo.**

1.  Lo llamaré más tarde. (a las mecanógrafas, a su primo, a su dentista)
2.  Nos encantaría emplearla. (a su hermano, a dos candidatas para el puesto, a un chico que trabaja actualmente de mensajero)
3.  Ya te entrevistaron. (a mí, a la secretaria, a dos aprendices)
4.  Voy a invitarla a mi fiesta. (a un diplomático argentino, a varios hombres de negocios, a su compañero de cuarto)

**D. Traduzca al español.**

1.  They're looking for you. *(fam.)* / They're looking for *you.*
2.  The manicurist was waiting for her. / The manicurist was waiting for *her.*
3.  The diplomats are looking at us. / The diplomats are looking at *us.*
4.  I interviewed him but I didn't interview her.
5.  She invited us but she didn't invite them.
6.  "Is that shoemaker good?" "Yes, he is."
7.  "That electrician is very expensive." "I know."
8.  Have a good time this weekend.
9.  I can get along on my own.
10. That secretary who said I took the cordless phone... I'll get even with her!

─────────────── *Expresiones problemáticas* ───────────────

**1. oficina, despacho, bufete, consultorio**

**oficina** = *office (in general)*

| | |
|---|---|
| Trabaja en una oficina. | *She works in an office.* |
| Esta es la oficina central. | *This is the head office.* |
| ¿Dónde está la Oficina de Turismo? | *Where is the Tourist Office?* |

**despacho** = *office (in general)*

| | |
|---|---|
| Hay una maquina del fax en el despacho del jefe. | *There's a fax machine in the boss's office.* |

**bufete** = *lawyer's office*

| | |
|---|---|
| Fui a ver al licenciado Ramírez en su bufete. | *I went to see Mr. Ramírez (an attorney) in his office.* |

**consultorio** = *office of a doctor, dentist, or lawyer*

> El doctor llega a su consultorio a las ocho de la mañana.

> *The doctor gets into his office at 8:00 A.M.*

**2. oficio**

**oficio** = *occupation, trade, job*

> Quiero que mi hijo aprenda un oficio.

> *I want my son to learn a trade.*

> Sabe su oficio.

> *He knows his job.*

> Es albañil de oficio.

> *He's a mason by trade.*

**tener oficio** = *to be skillful*

> Tiene mucho oficio.

> *He's very skillful.*

**no tener ni oficio ni beneficio** = *to be out of a job*

> ¿Cómo voy a vivir? No tengo ni oficio ni beneficio.

> *How can I get along? I have no means of support (I'm out of a job).*

**oficio** = *communiqué, official communication*

> Recibimos un oficio del general.

> *We got a communiqué from the general.*

**oficio** = *religious rites* (**oficio de difuntos** = *office for the dead;* **Santo Oficio** = *Holy Office*)

> Cuando llegue el cura celebrará el oficio de difuntos.

> *When the priest arrives he'll perform the office for the dead.*

**3. oficioso**

**oficioso** = *diligent*

> Cómo trabaja el oficinista; es muy oficioso.

> *The office clerk really works; he's very diligent.*

**oficioso** = *officious, meddlesome*

> Esa gente siempre está metiéndose en lo ajeno; es muy oficiosa.

> *Those people always have their noses in other people's business; they're very meddlesome.*

**de fuente oficiosa** = *unofficially, from an unofficial source*

> No sé si es verdad. Lo oí de fuente oficiosa.

> *I don't know if it's true. I heard it from an unofficial source.*

**4. oficial**

**oficial** = *official*

> Estos son documentos oficiales.

> *These are official documents.*

**oficial, oficiala** = *skilled worker; head clerk; dressmaker's assistant*

| | |
|---|---|
| En esta fábrica hay muchos oficiales. | *There are many skilled workers in this factory.* |
| Este es el oficial del notario.* | *This is the notary's clerk.* |
| Miguelita es oficiala de un modista francés. | *Miguelita is assistant to a French fashion designer.* |

**oficial** = *officer*

| | |
|---|---|
| Es un oficial del ejército. | *He's an army officer.* |

**5. trabajo, obra, fábrica, jornada**

**trabajo** = *physical or mental work*

| | |
|---|---|
| Tengo mucho trabajo. | *I have a lot of work.* |

**obra** = *work (of art, of genius, of charity); play*

| | |
|---|---|
| ¿Conoce las obras de Cervantes? | *Do you know the work of Cervantes?* |
| Sí, tengo sus *Obras completas.* | *Yes, I have his **Complete Works.*** |
| Vimos una obra muy interesante. | *We saw a very interesting play.* |
| Las señoras de sociedad hacen muchas obras de caridad. | *Society ladies perform many works of charity.* |

**obras públicas** = *public works*

| | |
|---|---|
| Trabaja en el Ministerio de Obras Públicas. | *He works in the Department of Public Works.* |

**manos a la obra** = *to work, get to work*

| | |
|---|---|
| ¡Vamos, muchachos! ¡Manos a la obra! | *Let's go, guys! Get to work!* |

**fábrica** = *works, factory;* **fábrica siderúgica** = *iron and steel works*

| | |
|---|---|
| Consiguió trabajo en la fábrica de autos. | *He got a job at the auto works.* |

**jornada** = *day's work; pay for a day's work*

| | |
|---|---|
| Trabajé la jornada completa. | *I worked a whole day.* |
| Me pagaron media jornada. | *They paid me for a half-day's work.* |

**6. puesto, empleo, trabajo, posición**

**puesto, empleo, trabajo** = *job, work, position*

---

*En Europa y Latinoamérica, el notario es un funcionario público que se encarga de documentos oficiales y está autorizado para dar fe de los contratos y otros actos.

Encontré un puesto estupendo.          *I found a great position.*

Busca empleo.                          *He's looking for a job, a position.*

**posición** = *position (of the body, in society)*

¿En qué posición estaba el cadáver     *What position was the corpse in when the*
cuando llegaron los policías?          *police arrived?*

Ocupa una posición influyente en       *He holds an influential position in the*
esta comunidad.                        *community.*

---

**PRACTIQUEMOS**

**A.  Complete cada frase con una de las expresiones que están en la lista y cualquier otra palabra que sea necesaria.**

1. oficina / oficio / oficial / oficioso

   a. El _____ de albañil es muy respetado.

   b. Mi tío es _____ de esta compañía.

   c. La mecanógrafa es muy _____; trabaja día y noche.

   d. El jefe tiene _____ muy grande con vista al parque.

   e. Este zapatero tiene mucho _____.

   f. Mi vecina es tan _____; siempre está haciéndome preguntas sobre cosas que no le importan.

   g. ¿Recibieron _____ de la _____ central?

   h. Me llegó la noticia de fuente _____ de que se van a divorciar.

2. despacho / bufete / consultorio

   a. El licenciado Arrévola tiene _____ en la Avenida Lope de Vega.

   b. Quería hablar con el doctor pero _____ está cerrado.

   c. El gerente tiene _____ pequeño al lado del presidente de la compañía.

3. trabajo / obra / fábrica / jornada

   a. Darle trabajo fue _____ de caridad.

   b. *Hamlet* es _____ sensacional.

   c. Por fin encontró _____ en una zapatería.

   d. _____ empieza a las ocho de la mañana y termina a las cuatro.

   e. Trabaja en _____ de muebles.

   f. Al aprendiz no le pagan _____.

4. trabajo / puesto / posición

   a. Mi amigo consiguió _____ de asistente del gerente.

   b. Cuando termine mi _____, voy al cine.

   c. Debido a su _____ social, tiene que asistir a muchos bailes y fiestas.

**B. Traduzca al español.**

1. The tailor is very skillful.
2. Father Sánchez will perform the rites of Holy Week.
3. I don't want my daughter to marry him. He has no means of support.
4. We saw many great works of architecture.
5. Let's get to work! We don't have much time!
6. He found a job at the iron and steel works.
7. The Office of Public Works is in charge of road construction.
8. How much do they pay for a day's work?

# Selección literaria

## COSMOPOLITAN
### Germán Castro Ibarra*

Checas°: suspiras. Entras al baño, terminas de maquillarte; se | Revisas (mexicanismo)

te acaba el rubor: pellizcos en las mejillas. Subes. Preparas el

café. El Señor llega; te pide que lo comuniques de inmediato

con el Actuario° Croz. Marcas: línea ocupada. El Señor te pide | especialista que estudia las cuestiones matemáticas en las compañías de seguros

5 que pases a máquina la ATENTA NOTA No. K-9877-06tt;

c.c.p.° Lic. Raquel Morones, Directora; c.c.p. Lic. Américo | copia

López, Subdirector; c.c.p. L.A.E. Humberto Chincho, Subdi-

rector Adjunto; c.c.p. C.P. Gerardo Ross, Contralor A; c.c.p.

Lic. Jorge Guadarrama, Contralor B; Acuse,° Archivo. | acknowledgement of receipt

10 Conectas la máquina. Olvidaste meter la leche al refri.° El | refrigerador

teléfono suena. Comunicas a El Señor con Su Esposa.

Tecleas. Sientes agruras.° El Señor te pide un café. El Señor | sourness, bad taste in mouth

te pide 70 fotocopias del oficio° BX-98tin, fechado hace dos | communiqué

meses. El Señor te recuerda que tienes que comunicarlo con

15 el Actuario Croz. En lo que resta para el día de quincena° vas | pago (que se recibe cada dos semanas)

a tener que pellizcarte las mejillas. Marcas. La línea del Actua-

---

*Germán Castro Ibarra nació en México, D. F. en 1964 y empezó a darse a conocer como escritor cuando aún era estudiante. Entre sus libros se cuentan *Cabecita en brasas* (1987, relatos), *Ojalá estuvieras aquí* (1990, novela) y *Cuentos de mala fe* (1991), en el cual se encuentra la selección que reproducimos. En 1989 Castro Ibarra ganó el Premio Salvador Gallardo Dávalos, otorgado por el Instituto Nacional de Bellas Artes y el Instituto Cultural de Aguascalientes. Los temas que obsesionan al autor son lo opresivo de lo cotidiano, la burocracia y la vida urbana.

rio Croz sigue ocupada. Tecleas. El Señor te grita que olvi-
daste ponerle las pastillas de sacarina a su café. Buscas las
pastillas de sacarina. Suena el teléfono: la Señorita Rubio
20  quiere hablar con El Señor. Avisas: El Señor se niega: la
Señorita Rubio cuelga sin decir gracias. Olvidas las pastillas
de sacarina. Recuerdas que Raúl no llegó a dormir. Entra el
Licenciado Jorge Guadarrama: le pides que aguarde. Avisas:
El Señor te pide las fotocopias del oficio BX-98tin fechado
25  hace dos meses, y te ordena que hagas pasar al Licenciado
Guadarrama: haces pasar al Licenciado Guadarrama. Buscas
en el archivo el oficio BX-98tin, fechado hace dos meses.
Raúl va a pedirte el divorcio. El Señor te pide un café para el
Licenciado Guadarrama: sirves otra taza de café. Recuerdas
30  las pastillas de sacarina; te sientes gorda. Entra la Señorita
Rubio; te insulta por haberte negado a comunicarla con El
Señor. Le avisas a El Señor que la Señorita Rubio lo espera
en el recibidor°: El Señor te insulta porque no lo ocultaste y te      sala de espera
ordena que hagas esperar a la Señorita Rubio. Le pides a la
35  Señorita Rubio que aguarde. Vuelves al tercer cajón del

archivero. Entra el mensajero de La Dirección: recibes la
ATENTA NOTA No. Wpp-00087, firmas y sellas el acuse. La
Señorita Rubio te pide un café. Recuerdas la sacarina: le llevas el frasco a El Señor. El Señor te grita que su café ya se
40    enfrió: te disculpas.° El Señor te recuerda que tienes que co-       *te...* le pides perdón
municarlo con el Actuario Croz. Sales al recibidor; ves a la
Señorita Rubio retocándose el maquillaje: te sientes pobre.
Marcas: línea ocupada. Entra Doña Eladia a venderte un bo-
leto para la rifa° de un reloj. Suena el teléfono: número equi-       *raffle*
45    vocado. El Señor sale. El Señor saluda con un beso a la
Señorita Rubio y le ruega que lo espere cinco minutitos más.
El Señor te grita que necesita ur-gen-te-men-te las fotocopias
del oficio BX-98tin, fechado hace dos meses. El Señor regresa a su cubículo. Doña Eladia te dice que luego regresa y
50    se va. Regresas al archivero: tercer cajón. Encuentras el oficio BX-98tin, fechado hace dos meses. Suena el teléfono: comunicas a El Señor con Su Esposa. El Señor te recuerda que
no lo has comunicado con el Actuario Croz. Marcas por la
otra línea: no entra° la llamada. Vuelves a (sorprendes a la       *go through*
55    Señorita Rubio arreglándose el escote° del vestido) mar- (te       cuello muy bajo y
sientes fea) car (Raúl te va a dejar): línea ocupada. El Licen-                revelador
ciado Guadarrama sale; se va. La Señorita Rubio insiste en
que quiere un café. Suena el teléfono. El Señor sale y te grita
que dejes de platicar, que necesita uuur-gen-te-meen-te las
60    fotocopias del oficio BX-98tin, fechado hace dos meses, que
le sirvas un café caliente y con sacarina, que no vuelvas a comunicarlo con Su Esposa, que pases a máquina la ATENTA
NOTA No. K-9877-06tt, que necesita comunicarse con el Actuario Croz, y que por el amor de Dios quites esa cara. Con-
65    testas siete veces «sí, Señor». El Señor hace pasar a la
Señorita Rubio a su cubículo. El Señor te grita que no lo mo-
lestes pa-ra-na-da: El Señor te guiña un ojo.° El Señor entra a       *te... winks at you*
su cubículo y cierra la puerta. Recuerdas que tienes el telé-
fono en la mano. Preguntas. Una voz femenina te dice que el
70    Actuario Croz quiere hablar urgentemente con El Señor (ves

el oficio BX-98tin sobre tu escritorio, ves que ya no hay café,

ves la ATENTA NOTA No. K-9877-06tt inconclusa en tu

máquina de escribir). Le respondes a la voz femenina que El

Señor está en una junta° muy importante fuera del edificio.    reunión

75   Cuelgas. Abres tu gaveta (piensas que Raúl es como todos):

sacas una revista. Bajas al baño. Te encierras en el wáter:° te    excusado

subes la falda, te bajas las pantimedias y los calzones. Te

sientas en la taza. Abres la revista: comienzas a releer la

crónica del último desfile de modas organizado por Lady Di.

80   Comienzas a orinar y te sientes feliz en los patios del Castillo

de Buckingham.

## PREGUNTAS

1. ¿Por qué se pellizca las mejillas la secretaria? ¿Qué indica esto acerca de su estado de ánimo?
2. ¿Cuál es la primera cosa que hace al llegar a la oficina?
3. ¿Qué le pide el jefe que haga? ¿Por qué no lo puede comunicar?
4. ¿Qué otras cosas quiere que haga? ¿Por qué no las hace?
5. ¿Qué siente la secretaria? ¿Por qué cree usted que siente agruras?
6. ¿Por qué no está contento el jefe con su café?
7. ¿Quién es la señorita Rubio? ¿Por qué cree usted que el jefe se niega a hablar con ella?
8. Mientras está trabajando, ¿en qué está pensando la secretaria? ¿Cómo están sus relaciones con su marido?
9. ¿Por qué insulta la señorita Rubio a la secretaria al llegar a la oficina?
10. ¿Cómo sabemos que el jefe está enojado? ¿Cree usted que está realmente enojado con la secretaria o sencillamente se desquita con ella?
11. ¿Quién es doña Eladia probablemente?
12. ¿Quiere el jefe hablar con su esposa? ¿Por qué, en su opinión?
13. ¿Qué hace el jefe con la señorita Rubio? ¿Cuál es la actitud de ésta para con la secretaria?
14. ¿Cómo se escapa la secretaria?

## ANALISIS

1. ¿Cómo crea el autor un ambiente de opresión en este cuento?
2. ¿Por qué narra en el tiempo presente? ¿Por qué narra en segunda persona? ¿Cómo usa la repetición?

3. ¿Qué efecto logra al no darles nombres a sus personajes? ¿Por qué escribe El Señor y Su Señora con mayúscula?

4. ¿Qué dramas se vislumbran a través de la descripción de la actividad frenética de la secretaria?

5. Describa el estado de ánimo de la secretaria. ¿Cómo se siente? ¿Qué sentimos por ella? ¿Por qué?

6. ¿Qué tipo de persona es la secretaria? ¿El jefe? ¿La señorita Rubio?

7. Analice el humor de Castro Ibarra.

8. ¿Cree usted que la descripción de Castro Ibarra del ambiente de oficina es realista? Explique.

9. ¿En qué otras situaciones sentimos esta misma opresión? ¿Se ha sentido usted alguna vez como la secretaria? ¿Cuándo?

10. ¿Qué comentario está haciendo el autor sobre la vida moderna?

# Composición

## COMO ESCRIBIR UNA CARTA EN ESPANOL

1. Si usted desea comunicarse por carta con un amigo o con un miembro de su familia, necesita escribir (una) carta informal.

---

México, D. F., 15 de abril de 1996

Querida Carmen,

Espero que esta carta te encuentre bien en compañía de tus padres y hermanos.

Me alegro mucho de que pienses venir a México a fines del año. Sé que en estos momentos estás muy ocupada preparándote para los exámenes, pero cuando tengas un momento, por favor mándame más detalles acerca de tu viaje. Si quieres alojarte conmigo, no hay ningún problema. Mi hermano Pancho se casó este año y se fue a vivir a los Estados Unidos, así que el cuarto de él está libre. Ya sabes que mami y papi te adoran y les encantaría que pasaras un par de semanas con nosotros.

En estos momentos estoy buscando empleo. Mañana tengo entrevista en la oficina de un arquitecto muy conocido. Buscan un dibujante que haya tenido experiencia en el campo de la construcción comercial.

Bueno, linda, no tengo más que contarte. No te olvides de enviarme las fechas exactas de tu estadía en la capital.

Muchos saludos para tu mamá y para tu hermana.

Recibe un abrazo de tu amiga de siempre,

*María*

---

2. Una carta informal comienza con la ciudad y la fecha: Antofagasta, 20 de diciembre de 1996; Caracas, 12 de enero de 1998.

3. El encabezamiento normalmente incluye la palabra **Querido: Querida Carmen; Queridos amigos.** Si usted le escribe a una persona que no ve desde hace mucho tiempo, puede incluir la palabra **Recordado: Querido y recordado Eugenio,** o sencillamente, **Recordado Eugenio.** Si usted se dirige a un antiguo profesor o a otra persona a quien quiere mostrar respeto, puede empezar con la palabra **Estimado: Estimado doctor Salles.**

4. Las fórmulas de despedida a menudo consisten en una oración completa: **Se despide de ti tu amigo Juan; Recibe un abrazo de tu amigo Juan; Te saluda afectuosamente tu amigo Juan.** Hoy en día es aceptable terminar una carta con una fórmula de despedida más corta: **Hasta pronto, Un abrazo, Abrazos, Cordialmente, Afectuosamente.**

5. Si usted desea responder a un anuncio o pedir información a una compañía u organización, necesita escribir una carta formal.

---

```
                                    Matías Rojas 13
                                    Antofagasta, Chile
                                    17 de agosto de 1996

Fundación Lope de Vega
Fortuny, 54
28010 Madrid

RE: Retrato de Lope de Vega

Muy señor mío:

     La presente tiene por objeto el hacerle saber que en estos
momentos estoy terminando un libro sobre Lope de Vega en el
cual quisiera incluir un retrato del dramaturgo publicado por
la Fundación en 1991, en una colección de documentos e ilus-
traciones que se llama Lope de Vega y su época.
     Le ruego que tenga la gentileza de hacerme saber bajo qué
condiciones me permitiría reproducir este retrato en mi libro.
     Le agradecería que me contestara lo más pronto que le sea
conveniente, ya que mi libro está casi listo para entregarse a
la imprenta.
     Agradeciéndole de antemano, le envía un atento saludo,

                          Mario José Téllez Bosch

                          Mario José Téllez Bosch
```

6. Si escribe en papel con membrete, no es necesario escribir su propia dirección. Puede escribir sencillamente la fecha y el destinatario.

7. Una carta formal dirigida a una persona desconocida normalmente comienza con las palabras: **Muy señor mío** o **Muy señores míos.** Si used sabe el nombre de la persona a quien le dirige la carta, puede comenzar: **Estimado señor Gómez** o **Distinguida profesora Sierralta.**

8. Algunas fórmulas que comúnmente se emplean para abrir una carta formal son las siguientes:

La presente tiene por objeto el informarle que... (solicitar información sobre... preguntarle si...)

Nos es grato acusarle recibo de su atenta carta del 27 de noviembre...

En contestación a su carta del 27 de noviembre, me complace informarle que...

Con respecto a su pedido, lamento informarle que...

Adjunto tengo mucho gusto en enviarle el contrato... (la autorización, la información, etc.)

Remitida* por los carteros desde la calle Alcalá, 14, me ha llegado su carta del 14 de enero relativa a...

9. A diferencia de una carta informal, una carta formal debe ser directa y concisa. No debe incluir información superflua.

10. Las fórmulas de despedida formales usualmente constan de una frase completa:

Sin otro particular, se despide de usted atentamente,

Se despide de usted respetuosamente,

Lo/la saluda atentamente,

Agradeciéndole de antemano, se despide de usted,

En espera de sus prontas noticias le envía un cordial saludo,

Pendientes de sus noticias, lo/la saludamos con toda cordialidad,

En algunos países se emplean las fórmulas:

Su seguro servidor,

Quedo de usted atento y seguro servidor,

Estas fórmulas algo elaboradas se emplean a través del mundo hispánico. Sin embargo, hoy en día algunos hombres y mujeres de negocios prefieren fórmulas más sencillas, por ejemplo,

Atentamente,

Cordialmente,

---

*Forwarded

## ANTES DE ESCRIBIR

1. Decida qué tipo de carta va a preparar. ¿Será una carta formal o informal? Si es informal, ¿es para un amigo íntimo o para una persona a quien usted quiere mostrar respeto? Si es formal, ¿es para una persona que usted conoce? ¿Qué tipo de encabezamiento va usted a usar?

2. Decida cuál será el tema de su carta. ¿Quiere solicitar información, pedir una entrevista, relatar un acontecimiento?

3. Organice su carta. ¿Qué fórmula va a usar para comenzar? ¿Qué información va a incluir en el cuerpo de la carta? ¿Qué fórmula de despedida va a usar?

## DESPUES DE ESCRIBIR

1. Averigüe si falta algún elemento. ¿Ha puesto su dirección (si es una carta formal)? ¿Ha puesto la fecha? ¿el destinatario? ¿la referencia? ¿el encabezamiento? ¿la fórmula de despedida? ¿la firma? ¿Ha escogido las formas y fórmulas adecuadas?

2. Revise el contenido de su carta. Si es una carta de negocios, ¿es directa y concisa? ¿Contiene información superflua? Si es una carta informal, ¿se acordó de preguntar por la salud de su amigo y de enviar saludos a su familia? ¿Contiene su carta información interesante?

3. Revise la organización de su carta. ¿Presenta su información o su solicitud de una manera lógica?

4. Revise su gramática y ortografía.

# EJERCICIOS DE COMPOSICION

1. Escríbale una carta a un amigo (una amiga) contándole cómo le ha ido este semestre en la universidad. Háblele de sus cursos, sus actividades, sus compañeros. Cuéntele alguna anécdota cómica o interesante.

2. Escríbale una carta formal a la editora española Espasa-Calpe, S.A. (Carretera de Irún, Km. 12.200; 28034 Madrid) pidiendo el último catálogo de su colección Clásicos Castellanos.

# La comida

**8**

El nombre y la hora de las comidas varía bastante a tráves del mundo hispánico. Normalmente, el almuerzo es la comida más fuerte y se toma a mediodía. En los países tropicales, donde la gente se levanta muy temprano para aprovechar la frescura de la mañana, el almuerzo se come como a las once. En climas más templados, se come a las dos o tres de la tarde. Tradicionalmente los niños vuelven del colegio y los padres del trabajo para que todos puedan comer juntos. Después del almuerzo, la gente duerme la siesta o sencillamente descansa, ve televisión o lee. Hoy en día, debido a las exigencias del comercio, esta costumbre está perdiéndose en algunas ciudades.

## Las comidas

1. el desayuno      3. la merienda      4. la cena
2. el almuerzo,
   la comida

## VOCABULARIO ADICIONAL:

1. desayunar    2. almorzar, comer    3. merendar    4. cenar    5. el entremés
6. la entrada    7. el plato fuerte, el plato de fondo

## ADDITIONAL VOCABULARY:

1. to have breakfast    2. to have lunch    3. to have an evening snack    4. to dine, have dinner
5. appetizer    6. entrée, first course of a meal    7. main course*

---

*En algunos países la entrada típicamente es de pescado, mientras que el plato fuerte es de carne.

# La comida: sopas y caldos

**1.** la sopa de verduras

**VOCABULARIO ADICIONAL:**
**1.** la sopa de cebolla    **2.** la sopa de fideos    **3.** la sopa de garbanzos
**4.** el caldo, el consomé    **5.** el caldo de gallina    **6.** el caldo de res

**ADDITIONAL VOCABULARY:**
**1.** onion soup    **2.** noodle soup    **3.** garbanzo (chick-pea) soup    **4.** broth, consommé
**5.** chicken broth (consommé)    **6.** beef broth (consommé)

# La comida: carnes

**1.** el biftec

**VOCABULARIO ADICIONAL:**

**1.** la res   **2.** el rosbif   **3.** la carne molida   **4.** la hamburguesa   **5.** la ternera
**6.** el cordero   **7.** la chuleta de cordero   **8.** el cerdo   **9.** el jamón   **10.** el tocino
**11.** la salchicha   **12.** el chorizo   **13.** los despojos   **14.** los callos, la tripa
**15.** la lengua (de vaca, de ternera, de cordero, etc.)   **16.** las manos de cerdo
**17.** los riñones   **18.** los sesos   **19.** el hígado

**ADDITIONAL VOCABULARY:**

**1.** beef   **2.** roast beef   **3.** ground beef   **4.** hamburger   **5.** veal   **6.** lamb   **7.** lambchop
**8.** pork   **9.** ham   **10.** bacon   **11.** link sausage   **12.** Spanish sausage
**13.** innards, offal (of animals)   **14.** tripe   **15.** tongue (of a cow, calf, sheep, etc.)   **16.** pig's feet
**17.** kidneys   **18.** brains   **19.** liver

## La comida: aves

**1.** el pollo

**VOCABULARIO ADICIONAL:**
**1.** el pavo   **2.** el pato

**ADDITIONAL VOCABULARY:**
**1.** turkey   **2.** duck

# La comida: huevos

1. huevos frescos

**VOCABULARIO ADICIONAL:**
1. el huevo frito    2. el huevo revuelto    3. el huevo a la copa    4. la tortilla de huevos

**ADDITIONAL VOCABULARY:**
1. fried egg    2. scrambled egg    3. soft-boiled egg    4. omelette

# La comida: mariscos y pescados

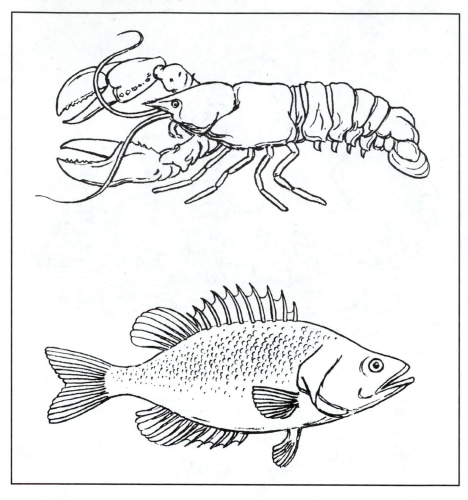

**1.** la langosta          **2.** el pescado

VOCABULARIO ADICIONAL:
**1.** el bacalao   **2.** el salmón   **3.** el atún   **4.** la sardina   **5.** la albacora, el bonito
**6.** la almeja   **7.** la ostra, el ostión   **8.** el camarón, la gamba

**ADDITIONAL VOCABULARY:**
**1.** codfish   **2.** salmon   **3.** tuna   **4.** sardine   **5.** albacore   **6.** clam   **7.** oyster, scallop
**8.** shrimp

# La comida: legumbres

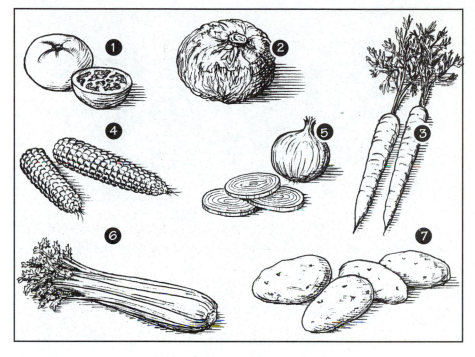

**1.** el tomate
**2.** la lechuga
**3.** la zanahoria

**4.** el maíz, el
    choclo, el elote
**5.** la cebolla

**6.** el apio
**7.** la papa,
    la patata

**VOCABULARIO ADICIONAL:**

**1.** la col, el repollo   **2.** los espárragos   **3.** los guisantes, las arvejas   **4.** las judías verdes, las habichuelas verdes   **5.** las espinacas   **6.** el ajo   **7.** la remolacha, la betarraga   **8.** la coliflor   **9.** la alcachofa   **10.** el bróculi, el brócoli   **11.** la calabaza
**12.** la yuca

**ADDITIONAL VOCABULARY:**

**1.** cabbage   **2.** asparagus   **3.** peas   **4.** green beans   **5.** spinach   **6.** garlic   **7.** beet
**8.** cauliflower   **9.** artichoke   **10.** broccoli   **11.** squash, pumpkin   **12.** cassava, a root used in the Caribbean as a vegetable and also for making a type of bread

# La comida: ensaladas

1. ensalada verde

**VOCABULARIO ADICIONAL:**
1. el aliño, el aderezo   2. el vinagre   3. el aceite   4. el ajo picado

**ADDITIONAL VOCABULARY:**
1. dressing   2. vinegar   3. oil   4. chopped garlic

# La comida: frutas

1. la manzana
2. la naranja
3. la pera
4. la cereza

5. la uva
6. la fresa
7. la toronja, el pomelo

8. la sandía
9. el plátano
10. la piña, el ananás

**VOCABULARIO ADICIONAL:**

1. el aguacate, la palta   2. la ciruela   3. el durazno, el melocotón   4. el damasco, el albaricoque, el chabacano   5. la frambuesa   6. el limón   7. la lima   8. el dátil   9. el melón   10. el higo   11. la banana   12. la papaya, la fruta bomba   13. la guayaba   14. el mamey

**ADDITIONAL VOCABULARY:**

1. avocado   2. plum   3. peach   4. apricot   5. raspberry   6. lemon   7. lime   8. date
9. cantaloupe, melon   10. fig   11. plantain (large green banana used for cooking)   12. papaya
13. guava   14. mamey (tropical fruit)

## La comida: otros comestibles

**1.** los fideos      **3.** el queso      **4.** el pan
**2.** la nuez

VOCABULARIO ADICIONAL:
**1.** el arroz   **2.** la almendra   **3.** la pacana   **4.** el cacahuate, el cacahuete, el maní
**5.** la mantequilla   **6.** la margarina   **7.** la confitura   **8.** la mermelada   **9.** la miel
**10.** la crema de cacahuate (cacahuete, maní)

ADDITIONAL VOCABULARY:
**1.** rice   **2.** almond   **3.** pecan   **4.** peanut   **5.** butter   **6.** margarine   **7.** jelly
**8.** marmalade, jam   **9.** honey   **10.** peanut butter

## La comida: condimentos y aliños

**1.** el azúcar        **2.** la sal        **3.** la pimienta

VOCABULARIO ADICIONAL:
**1.** la mostaza    **2.** la mayonesa    **3.** la salsa de tomate, el catsup (ketchup)
**4.** la salsa picante

**ADDITIONAL VOCABULARY:**
**1.** mustard    **2.** mayonnaise    **3.** ketchup    **4.** hot (spicy) sauce

## La comida: dulces, postres y bombones

**1.** los caramelos, los bombones

**VOCABULARIO ADICIONAL:**
**1.** el mazapán

**ADDITIONAL VOCABULARY:**
**1.** marzipan (almond paste candy)

# La comida: postres

**1.** los helados
(*de chocolate,*
*de vainilla, etc.*)

**2.** la torta,
el pastel

**VOCABULARIO ADICIONAL:**
**1.** el pay (*de manzana, de limón, etc.*)   **2.** las galletas   **3.** el flan   **4.** el arroz con leche

**ADDITIONAL VOCABULARY:**
**1.** (apple, lemon, etc.) pie   **2.** cookies   **3.** flan (caramel custard)   **4.** rice pudding

# La comida: bebidas

1. el jugo, el zumo
2. los refrescos, las gaseosas, las sodas
3. la leche
4. el café (con crema y azúcar)

**VOCABULARIO ADICIONAL:**

1. el agua mineral  2. la limonada  3. el café con leche  4. el té  5. la tisana

**ADDITIONAL VOCABULARY:**
1. mineral water  2. lemonade  3. café au lait (half strong coffee / half warm milk)  4. tea
5. tisane (herbal tea)

## La comida: bebidas alcohólicas

1. el vino tinto
2. el vino blanco
3. el vino rosado

4. el champaña,
   el champán

5. la cerveza

**VOCABULARIO ADICIONAL:**
1. la sidra   2. el licor   3. el aguardiente   4. el ron   5. el whisky   6. la ginebra

**ADDITIONAL VOCABULARY:**
1. cider   2. liqueur   3. brandy   4. rum   5. whisky   6. gin

# La comida: preparación

VOCABULARIO ADICIONAL:
1. cocinar al horno   2. hervir   3. asar   4. freír   5. dorar   6. poner la mesa
7. levantar la mesa   8. la sobremesa

**ADDITIONAL VOCABULARY:**
1. to bake   2. to boil   3. to roast   4. to fry   5. to brown   6. to set the table
7. to clear the table   8. the period during which people stay at the table after the meal to chat

# De España: *recetas para todos los días*

| Gazpacho andaluz | | | |
|---|---|---|---|
| **Ingredientes y cantidades** | | | |
| Tomates | 1/4 kilo | Aceite de oliva | 5 cucharadas |
| Pimientos | 2 piezas | Vinagre | 2 cucharadas |
| Ajo | 1 diente | Miga de pan | 150 gramos |

En un mortero se pone el ajo, el pimiento cortado en tiras y un poco de sal. Se machaca todo junto. Entonces se agrega el tomate cortado en trozos y la miga de pan mojada y estrujada. Cuando se haya mezclado bien, se agrega poco a poco el aceite, revolviéndolo como si fuera mayonesa. Cuando haya absorbido todo el aceite, se diluye en un poco de agua. Se vierte sobre un colador o se mete en una batidora, agregando hasta litro y medio de agua fría. Se agrega el vinagre, se rectifica de sal y se vierte en una sopera. Se colocan encima unos trocitos de pan y se sirve muy frío.

| Tortilla de patatas | | | |
|---|---|---|---|
| **Ingredientes y cantidades** | | | |
| Patatas | 1 1/4 kilos | Aceite | 1 decilitro |
| Huevos | 6 | Cebolla | 1 |
| | Sal | | |

Se pica la cebolla muy finita. Se pelan las patatas, se lavan y se cortan también muy finas.

Se pone el aceite en una sartén. Cuando esté caliente, se echa la cebolla. Se cocinan a fuego lento y entonces se echan las patatas. Se les añade sal y se tapan, moviéndolas de vez en cuando, hasta que estén tiernas.

Se baten los huevos con un poco de sal y se echan a la sartén con las patatas. Se cocinan un minuto. Cuando se cuajen por un lado, se les da la vuelta en seguida para que no se resequen. Se sirve la tortilla en una fuente grande.

## Pollo a la buena mujer

### Ingredientes y cantidades

| | | | |
|---|---|---|---|
| Pollo bien cebado | 1 | Manteca de cerdo | 100 gramos |
| Patatas | 3/4 kilo | Mantequilla | 40 gramos |
| Cebollitas | 12 | Coñac | 1 copita |
| Tocino | 150 gramos | Trufas | 2 |
| Jerez | 1 copita | Harina | 100 gramos |
| Tomates | 200 gramos | Zanahorias | 1 |
| Cebolla | 1 | Sal | |

Se limpia el pollo y se pasa por la llama. Se seca con un paño, se ata con hilo, se sazona de sal y se pone en una cacerola de metal con la manteca, el tomate, la cebolla y la zanahoria; se mete en el horno y, rociándolo de vez en cuando con su grasa, se deja asar a horno fuerte durante media hora para que se dore bien.

Después de sacarlo del horno, se le quita el hilo, se corta en seis trozos y se coloca en una cacerola de barro con tapadera, o, si no se la tiene, en una cacerola de loza. Se quita la mitad de la grasa de asar el pollo y se echa en la cacerola de metal el jerez. Se deja hervir un par de minutos y se vierte encima del pollo, pasándolo por un colador.

Se pelan las patatas y se cortan en pedazos. Se corta el tocino en dados pequeños y se fríen en una sartén hasta que estén dorados. Se sacan los pedazos de tocino y en la misma grasa se fríen las patatas hasta que tomen color.

Se pelan las cebollitas. Se ponen en una cacerolita cubiertas de agua con la mitad de la mantequilla y un poco de azúcar. Se cuecen hasta que se absorba el agua y tomen color dorado.

Se colocan las patatas, el tocino y las cebollitas alrededor y encima del pollo. Se agrega la otra mitad de la mantequilla y el coñac. Se coloca la tapa en la cacerola, se cubre la juntura con una pasta hecha con harina y agua y se mete en el horno durante media hora.

Se sirve en la misma cacerola, que se destapa al llegar a la mesa.

## Flan

### Ingredientes y cantidades

| | | | |
|---|---|---|---|
| Leche | 1/2 litro | Azúcar | 200 gramos |
| Huevos | 4 | Vainilla o cáscara de limón | |
| Limón | | | |

En una flanera o un molde se ponen cincuenta gramos de azúcar y unas gotas de limón y se acerca al fuego para hacer un almíbar de caramelo. Se mueve el molde en todos sentidos para que se cubran las paredes y el fondo con el azúcar quemado. Entonces se deja enfriar.

Se pone a hervir la leche con la vainilla. En un plato hondo se mezclan los huevos con el azúcar, se baten suavemente y se agrega poco a poco la leche caliente.

Se vierte en el molde preparado y se pone a cocer al baño de María[1] en el horno durante treinta y cinco o cuarenta minutos. Se pincha con una aguja o un tenedor y si sale limpio se saca del horno, se deja enfriar y se desmolda en plato de cristal.

# Para enriquecer su vocabulario

Por lo general, las palabras que designan prendas de ropa, alimentos y otros objetos de uso diario varían mucho de un país a otro. Nótense los siguientes ejemplos. Los países que se mencionan no son necesariamente los únicos en que se emplean estas palabras.

car:                coche (México), carro (Puerto Rico, Cuba), auto (Chile)

baby:               bebé (general), nene (Argentina), guagua (Chile, Bolivia, Ecuador)

bus:                autobús (general), camión (México), ómnibus (Argentina), guagua (Puerto Rico)

beans:              frijoles (México), ejotes (México, *green beans*), fréjol (Ecuador), judías (España), habas, habichuelas (Centroamérica y el Caribe), porotos (Chile)

peach:              melocotón (España), durazno (Hispanoamérica)

apricot:            albaricoque (España), damasco (Hispanoamérica), chabacano (México)

tomato:             tomate (general); jitomate (México)

peas:               guisantes (España), arvejas, chícaros (Hispanoamérica), petits pois (Chile), chícharos (México)

corn:               maíz (general), elote (México), choclo (Chile, Bolivia)

avocado:            aguacate (general), palta (Chile)

strawberry:         fresa (general), frutilla (Cono Sur)

potato:             patata (España), papa (Hispanoamérica)

cake:               tarta (España), torta (Hispanoamérica), pastel (España, Hispanoamérica), budín (algunos países del Caribe)

shrimp:             gamba (España), camarón (Hispanoamérica)

bacon:              tocino (general), tocineta (Puerto Rico)

turkey:             pavo (general), guajolote (México)

---

[1]double boiler

Aunque no es necesario que el estudiante aprenda todas las variantes, debe estar consciente de la gran diversidad de nombres que existen para las comidas y objetos de uso diario en el mundo hispánico, debido a las diferencias geográficas y demográficas entre las regiones.

## EJERCICIOS

**A. Complete las siguientes frases, empleando la palabra que está entre paréntesis.**

1. (camarones) Me encantan los mariscos. Vamos _____.
2. (fideos) Quiero adelgazar. No _____.
3. (biftec) Luisa es vegetariana. No vale la pena _____.
4. (almuerzo) Tengo hambre. ¿Por qué no _____?
5. (refresco) Vamos al bar estudiantil a _____.
6. (arroz con leche) De postre _____.
7. (freír) Para hacer una tortilla a la española primero _____.
8. (carne molida) Para hacer una hamburguesa _____.
9. (tocino) Vas a engordar si _____.
10. (sal) Si tienes la presión alta, no _____.

**B. Identifique la palabra que no pertenece al grupo y explique por qué.**

> MODELO    langosta / salmón / camarón / almeja
> **Salmón. La langosta, el camarón y la almeja son mariscos; el salmón es un pescado.**

1. ternera / apio / zanahoria / calabaza
2. helados / pan / pay / torta
3. espinacas / lechuga / brócoli / papa
4. mamey / plátano / mostaza / guayaba
5. manzana / durazno / ciruela / damasco
6. sesos / jamón / riñones / hígado
7. limón / toronja / frambuesa / naranja
8. tocino / jamón / salchicha / sardina

**C. Emplee las dos palabras o expresiones en una frase.**

1. guayaba / tropical
2. asar / pollo
3. sánduich / atún
4. ensalada / lechuga
5. aliño / mayonesa
6. poner la mesa / cena
7. tortilla de huevos / merienda
8. postre / pastel
9. flan / huevos
10. desayuno / café con leche

## D. Temas de conversación.

1. ¿Qué le gusta a usted comer? Describa una comida ideal.

2. ¿Por qué cree usted que los despojos (sesos, tripas, riñones) rara vez se comen en los Estados Unidos mientras que en otros países se aprecian mucho y aún se consideran platillos exquisitos?

3. Si uno quiere bajar de peso, ¿qué necesita comer? ¿Qué comidas necesita evitar? ¿Se ha puesto usted a dieta alguna vez? ¿Por qué cree usted que en los Estados Unidos tanta gente se pone a dieta? ¿Por qué es tan difícil mantener una dieta?

4. ¿Ha probado usted algún plato español o hispanoamericano? ¿Le gustó? Descríbalo.

5. ¿Cuál de las recetas españolas que se encuentran en las páginas 313-315 le gustaría probar? ¿Es una sopa? ¿una entrada? ¿un plato fuerte? ¿un postre? ¿Con qué otros platos lo serviría? ¿Con qué bebida?

6. Dé la receta de algún plato que le guste.

7. ¿Qué es la sobremesa? ¿Por qué cree usted que es tan importante en los países hispanos? ¿Existe la sobremesa en los Estados Unidos? Explique por qué.

8. ¿Hasta qué punto refleja la comida de un pueblo su cultura? ¿su historia? ¿la geografía de la región? ¿Cree usted que con el crecimiento de la industria de comidas congeladas y enlatadas las distinciones regionales van a desaparecer? ¿Por qué?

## E. Pro y contra: temas de debate.

1. Los norteamericanos no saben cocinar. Compran comidas congeladas o enlatadas y sencillamente las meten en el horno de microondas y las ponen en la mesa.

2. Se han exagerado los peligros del colesterol, la grasa y el sodio en la dieta.

3. En una familia la preparación de la comida debe ser la responsabilidad del hombre tanto como de la mujer.

4. La sobremesa es un anacronismo en el mundo moderno y pronto va a desaparecer.

5. La distribución de comidas, con la principal a mediodía, que se usa en el mundo hispánico es mucho más sana que la que se emplea en los Estados Unidos.

6. La costumbre de volver a casa a mediodía para comer con la familia y después volver al trabajo después de la siesta no es muy práctica.

7. Comer es sencillamente una función biológica y no se le debe conceder una importancia social.

8. Si todas las naciones del mundo cooperan, se podrá eliminar el hambre del planeta.

## F. Situaciones.

1. Usted invita a un/a amigo/a a casa para cenar. Pasa todo el día preparando una comida fabulosa, pero cuando su invitado/a llega, le dice que es vegetariano/a y no puede comer lo que Ud. ha preparado y además, no tiene mucha hambre.

2. Los padres de su novio/a lo/la han invitado a cenar. Son argentinos y han preparado una entrada de lengua y una parrillada con riñones, corazón y otras cosas que no tiene la costumbre de comer. Usted no quiere ser descortés y además es esencial que usted haga una buena impresión, pero tiene miedo de que esta comida le produzca una mala reacción.

3. Cuando usted va al mercado a comprar comida ve varios tipos de carne y pescado que le gustaría probar, pero no sabe prepararlos. Le pregunta al carnicero (o al pescadero) pero él tampoco sabe. De repente aparece otro cliente—una persona muy atractiva—que le da varias recetas (y también su número de teléfono).

4. Usted y su amigo/a van a un restaurante muy elegante, pero cada vez que uno de ustedes pide un plato, el mesero le dice que se ha acabado y le sugiere otra cosa.

# GRAMATICA
## *Pronombres y clíticos*

### Los clíticos indirectos

1. El clítico que recibe indirectamente la acción del verbo es el complemento indirecto de ese verbo. Esta construcción indica que la persona o cosa a la cual el clítico indirecto se refiere recibe algún beneficio o perjuicio, o es afectada de alguna otra manera, por la acción expresada por el verbo. Aunque las traducciones más comunes de estos clíticos son *to* o *for* + pronombre en inglés, muchas otras traducciones son posibles. (Véase el Párrafo 7 en las paginas 319-320.)

| | |
|---|---|
| Le di la receta. | *I gave the recipe to her. / I gave her the recipe.* |
| ¿Les preparó la cena? | *Did he make dinner for you? / Did he make you dinner?* |

2. Los clíticos indirectos son los siguientes.

| | |
|---|---|
| me (*to, for me*) | nos (*to, for us*) |
| te (*to, for you*) | os (*to, for you pl.*) |
| le (*to, for him, her, it, you*) | les (*to, for them, you, pl.*) |

3. Ninguno de los clíticos indirectos muestran concordancia de género. **Le** y **les** son a menudo ambiguos, ya que pueden referirse a substantivos femeninos o masculinos. Para aclarar o enfatizar cualquier clítico, se emplea **a** + un pronombre preposicional.

| | |
|---|---|
| Le di la receta **a ella** pero no te la daría **a ti.** | *I gave the recipe to **her,** but I wouldn't give it to **you.*** |
| Les preparé una cena magnífica **a ustedes.** | *I prepared a magnificent dinner for **you.*** |

4. El clítico indirecto ocupa el mismo lugar en la oración que el directo. Es decir, puede preceder un verbo conjugado o seguir un infinitivo, una forma imperativa o un gerundio.

| | |
|---|---|
| Le añadí sal. | *I added salt to it.* |
| Voy a añadirle sal. | *I'm going to add salt to it.* |
| Añádale sal. | *Add salt to it.* |
| Estoy añadiéndole sal. | *I'm adding salt to it.* |

5. Recuerde que el clítico directo *reemplaza* un substantivo. Excepto en casos en que el substantivo precede el verbo (por ejemplo, **Este plato lo voy a probar.**), el clítico y el substantivo al cual se refiere normalmente no están presentes en la misma oración.

| | |
|---|---|
| Pedí **la langosta.** | Hice **el flan.** |
| **La** pedí. | **Lo** hice. |

En cambio, en el español conversacional, si el substantivo que funciona como complemento indirecto está presente, el clítico indirecto lo repite. Este fenómeno se llama **doblamiento de clíticos.**

**Le** pedí una nueva servilleta **al mesero** (**Le** repite **mesero.**)

**Le** escribí **a Teresa** invitándola a cenar. (**Le** repite **Teresa.**)

**Les** preparé una comida suculenta **a mis padres.** (**Les** repite **padres.**)

Es decir, a diferencia del clítico directo, el indirecto está normalmente presente si el substantivo al cual se refiere se nombra. Si el substantivo no se nombra, la redundancia no se produce: **Le pedí una nueva servilleta.**

6. En muchos casos se puede emplear **para** + substantivo en vez de un complemento indirecto. En este caso nunca se emplea el clítico indirecto.

| | |
|---|---|
| Preparé la comida para mi mamá. | *I prepared dinner for my mom.* |

7. Aunque las traducciones inglesas más comunes del complemento indirecto incluyen *to* o *for,* hay muchas otras posibilidades. Recuerde que el uso del complemento directo indica que la persona o cosa a la cual se refiere es afectada de alguna manera, pero no indica necesariamente cómo. Estudie las siguientes oraciones y sus traducciones inglesas.

| | |
|---|---|
| Le quité el menú al niño. | *I took the menu **away** from the child.* |
| Le quité el sombrero al niño. | *I took the hat **off** the child.* |
| Le puse el sombrero al niño. | *I put the hat **on** the child.* |

Nos ganaron cien pesetas.

*They won a hundred pesetas **from** us (**off** us).*

¿Qué le vamos a hacer?

*What can we do **about** it?*

Ocasionalmente esta construcción es ambigua.

Le compraron un juego de platos a María.

*They bought a set of dishes **for** María.*

*They bought a set of dishes **from** María.*

## PRACTIQUEMOS

**A.  Conteste las siguientes preguntas usando un clítico indirecto en su respuesta.**

> MODELO    ¿Le prepara usted el desayuno a su compañero de cuarto?
> **Sí, le preparo el desayuno.** o
> **No, no le preparo el desayuno.**

1. ¿Normalmente le pone la mesa a su mamá?
2. ¿Le levanta la mesa?
3. ¿Le lava los platos?
4. ¿Les prepara la comida a sus compañeros de cuarto?
5. ¿Les corrijo los exámenes a ustedes?
6. ¿Les explico la gramática?
7. ¿Les doy muchas tareas?
8. ¿Me escriben ustedes composiciones? *Nosotros le escribimos a ustedes*
9. ¿Me piden ayuda?               *les damos*
10. ¿Nos dan problemas a mí y a los otros profesores?
    *Us mejor probs. a to other prof.*

**B.  Conteste las siguientes preguntas empleando el doblamiento de clíticos.**

> MODELO    ¿A quién le prepara usted la comida?
> **Le preparo la comida a mi compañero de cuarto.** o
> **No le preparo la comida a nadie.**

1. ¿A quién le va a dar usted esa caja de bombones?
2. ¿A quién le lleva esa botella de vino?
3. ¿A quién le pide ayuda?
4. ¿A quién le cuenta sus problemas?
5. ¿A quiénes les escribe cartas?
6. ¿A quiénes les da regalos?
7. ¿A quién le dice usted siempre la verdad?

**C. Traduzca al español.**

1. She prepared the dessert for me. / She prepared the dessert for *me*.
2. They wrote to *him,* but they didn't write to *us*.
3. I invited my roommate to lunch. / I prepared lunch for my roommate.
4. We saw Enrique. / We wrote to Enrique.
5. She won ten dollars off him.  *Le ganó 10 dolares*
6. The mother took the candy away from the child.
7. Put the sweater on the baby, please.
8. We bought a beer for him. / We bought a beer from *him*.
   *Le compramos una cerveza a él.*

**D. Cambie el clítico a la forma formal.**

MODELOS   Te invito a mi fiesta.       Te daré la receta.
          **Lo invito a mi fiesta.**   **Le daré la receta.**

1. Creo que te conozco.
2. Te vi en la fiesta de Ricardo.
3. Te pedí tu número de teléfono.
4. Y te di el mío.
5. Te invité a bailar.
6. Desgraciadamente, te pisé los pies varias veces.
7. Fui a buscarte una copa de vino.
8. Cuando volví, no te encontré.

**E. Complete el siguiente relato con los clíticos directos e indirectos correctos.**

El otro día llamé a mi amiga Julia y _____(1)_____ invité a almorzar.

_____(2)_____ dije que _____(3)_____ esperaría en el restaurante a la una y media.

_____(4)_____ pedí que no llegara tarde porque yo tenía una cita importante a las

tres y media. Ahora bien, a Julia _____(5)_____ conozco desde hace años y es una

señora muy buena y simpática pero debo decir _____(6)_____ a usted que el tiempo

de los otros no _____(7)_____ respeta para nada. Por eso _____(8)_____ repetí

varias veces que era esencial que no llegara tarde. Bueno, como era de esperar, a las

dos de la tarde yo estaba en el restaurante y Julia aún no se había presentado. «Esta

mujer es un desastre», pensé. «Yo _____(9)_____ quiero mucho pero no voy a

aguantar que _____(10)_____ trate así. Tengo que enseñar _____(11)_____ una lec-

ción.» Entonces _____(12)_____ pedí al mesero que _____(13)_____ trajera un

menú. Me _____(14)_____ trajo inmediatamente y empecé a leer _____(15)_____

con mucho cuidado. De repente me fijé en el nombre del restaurante y me quedé helada. Se llamaba Sol y Mar. Yo _____(16)_____ había dicho a Julia que _____(17)_____ encontraría en La Casa de los Mariscos, que quedaba al otro lado de la calle. _____(18)_____ expliqué la situación al mesero y _____(19)_____ pedí perdón. Entonces salí corriendo del restaurante. Cuando entré en La Casa de los Mariscos, allí estaba Julia esperándo _____(20)_____.

—_____(21)_____ siento—, _____(22)_____ dije. —Me atrasé.

—Ah—, _____(23)_____ contestó, —qué raro. Pensaba que estabas muy apurada.

Ella _____(24)_____ sonrió dulcemente.

—_____(25)_____ habría esperado—, dijo —pero como tengo otro compromiso a las tres y media, decidí pedir.

Y en ese momento el mesero _____(26)_____ sirvió un delicioso plato de camarones.

—¿Y la señora?—_____(27)_____ dijo, tendiéndo _____(28)_____ un menú.

—No, no—, _____(29)_____ dije. —Yo no voy a comer nada. Sólo voy a acompañar a mi amiga.

—Muy bien—, dijo. —¿_____(30)_____ traigo un refresco o un vinito, por lo menos?

—Este... este... no, nada.

El mesero _____(31)_____ miró muy feo y Julia empezó a comer sin hacer _____(32)_____ caso.

Y yo, yo me sentía tan ridícula que quería desaparecer.

## Secuencia de clíticos

1. Dos clíticos pueden estar juntos en una misma oración. **Lo, la, los** y **las** nunca preceden otro clítico.

| | |
|---|---|
| ¿El postre? Ya nos lo trajo. | *The dessert? He already brought it to us.* |
| ¿Las recetas? No quiere dármelas. | *The recipes? She doesn't want to give them to me.* |

2. **Se** reemplaza **le** o **les** cuando éstos preceden **lo, la, los** o **las.**

| | |
|---|---|
| ¿El postre? Se lo sirvo ahora. | *The dessert? I'll bring it to you now.* |
| ¿Las recetas? No quiero dárselas. | *The recipes? I don't want to give them to her.* |

**3. Se** no muestra concordancia ni de número ni de género. Para aclarar o enfatizar **se,** se emplea **a** + un pronombre preposicional.

| | |
|---|---|
| Se lo di **a ella.** | *I gave it to **her**.* |
| Se la presté **a ellos.** | *I lent it to **them**.* |

**4.** El doblamiento de clíticos sigue empleándose cuando dos clíticos están presentes en una oración. Es decir, si se nombra el complemento indirecto, éste se repite con **se.**

| | |
|---|---|
| Se lo di a mi compañera de cuarto. | *I gave it to my roommate.* |
| Se la presté a María Luisa. | *I lent it to María Luisa.* |

**5.** Cuando **se** + **lo** se agrega a la primera persona del plural del imperativo, se elimina la **s** final del verbo.

Digamos + se + lo → Digámoselo.

Pidamos + se + lo → Pidámoselo.

**6.** Los dos clíticos no se separan, excepto en el caso de que cada uno se refiera a un verbo diferente. En este caso, para evitar la ambigüedad, cada clítico se une al verbo con el cual forma una unidad sintáctica.

| | |
|---|---|
| Te permito hacerlo. | *I'll allow you to do it.* |
| Me dejaron terminarlo. | *They let me finish it.* |
| Nos hizo prepararlas. | *He made us prepare them.* |
| Mándele comprarlas. | *Order him to buy them.* |

## PRACTIQUEMOS

**A. Conteste las siguientes preguntas empleando dos clíticos en su respuesta.**

1. ¿Me prepararía usted la cena esta noche?
2. ¿Me prestaría el libro de español?
3. ¿Me mostraría sus apuntes?
4. Vi una torta magnífica en una pastelería. ¿Me la compra usted?
5. Vi también unas galletas deliciosas. ¿Me las compra?
6. ¿Les preparó el desayuno a sus compañeros/as de cuarto esta mañana?
7. ¿Les hizo el café?
8. ¿Quién le prepara la comida a usted?
9. ¿Quién le paga la cena en un restaurante?
10. ¿Quién les paga normalmente los estudios a los estudiantes?
11. ¿A quién le pide usted consejos?
12. ¿A quién le regala sus libros viejos?

**B. Dirija cada pregunta a la persona indicada, quien debe contestarla empleando un clítico.**

MODELO    Pregúntele a la persona que está a su derecha si puede prestarle el libro.
**¿Puedes prestarme el libro?**
**Sí, puedo prestártelo.**

1. Pregúntele a un compañero de clase si le entregó la composición al profesor.
2. Pregúntele a la persona que está delante de usted si puede explicarle a usted la lección.
3. Pregúntele al profesor si les ha corregido a ustedes los exámenes.
4. Pregúntele a un amigo si le puede prestar cinco dólares.
5. Pregúntele al profesor si le ha traído un regalo.
6. Pregúntele a la persona que está a su izquierda si quiere darle su número de teléfono.

**C. Traduzca las siguientes oraciones al español.**

1. These delicious pork chops? I'm preparing them for my friends.
2. This box of candy? My boyfriend gave it to me.
3. This bottle of red wine? My aunt brought it to us from Chile.
4. These chicken tacos*? I bought them for my friends in a Mexican grocery store.
5. The fruits and vegetables? She sent us to buy them.
6. The homework? The professor let me hand it in late.
7. The vegetables? Let's ask her for them.
8. The cakes and cookies? Let's give them to the children.

### Verbos como *gustar*

**1.** Estudie las siguientes oraciones en español y sus traducciones inglesas.

| | |
|---|---|
| Me gusta la limonada. | *I like lemonade.* <br> *Lemonade is pleasing to me.* |
| Le encantan los caramelos. | *He adores candy.* <br> *Candy delights him.* |
| No nos interesan los postres. | *We're not interested in desserts.* <br> *Desserts don't interest us.* |
| ¿Te importa que sirva vino tinto? | *Do you care if I serve red wine?* <br> *Does it matter to you if I serve red wine?* |

---

*plato mexicano que consta de carne, pollo, frijoles u otra cosa envuelta en una tortilla, especie de torta o panqueque de maíz

| | |
|---|---|
| Me parece que la ternera está quemada. | *I think the veal is burned.* <br> *It seems to me that the veal is burned.* |
| Les desagradan las espinacas. | *They don't like spinach.* <br> *Spinach isn't pleasing to them.* |
| Me cae mal la coliflor. | *I get sick from cauliflower.* <br> *Cauliflower makes me sick.* |
| Cuando como dulces, me duelen las muelas. | *When I eat sweets, I get a toothache.* <br> *When I eat sweets, my teeth hurt me.* |
| Me fue mal en la entrevista. | *I did poorly on the interview.* <br> *It went badly for me on the interview.* |
| Me fue bien en el examen. | *I did well on the exam.* <br> *It went well for me on the exam.* |

En cada caso la primera traducción emplea el inglés conversacional, mientras que la segunda ofrece un equivalente más literal. En la primera traducción, el clítico indirecto de la oración española corresponde al sujeto de la oración inglesa y al revés.

2. Como siempre, el verbo concuerda con el sujeto de la oración.

| | |
|---|---|
| Me **encanta** el mamey. | *I adore mamey.* |
| Me **encantan** las frutas tropicales. | *I adore tropical fruits.* |
| No le **gusta** este postre. | *She doesn't like this dessert.* |
| No les **gustan** los postres. | *She doesn't like desserts.* |

3. El sujeto puede ser uno o más infinitivos. En ambos casos, el verbo es singular.

| | |
|---|---|
| Me encanta cocinar. | *I adore cooking.* |
| Me encanta cocinar y trabajar en el jardín. | *I adore cooking and gardening.* |

4. Cuidado con construcciones inglesas como *I like it, I adore them. It* y *them* son los sujetos de los equivalentes en español y, por lo tanto, no se traducen.

| | |
|---|---|
| Me gusta. | *I like it.* |
| Me encantan. | *I adore them.* |
| No te importa. | *You don't care about it.* |

En construcciones como éstas, no se emplean nunca dos clíticos juntos (**me lo, te las,** etc.).

5. Por lo general los verbos como **gustar** se emplean en la tercera persona. Sin embargo, pueden emplearse en otras personas también.

| | |
|---|---|
| ¿Te gusto yo? | *Do you like me?* |
| No le importamos. | *He doesn't care about us.* |

## PRACTIQUEMOS

### A. Complete las siguientes oraciones.

1. De desayuno me gusta _____ pero no me gustan _____.

2. De almuerzo me gusta _____ pero no me gustan _____.

3. Por lo general a los norteamericanos no les gustan _____.

4. A usted le gusta _____.

5. A los vegetarianos les encantan _____, pero les desagrada
   _____.

6. Por lo general a los estudiantes les interesan _____.

7. A nosotros nos parece _____.

8. A mi amigo le caen mal _____.

9. El otro día nos fue mal _____.

10. A mi amigo siempre le va bien _____.

### B. Emplee las palabras de la lista en una oración.

1. a mí / encantar / mariscos

2. a mi amiga / desagradar / espinacas

3. a nosotros / caer mal / condimentos

4. a usted / interesar / recetas nuevas

5. a ese chico / no gustar / yo

### C. Conteste las siguientes preguntas.

1. ¿Le gusta más la carne o el pescado? ¿Qué tipo de carne o pescado?

2. ¿Les gustan los riñones? ¿los sesos? ¿el hígado?

3. ¿Qué comidas le desagradan?

4. ¿Qué le duele cuando come demasiado? ¿Le duele la cabeza cuando toma vino?

5. ¿Qué le duele cuando lee demasiado?

6. ¿Qué aspecto de la clase de español le interesa más?

7. ¿Qué aspecto cree usted que me interesa más a mí?

8. ¿Qué cosas les importan a los estudiantes? ¿Qué cosas les desagradan?

### D. Dirija las siguientes preguntas a las personas indicadas, quienes deben contestarle.

1. Pregúntele a un compañero de clase qué frutas y legumbres le gustan.

2. Pregúntele qué postres le gustan.

3. Pregúntele a la persona que está a su derecha si le gustaría almorzar con usted.

4. Pregúntele a la persona que está a su izquierda si le interesaría acompañarlo/la a una película que están dando en el centro.

5. Pregúnteme a mí qué me gusta hacer en mi tiempo libre.

6. Pregúntele a su amigo si le fue bien o mal en el último examen.

## E. Traduzca al español.

1. I like salmon. I like it very much.
2. She doesn't like shrimp. She doesn't like them at all.
3. I loved the hors d'oeuvres, but the main dish made me sick.
4. He loves to cook and clean.
5. That teacher doesn't like us.
6. All the students did poorly on the exam.

### Usos de *se* : el *se* impersonal y la voz pasiva

1. Una oración impersonalizada es una en que el sujeto no se refiere a una persona específica. El **se** impersonal precede al verbo, el cual aparece en tercera persona del singular. Aunque técnicamente **se** no puede ser el sujeto de una oración impersonalizada, algunos lingüistas lo interpretan como un sujeto arbitrario, equivalente a **uno.**\* El **se** impersonal siempre se refiere a un humano y siempre es singular y masculino. El equivalente en inglés normalmente incluye un pronombre indefinido (*one, you, they*) o un substantivo indefinido como *people*.

| | |
|---|---|
| ¿Se puede pedir una tortilla de patatas aquí? | *Can you order a potato omelet here?* |
| Aquí se sirve platos de todas partes del mundo. | *They serve dishes from all parts of the world here.* |
| En un mortero se pone el ajo, el pimiento y un poco de sal. | *You put the garlic, the pimento and a little salt on a mortar.* |
| Se dice que la carne procesada produce cáncer. | *They say that processed meats cause cancer.* |
| No se debe comer demasiados huevos. | *One shouldn't eat too many eggs.* |
| Se vive mejor en los pueblos pequeños. | *People live better in small towns.* |

2. **Se** también puede expresar la voz pasiva. En este caso, el substantivo es el sujeto con el cual el verbo concuerda. Nótese que el sujeto nunca se refiere a una persona.

| | |
|---|---|
| Se colocan encima unos trocitos de pan y se sirve bien frío. | *Croutons are placed on top and it is served very cold.* |
| Se pelan las patatas, se lavan y se cortan. | *The potatoes are peeled, washed and cut.* |

3. Aunque muchos hispanohablantes emplean las construcciones explicadas en los párrafos 1 y 2 sin distinción, hay una diferencia entre ellas, ya que sólo el **se** im-

---

\*Véase Héctor Campos, *De la oración simple a la oración compuesta* (Washington, D.C.: Georgetown UP, 1993).

personal se refiere a una persona; el **se** de la voz pasiva siempre se refiere a algo no humano. Por lo tanto, no se puede traducir literalmente una oración inglesa como (*Women are never seen in taverns at night*). Para traducir este tipo de oración inglesa, no se emplea la voz pasiva sino el **se** impersonal: **Nunca se ve a las mujeres en las tabernas de noche.** En este caso, **las mujeres** es el complemento directo de la oración y no el sujeto, como en la construcción inglesa, y lo precede la **a** personal.

| | |
|---|---|
| No se les debe hablar así a los ancianos. | *You shouldn't speak that way to elderly people.* |
| En ese restaurante se sirve a mil personas todos los días. | *In that restaurant they serve a thousand people every day.* |

Aunque el inglés admitiría la voz pasiva en estos ejemplos (*Elderly people shouldn't be talked to that way. / A thousand people are served in that restaurant every day*), el español sólo admite una construcción con el **se** impersonal. Nótese que si una oración con **se** contiene un complemento que se refiere a una persona, el verbo siempre aparece en el singular.

**4.** Se puede emplear los clíticos directos e indirectos con **se.**

| | |
|---|---|
| Después de sacar el pollo del horno, se le quita el hilo. | *After taking the chicken out of the oven, you take the string off of it.* |
| Se coloca en una cacerola de barro con tapadera, o, si no se la tiene, en una cacerola de loza. | *You put it in an earthenware pot or, if you don't have one, in a ceramic pot.* |
| Cuando los huevos se cuajen por un lado, se les da vuelta. | *When the eggs set on one side, you turn them over.* |

**5.** Normalmente **se** y los clíticos no se separan, a menos que se refieran a dos verbos diferentes. En este caso, cada clítico se une al verbo con el cual forma una unidad sintáctica.

| | |
|---|---|
| Se puede cocinarlo en una cacerola de loza. | *You can cook it in a ceramic pot.* |
| No se debe dejarlo en el horno demasiado tiempo. | *You shouldn't leave it in the oven too much time.* |
| Se necesita lavarlas bien antes de pelarlas. | *You need to wash them well before peeling them.* |

## PRACTIQUEMOS

**A. Traduzca al español empleando *se* en cada oración.**

1. You clean the chicken and you dry it with a rag. Then you tie it with a string.

2. At that market they sell celery, carrots, lettuce, tomatoes, asparagus, green beans, onions and other fresh vegetables.

3. Tropical fruits such as bananas, papaya and guava are sold here. V. P.
4. In France and Spain wine is usually drunk with meals. V. P.
5. The children are treated very poorly. You should never treat children like that. imp se
6. The victims will be cared for at special centers. V. f+
7. She was told the truth. V. P ic
8. The problem was explained to them several times. V. f.

**B.  Conteste las siguientes preguntas.**

1. ¿Cómo se hace una taza de café instantáneo?
2. ¿Cómo se preparan los fideos? ¿Qué tipo de salsa se les pone?
3. ¿Con qué se come la mermelada?
4. En los Estados Unidos, ¿qué se come de desayuno? ¿de almuerzo? ¿de cena?
5. ¿Dónde se compra la fruta fresca? ¿Dónde se compran los dulces? ¿y la carne?
6. ¿Cómo se dice «dátil» en inglés? ¿Cómo se dice «frambuesa»?
7. ¿Cómo se busca una palabra en el diccionario?
8. ¿Cómo se llega a la biblioteca? ¿Qué se necesita para sacar un libro de la biblioteca?

---

## *Expresiones problemáticas*

**1.  guisar, cocinar, cocer, hervir, preparar una comida**

**guisar, cocinar** = *to cook*

| | |
|---|---|
| Se cocina a fuego lento. | *You cook it slowly.* |
| Mi hermana sabe guisar muy bien. | *My sister knows how to cook very well.* |

**cocer** = *to cook, to boil*

| | |
|---|---|
| Se cuece a fuego lento. | *You cook it slowly.* |
| Los huevos se cuecen. | *You cook the eggs.* |

**hervir** = *to boil*

| | |
|---|---|
| El agua está hirviendo. | *The water is boiling.* |
| Se deja hervir el agua quince minutos. | *You let the water boil fifteen minutes.* |

**preparar (una comida, el desayuno, etc.)** = *to cook (a meal, breakfast, etc.)*

| | |
|---|---|
| Mamá está preparando la comida. | *Mom is cooking the meal.* |
| ¿Quién preparó la cena? | *Who cooked dinner?* |

**2. cocer, coser**

**cocer** = *to cook, to boil*

| | |
|---|---|
| ¿Qué estás cociendo? | *What are you cooking?* |
| Se cuece en un baño de María. | *You cook it in a double boiler.* |

**coser** = *to sew*

| | |
|---|---|
| Cose un botón. | *She's sewing on a button.* |
| ¿Sabes coser? | *Do you know how to sew?* |

**3. cocina, el arte culinario**

**cocina** = *stove, range*

| | |
|---|---|
| Apaga la cocina, por favor. | *Please turn off the stove.* |
| Tenemos una cocina de gas. | *We have a gas range.* |
| Preferiría tener una cocina eléctrica. | *I'd prefer to have an electric range.* |

**cocina** = *kitchen*

| | |
|---|---|
| Deje la comida en la cocina. | *Leave the food in the kitchen.* |
| Quiero pintar la cocina. | *I want to paint the kitchen.* |

**cocina** = *cuisine, cooking*

| | |
|---|---|
| Me encanta la cocina francesa. | *I love French cuisine.* |
| Yo prefiero la cocina casera. | *I prefer home cooking.* |

**el arte culinario** = *cooking (as an art)*

| | |
|---|---|
| Estudia el arte culinario. | *She's studying cooking.* |

**4. tramar, inventar**

**tramar** = *to cook something up, to scheme*

| | |
|---|---|
| ¿Qué estará tramando? | *I wonder what she's cooking up.* |
| Están tramando algo. | *They're cooking something up.* |

**inventar** = *to cook up (an excuse, a plan, etc.)*

| | |
|---|---|
| Inventó una excusa genial. | *He cooked up an ingenious excuse.* |
| Tenemos que inventar un plan. | *We have to cook up a plan.* |

## PRACTIQUEMOS

**A. Traduzca al español.**

1. My roommate cooked breakfast this morning, so I'll cook dinner this evening.
2. My sister didn't know how to cook when she got married.

3. I love to cook and sew.

4. Is the water boiling? When it boils, put in the vegetables.

5. How do you cook carrots?

6. How do you sew on a button?

7. Do you like Spanish cuisine? Yes, and I like French cooking, too.

8. We have an electric range, but I prefer a gas range.

9. Please leave the groceries on the table in the kitchen.

10. The chef studied cooking in Paris.

11. What are you all cooking up?

12. They cooked up a plan to escape.

# Selección literaria

*Hasta no verte Jesús mío* es una docu-novela—es decir, una novela basada en las experiencias de una o varias personas reales. Jesusa Palancares, protagonista y narradora de la docu-novela de Elena Poniatowska, relata su vida desde la infancia hasta el momento actual, en el que tiene unos sesenta años. Mestiza de Oaxaca, México, Jesusa crece en la pobreza y sigue a su padre a la Revolución. Se casa, aprende a montar y a combatir como un hombre y termina por tomar gusto a la guerra. Enviudada por la Revolución, llega a la capital, donde se emplea como obrera y sirvienta. Se dedica a la Obra Espiritual, por la cual llega a hablar con los muertos y a ver visiones. En el primero de los episodios que siguen, Jesusa describe una escena de su niñez: la caza de huevos de tortuga con su papá. En la segunda, describe la vida en casa de su madrasta, donde la preparación de comida era una de las actividades más importantes del día.

## HASTA NO VERTE[1] JESUS MIO (FRAGMENTOS)
*Elena Poniatowska**

I

Mi papá se iba por toda la playa hasta llegar a una roca que está al pie del faro. Las rocas despuntan dentro del agua y cuando les da la ola se abre la concha del ostión y se alimenta con el líquido de la ola,° luego se cierra la concha otra vez.

**cuando...** *when the waves come in, the oyster shell opens and the oyster takes nourishment from the water of the wave*

---

[1]Until I see you

*Elena Poniatowska es considerada una de las mejores escritoras del México contemporáneo. Hija de un aristócrata polaco-francés y de una mexicana de familia adinerada, Poniatowska nació en París en 1933 y es residente de México desde 1942. Ha publicado numerosas entrevistas con grandes personalidades, docu-novelas, novelas tradicionales, artículos periodísticos y poesía. *Hasta no verte Jesús mío,* publicado en 1969, es tal vez el mejor ejemplo de la narrativa documental latinoamericana.

5  Entonces con su machete ¡pácatelas!° mi papá arrancaba las          ¡zas!, ¡pum!
grandes ostras, las abría y en la misma concha comíamos los
ostiones porque están vivitos, fresquecitos. Yo aquí en Méxi-
co° nunca los he comido. ¡Quién sabe cuántos meses tienen      la ciudad de México; el
                                                                   Distrito Federal
almacenados° en el hielo! ¿Qué alimento tienen si ya están     stored
10  muertos?

    El otro día me compré una docena de huevos de tortuga
porque tenía muchos años de no comerlos, desde que yo era
chica. Mi papá nos llevaba en la noche a la pesca de los
huevos de tortuga. Las tortugas llegan del mar y se entierran
15  en la arena, sufren y se cansan porque ponen muchas docenas. Hasta el fondo ponen una docena y luego la tapan y
ponen otra docena, y se suben arriba y tapan otra docena y
ponen la otra y luego la otra docena, la vuelven a tapar con
arena y luego más arriba ponen la otra docena hasta que se
20  vacían toditas. Ya para irse cubren la última capa y se meten
al mar. Uno tiene que correr hasta donde está la arena re-
vuelta antes de que se borre la huella con la marea° y clavar    tide

un palo o lo que sea en el lugar donde quedó el nido. Aunque
lo agarre a uno la marea hay que escarbar para sacar los
25    huevos. Si no, allí se forman las tortuguitas, solas, solititas;
se crían con el calor de la arena y del sol.

   Son chistosos° esos animales. Las tortugas nacen cami-    cómicos
nando, y se van derechito al agua. Allí se hunden como los
pescaditos. Se parecen también a las víboras, las víboras
30    chiquitas rompen el cascarón y luego luego° echan a correr.    inmediamente

   Nosotros íbamos a pescar en la tarde y en las noches de
luna para ver la playa limpia. De día no salen las tortugas. A
mi papá le gustaba llevarnos porque nosotros nos dábamos
muy bien cuenta a la hora en que las tortugas regresaban al
35    mar arrastrando la arena y corríamos a sacar los huevos. Mi
papá se metía con todo y ropa. Yo también me metía a ayu-
darlo, vestida así como estoy y me mojaba enterita. La ropa
se me secaba encima. En la pesca de la tortuga durábamos
hasta la una, las dos de la mañana esperando a que se llenara
40    el canasto que llevaba a mi papá. Era un canasto grande y    **hasta...** *until it was filled*
hasta que no lo retacaba todo,° [no] nos íbamos a dormir. En    *to the brim, we didn't*
la madrugada nos comíamos los huevos. Lo de afuera, el cas-    *go to sleep*
carón que le llamamos, es un cuero redondo, boludo, una
tecata.° Hay unos así grandotes pero otros son medianos de    celda
45    tortugas chicas. Vienen con todo y arena. Se les quita la arena
y se echan a hervir con suficiente sal para que les penetre por
dentro. Los hervíamos y luego los comíamos fresquecitos.

   Otras veces, mi papá los guisaba; embrollo,° decía él.    *mess*
Ponía una olla con jitomate, ajo, cebolla y ya que estaba todo
50    bien sazonado nos batía un montón de huevos de tortuga en
la olla hirviendo. O nos daba de comer pescado; a pescado
por cabeza.° Eso sí, nunca pescó con caña.° Se metía a encue-    **a...** *a fish apiece*
var los pescados. Hacía una cueva con peñas y solitos los    *fishing rod*
pescados entraban y él en la puerta los acaparaba con una
55    atarraya° y luego la jalaba y sacaba pescados grandes como    **los...** *he cornered them*
de a metro; robalo,° que es el que más se da en ese lugar.    *and caught them in a*
                                                                  *net*
                                                                  *bass*

Cuando la gente lo esperaba a la orilla de la playa mi papá les
vendía pescado fresco, si no, los abría, les sacaba las tripas,
los salaba y los ponía a secar. Y vendía pescado salado.
60 Fresco, seco o tatemado° porque muchas veces lo tatemaba y       retostado, requemado
lo tenía alzado por algún tiempo.

## II

Mi madrasta era hija de la rectora de la prisión. Era una
prisión a la antigua, con una bóveda muy grande, larga larga
y a la mitad tenía un enrejado° y luego más rejas y rejas hasta     conjunto de rejas
65 llegar a la puerta que daba a la calle, pero antes de la calle estaba la pieza en que vivíamos. Así es de que no había por
donde fugarse. Había más rejas que presas. Por lo regular°       usualmente
caía mucha borracha;° con eso se llenaban las cruijías.° La       *caía... we got a lot of*
prisión era húmeda y oscura, y cuando hacía mucho calor,            *drunken women*
                                                                   corredores, pasillos
70 hervía como caldera, a borbollones, y a todos se les mojaban
los cabellos. A las presas de pocos días o de pocos meses las
sacaban a un patio para que les diera el sol, pero las sentencia-
das por años estaban hasta el fondo. En esa época cuando
Madero[2] entró a México, en la cárcel del fondo, en el último
75 enrejado no quedó sino la pobre presa aquélla que nadie sabe
cuántos años le tocaban de sentencia pues debía siete
muertes. Claro que ella no tenía ni para cuándo, ni esperanzas
de salir. Entonces se acercaba y le pedía de favor a la mamá
de mi madrasta que me dejara ir a dormir con ella porque
80 sentía miedo.

La cárcel era inmensa de grande. Dormíamos pegadas a
la reja. Yo tendría como ocho o nueve años o deben haber
sido diez. No les hablaba a ninguna de las presas. Así soy, no
me gusta hablarle a la gente. Soy muy rara. Han de decir que
85 estoy enojada, pero no, es que me criaron así.

Mi madrasta era gorda, como de treinta años; no era
chaparra ni era alta, de regular° estatura. Tenía su pelo chino°     *average*
                                                                    crespo

---

[2]Francisco I. Madero (1873–1913), político mexicano que encabezó el movimiento que derrocó al dictador Por-
firio Díaz. Fue presidente de la república de 1911 a 1913. Murió asesinado.

quebrado y usaba trenzas. Siempre andaba con las manos en
la cintura como un jarrón, alegando. Se vestía de tehuana[3] y
90  se colgaba sus aretes y sus collares de oro y le brillaban muy
bonito. Allá en Tehuantepec se usa mucho el oro en los dien-
tes para que relampaguee° a la hora de reírse. Mi madrasta se     *it will sparkle*
hizo de° bienes terrenales; huertas grandes; toda la familia      **se...** adquirió
Valencia se hizo de hartas tierras de sembrar, labores de maíz,
95  de coco, de mango, de chicozapote;° de naranjo, de piña, de     *sapordilla plum (kind of*
todas las frutas. Sus huertas eran inmensas como de aquí a la     *fruit)*
Bondojo° y todavía más allá. Los árboles estaban que se caían     barrio pobre que se
de frutas. Mi madrastra Evarista me enseñó a no estar de           encuentra en el centro
balde.° Allí todos trabajaban desde las cuatro de la mañana        del Distrito Federal
100 hasta las siete y ocho de la noche. Me levantaba a las cuatro    **no...** no ser inútil, no
de la mañana y primeramente por la señal de la Santa Cruz,         estar sin hacer nada
vístete y anda a rezar; rezábamos, gracias a Dios que ha
amanecido y así déjanos anochecer, y luego me tocaba lavar
fogones.° Se enjuagaban y se enjarraban con cenizas y tenía        cocina de carbón
105 que mojar toda la ceniza a que quedara bien pegadita como
cemento, parejita, muy blanca. Aquellos braseros se veían
muy bonitos. Se lavaban piedras para poner la olla a cocer o
el café o lo que se fuera a poner; a aquellas piedras muy bien
lavadas con escobeta, que quedan limpiecitas, relucientes, les
110 dicen tenamaxtles. Y ya encendía uno la lumbre y mientras
hervía el café agarraba la escoba y a barrer; ya para las cinco
de la mañana estaba hecho el café, nos desayunábamos y a
misa. Veníamos de misa y síguete con el quehacer. A las
ocho, al almuerzo, lo que Dios le socorría a uno: frijoles re-
115 fritos con una salsa molcajeteada,° una carne asada, juiles°    molida con mortero de
asados y atole.° Ahora ya almorzaste, ahora síguete lavando       piedra o barro
los trastes, tanto traste de la cocina, hasta que a las dos de la       tipo de pescado
tarde la comida para todos: caldo, sopa, guisado,° frijoles,      bebida de agua, harina de
dulce, fruta.                                                          maíz tostado, leche y
                                                                       azúcar
                                                                  *stew*

---

[3]Con el traje típico de Tehuantepec, que consiste en una blusa bordada y una falda ancha. Tehuantepec es un
istmo entre los océanos Pacífico y Atlántico que se encuentra en el sur de México y comprende parte de los estados de Veracruz y Oaxaca.

120      Y al otro día, a las cuatro de la mañana: «Andale a trabajar, negro, porque no hay de otra».° Como la prisión era muy

*no...* no hay más remedio

grande y mi madrastra era la que guisaba, yo le ayudaba en la
cocina a moler especias,° a dorar el arroz cuando se hacía

*spices*

arroz o la sopa seca. Por lo regular les servíamos a los presos

125 sopa de arroz, guisado y frijoles. Era media res la que se
cocinaba a diario. Un día se hacía guisado en verde con
pepita de calabaza y hierba santa,[4] otro día en jitomate y
chiles colorados. Les dábamos también *gina do shuba* que en
otras partes le dicen cuachala, un mole° de maíz tostado. La

guiso de carne, pavo u otra cosa con salsa de chile

130 señora Evarista no platicaba conmigo nada, nunca platicó ni
con mi papá. Ella me golpeaba pero yo no decía nada porque
como ya estaba más grande comprendía mejor. Pensaba yo:
«Bueno, pues ¿qué ando haciendo de casa en casa? Pues me
aguanto en donde mi papá esté... ¿A dónde me puedo ir que

135 más valga?» Y esta señora se dedicó a enseñarme a hacer

trabajos
*vara...* stick made of the wood of the quince tree

quehacer,° me pegó mucho con una vara de membrillo,° sí,
pero lo hacía por mi bien, para que yo me encarrerara.° La fa-

encarrilara; *para... so that I would get on the right track*

milia era muy numerosa, había mucho ir y venir, mucho por
quien trabajar. Molía yo harto chile, harto maíz tostado,

140 canastas pizcadoras° grandes; una de chiles y una de jito-

en las cuales se recoge el maíz u otro producto agrícola

mates. Y luego una molienda de chocolate y una arroba° de

peso que equivale a 11.5 kg o 25 libras

café cada tercer día. El chocolate se tuesta en comal[5] de barro
y se muele en metate° con canela y azúcar. Se tortea° con las

piedra que sirve para moler el chocolate o el maíz
aplasta, como para hacer tortillas

manos para sacarle la grasa y entablillarla.° Allá en mi tierra

145 redondean las tablillas como sopes° y luego se rayan en cruz

*form long, thin blocks*
comida mexicana que consiste en pan con frijoles

con la uña para cortarlas. Aquí las hacen con molde. Luego
se tienden a secar. Mi madrastra me enseñó a batir el chocolate con un molinillo, y lo hacíamos al gusto de cada cris-
tiano° de la familia y eran más de veinte, con agua o con

persona

---

[4]Piper auritum, hierba aromática usada en ciertos platos mexicanos. Es de hoja grande que sirve para envolver los tamales de carne y de pollo. También se usa para preparar el mole.

[5]Disco de barro o de metal que se coloca encima del brasero o fogón para tostar tortillas, granos de cacao, café, maíz, etc.

150 leche, con medio cuarterón,° entero y hasta con cuarterón y   cuarta parte de la libra

medio. A los presos se los dábamos en agua no porque fueran

presos sino porque es el chocolate más clásico. El chocolate

con atole se llama champurrado. La señora Fortunata° siem-   la madre de la madrastra
de Jesusa

pre tomó champurrado. El chiste del° chocolate es que esté   **chiste...** *trick to*

155 espumoso y en su punto. Si no tiene espuma, no vale. Se

tiene que batir fuerte con un molinillo de los de antes para

que espume, porque nomás para agua de ladrillo mejor no

tomo nada.° Yo aquí no hago chocolate porque me canso de-   **nomás...** *if it's going to
taste like mud, I'd
rather just not drink
anything*

masiado. Pero sí me lo compro. El «Morelia» es el que está

160 más pasadero° porque «La Abuela» tiene mucha tierra. Lo he   aceptable

tomado y me queda como enlodada° la boca. ¡Maldita   *muddy*

Abuelita! Pero el de antes, nomás me acuerdo, ése era otra

cosa.

Mi madrastra era la que hacía la comida y mi abuela

165 madrastra la repartía. Las quise porque me enseñaron. La

mamá de mi madrastra, la señora Fortunata, era una señora

grande° de chongo esponjado,° una señora como se usaba en   vieja / *spongy*

la antigüedad. Antes las señoras grandes les dejaban el que-

hacer a las hijas y descansaban en ellas. Nomás dirigían. Y

170 todo era de mucho respeto.

La señora Fortunata mandaba:

—Enciendan los fogones.

Todos obedecían:

—Llenen estos peroles° con agua pa° calentar.   cacerolas / para

175 Salía al patio:

—¡Aquí no han barrido! ¡Eeeeh! ¿Dónde está la de la es-

coba?°   **la...** *the one in charge of
the broom*

Y allá iba corriendo una de nosotros:

—Allá voy, allá voy, un momentito...

180 —Más te vale...°   **Más...** *You'd better*

Le señora Fortunata seguía caminando y si de casualidad

nos encontraba sentadas decía:

—¿No quieren que les tome una fotografía?

Así es que yo nunca tuve campo de andar jugando ni de
185 andar platicando, ni me acostumbraron a que anduviera
metiéndome en las casas, si todo era puro trabajar desde
chica. Cuando mi madre vivió tampoco se usaba° ir de visita
ni platicar y cuando mis padres salían a mercar° nos amarra-
ban como gallos de estaca. Emiliano° en una esquina y yo en
190 la otra. Y en la noche, ya cuando terminaba mi quehacer, me
metía tras de las rejas a dormir con la sentenciada.

se... era la costumbre

comprar

el hermano de Jesusa

Mientras dormí en la prisión mi papá fue sereno.[6] Después lo pasaron a gendarme° y cuando era gendarme se vino
la revolución maderista.[7] De sereno, cuidaba las calles con
195 una linterna. Gritaba: «Sereno alerta» de una esquina a otra.
Y de esta esquina, según iba para la derecha, contestaba el
otro sereno. Y era puro sereno alerta hasta la madrugada. A
veces le tocaba estar en la prisión y gritaba arriba de los
techos toda la noche: «Centinela alerta» para que nadie se es-
200 capara. Los presos nuevos no dormían con aquella grita. Pero
por lo general se acostumbraban y después todos se dormían
muy tranquilos.

policía, guardia

Nosotros vivíamos en la prisión porque allí le daban a mi
abuela-madrastra la casa para que atendiera a los presos. Su
205 marido era alcalde en Tehuantepec y le pidió que le hiciera el
favor de descargarlo de esa obligación. La familia era grande;
hijos y° hijas, yernos y nueras; diez hijos, siete hombres y tres
mujeres. Ya todos eran casados; se habían traído a sus mujeres y la hija más chica también era casadera.° Tenía unos
210 doce, trece años pero nunca nos hicimos amigas. Allí nos cria-
mos, Emiliano y yo, con ellos al vivir mi padre con mi
madrastra, pues ella tenía que habernos recogido a todos.
Emiliano como era hombre acompañaba a mi papá; yo no lo

[e]

en edad de casarse

[6]Vigilante que ronda las calles de noche, velando por la seguridad de los habitantes del barrio.

[7]Porfirio Díaz fue presidente de la República en 1876, de 1877 a 1880 y de 1884 a 1911. Finalmente fue derro-
cado por la revolución encabezada por Madero en 1911.

veía más que en la tarde o ya de anochecida. Se iba temprano
*215*  y al oscurecer regresaba a comer. Todo el día, toda la noche
andaba Emiliano con mi papá. Lo quería mucho. Si en algo
lo reprendía,° a Emiliano le entraba mucha desesperación:    censuraba, criticaba
«¡Ay mi papacito, ay mi papacito!» La madrastra lo trató
bien, igual que a todos los muchachos de esa casa.

## PREGUNTAS

1. ¿Qué experiencia de su niñez describe Jesusa en el primer párrafo? ¿Por qué no come ostiones en el Distrito Federal?
2. ¿Qué más buscaba con su papá en la playa? ¿Cómo ponían sus huevos las tortugas?
3. ¿Qué hacían Jesusa y su padre una vez que las tortugas hubieran puesto los huevos?
4. ¿Cómo preparaba el señor Palancares los huevos de tortuga?
5. ¿Qué otra cosa sacaba del mar? ¿Qué hacía con lo que no comían?
6. ¿Qué trabajo tenía la madrastra de Jesusa?
7. ¿Cómo era la prisión? ¿Quién ocupaba la cárcel del fondo? ¿Quién dormía con ella?
8. ¿Cómo era la madrastra? ¿Cómo se vestía? ¿Tenía dinero?
9. ¿Qué le enseñó a Jesusa? ¿Qué edad tenía la niña en aquella época?
10. Describa el día de trabajo de Jesusa.
11. Describa las comidas que se preparaban en la casa.
12. ¿Cómo se comportaba la señora Evarista con Jesusa? ¿Le conversaba mucho? ¿Conversaba con la otra gente?
13. ¿Había mucha disciplina en la casa? ¿Por qué no se quejaba Jesusa?
14. ¿Cómo se preparaba el chocolate? ¿Por qué no le gusta a Jesusa el chocolate de la capital?
15. ¿Quién era la señora Fortunata? ¿Cuál era su actitud para con las niñas de la casa?
16. ¿Qué trabajo tenía el padre de Jesusa?
17. ¿En qué sentido era la vida de Emiliano diferente de la de Jesusa?

## ANALISIS

1. ¿Por qué cree usted que Jesusa describe con tanto detalle la adquisición y preparación de la comida?
2. ¿Qué logra la autora al dejar que el personaje narre su propia historia en primera persona?

3. ¿Qué tipo de persona es Jesusa? ¿Qué revelan las observaciones que hace acerca de su carácter?

4. Basándose en el comentario de Jesusa, ¿qué comentarios puede usted hacer acerca de la vida en un pueblo mexicano a principios del siglo XX?

# Composición

## COMO DAR INDICACIONES

A menudo se necesita dar indicaciones por escrito—cuando se apunta una receta, cuando se dice cómo llegar a cierto lugar, cuando se explica cómo construir algo. Para dar indicaciones en español a menudo se emplean construcciones con el **se** impersonal o con la voz pasiva, a menos que uno se dirija a una persona específica. En este último caso es posible usar formas personales: «Doblas a la izquierda y sigues en ese mismo camino hasta llegar al tercer semáforo...»

## ANTES DE ESCRIBIR

1. Decida qué proceso va a describir (cómo se construye una jaula para canarios, cómo se prepara un cocido bogotano o un pastel de choclo chileno, cómo se va de Nueva York a Miami en auto, etc.).

2. Haga una lista de palabras claves. ¿Qué vocabulario especializado necesitará usted emplear?

3. Haga una lista de cosas que la persona que siga estas indicaciones tendrá que hacer.

4. Revise el orden de las cosas que están en su lista. Asegúrese de que no haya omitido ningún paso importante y que cada paso siga lógicamente al que precede.

5. Determine quién leerá estas indicaciones (¿un amigo? ¿personas desconocidas?) y decida qué tipo de construcciones gramaticales usted va a emplear.

6. Agregue cualquier información interesante y útil que le pueda servir al lector.

## DESPUES DE ESCRIBIR

1. Examine el orden de sus indicaciones para ver si progresan de una manera lógica. ¿Ha incluido toda la información necesaria? ¿Ha omitido algún paso? ¿Ha mencionado todos los ingredientes, objetos y herramientas que su lector va a necesitar?

2. Examine las formas gramaticales. ¿Ha usado correctamente el **se** impersonal y la voz pasiva? ¿Ha empleado bien los clíticos?

3. Examine el vocabulario. ¿Es apropiado para su tema? ¿Hay algún regionalismo que usted necesite explicar u omitir?

4. Examine la ortografía.

# EJERCICIOS DE COMPOSICION

1. Escriba una receta para uno de los siguientes platos:
   a. pizza californiana
   b. mole poblano (México)
   c. espagueti boloñesa
   d. estofado norteamericano
   e. arroz con pollo
   f. paella a la valenciana
   g. chile con carne
2. Escriba indicaciones para construir uno de los siguientes objetos.
   a. una mesa
   b. una jaula para canarios
   c. la maqueta de un edificio
   d. un avión de papel
3. Explique cómo llegar...
   a. de Nueva York a Chicago
   b. de Buenos Aires a Lima
   c. de Los Angeles a México, D. F.
4. Explique cómo...
   a. se dibuja un objeto en la computadora
   b. se hace un vestido
   c. se usa el catálogo de la biblioteca
   d. se aprende un idioma
   e. se encuentra un cuarto o un departamento

# Almacenes, tiendas y ropa

## El gran almacén

1. la vitrina de exposición, el escaparate interior
2. el mostrador
3. la caja
4. el cajero, la cajera
5. el vendedor, la vendedora; el (la) dependiente
6. el (la) cliente (la clienta), el comprador, la compradora
7. el probador, el vestuario
8. la percha de los vestidos
9. el ascensor, el elevador
10. la escalera mecánica

**VOCABULARIO ADICIONAL:**
1. la vitrina, el escaparate   2. la cliente se prueba un vestido   3. El (la) modista, la modista le toma las medidas.   4. la venta, la liquidación   5. el cartel con los precios de las gangas   6. las tiendas   7. la tienda de ultramarinos, la tienda de comestibles
8. el supermercado   9. la carnicería   10. la joyería   11. la zapatería   12. la panadería
13. la pastelería   14. la farmacia

**ADDITIONAL VOCABULARY:**
1. shop window   2. the customer tries on a dress   3. The dressmaker takes the measurements.
4. sale   5. the poster (sign) with the sale (bargain) prices   6. stores, shops   7. grocery store
8. supermarket   9. butcher shop   10. jewelry store   11. shoe store   12. bakery
13. pastry shop   14. pharmacy

# Ropa de mujer

1. el vestido
2. la falda
3. la blusa
4. el suéter
5. el traje de baño
6. el abrigo
7. la chaqueta

8. la pantaleta, los calzones, la braga, el panti
9. el sostén
10. las medias, las pantimedias

11. los zapatos de tacón alto
12. los zapatos de tacón bajo
13. las zapatillas de tenis, los tenis, los zapatos tenis

**VOCABULARIO ADICIONAL:**
**1.** el vestido de noche   **2.** el traje sastre   **3.** la falda con pliegues   **4.** la falda tubo
**5.** la camisa   **6.** la camiseta   **7.** el pullover, el jersey   **8.** el chandal, la sudadera
**9.** el pantalón, los pantalones   **10.** el blue jean, el (pantalón) vaquero   **11.** el short,
el pantalón corto   **12.** el pantalón de correr, de esquí, etc.   **13.** el buzo deportivo
**14.** el leotardo, el traje de ejercicio   **15.** el traje de baño de una pieza   **16.** el traje de
baño de dos piezas   **17.** el bikini   **18.** el impermeable   **19.** la ropa interior
**20.** el sostén sin tirantes   **21.** la enagua   **22.** la combinación, la enagua completa
**23.** la faja   **24.** la ropa de dormir y de estar en casa   **25.** la camisa de dormir
**26.** el pijama, el piyama   **27.** la bata   **28.** el calzado   **29.** las sandalias
**30.** las zapatillas de levantarse

**ADDITIONAL VOCABULARY:**
**1.** evening dress   **2.** women's suit   **3.** pleated skirt   **4.** straight skirt   **5.** shirt   **6.** tee shirt
**7.** pullover sweater   **8.** sweatshirt   **9.** pants   **10.** jeans   **11.** shorts   **12.** running, ski pants,
etc.   **13.** sweat pants   **14.** leotard, exercise suit   **15.** one-piece swimsuit   **16.** two-piece
swimsuit   **17.** bikini   **18.** raincoat   **19.** underwear   **20.** strapless bra   **21.** half slip,
underskirt   **22.** full slip   **23.** girdle   **24.** sleepwear and house clothes   **25.** nightgown
**26.** pajamas   **27.** bathrobe   **28.** footwear, shoes   **29.** sandals   **30.** slippers

# Ropa de hombre

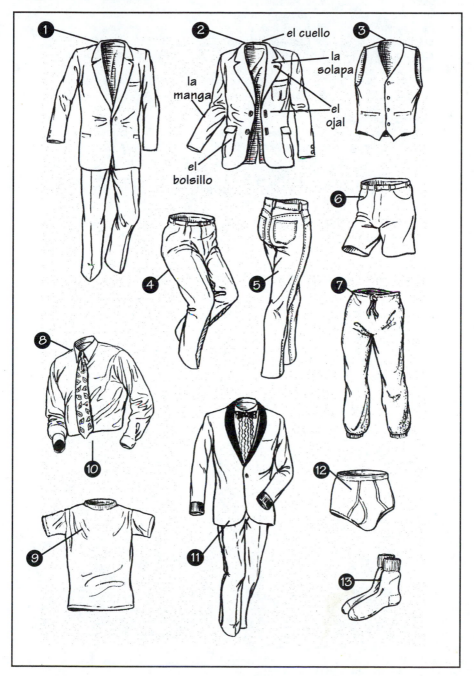

1. el traje,
   el terno
2. la chaqueta,
   el saco sport
   la solapa
   el cuello
   el ojal
   el bolsillo
   la manga
3. el chaleco
4. el pantalón,
   los pantalones
5. el blue jean, el
   pantalón vaquero
6. el short, el
   pantalón corto
7. el buzo deportivo
8. la camisa
9. la camiseta,
   la franela
10. la corbata
11. el smoking, el
    traje de noche
12. el calzoncillo,
    el slip
13. los calcetines

**VOCABULARIO ADICIONAL:**
1. el polo   2. la guayabera   3. la sudadera   4. el abrigo   5. el impermeable
6. la parca, el anorac, la chaqueta para la nieve   7. el traje de baño   8. la ropa interior

**ADDITIONAL VOCABULARY:**
1. polo shirt   2. loose-fitting shirt of light cloth   3. sweatshirt   4. overcoat   5. raincoat
6. parka   7. swimming suit, swimming trunks   8. underwear

# Los accesorios de vestir de hombre y mujer

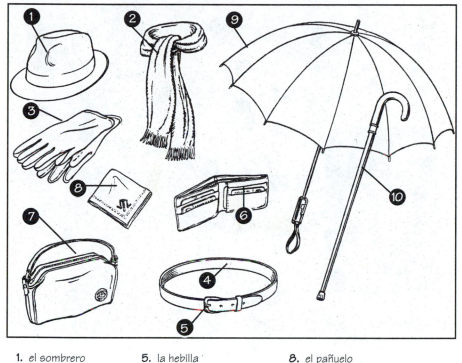

| | | |
|---|---|---|
| **1.** el sombrero | **5.** la hebilla | **8.** el pañuelo |
| **2.** la bufanda | **6.** la billetera | **9.** el paraguas |
| **3.** los guantes | **7.** la cartera, la bolsa, | **10.** el bastón |
| **4.** el cinturón | el saco de mano | |

## VOCABULARIO ADICIONAL

**1.** el cierrecler, la cremallera, el cierre relámpago, el cíper (Mex.)   **2.** el botón
**3.** el corchete   **4.** el broche de presión   **5.** el imperdible, alfiler de seguridad

**ADDITIONAL VOCABULARY:**
**1.** zipper   **2.** button   **3.** hook and eye   **4.** snap   **5.** safety pin

## Las joyas

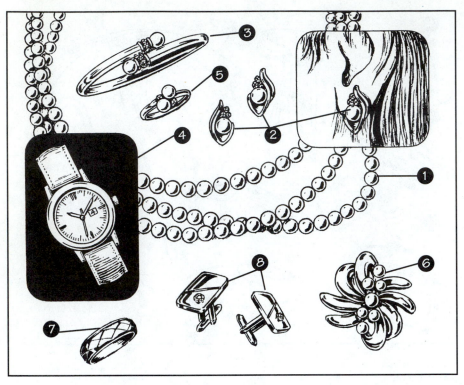

1. el collar
2. los aretes, los aros, los pendientes, los zarcillos
3. la pulsera, el brazalete

4. el reloj
5. el anillo, la sortija
6. el broche

7. el aro, la alianza, el anillo de matrimonio, la argolla
8. los gemelos, las colleras

# La compra

La sección de ropa de mujer de un gran almacén. Una señora de mediana edad examina cada uno de los vestidos que están en la percha con cierto apuro. Se acerca una vendedora.

**VENDEDORA:** Buenas tardes, señora. ¿En qué le puedo servir? (*¡Qué lata! Justo iba a tomar mi descanso.*)

**COMPRADORA:** Pues estoy buscando un vestido para una recepción. Quiero algo que sea elegante, algo que no sea demasiado vistoso. ¿Qué recomienda usted? (*¿Por qué estoy pidiéndole a esta jovencita que me recomiende un vestido? Es obvio que no sabe nada de nada. ¿Cómo se le ocurre ponerse esa bufanda con una blusa a rayas? Ojalá no me haga perder tiempo con sus sugerencias ridículas porque no tengo mucho tiempo. Ya va a volver don Guillermo.*)

**VENDEDORA:** A ver... pues yo diría que un color obscuro le quedaría bien... negro o tal vez concho de vino. (*A esta señora nada le va a quedar bien, pero en fin... Lo esencial es que encuentre algo que le guste y se vaya rápido para que yo pueda sentarme un rato.*)

**COMPRADORA:** (*Estará loca. Con la tez cetrina que tengo, me vería como si fuera a un entierro en vez de una recepción. Si tuviera más tiempo, podría darme el lujo de ver el inventario completo, pero bajo las circunstancias...*) Tenía otra cosa en mente. Mire, este rojo me gusta. ¿Lo tiene en mi talla?

**VENDEDORA:** (*Con ese rojo se verá como un tomate. Pero en fin. ¿qué me importa a mí con tal de que tome una decisión rápida.*) ¿Qué talla usa usted, señora?

**COMPRADORA:** Cuarenta y cuatro.

**VENDEDORA:** (*En sus sueños usará un cuarenta y cuatro.*) ¿No le parece que un cuarenta y ocho le quedaría mejor? Fíjese que está cortado algo pequeño. Digo, todos los vestidos de esa marca...

**COMPRADORA:** Cuarenta y cuatro le he dicho. (*¡Las patas! ¿Cómo se le ocurre decirme que necesito la talla cuarenta y ocho? ¡En mi vida he usado un cuarenta y ocho! Como si no tuviera otra cosa que hacer que perder mi tiempo poniéndome vestidos que ya sé que me van a quedar grandes.*)

**VENDEDORA:** Cómo no, señora. Por favor, no se enfade... Claro que tiene toda la razón. Usted sabe muy bien qué talla le conviene. Mire, ¿por qué no se prueba este azul también? Creo que se vería lindo con los ojos. (*Qué vanidosa es la gente. Y cuando trabajaba en la sección de hombres era peor todavía. Todos los señores se creían Andy García. Por muy viejos y flácidos que fueran, querían vestirse como si tuvieran veinte años.*)

**COMPRADORA:** Puede ser... Es que ya tengo zapatos y una cartera rojos. Aunque la verdad es que el azul no está mal.

| | | |
|---|---|---|
| 40 | **VENDEDORA:** | ¿Por qué no pasa usted al vestuario? |
| | **COMPRADORA:** | Quisiera probarme el rojo también, pero no lo encuentro en mi tamaño. |
| | **VENDEDORA:** | No se preocupe, señora. Yo se lo busco. *(Espero que se apure. Estoy que me caigo de cansancio. Ojalá que pudiera tenderme.)* |
| 45 | **COMPRADORA:** | Muchas gracias, señorita. *(Espero que se apure. Tengo que volver a la oficina antes de que don Guillermo se dé cuenta de que no estoy allí.)* Por favor, señorita, dése prisa. Tengo un compromiso muy importante y no puedo llegar tarde. |
| 50 | **VENDEDORA:** | *(Sí, claro. Seguro que tiene una cita en la peluquería o va a jugar canasta en casa de la vecina. Estas señoras siempre andan con prisa...)* Sí, señora. Cómo no. |

La cliente entra al vestuario. La vendedora se ausenta y dentro de un momento vuelve con varios vestidos.

| | | |
|---|---|---|
| 55 | **VENDEDORA:** | Aquí está el rojo en un cuarenta y cuatro, señora. También le traigo dos o tres otros modelos que creo que le quedarán bien. ¿Por qué no se pone este traje de terciopelo? Es muy elegante. Fue hecho en Francia. *(Si no tomo mi descanso ahora, no habrá otra oportunidad porque ya va a volver la supervisora y se enojará si no me ve en mi puesto.)* |
| 60 | **COMPRADORA:** | *(Me pregunto si don Guillermo ya ha vuelto de su reunión. Ojalá que se atrase. Estoy poniéndome nerviosa. Don Guillermo es un jefe muy decente, mas ¿qué se puede esperar de un jefe cuando una se ausenta de la oficina para ir de compras? Me siento culpable, muy culpable, y sé que seré despedida si me descubren, pero la verdad es que no he tenido un solo minuto para ocuparme de este asunto y la recepción es el sábado. Y tengo que ir, porque es para el jefe de mi esposo que se jubila. Si no vamos, le puede parecer al nuevo jefe una falta de respeto y le puede ir mal en el trabajo a mi esposo.)* No, señorita, el terciopelo no me gusta. Me hace verme demasiado ancha. |
| 70 | **VENDEDORA:** | ¿Y este modelo de seda? Tiene una falda que llega a la pantorrilla. Usted sabe que están mostrando faldas más largas este año. |
| 75 | **COMPRADORA:** | *(Ahora me va a echar un sermón sobre la moda, cuando lo único que me interesa es encontrar un vestido e irme. ¿Por qué no se calla ya?)* Primero me voy a poner el rojo, que es el que me gusta más. |

La vendedora espera un momento. Después dice:

| | | |
|---|---|---|
| | **VENDEDORA:** | ¿Y? ¿Qué tal? ¿Le queda bien, señora? |
| | **COMPRADORA:** | Uy... Uff... No... Parece que... parece que usted tenía razón. Normalmente uso un cuarenta y cuatro pero el corte... tal como usted dijo... |
| 80 | **VENDEDORA:** | *(¿No le dije, doña Pesada? Me ha hecho perder mi descanso con sus tonterías. Y yo estoy agotada porque además de trabajar aquí, de noche trabajo de camarera en un restaurante para que mi esposo* |

*pueda tomar un curso de diseño comercial y conseguir un trabajo*
*decente. La gente no se da cuenta de que una se mata trabajando*

85 *para poder sobrevivir. Una mujer como ésa, seguro que no tiene*
*idea de lo que es trabajar día y noche para salir adelante. Sólo se*
*ocupan de sí mismas. Seguro que se pasa todo el tiempo pintándose*
*las uñas y asistiendo a recepciones... Es imposible que una mujer*
*como ella y yo nos entendamos.)* ¿Quiere que le traiga un cuarenta y

90 seis, señora?

COMPRADORA: Sí, hágame el favor... Aunque no, creo que me voy a quedar con el
azul. Se me había olvidado que mi hermana tiene zapatos azules y
seguro que me los prestará. *(Se me está acabando el tiempo. Tengo*
*que volver a la oficina antes de que el jefe salga de esa reunión. Me*

95 *gustaría probarme el otro que tiene en la mano, el morado, pero no*
*puedo arriesgarme.)*

VENDEDORA: ¿No le dije, señora? Con esos ojos tan preciosos que usted tiene... Se
verían fantásticos con este vestido unos aretes de aguamarina. O tal
vez un broche...

100 COMPRADORA: Tengo un collar de perlas.

VENDEDORA: Las perlas siempre se ven elegantísimas. Aunque si desea ver otra
cosa, tenemos una joyería en el segundo piso. Tome usted la escalera mecánica...

COMPRADORA: El vestido me gusta. Lo único es que las mangas me quedan un poco
105 largas.

VENDEDORA: ¿Llamo al modista para que se las mida?

COMPRADORA: Es que no tengo mucho tiempo.

VENDEDORA: ¿Puede volver más tarde?

COMPRADORA: No puedo... *(Porque entre mi trabajo y mis tres hijos nunca tengo*
110 *tiempo para nada. Apenas salga de la oficina a las ocho tengo que*
*recoger a Lilita de la casa de una amiga y llevar a Toño al tutor de*
*matemáticas y a ver... recoger al perro del veterinario y Chabelita...*
*está donde su abuela... Espero que la empleada se acuerde de reca-*
*lentar el estofado del otro día tal como le dije...)* No, señorita, lo

115 siento, pero no puedo volver. ¿No sería posible que el modista me
tomara las medidas inmediatamente?

VENDEDORA: Voy a ver si puede venir. No sé si está con otro cliente ahora o no.
Pero una vez que venga, no se demora nada en tomarle las medidas.
Voy a hacer que lo busquen. Mientras tanto, ¿no quiere que le

120 muestre alguna otra cosa? Pase usted al mostrador. Aquí tenemos
unas bufandas de seda lindísimas...y las blusas están en liquidación... *(Por favor, diga que no. Diga que no tiene tiempo para*
*ver nada más.)*

COMPRADORA: Creo que mi hermana me puede acortar las mangas, ¿sabe? ¿Por qué
125 no me envuelve el vestido y me lo llevo nomás?

VENDEDORA: *(Gracias a Dios.)* Tenga usted la bondad de pasar a la caja, por
favor.

COMPRADORA: *(La suerte de estas jóvenes. Sólo piensan en sí mismas. Trabajan su jornada, vuelven a la casa, cenan, ven televisión un rato, se duchan y se acuestan. El día libre se pasean con sus amigos. No piensan en otra cosa que en divertirse...)* Muchas gracias, señorita. Muy amable.

VENDEDORA: Ha sido un placer, señora.

# Para enriquecer su vocabulario

El sufijo **-ería** se añade a la base de algunos substantivos para formar el nombre del lugar en el cual se vende o se arregla el objeto sugerido por la base.

| | |
|---|---|
| carne | carnicería |
| hierro | herrería |
| joya | joyería |
| libro | librería |
| pan | panadería |
| papel | papelería |
| peluca *(wig)* | peluquería *(barber or beauty shop)** |
| reloj | relojería |
| tortilla | tortillería |
| zapato | zapatería |

## EJERCICIOS

**A. Emplee las dos palabras en una frase.**

1. solapa / saco
2. paraguas / impermeable
3. bufanda / guantes
4. aretes / pulsera
5. camisa / manga
6. calzado / sandalia
7. flor / ojal
8. cinturón / hebilla
9. corchete / vestido
10. sudadera / buzo deportivo
11. sostén / enagua
12. suéter / abrigo

**B. Explique para qué se usan los siguientes objetos.**

1. un sombrero
2. un imperdible
3. unas sandalias
4. un broche
5. una caja
6. una escalera mecánica

---

*Originalmente **una peluquería** era un lugar donde se hacían y se vendían pelucas.

7. un piyama

8. una corbata

9. un cierrecler

10. un broche de presión

## C. Conteste las siguientes preguntas.

1. ¿Cuántos tipos de tienda puede usted nombrar? Explique lo que se vende en cada una.

2. Nombre las diferentes partes de un gran almacén y explique la función de cada una.

3. ¿Qué tipo de ropa le gusta a usted usar? ¿Por qué?

4. ¿Cómo debe vestirse uno cuando va a una entrevista para un trabajo? ¿Qué no debe ponerse uno?

5. ¿Cómo debe vestirse uno cuando va a una fiesta elegante?

6. ¿Qué cosas revela acerca de una persona el tipo de ropa que usa?

7. ¿Se siente usted mejor cuando anda bien vestido? ¿Por qué?

8. ¿Prefiere usted comprar ropa en un gran almacén o en una boutique? ¿Por qué? ¿Prefiere comprar comida en un supermercado o prefiere ir a tiendas especializadas?

## D. Temas de conversación.

1. Compare lo que dice cada personaje de «La compra» con lo que piensa.

2. ¿Qué tienen en común las dos mujeres?

3. ¿Qué problemas tiene cada mujer? ¿Entiende cada una cuáles son los problemas de la otra? ¿Por qué no?

4. ¿Qué imagen tiene cada mujer de la otra? ¿Es auténtica o no? ¿Por qué no?

5. ¿Cuál es la actitud de cada una para con la otra? ¿Cómo se podría reducir su resentimiento?

6. ¿Podría producirse una situación semejante a ésta entre profesor y estudiante? ¿entre jefe y empleado? ¿Cree usted que situaciones semejantes a ésta se producen a menudo? Dé algunos ejemplos.

7. ¿Cómo formamos nuestras opiniones de otra gente? ¿Cuáles son los riesgos que corremos al formar opiniones sin tener bastante información?

8. ¿Qué cree usted que le va a pasar a la compradora cuando llegue a la oficina? Y la vendedora, ¿va a poder tomar su descanso o no?

## E. Pro y contra: temas de debate.

1. La elegancia no es importante; lo esencial es sentirse cómodo.

2. Los hombres le prestan menos atención a la moda que las mujeres.

3. Ya no existe el individualismo en la vestimenta. Con el triunfo del gran almacén y el estilo unisexo, todo el mundo se viste igual.

4. La ropa de diseñador siempre es mejor.

5. Hay una relación entre la política y la moda.

## F. Situaciones.

1. Usted entra en una tienda para comprar un traje para una fiesta. El vendedor (la vendedora) le muestra varios trajes y trata de convencerlo/la de que escoja uno, pero no le gusta ninguno.

2. Usted pasa mucho tiempo en una tienda escogiendo el regalo perfecto para su amigo/a, pero al dárselo usted se da cuenta de que ya tiene uno igual. ¿Qué le dice usted a su amigo/a? ¿Cómo responde él (ella)?

3. Usted y su amigo/a van hacer un viaje. Decidan qué ropa y otras cosas necesitan llevar. Repasen su lista, analizando para qué actividad servirá cada prenda. (Recuerde que pocas cosas cabrán en la maleta.)

4. Usted es un vendedor (una vendedora) de zapatos en una zapatería grande. Llega un/a cliente que se prueba varios tipos de zapatos—sandalias, zapatillas de tenis, zapatos elegantes—pero al momento de pagar se da cuenta de que no tiene su tarjeta de crédito.

# GRAMATICA
## *El reflexivo*

 **Construcciones reflexivas**

**1.** Los clíticos reflexivos son:

| | |
|---|---|
| **me** (*myself*) | **nos** (*ourselves*) |
| **te** (*yourself*) | **os** (*yourselves*) |
| **se** (*himself, herself, itself, yourself*) | **se** (*themselves, yourselves*) |

**2.** Los clíticos reflexivos corresponden a los pronombres ingleses que terminan en *-self, -selves.*

| | |
|---|---|
| Se pregunta por qué. | *He asks himself why.* |
| No te ves como los otros te ven. | *You don't see yourself as others see you.* |

A diferencia de los otros clíticos, el reflexivo se refiere al mismo sujeto. Por ejemplo, en la oración «Yo me pruebo el traje» **yo** y **me** se refieren a la primera persona de singular.

**3.** Las construcciones reflexivas se emplean más en español que en inglés. A menudo la traducción inglesa de una construcción reflexiva española no incluye *-self,* sino un verbo como *get* (*to get sick, get mad*) o un adverbio como *up, down, away* (*to get up, to fall down, to go away*). Aquí está una lista de algunos de los verbos que se emplean con más frecuencia en construcciones reflexivas en español.

| | | | |
|---|---|---|---|
| acercarse | to approach | llamarse | to be called, named |
| acostarse | to go to bed | llevarse | to carry off |
| acordarse | to remember | maquillarse | to put on makeup |
| afeitarse | to shave | matricularse | to register |
| apurarse | to hurry up | ocuparse de | to take care of |
| atrasarse | to be late | parecerse (a) | to look like |
| bañarse | to take a bath, to bathe | pasearse | to go for a walk, to go out |
| callarse | to be quiet | ponerse (ropa) | to put on (clothes) |
| casarse | to get married | ponerse (+ adj.) | to get, become (+ adj.) |
| curarse | to get well | ponerse a (+ inf.) | to start (+ inf.) |
| darse cuenta (de) | to realize | preguntarse | to wonder |
| darse prisa | to hurry up | preocuparse por | to worry about |
| despertarse | to wake up | peinarse | to comb one's hair |
| divertirse | to have a good time | quedarse | to remain |
| dormirse | to fall asleep | quejarse | to complain |
| ducharse | to shower | quitarse | to take off |
| enamorarse | to fall in love | reírse | to laugh |
| enfadarse | to become irritated, annoyed | romperse | to get broken |
| | | sentarse | to sit down |
| enojarse | to get mad | sentirse (+ adj.) | to feel (+ adj.) |
| fijarse (en) | to notice | soltarse | to come loose |
| inscribirse | to register | sonarse | to blow one's nose |
| irse | to go off, away | tranquilizarse | to calm down |
| lavarse | to get washed | vestirse | to get dressed |
| levantarse | to get up | | |

4. A menudo se emplea en la construcción reflexiva un substantivo que se refiere a una prenda de ropa o a una parte del cuerpo. En este caso, el artículo definido y no el adjetivo posesivo califica al substantivo.

| | |
|---|---|
| La señora se puso el abrigo y se fue. | *The lady put on her coat and left.* |
| Me quité los guantes. | *I took off my gloves.* |

Aun cuando el sujeto sea plural, normalmente el substantivo del complemento es singular si la idea es que cada uno tiene uno. Nótese que en el equivalente inglés se usa un substantivo plural.

| | |
|---|---|
| Los chicos se pusieron camisa blanca para la fiesta. | *The boys put on white shirts for the party.* |
| Los señores se quitaron el sombrero. | *The men took off their hats.* |

**5.** El clítico reflexivo puede funcionar como complemento directo o indirecto.

| | |
|---|---|
| Se lavó. | *He washed himself.* (complemento directo) |
| Se lavó las manos. | *He washed his hands.* (complemento indirecto) |
| Me puse a trabajar. | *I started to work.* (complemento directo) |
| Me puse un jersey nuevo. | *I put on a new sweater.* (complemento indirecto) |

**6.** Casi todos los verbos que se emplean comúnmente en construcciones reflexivas también pueden emplearse en construcciones no reflexivas.

| | |
|---|---|
| Se lavó. | *He washed himself.* |
| Lavó la ropa. | *He washed the clothes.* |
| Se lavó las manos. | *He washed his hands.* |
| Le lavó las manos al niño. | *He washed the child's hands.* |

**7.** En algunos casos hay una diferencia sutil entre los usos reflexivo y no-reflexivo de un verbo. Por lo común el uso del reflexivo indica mayor participación o interés de parte del sujeto. También puede comunicar un tono más informal. Compare los siguientes pares de verbos.

| | | | |
|---|---|---|---|
| beber | *to drink* | beberse | *to drink (all) up* |
| caer | *to fall* | caerse | *to fall down* |
| comer | *to eat* | comerse | *to eat (all) up* |
| dormir | *to sleep* | dormirse | *to fall asleep* |
| esperar | *to wait* | esperarse | *to wait a minute* |
| ir | *to go* | irse | *to go off, away* |
| llevar | *to carry, take, wear* | llevarse | *to carry off, away* |
| morir | *to die* | morirse | *to die (of natural causes), to pass away* |
| perder | *to lose* | perderse | *to miss out on (an event, etc.)* |
| reír | *to laugh* | reírse | *to laugh (conversational)* |
| tomar | *to take, to drink* | tomarse | *to drink (all) up* |

**8.** El clítico reflexivo ocupa el mismo lugar en la oración que cualquier clítico directo o indirecto.

| | |
|---|---|
| Me acerqué y me puse a hablar. | *I approached and started talking.* |
| Acérquense, niños, no tengan miedo. | *Come closer, children. Don't be afraid.* |
| Están acercándose. | *They're coming closer.* |
| Es mejor no acercarse mucho. | *It's better not to get too close.* |

## PRACTIQUEMOS

**A. Complete las siguientes oraciones empleando una construcción reflexiva.**

MODELO   Yo me levanto temprano pero mi compañero de cuarto _____.
**Yo me levanto temprano pero mi compañero de cuarto se levanta tarde.** o
**Yo me levanto temprano pero mi compañero de cuarto prefiere levantarse a las once de la mañana.**

1. Yo me puse un blue jean pero mi amiga _____.
2. Los estudiantes se visten mal; los profesores _____.
3. Nosotros nunca nos quejamos pero ellos _____.
4. Yo jamás me enojo pero tú _____.
5. Los hombres se afeitan y las mujeres _____.
6. Cuando devolvió los exámenes, el profesor se rio pero nosotros _____.
7. Tú te pones a ver televisión después de la cena; en cambio yo _____.
8. Yo me desperté temprano pero ustedes _____.

**B. Conteste las siguientes preguntas.**

1. ¿A qué hora se levanta usted normalmente? ¿A qué hora se levantó esta mañana?
2. ¿A qué hora se acuesta usted normalmente? ¿A qué hora se acostó anoche?
3. ¿Se sintió usted mal ayer? ¿Se siente mal hoy?
4. ¿Quiénes se quejan más, los hombres o las mujeres? ¿Por qué será?
5. ¿Cómo se llama usted? ¿Cómo se llama su mamá? ¿Cómo me llamo?
6. ¿Se divierten ustedes en clase? ¿Me divierto yo?
7. ¿Qué se pone usted para ir a la playa? ¿para jugar tenis? ¿para ir a clase?
8. ¿Qué hace usted antes de acostarse? ¿Se ducha? ¿Se lava el pelo? ¿Se pone un piyama?
9. ¿Cae nieve ahora? ¿Se ha caído usted en la nieve alguna vez?
10. ¿Se duermen ustedes en clase?
11. ¿Se enamora usted fácilmente? ¿Cree que los hombres se enamoran más fácilmente que las mujeres?
12. ¿Cuándo piensa usted casarse? ¿Es mejor casarse joven o no? ¿Por qué?
13. ¿Se ponen las mujeres sombrero para ir a la iglesia hoy en día?
14. ¿Cuándo se ponen los hombres una corbata?

**C. Diríjale las siguientes preguntas a la persona indicada, quien a su vez le contestará.**

1. ¿Por qué cosas se preocupa usted?
   (a un compañero de clase)

(a dos amigos)

(a mí)

2. ¿Por qué cosas se enoja usted?

(a un chico y a una chica)

(a la persona que está a su derecha)

(a mí)

3. ¿Cómo te llamas?

(a un profesor)

(a un grupo de estudiantes)

(a un nuevo estudiante)

4. ¿Te comiste todo?

(a unos amigos)

(a la persona que está a su izquierda)

(a un adulto que usted no conoce bien)

## D. Traduzca al español.

1. I woke up early. / I woke my roommate up early.
2. I put on a pullover and blue jeans. / I put a pullover and blue jeans on the child.
3. Go to bed, Juanito! / Put Olguita to bed, Juanito!
4. Comb your hair, girls. / We combed the girls' hair.
5. They slept all afternoon. / They fell asleep.
6. They took the books to the library. / They carried off the books.
7. Twenty people died in the accident. / He passed away last night.
8. She went to the department store. / She went away.
9. She drinks milk. / Drink up your milk!
10. I lost the button. / I missed out on the party.
11. She looks happy. / She looks like her sister.
12. I'm sorry. / I feel sick.

## E. Repaso de clíticos. Cambie el clítico a la forma formal.

MODELOS    Te quitaste el abrigo.
**Se quitó el abrigo.**

Te dijimos la verdad.
**Le dijimos la verdad.**

Te conozco bien.
**Lo conozco bien.**

1. Te regalé una bufanda de seda.
2. Te vi en la fiesta.
3. Te levantaste y te fuiste.

4. Quítate el sombrero, por favor.
5. ¿Quieres que te arregle la corbata?
6. Es imposible que te invite a esta fiesta.
7. Te senté en el lugar de honor.
8. Siéntate en el lugar de honor.

**F. Llene cada espacio con el clítico adecuado: directo, indirecto o reflexivo.**

Después de comprar el vestido, _____(1)_____ di las gracias a la vendedora y volví a la oficina. Cuando llegué, don Guillermo estaba esperándo _____(2)_____. No pronunció una sola palabra pero _____(3)_____ miró muy feo. Yo _____(4)_____ callé. Entró a su despacho y _____(5)_____ señaló que _____(6)_____ siguiera.

Una vez dentro de su despacho, don Guillermo _____(7)_____ sentó, encendió un cigarrillo y _____(8)_____ puso a fumar. No _____(9)_____ dijo que _____(10)_____ sentara; entonces, _____(11)_____ quedé parada.

—Tenemos un problema—dijo finalmente.

No _____(12)_____ atreví a mirar _____(13)_____.

Luz María Icaza _____(14)_____ ha informado que _____(15)_____ va. _____(16)_____ han ofrecido una beca muy prestigiosa y ha decidido sacar un grado avanzado. Va a matricular _____(17)_____ en el programa de derecho internacional de la Universidad Autónoma. Quisiera que usted _____(18)_____ reemplazara.

—¿Yo?

No sabía qué decir _____(19)_____. Luz María era asistente al director general.

—Don Guillermo—empecé—quisiera explicar _____(20)_____ que esta mañana...

Pero don Guillermo ya _____(21)_____ había puesto a ver su correo y no _____(22)_____ prestaba atención. Bien pensado, era mejor no insistir.

—Quiero que usted _____(23)_____ dé su respuesta mañana, Sra. Calderón. Claro que _____(24)_____ subiremos el sueldo y usted tendrá su oficina particular en el décimo piso, al lado de la de su nuevo jefe.

Al salir del despacho de don Guillermo, _____(25)_____ pregunté a mi amiga Sara si el jefe _____(26)_____ había fijado en mi ausencia.

—¿Qué ausencia?—dijo, y _____(27)_____ guiñó un ojo.

Entonces, _____(28)_____ sentí más culpable que nunca y _____(29)_____ prometí que nunca más _____(30)_____ arriesgaría, nunca más haría una bobada como la que había hecho esa tarde.

### Nos, os y se para expresar reciprocidad

1. **Nos, os** y **se** pueden expresar reciprocidad. La traducción inglesa más común es *each other* o *one another*. En este caso el verbo siempre está en el plural y el clítico se refiere a la misma persona que el sujeto.

| | |
|---|---|
| El vendedor y el cliente se saludaron. | *The salesman and the customer greeted each other.* |
| Se hablaron por más de una hora. | *They spoke to each other for more than an hour.* |
| Usted y él no se entienden bien. | *You and he don't get along.* |
| Nos conocemos desde hace mucho tiempo. | *We've known each other for a long time.* |
| Si os queréis, debéis casaros. | *If you love each other, you should get married.* |

2. Se puede aclarar o enfatizar los clíticos recíprocos al agregar **(el) uno a(l) otro** (o las formas femeninas o plurales adecuadas).

| | |
|---|---|
| Se ayudan uno al otro. | *They help each other.* |

3. En la conversación, la reciprocidad a veces se expresa con una construcción reflexiva seguida de **con** + un substantivo o un pronombre preposicional.

| | |
|---|---|
| Casi nunca me veo con Pedro. | *Pedro and I almost never see each other.* |
| Hace años que me escribo con ella. | *She and I have been writing to each other for years.* |

## PRACTIQUEMOS

### A.  Traduzca al español.

1. They met each other at a party.
2. They called each other on the phone.
3. They saw each other every day for two months.
4. Then she and I met each other.
5. We called each other on the phone.
6. We saw each other every day for two months.
7. Then we separated and never saw each other again.

 **Usos de** *sí*

1. **Sí** es el pronombre preposicional reflexivo de tercera persona. Puede ser singular o plural, masculino o femenino.

| | |
|---|---|
| Sólo piensa en sí. | *He only thinks of himself. / She only thinks of herself. / You only think of yourself.* |

2. La preposición **a** + **sí** puede emplearse para aclarar o enfatizar **se**. A menudo una forma de **mismo** sigue al pronombre.

| | |
|---|---|
| El niño se bañó a sí mismo. | *The child bathed himself.* |
| Ana se lo compró a sí misma. | *Ana bought it for herself.* |
| Se ocupan de sí mismos. | *They take care of themselves.* |

3. **-Sigo** se emplea en vez de **sí** después de la preposición **con**.

| | |
|---|---|
| Está contento consigo mismo. | *He's happy with himself.* |
| Habla consigo misma. | *She talks to herself.* |

4. Varias expresiones idomáticas se forman con **sí**.

| | |
|---|---|
| decir para sí, entre sí | *to say to oneself* |
| estar en sí | *to be in one's right mind* |
| estar sobre sí | *to be on one's guard; to control oneself* |
| mirar para sí mismo | *to look out for oneself* |
| poner a uno fuera de sí | *to drive someone crazy; make someone jump for joy* |
| volver en sí | *to come to, to regain consciousness* |

5. **Sí** también funciona como pronombre recíproco.

| | |
|---|---|
| Hablaban entre sí. | *They were talking among themselves.* |

---

## PRACTIQUEMOS

**A. Traduzca al español.**

1. He bought it for himself. / He bought it for *himself*.
2. She takes care of them. / She takes care of herself.
3. One has to look out for oneself.
4. When he came to, he realized he was in a hospital.
5. I think that he's not in his right mind.
6. "Be quiet!" he said to himself.

7. They were laughing among themselves.
8. Her conduct can drive one crazy.
9. They cause themselves problems.
10. She's conversing with herself.

### *Se* para expresar casualidad

1. Las construcciones con **se** a menudo se emplean para expresar que algo ha pasado por casualidad o accidentalmente.

| | |
|---|---|
| Se perdieron los papeles. | *The papers got lost.* |
| Se quedó el paraguas en el auto. | *The umbrella got left in the car.* |
| Se rompió el cierrecler. | *The zipper broke.* |

Nótese que el sujeto de la primera oración arriba es **papeles,** y por lo tanto el verbo está en el plural. En la segunda y tercera oraciones, los sujetos (**el paraguas, el cierrecler**) están en el singular y el verbo concuerda con ellos.

2. Si la acción afecta a una persona, se emplea un complemento indirecto que se refiere a ella.

| | |
|---|---|
| Se me perdieron los papeles. | *I lost the papers. / The papers got lost (on me).* |
| Se le quedó el paraguas en el auto. | *He left the umbrella in the car.* |
| Se te rompió el cierrecler. | *You broke your zipper. / The zipper broke (on you).* |

3. Al emplear esta construcción, el que habla le quita la responsabilidad a la persona indicada por el complemento indirecto. Compare los siguientes pares de oraciones:

| | |
|---|---|
| Rompí la pulsera. | *I broke the bracelet (willingly or on purpose).* |
| Se me rompió la pulsera. | *I broke the bracelet (by accident).* |
| Solté el cinturón. | *I loosened the belt.* |
| Se me soltó el cinturón. | *My belt came loose.* |
| Pasé mucho tiempo con ellos. | *I spent a lot of time with them.* |
| Se me pasó el tiempo. | *The time slipped away from me.* |

4. Algunos de los verbos que se emplean a menudo en esta construcción son los siguientes.

| | | |
|---|---|---|
| **olvidar** | se le olvidó... | se le olvidaron... |
| **caer** | se le cayó... | se le cayeron... |
| **pasar** | se le pasó... | se le pasaron... |

| | | |
|---|---|---|
| **quedar** | se le quedó... | se le quedaron... |
| **romper** | se le rompió... | se le rompieron... |
| **perder** | se le perdió... | se le perdieron... |
| **ocurrir** | se le ocurrió... | se le ocurrieron... |
| **soltar** | se le soltó... | se le soltaron... |
| **echar a perder** | se me echó a perder... | se me echaron a perder... |

## PRACTIQUEMOS

**A. Complete cada oración usando las palabras que están entre paréntesis en una construcción con *se*.**

1. (perder / paraguas) No quiero salir en la lluvia porque _____.
2. (ocurrir / idea) Tengo que escribir una composición sobre Simón Bolívar pero no _____.
3. (echar a perder / botones) Cuando lavó la camisa, _____.
4. (soltar / cinturón) Se le caen los pantalones porque _____.
5. (pasar / tiempo) No estábamos mirando el reloj y _____.
6. (olvidar / documentos) Salieron de la casa corriendo y _____.
7. (caer / anillo) A lo mejor cuando te lavabas las manos _____.
8. (romper / hebilla) No puedo usar este cinturón porque _____.

**B. Conteste las siguientes preguntas.**

1. ¿Se le olvidan las cosas a menudo? ¿Qué cosas se le olvidan? ¿Se le olvidó algo esta mañana?
2. ¿Qué cosas se les olvidan a los estudiantes generalmente? ¿Y a los profesores? ¿Y a los padres?
3. ¿Qué hace un estudiante si se le pierden los libros?
4. ¿Qué hace un profesor si se le pierde el cuaderno con las notas de los estudiantes?
5. ¿A su profesor de inglés se le han perdido los exámenes alguna vez? ¿A mí se me han perdido los exámenes alguna vez?
6. ¿Se le ha perdido el suéter o alguna otra prenda de ropa? ¿Cuál?
7. ¿En qué circunstancias se nos pasa el tiempo sin que se note?
8. ¿A veces se le caen las cosas? ¿Qué cosas se le caen?
9. En su familia, ¿a quién se le ocurren las mejores ideas? Mencione un ejemplo.
10. ¿Se le quedó la tarea en casa hoy? ¿Qué hace usted cuando se le queda en casa alguna cosa que necesita?

## Expresiones problemáticas

### 1. llevar, ponerse, usar, vestir de, ir (vestido) de

**llevar** = *to wear (in a general sense)*

| | |
|---|---|
| Nunca lleva abrigo. | *He never wears a coat.* |
| El negro no se lleva a una boda. | *You don't wear black to a wedding.* |
| Lleva anteojos. | *She wears glasses.* |
| Lleva el pelo largo. | *She wears her hair long.* |

**llevar** = *to carry, to take*

| | |
|---|---|
| Lleva su paraguas en la mano. | *He's carrying his umbrella in his hand.* |
| Voy a llevar ese vestido a la costurera para que me lo acorte. | *I'm going to take this dress to the seamstress to be shortened.* |
| ¿Adónde me llevas? | *¿Where are you taking me?* |

**usar** = *to wear (in a general sense)*

| | |
|---|---|
| Usa la ropa hasta que se le cae. | *He wears clothes until they fall off his back.* |
| Usa anteojos. | *She wears glasses.* |
| Uso el pelo corto. | *I wear my hair short.* |

**ponerse** = *to put on, to wear (in a more specific sense)*

| | |
|---|---|
| ¿Qué me pongo? | *What shall I wear?* |
| Se ha puesto el mismo terno todos los días. | *He has worn the same suit every day.* |
| No tengo nada que ponerme. | *I have nothing to wear.* |

**vestir de, ir (vestido) de** = *to wear (a particular color), to dress (in a particular style); to dress up as*

| | |
|---|---|
| Siempre viste de negro (va vestida de negro). | *She always wears black.* |
| Va vestido de cowboy. | *He dresses like a cowboy.* |
| Va de señorita. | *She's dressed up as a young lady.* |

### 2. gastar, gastarse, desgastarse, agotar

**gastar** = *to wear out (one's clothes)*

| | |
|---|---|
| Los niños gastan mucha ropa. | *Children wear out a lot of clothes.* |

**gastarse** = *to wear out (to deteriorate, fall apart)*

| | |
|---|---|
| De tanto usarse, se ha gastado la tela. | *The material has worn out from use.* |
| Se han gastado estos zapatos. | *These shoes have worn out.* |

**desgastarse** = *to wear away (by erosion), to wear away steadily or little by little, to wear out (through use)*

Estas rocas están desgastadas.     *These rocks are worn away.*

Está desgastándose la cuerda.     *The cord is wearing away.*

**agotar** = *to wear out (someone)*

Esos niños agotan a su mamá.     *Those children wear out their mother.*

Estoy agotada.     *I'm worn out.*

**3. gastar, pasar**

**gastar** = *to spend (money)*

Gastó una fortuna en ese abrigo de pieles.     *She spent a fortune on that fur coat.*

A él no le gusta gastar dinero.     *He doesn't like to spend money.*

**pasar** = *to spend (time)*

Pasé una hora escogiendo este traje de baño.     *I spent an hour picking out this bathing suit.*

Pasa mucho tiempo en la biblioteca.     *She spends a lot of time in the library.*

## PRACTIQUEMOS

**A. Complete cada frase con uno de los verbos que está en la lista.**

1. llevar / ponerse / ir vestido de
   a. Ese niño _____ bombero.
   b. Necesito _____ los anteojos. No veo nada.
   c. Siempre he _____ barba y bigote.

2. gastarse / desgastarse / agotar
   a. Este trabajo me _____.
   b. Con el tiempo _____ los ladrillos y hay que hacer reparaciones.
   c. Cuando uno hace deportes, _____ las rodillas de los pantalones.

3. gastar / gastarse / pasar
   a. Nosotros _____ toda la tarde en el almacén pero no compramos nada.
   b. Tú _____ toda la plata de la familia y ahora no tenemos un centavo.
   c. He caminado tanto que _____ me han _____ los zapatos.

4. usar / llevar / ir de
   a. Voy a _____ estos libros a la biblioteca.
   b. Yo sólo _____ anteojos para leer.
   c. Esa señora siempre _____ muy _____ moda.

5. agotado / desgastado / vestido

   a. Estamos _____. No podemos dar un paso más.

   b. ¿Quién es la señora que está _____ de negro?

   c. La base del monumento está completamente _____.

# Selección literaria

## LA COSTURERA DE SAN PETERSBURGO
*Marjorie Agosín\**

Porque era judía le fue posible ser costurera. Guardaba los re-
tazos,° el brocado, los lienzos° debajo de una cama precaria y          pedazos de tela
en los crepúsculos, poco antes de finalizar sus cotidianas mi-          tela
siones, como barrer debajo del catre° de bronce, miraba cada            cama
5   uno de los retazos como si los deseara, como si fueran preciados objetos de amor, traídos de tierras imaginarias, y los
ponía sobre una colcha púrpura. Se imaginaba vestidos,
pañuelos, enaguas de hermosas mujeres, desfilando intrépi-
das con los talones cargados de huiros[1] por las avenidas y a
10  veces, se ponía junto a su piel un encaje rojizo para recordar
la sangre y los vestíbulos del amor.

De madrugada, se arropaba con las excesivas prendas de
un invierno arañado° y se dirigía en silencio, inclinada por las        scratchy
calles de San Petersburgo, entrando por las puertas traseras
15  del palacio donde les cosía a las zarinas° y a sus hijas, pe-          emperatrices de Rusia,
                                                                         esposas de los zares

---

\*Marjorie Agosín es una poeta y cuentista chilena que ha trabajado incansablemente por los derechos hu-
manos. Una de sus colecciones de poesía más notables es *Círculos de locura: Madres de la Plaza de
Mayo* (1992), dedicada a las madres argentinas cuyos hijos desaparecieron durante la dictadura militar.
Ha editado varias antologías de ficción femenina, por ejemplo, *Secret Weavers: Stories of the Fantastic
by Women Writers of Argentina and Chile* (1992) y *Landscapes of a New Land: Short Stories by Latin
American Women* (1991). En «La costurera de San Petersburgo» retrata a un miembro de su propia familia. Como en mucha de su ficción y poesía, en este cuento describe a un ser marginado—en este caso,
por su religión—y celebra la fortaleza del espíritu humano. La pieza es especialmente interesante porque
es un testimonio a la gran diversidad étnica y cultural del Cono Sur.

[1]*literally, seaweed* (The image is of the women treading through the streets with long threads or remnants stuck
to their heels.)

queñas piedras incrustadas en mil blusas brillantes. Con esmero se detenía ante cada alhaja,° las cuidaba para que no      joya
fueran a estrellarse en el vacío del parque y muy quieta, re-
plegada,° bordaba como si a hurtadillas° rezara. A veces, muy      *doubled over*
20    a lo lejos, se acercaba la zarina a preguntar quién había hecho      secretamente, a
                                                                           escondidas sin que
esa magia de bordado, quién había escrito una historia de            nadie lo notara
duendes en una blusa jaspeada y ella, delgada, asustada, se
acercaba temerosa. La hacían desfilar muy al centro del
cuarto para que la viesen, la aplaudiesen, aunque todos
25    sabían que era una pobre joven judía que guardaba retazos a
los pies de la cama.

   Por años, Estefanía bordó la perla perfecta en las blusas
de las zarinas y sus dedos eran semejantes a los florecidos
adornos, y se mecía en sus yemas la luz del tiempo porque
30    ella bordaba con el rostro velado, alumbrado y su ropa producía una extraña buenaventura a las que llevaban sus prendas. Y regresando, mareada de abrigos, sacos de capas
doradas y el viento, hacía sonar los alambres y a veces el can-

sancio de sus propios pies la vencía, la empapaba del frío y
35 de lo que llamamos tristeza.

Cuando comenzaron a matar judíos y árboles,[2] a quemar
niños judíos y gallinas, Estefanía no temió por su piel curtida,
su espalda ovalada, ni temió por la represalia de aquéllos que
vaticinaban° la derrota de todos en la corte de San Petersburgo.   predicted
40 Simplemente tuvo un terror inmenso por los preciados trozos
de brocado que guardaba junto a la escuálida cama de mujer
muerta en la perturbadora anomalía de una ciudad nevada.

Un día le quemaron su habitación y los de al lado le
habían guardado sus pequeñas pertenencias: un dedal° de oro   thimble
45 viejo y una aguja pequeñísima traída del Mar Báltico para
coser las perlas de su zarina lejana, querida.

Nadie supo por dónde se desplazó Estefanía, ni cómo
logró escaparse de las ceremonias del horror. Pero dicen que
la vieron desplazarse tranquila, satisfecha, con su caminar
50 lento hacia las afueras de San Petersburgo mientras la nieve
dejaba siempre ese rostro de las zonas esquivas, donde su
paso dulce era la sentencia del exilio y las tristezas de sus
agujas bordaban mostacillas y mortajas.°   **mostacillas**... glass beads and shrouds

Estefanía llegó a Londres: barría las calles, comía de la
55 caridad y caminaba agachada, dolida, como si su propio
cuerpo se pegara al suelo. Estaba tan lejana del cielo que para
dormirse confeccionaba de las propias bastas° de sus trapos   stitching
algunos tapices con el dedal de oro viejo y la aguja del
Báltico.

60 Supo con esa certeza de los mendigos y los videntes que
una parienta de la zarina venía por las calles de Londres desfilando, mostrándose aún viva, y ella sólo quería verla para
recordar aquellos días donde la hacían sentarse al centro del

---

[2]En marzo de 1917 (febrero, según el antiguo calendario ruso), el pueblo ruso se sublevó contra el zar. En Petro-
grado hubo disturbios y huelgas a causa de la escasez de pan y carbón. Todos los que estaban asociados con la
familia real fueron blancos de la violencia.

cuarto alado° y miraban las demás costureras sus historias de

65 perlas, sus cuentos bordados como los buenos e inocentes

sortilegios.°

Y apenas se acercaba a ella, porque su fatiga se acen-

tuaba más aún entre las multitudes, y ella escuchaba, en los

paisajes extranjeros, la lengua de las madres, de las tías, de la

70 trastienda. Entonces se le tiró encima a la desconocida, la

abrazó como si fuera una perla querida y extraviada° en las

sigilosas nieves de San Petersburgo. La parienta de la zarina

la reconoció. Apenas tuvo tiempo para inclinarse y besarla

porque se sabía entrelazada por la multitud, pero le dio de su

75 cartera de perlas unos cuantos rublos. Y así, Estefanía

agradeció al cielo y a los duendes, al zamovar³ de su bisa-

buela Elena, al primer beso de la dicha y la adolescencia y

pudo vivir en Londres con la prosperidad y la abundancia de

los justos. Recuperó los brocados y los llevó sobre su cuerpo

80 de seda.

Esta es, como tantas historias, una historia de verdad

contada por mi madre a quien se la contó su madre que venía

de San Petersburgo y era la sobrina de Estefanía.

*with wings (extended spaces)*

*magic charms*

*mislaid*

---

## PREGUNTAS

1. ¿Por qué cree usted que se le permitía a Estefanía ser costurera por el hecho de ser judía?
2. Describa la actitud de Estefanía hacia su trabajo. ¿Qué sentía por las telas?
3. ¿Por qué podía entrar en el palacio? ¿Por qué no entraba por la puerta principal?
4. ¿Para quiénes cosía? ¿Apreciaban el trabajo de Estefanía?
5. ¿Cómo era la vida de Estefanía?
6. ¿Qué sintió cuando estalló la Revolución?
7. ¿Adónde fue? ¿Cómo vivía allí?
8. ¿A quién vio un día en la calle? ¿Qué le dio esta persona a Estefanía?
9. ¿Cómo le ayudó?
10. ¿Quién es Estefanía?

---

³tetera rusa, generalmente de cobre, con hornillo para calentar agua y una especie de chimenea interior

## ANALISIS

1. ¿Qué información esencial incluye la autora en el primer párrafo? ¿Cómo despierta nuestra curiosidad acerca de la costurera? ¿Cómo logra crear una imagen compleja de su protagonista con muy pocas palabras?
2. ¿Cómo cambia la mención de la zarina nuestra imagen de la costurera? ¿Qué posición ocupa la costurera en el palacio?
3. ¿Qué metáforas usa la autora? ¿Es realista o no su descripción de la costurera?
4. ¿Cómo sabemos que la costurera no es feliz a pesar de que la admiran? ¿Cómo yuxtapone la autora diferentes imágenes de la costurera para darnos una idea de la complejidad de su vida?
5. ¿Cómo ayuda a crear una impresión de gran destrucción la yuxtaposición de palabras como «judíos y árboles», «niños judíos y gallinas». ¿Qué está diciendo la autora sobre la posición de los judíos en Rusia durante la Revolución?
6. ¿Cómo convierte a Estefanía en un personaje casi mágico?
7. ¿Es este cuento una narración tradicional o más bien una serie de cuadros? En su opinión ¿es eficaz esta técnica? ¿Por qué?
8. ¿Cómo describe la autora el encuentro de Estefanía con la parienta de la zarina? ¿Lo describe con mucho detalle? ¿En qué sentido es casi cinematográfica esta escena?
9. Marjorie Agosín es conocida como poeta lo mismo que como prosista. ¿Qué elementos poéticos emplea en este cuento? En su opinión ¿es este cuento un verdadero relato o un poema en prosa? ¿Por qué?
10. ¿Qué información revela en el último párrafo que personaliza el cuento? ¿Cómo cambia nuestro concepto de Estefanía? ¿Por qué cree usted que la autora no revela su parentezco con el personaje hasta la conclusión? ¿Es eficaz esta conclusión o no? Explique.
11. ¿Cómo ayuda este cuento a entender la diversidad étnica y cultural de Latinoamérica, especialmente del Cono Sur?
12. ¿Cómo refleja el interés de la autora chilena por los marginados y desamparados de la sociedad?

# Composición

## INTRODUCCIONES Y CONCLUSIONES

1. La introducción y la conclusión son a menudo los elementos más importantes de un artículo o narración. Aunque el tipo de introducción y conclusión varía según la naturaleza de la selección, estos dos elementos suelen cumplir ciertas funciones.

2. La introducción expone el tema y despierta el interés del lector. «Engancha» al lector al picar su curiosidad o al crear un elemento de suspenso. En una exposición, presenta la tesis o la idea central. En una narración, describe un personaje, un lugar o un acontecimiento de manera que el lector quiera saber más. Por lo general es mejor evitar oraciones introductorias demasiado directas, por ejemplo, «Este artículo trata de...» «En este artículo voy a examinar...» Hay varias maneras más eficaces de comenzar un artículo o narración; por ejemplo, se puede emplear:

   a. **Una pregunta** (¿Qué pasaría si de repente se acabara la electricidad? ¿Cómo trabajaríamos? ¿Cómo cocinaríamos sin el uso del refrigerador, la cocina eléctrica y el procesador de alimentos? ¿Cómo funcionarían nuestros hospitales y escuelas, nuestras fábricas y oficinas? Hoy en día la conservación de la energía es un tema...)

   b. **Un dato que llama la atención** (Varias compañías que han lanzado una campaña masiva en español con la esperanza de capturar el mercado hispánico de Texas y Nuevo México han topado con un obstáculo inesperado: más de la mitad de sus clientes eventuales hablan inglés principalmente.)

   c. **Una estadística asombrosa** (Unos 20 millones de personas murieron en la Gran Purga de Stalin durante los años 30 en la Unión Soviética.)

   d. **La afirmación de una posición controversial** (La posesión de un arma de fuego debe de ser ilegal. En vista de las estadísticas sobre el crimen, se debe abolir las leyes que permiten que los ciudadanos privados tengan armas.)

   e. **Una afirmación que pide más explicación** (Porque era judía le fue posible ser costurera.)

   f. **Una descripción llamativa** (Era más grande que un oso y más tierno que un bebé.)

   g. **Una anécdota** (Cuando fui a devolverle la taza de azúcar que me había prestado el día del cumpleaños de mi hijo, ella me dijo: «El color de su cabello es insoportable».)

3. El tono y ambiente del artículo o cuento se establecen en la introducción. Las primeras frases deben revelar si se trata de una selección humorística, fantástica, romántica, combativa o informativa.

4. La conclusión resume las ideas generales, da la moraleja o introduce alguna nueva información que cambia o da contexto a la pieza. La conclusión subraya por qué la información presentada en el artículo o el punto de vista del autor es importante o memorable. Puede incluir alguna idea conclusiva que el autor quiere dejarle al lector. También puede incluir algún comentario sobre la información presentada en el cuerpo del artículo o narración. A veces la conclusión incluye una breve anécdota que constituye un comentario. Por ejemplo, «Años después me encontré con el personaje y me reveló que...» o «...me di cuenta de que...» A veces termina con una pregunta: «¿Qué será de la raza humana dentro de cien años si no empezamos a hacer cambios dramáticos en...?» La conclusión

no debe ser una mera repetición de la introducción, sino una síntesis, explicación o contextualización del material precedente.

## ANTES DE ESCRIBIR

1. Decida qué tipo de artículo o cuento va a escribir.
2. Decida cuál será el tono y ambiente.
3. Decida qué tipo de introducción será adecuado para sus fines.
4. Decida cuál será la mejor manera de despertar la curiosidad e interés del lector (pregunta, dato asombroso, etc.).
5. Decida cómo va a desarrollar su artículo o narración. (¿Qué temas quiere tocar? ¿Qué datos quiere incluir? ¿Qué acontecimientos quiere narrar?)
6. Decida con qué ideas o impresiones quiere dejar a su lector.
7. Decida qué tipo de conclusión será adecuada.

## DESPUES DE ESCRIBIR

1. Revise su introducción. ¿Va su lector a querer seguir leyendo? Si no, ¿cómo puede mejorar su primer párrafo?
2. Revise el cuerpo de su artículo o cuento. ¿Se desarrolla de una manera lógica? ¿Incluye suficientes datos y detalles? Examine las transiciones entre oraciones y entre párrafos. ¿Son adecuadas?
3. Revise su conclusión. ¿Deja a su lector con la idea o impresión que usted desea? ¿Se presenta esta idea o impresión de una manera eficaz e interesante?

# EJERCICIOS DE COMPOSICION

1. Escriba una composición sobre uno de los siguientes temas prestando atención especial a su introducción y conclusión.
   a. ¿Por qué no producen los diseñadores ropa para la gente común y corriente?
   b. La influencia que tiene la ropa en el estado de ánimo del individuo
   c. El hábito hace al monje*
   d. La moda unisexo
   e. La desaparición de la elegancia
   f. La moda estudiantil

---

*Clothes make the man.

2. Escriba una narración en la cual usted cuente:

   a. una experiencia que usted tuvo en una tienda o en un almacén:

   b. un incidente en que usted se presentó en una fiesta vestido/a igual a otro invitado (otra invitada)

   c. un incidente en que usted se presentó en una fiesta vestido/a de una manera inapropiada

   d. algún otro incidente relacionado con la ropa

   Preste atención especial a su introducción y conclusión.

# Cuarta parte

# Trampas gramaticales

IV

## La sala de clase, el aula

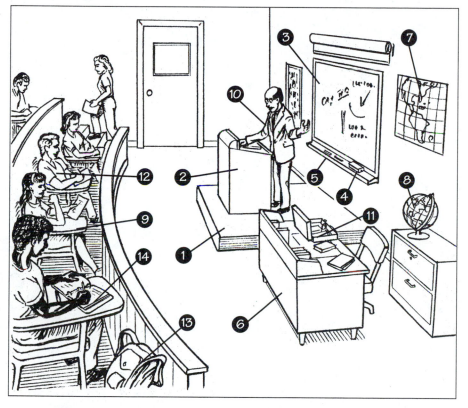

1. el podio
2. el atril
3. la pizarra
4. el borrador
5. la tiza, el gis
6. el escritorio
7. el mapa
8. el globo terráqueo
9. el pupitre
10. el profesor, la profesora
11. el cartapacio, el maletín, el portafolio, la cartera de mano
12. el (la) estudiante; el alumno, la alumna
13. la mochila
14. el cuaderno

**VOCABULARIO ADICIONAL:**
**1.** las facultades   **2.** medicina   **3.** derecho   **4.** humanidades   **5.** administración de empresas   **6.** arquitectura   **7.** ingeniería   **8.** el lápiz   **9.** el lápiz de pasta, el bolígrafo   **10.** la goma   **11.** el calculador   **12.** el rector, la rectora   **13.** el catedrático, la catedrática   **14.** el profesorado   **15.** la lista de estudiantes   **16.** la conferencia   **17.** el examen   **18.** la prueba   **19.** El profesor pasa lista.   **20.** El profesor da una conferencia.   **21.** El profesor corrige el examen.   **22.** El profesor califica el examen.   **23.** las notas, las calificaciones   **24.** el estudiantado   **25.** el horario de clases   **26.** la matrícula   **27.** El estudiante se matricula (se inscribe) en un curso.   **28.** El estudiante asiste a la clase.   **29.** los apuntes   **30.** El estudiante saca apuntes.   **31.** El estudiante sale bien (en el curso, en un examen).   **32.** El estudiante sale mal (en el curso, en un examen).   **33.** el trabajo escrito, la composición, el ensayo   **34.** la lección   **35.** los ejercicios   **36.** la lectura   **37.** la carrera (de medicina, de filosofía)   **38.** la residencia estudiantil

**ADDITIONAL VOCABULARY:**
**1.** "schools" or divisions of a university   **2.** medicine   **3.** law   **4.** humanities   **5.** business administration   **6.** architecture   **7.** engineering   **8.** pencil   **9.** ballpoint pen   **10.** rubber eraser   **11.** calculator   **12.** rector, head of a university   **13.** professor   **14.** faculty   **15.** class roll   **16.** lecture   **17.** exam   **18.** test, quiz   **19.** The professor takes roll.   **20.** The professor gives a lecture.   **21.** The professor corrects the exam.   **22.** The professor grades the exam.   **23.** grades   **24.** student body   **25.** class schedule   **26.** registration, enrollment   **27.** The student enrolls in (registers for) a course.   **28.** The student attends class.   **29.** class (lecture) notes   **30.** The student takes notes.   **31.** The student passes (the course, an exam).   **32.** The student fails (the course, an exam).   **33.** paper, composition, essay   **34.** lesson   **35.** exercises   **36.** reading   **37.** major

# El laboratorio

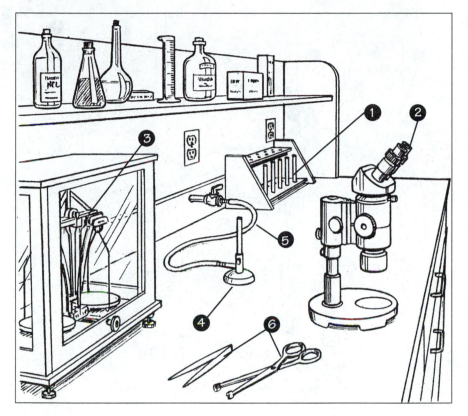

1. la probeta,
   el tubo de
   ensayo
2. el microscopio

3. la balanza de
   laboratorio
4. el mechero
   Bunsen

5. el tubo
6. las pinzas

## La biblioteca

1. los estantes
2. los ficheros
3. las fichas
4. el bibliotecario,
   la bibliotecaria

5. el usuario,
   el lector
6. la papeleta
   de préstamo

7. la sala de
   lectura

# El campo universitario

**VOCABULARIO ADICIONAL:**
**1.** la residencia estudiantil, el colegio mayor[1]   **2.** el restaurante estudiantil[2]   **3.** el café

**ADDITIONAL VOCABULARY:**
**1.** dormitory   **2.** cafeteria   **3.** coffee shop

---

[1]La mayoría de las universidades latinoamericanos no tienen residencias estudiantiles. Es típico que los estudiantes vivan con sus padres o con otros parientes, o si no, que arrienden un cuarto en una pensión o en una casa.

[2]La palabra española **cafetería** significa **café.** El equivalente español de *student cafeteria* es **restaurante estudiantil.**

## La librería estudiantil

## El bar estudiantil[1]

---

[1]Los estudiantes se reúnen en el **bar estudiantil** para tomar café o cerveza y comer un sándwich. A diferencia de **bar** en inglés, **bar** en español no connota necesariamente un lugar donde la gente va a tomar alcohol.

La educación en Latinoamérica:
Desafío para el futuro

*Desafiar — to challenge*

*Sean Murphy*
*Coloquio sobre la sociedad hispana*
*19 de octubre de 1992*

*[Adaptación de un auténtico trabajo estudiantil preparado para un curso en Georgetown University, Washington, D.C.]*

Nuestro mundo está (achicándose). *becoming smaller* Los sistemas avanzados de comunicación y el comercio internacional están borrando las fronteras que antes separaban a un país del otro. Hoy en día las naciones de Latinoamérica desean
5  desempeñar un papel importante en el mercado internacional; *to play a role* quieren competir con los Estados Unidos y con los países de Europa y del Oriente. Por lo tanto, la educación (se ha vuelto) una prioridad. Los líderes de Latinoamérica saben que sus países necesitan producir
10  comerciantes, científicos, técnicos, artistas e intelectuales que guiarán a sus pueblos durante las primeras décadas del siglo (XXI). Saben, además, que para que la *triumph* democracia triunfe en la región es esencial crear una base social de ciudadanos instruidos. *ahead of them*
15  Tienen una tarea difícil [por delante]. Entre el 24 y el 60 por ciento de la población de Latinoamérica es analfabeta, aunque en países como Argentina, Chile, Cuba y Uruguay más del 90 por ciento de las personas mayores de 15 años saben leer y escribir.[1] En casi todos los
20  países de Latinoamérica existen leyes que requieren que los niños completen sus estudios primarios. Sin embargo, en 1969, al entrar en la segunda mitad del siglo XX, menos de la mitad de los niños de Latinoamérica asistían a la escuela.[2] A pesar de los adelantos que se han hecho
25  desde entonces, aún hoy en día miles de niños quedan sin terminar sus estudios primarios debido a la (escasez) de escuelas y maestros que existe en algunas zonas. Además, muchos niños abandonan la escuela porque necesitan trabajar para ayudar a mantener a su familia. Durante los

---

[1]Alberto L. Mercani, *La educación en Latinoamérica: mito y realidad* (México, D. F.: Grijalbo, 1983), 156.

[2]Thomas J. LaBelle, ed., *Educational Alternatives in Latin America* (Los Angeles: UCLA Latin America Center Publications, 1975), 6.

30  ochenta y los primeros años de la próxima década, varios
países de Latinoamérica sufrieron una crisis económica,[3]
la cual empeoró la situación, ya que resultó en la reducción de los fondos disponibles para la educación.[4]
Según Eduardo García, de la CEPAL, a causa de esta cri-
35  sis Latinoamérica ha perdido dos décadas en el campo de
la educación.[5] El deterioro del sistema educativo
público se nota a todos los niveles, ya que en la mayoría de los países el estado es responsable de la educación completa desde el jardín infantil hasta la
40  universidad.

Las presiones por competir a nivel internacional y
las fluctuaciones económicas se han hecho sentir profundamente en las instituciones de educación superior.
Latinoamérica goza de numerosas excelentes universi-
45  dades, algunas de las cuales datan del siglo XVI. La más
antigua, la de Santo Tomás Aquino en Santo Domingo, fue
fundada en 1538. Su cédula aseguraba que la nueva institución gozaría de «cada uno de los privilegios, los
derechos, las imunidades, las exenciones, las liber-
50  tades, los favores, y las gracias, como los que tengan y
gocen las universidades de Alcalá y Salamanca, o
cualquier otra en el reino de España».[6] Durante el
período colonial, otras universidades fueron estable-
cidas por la autoridad del rey o del Consejo de las In-
55  dias. En cada una de ellas había facultades de teología,
leyes, artes y medicina. Para el año 1563, había universidades en México, Perú, la Española y Colombia. En contraste, no se estableció la primera universidad
norteamericana, Harvard, sino hasta 1693.
60  La mayoría de las universidades de Latinoamérica
fueron fundadas por órdenes religiosas, en particular
los jesuitas y los dominicos. Al independizarse de Es-

---

[3]Banco Mundial, *Poverty in Latin America: The Impact of the Depression*
(Washington, D.C.: World Bank, 1987).

[4]UNICEF, *Educación 2000: Hacia una nueva etapa de desarrollo educativo*
(Quito: UNESCO-UNICEF, 1991), 45.

[5]Eduardo García, "La crisis económica y las políticas sociales en
América Latina y el Caribe", Conferencia en CEPAL, Santiago de Chile,
5 mayo, 1988. Citado en Lourdes Arizpe S., *Desarrollo y educación para
las mujeres en América Latina y el Caribe: Nuevos Contextos* (Cuernavaca, México: Universidad Nacional Autónoma de México—Centro Regional de Investigaciones Multidisciplinarias, 1990), 27.

[6]Harold R. W. Benjamin, *Higher Education in the American Republics*
(New York: McGraw-Hill, 1965), 12.

paña en el siglo XIX, los nuevos países hispanoamericanos que no tenían universidades dentro de sus fron-
65  teras, entre los cuales se puede contar a Uruguay, Costa
Rica, El Salvador y Honduras, se vieron obligados a es-
tablecerlas.

Las universidades de aquella época tenían un solo objetivo, el de entrenar a una elite para entrar en las
70  profesiones. Pero este papel se ha ampliado en el siglo
XX. Hoy en día, al entrenamiento profesional se han
agregado dos objetivos más: la investigación científica y
el servicio a las regiones. Aun así, la preparación para
una profesión sigue siendo la meta principal de la uni-
75  versidad. A diferencia del estudiante norteamericano, el
hispanoamericano recibe una intensa educación humanís-
tica en el colegio, la cual incluye el estudio de
lenguas modernas y antiguas, matemáticas, ciencias, religión, filosofía y literatura. Al entrar a la universi-
80  dad, el estudiante ingresa en una facultad profesional,
donde estudia únicamente esos cursos que se incluyen en
su carrera. El concepto de tomar cursos «electivos» para
ampliar los horizontes intelectuales del estudiante sencillamente no existe.
85  Pero el estudiante latinoamericano hace mucho más que
estudiar. Desempeña un papel importante en la política
de su país. La universidad siempre ha sido un centro de
agitación política en Hispanoamérica. Los estudiantes se
reúnen en cafés o bares estudiantiles para discutir
90  temas relacionados con el gobierno y la sociedad y, de
hecho, muchos importantes movimientos se han originado
en la universidad. Lo que permite que se haya radica-
lizado el estudiantado es que las Constituciones de casi
todos los países de Hispanoamérica garantizan la au-
95  tonomía, la cual significa que el gobierno no puede intervenir en las actividades políticas de estudiantes y
profesores.

Aunque tradicionalmente las universidades hispanoamericanas han sido instituciones elitistas, hoy en
100  día están tratando de integrar a un mayor número de personas de las clases humildes al estudiantado. Puesto que
es típico que el gobierno financie las universidades,
estas son muchísimo más baratas que las norteamericanas;
aun las particulares cobran una pequeña parte de lo que
105  normalmente se cobra en los Estados Unidos y las del estado son completamente gratis.[7] Sin embargo, los jóvenes

[7]Benjamin, 119.

pobres usualmente no intentan ingresar a la universidad
porque necesitan trabajar o porque no ven las ventajas
prácticas e inmediatas de seguir estudiando. Durante la
110 segunda mitad del siglo XX esta situación empezó a cambiar. Entre los años 1960 y 1980 los países de Latinoamérica vieron un aumento dramático en el número de
estudiantes de todas las clases sociales que ingresaron
en la universidad. Por ejemplo, en 1980 más del 25 por
115 ciento de los argentinos entre las edades de 20 y 24
años—la gran mayoría de ellos de la clase media—estaban
asistiendo a universidades.[8] De hecho, en varios países
hay una escasez de aulas; no hay lugar para todos los
jóvenes calificados que aspiran a continuar su educación.
120 Es de notar que desde los años 60 la matriculación en
universidades católicas disminuye, mientras que la de
universidades seculares—privadas y públicas—crece. Desgraciadamente, la demanda empezó a aumentar justo en el
momento en que la mayoría de los países, por su
125 situación económica, no estaban en condiciones de ampliar su sistema universitario.

Hoy en día las universidades latinoamericanas están
luchando por modificar no sólo su estudiantado sino también sus programas de estudios para atender a las so-
130 ciedades a las cuales sirven. Por décadas la gran
mayoría de los estudiantes hacían la carrera de derecho,
ya que ésta no sólo preparaba al joven para una variedad
de profesiones (abogado, político, hombre de letras)
sino que también suministraba una buena educación hu-
135 manística. La escasez de científicos, profesores, inge-
nieros y médicos que sufren muchos países ha hecho que
las universidades intenten aumentar· el número de estudiantes que se inscriben en estas carreras. A fines de
los años 70 y al principio de los 80 empezó a verse un
140 cambio marcado; los campos en que había mayor matriculación eran la ingeniería (con un 20 por ciento), los
estudios comerciales (con un 14,5 por ciento) y la medicina (con un 14,3 por ciento).[9]

Otro cambio significativo es el aumento en el número
145 de mujeres que están ingresando en la universidad. En
Colombia, por ejemplo, el por ciento de la población

---

[8]Daniel C. Levy, *Higher Education and the State in Latin America*
(Chicago: University of Chicago, 1986), 42.

[9]Levy, págs. 270–271.

universitaria que eran mujeres aumentó del 18 al 39
entre 1960 y 1977. Durante el mismo período, aumentó del
9 al 25 por ciento en Guatemala y del 15 al 26 por
ciento en México.[10] En Argentina más de la mitad de los
estudiantes universitarios son mujeres.[11] Sin embargo,
debido a la disminución de ingresos de familia y a los
recortes en los presupuestos de las instituciones de educación superior, es cada vez más difícil que las mujeres
ingresen en la universidad.[12]

La universidad hispanoamericana ha evolucionado
dramáticamente a través de los siglos. La necesidad de
integrarse al mercado internacional, las presiones de
una economía mundial inestable y las exigencias de la
democracia representan un desafío para las universidades
del futuro. Pero es un desafío que los líderes tendrán
que estar dispuestos a aceptar para que sus países tomen
su lugar en la familia de naciones.

## Obras citadas

Arizpe, Lourdes S. *Desarrollo y educación para las
mujeres en América Latina y el Caribe: Nuevos
Contextos.* Cuernavaca, México: Universidad Nacional
Autónoma de México—Centro Regional de Investigaciones
Multidisciplinarias, 1990.

Benjamin, Harold R. W. *Higher Education in the American
Republics.* New York: McGraw-Hill, 1965.

Banco Mundial. *Poverty in Latin America: The Impact of
the Depression.* Washington, D.C.: World Bank, 1987.

Chaney, Elsa M. *Women of the World: Latin America and
the Caribbean.* Washington, D.C.: Bureau of the Census,
1984.

ECLA, *Statistical Yearbook of Latin America.* Santiago de
Chile: UN/ECLA, 1987.

LaBelle, Thomas J. *Educational Alternatives in Latin
America.* Los Angeles: UCLA Latin American Center
Publications, 1975.

[10]Elsa M. Chaney, *Women of the World: Latin America and the Caribbean*
(Washington, D.C.: Bureau of the Census, 1984), 63.

[11]ECLA, *Statistical Yearbook of Latin America* (Santiago de Chile:
UN/ECLA, 1987), 62.

[12]Arizpe, 31.

Levy, Daniel C. *Higher Education and the State in Latin America*. Chicago: University of Chicago, 1986.

Maier, Joseph and Richard W. Weatherhead, eds. *The Latin American University*. Albuquerque: University of New Mexico, 1979.

Mercani, Alberto L. *La educación en Latinoamérica: mito y realidad*. México, D.F.: Grijalbo, 1983.

Soto Blanco, Ovidio. *La educación en Centroamérica*. San Salvador: Secretaría General de la Organización de Estados Centroamericanos, 1968.

UNICEF, *Educación 2000: Hacia una nueva etapa de desarrollo educativo*. Quito: UNESCO-UNICEF, 1991.

# Para enriquecer su vocabulario

Muchas palabras españolas que se parecen a palabras inglesas tienen un significado completamente diferente.

**asistir**
*to attend* (no significa «to assist» [ayudar])

**atender**
*to take care of* (no significa «to attend» [asistir])

**colegio**
*school* (no significa «college» [universidad])

**conferencia**
*lecture* (no significa «conference» [congreso])

**dormitorio**
*bedroom* (no significa «dormitory» [residencia estudiantil])

**escolar**
*schoolchild* (no significa «scholar» [sabio, perito])

**facultad**
*division of a university* (no significa «faculty» [profesorado])

**lectura**
*reading* (no significa «lecture» [conferencia])

**librería**
*bookstore* (no significa «library» [biblioteca])

**particular**
*private* (también puede significar «particular»)

**registrar**
*to search* (no signfica «to register» [matricularse, inscribirse])

## EJERCICIOS

### A.  Conteste las siguientes preguntas.

1. ¿Qué facultades hay en esta universidad? ¿En qué facultad estudia usted? ¿En qué facultad estudia un futuro abogado o una futura abogada? ¿un futuro hombre o mujer de negocios? ¿alguien que quiere ser filósofo? ¿alguien que quiere ser historiador?

2. Describa el aula de la clase de español. ¿Cuántos objetos puede usted nombrar?

3. ¿Qué se lleva en una mochila? ¿Tiene usted una mochila?

4. ¿Qué cosas hace un profesor? Trate de nombrar por lo menos siete.

5. ¿Qué cosas hace un estudiante? Trate de nombrar por lo menos ocho.

6. ¿Qué carrera hace usted en la universidad? ¿Qué piensa hacer cuando se gradúe?

7. ¿Qué materias estudia usted? ¿Cuál es su materia favorita? ¿Cuál le gusta menos?

8. ¿Para qué cursos hay laboratorios? ¿Qué hay en un laboratorio científico?

9. ¿Cuántas veces a la semana va usted a la biblioteca? Además de libros, ¿qué cosas hay en la biblioteca? ¿Qué hace un bibliotecario? ¿Por qué no deben hacer ruido los lectores?

10. ¿Hay un bar estudiantil en su universidad? ¿Qué hacen los estudiantes en su tiempo libre?

### B.  Identifique la palabra que no debe estar en la lista y explique por qué.

MODELO   tiza / lápiz / bolígrafo / microscopio
   **«Microscopio» no debe estar en la lista. Los otros objetos se emplean para escribir, mientras el microscopio es un instrumento de laboratorio.**

1. derecho / ingeniería / pizarra / humanidades
2. balanza / microscopio / mechero de Bunsen / mapa
3. examen / lectura / partido / lecciones
4. física / música / química / biología
5. probeta / pupitre / escritorio / podio
6. matricularse / asistir a clase / sacar apuntes / pasar lista
7. maletín / mochila / atril / portafolio
8. escuela / colegio / humanidades / universidad
9. estantes / ficheros / bar estudiantil / papeletas de préstamo
10. librería / bar estudiantil / residencia / equipo de fútbol

### C.  Complete cada oración con la palabra correcta.

1. Los estudiantes (asisten / atienden) a clase.
2. Esta tarde vamos a ir a una (conferencia / lectura).

3. No quiere (registrar / matricularse) en ese curso.

4. (Asiste / atiende) a su mamá, que está enferma.

5. Estudia para abogado en (el colegio / la universidad).

6. Compré estos libros en la (biblioteca / librería).

7. (La facultad / el profesorado) de derecho está en ese edificio antiguo.

8. Ese tratado fue escrito por un famoso (escolar / sabio).

### D. Temas de conversación.

1. ¿Qué tipo de ensayo es «La educación en Latinoamérica: Desafío para el futuro»? ¿Es una narración, o un trabajo de investigación? ¿Qué características distinguen este tipo de trabajo? ¿Por qué es importante aprender a escribir este tipo de composición?

2. ¿Por qué es la educación una prioridad en Hispanoamérica?

3. ¿Cuáles son algunos de los problemas a los cuales los líderes políticos y educadores de Hispanoamérica tienen que enfrentarse?

4. ¿Es la educación una prioridad en los Estados Unidos? ¿Cuáles son algunos de los problemas que se tienen que resolver? ¿Qué soluciones sugiere usted?

5. ¿Cuál es la universidad más antigua de las Américas? ¿y de los Estados Unidos? ¿Qué eran algunas características de las primeras universidades hispanoamericanas? ¿Cuál era su objetivo? ¿Cómo han cambiado las universidades hispanoamericanas?

6. ¿Qué diferencias existen entre las universidades norteamericanas y las hispanoamericanas?

7. ¿Es la universidad un centro de agitación política en los Estados Unidos? ¿Por qué?

8. En su opinión ¿es importante que las universidades hispanoamericanas integren a un mayor número de personas de las clases humildes? ¿Cuáles son algunos obstáculos que impiden esta integración? ¿Qué semejanzas y diferencias ve usted entre el esfuerzo que se ha hecho por ampliar el estudiantado en Hispanoamérica y Estados Unidos?

9. ¿Cómo han cambiado los programas de estudios de las universidades hispanoamericanas?

10. ¿Cómo ha cambiado la participación femenina? ¿Por qué es difícil que siga aumentando?

11. ¿Cree usted que es mejor que los universitarios estudien una carrera profesional exclusivamente o prefiere el sistema norteamericano, el cual permite que el estudiante tome cursos electivos? ¿Por qué?

12. ¿Deben ser gratis las universidades del estado en los Estados Unidos? ¿Cree usted que la universidad es demasiado cara? ¿Qué efectos tiene esto en la educación? ¿Cómo se puede resolver este problema?

13. En su opinión ¿cuáles deben ser los objetivos de las universidades?

14. ¿Cuáles son las ventajas de una educación universitaria?

**E. Pro y contra: temas de debate.**

1. La educación universitaria no es para todo el mundo.
2. Se les debe dar tanta importancia a los temas y autores no europeos como a los europeos en las escuelas norteamericanas.
3. Las mujeres son más dotadas para las humanidades y los hombres, para las ciencias y matemáticas.
4. El estudiante norteamericano se interesa menos por la política que el estudiante hispanoamericano.
5. El analfabetismo es un problema serio en los Estados Unidos.
6. La educación es una responsabilidad tanto como un derecho.
7. Se les da demasiada importancia a los deportes en las universidades norteamericanas.
8. Se le da demasiada importancia a la vida social en las universidades norteamericanas.
9. Hay mucha presión por tomar y fumar en las residencias estudiantiles.
10. Las residencias estudiantiles no deben ser coeducacionales.

**F. Situaciones.**

1. Usted y su amigo/a están repasando sus apuntes porque tienen un examen muy importante. De repente llega otro estudiante y anuncia que va a haber una huelga estudiantil al día siguiente.
2. Usted y su compañero/a están discutiendo de política en un café. Pronto se dan cuenta de que no están de acuerdo en nada.
3. Usted está en una fiesta de estudiantes. Todos los demás jóvenes están tomando alcohol y le ponen presión para que usted tome también, pero usted tiene que manejar a casa y no quiere beber.
4. Hay un/a chico/a muy guapo/a en su clase de historia y usted tiene ganas de conocerlo/la. Usted inventa varias excusas para conversar con él(ella) pero no parece tener mucho interés.
5. Su profesor ha asignado un trabajo de investigación pero usted teme no poder terminarlo a tiempo. Usted llega a su oficina para pedirle un plazo.

# GRAMATICA
## *Preposiciones y conectores*

### Las preposiciones simples y compuestas

*encima de – on top of*

**1.** Las preposiciones simples más comunes son las siguientes:

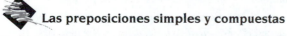

| | | | |
|---|---|---|---|
| a | *to, at, in* | con | *with* |
| ante | *before, in the presence of* | contra | *against* |
| bajo | *under, below* | de | *of, from, by, about* |

*formal* (ante)

*debajo – más intenso*

| durante | *during, for* | para | *for, to, toward, in order to* |
| en | *in, into, on, upon, at* | por | *for, by, through, on account of* |
| entre | *between, among* | salvo | *except* |
| excepto | *except* | según | *according to* |
| hacia | *toward* — distinto a 'a' | sin | *without* |
| hasta | *until, up to,* even | sobre | *on, upon, over, about* |
| menos | *except* | tras | *after, behind* |

detrás — behind

Estas preposiciones preceden a la frase substantiva.

| Estos países desean desempeñar un papel importante **en** el mercado internacional. | *These countries wish to play an important role in the international market.* |
| Quieren competir **con** las naciones del mundo. | *They want to compete with the nations of the world.* |

**2.** Las preposiciones compuestas más comunes son:

mejor: debido a

no use mucho

| a causa de | *because of* | alrededor de | *around* |
| a favor de | *in favor of* | antes de | *before* |
| a fin de | *in order to* | cerca de | *near* |
| a fines de | *at the end of (time period)\** | debajo de | *underneath* → cubierto |
| al fin de | | delante de | *in front of* → delantal → apron |
| a mediados de | *in the middle of (time period)\** | dentro de | *inside of* |
| | | después de | *after* |
| a partir de | *starting* from | detrás de | *behind* — Sequential |
| a pesar de | *in spite of,* despite | en cuanto a | *as for* |
| a principios de | *at the beginning of (time period)\** | en vez de | *instead of* |
| | | encima de | *on top of* |
| a propósito de | *concerning* | frente a | *opposite* la frente = forehead |
| acerca de | *about* — no fisical idea | junto a | *next to* |
| además de | *besides* | respecto a | *with respect to* |
| al lado de | *next to* | | |

sobre — on →

→ escritura formal    respeto — respect (honor)

Estas preposiciones se componen de dos partes; **a** o **de** precede al substantivo.

| A pesar de los adelantos que se han hecho, aún hay problemas. | *In spite of the progress that has been made, there are still problems.* |
| A causa de esta crisis, Latinoamérica ha perdido dos décadas en el campo de la educación. | *Because of this crisis, Latin America has lost two decades in the field of education.* |

adelanto = coming

*Estas preposiciones se emplean con unidades de tiempo: **a fines del año, a mediados del mes.**

**3.** Una preposición y su complemento pueden formar parte de una cláusula adjetival. Mientras que en inglés la preposición + complemento puede modificar el substantivo directamente *(the room opposite ours)*, en algunas regiones del mundo hispánico no se puede omitir **que** + verbo (el cuarto **que está** frente al nuestro).

El cuarto (que está) frente al nuestro está desocupado.

*The room opposite ours is vacant.*

La chica (que está) delante de Francisca es argentina.

*The girl in front of Francisca is Argentine.*

**4.** Algunas preposiciones están relacionadas con conjunciones adverbiales (para/para que; sin/sin que; a pesar de/a pesar de que). Recuérdese que el complemento de una preposición es un substantivo o un infinitivo, mientras que el complemento de una conjunción adverbial es una cláusula.

La educación es un desafío **para el futuro.**

*Education is a challenge for the future.* → tiene insignificado por el futuro

Las universidades preparan a los jóvenes **para entrar** en una profesión.

*Universities prepare young people to enter a profession.*

Los líderes están dispuestos a aceptar este desafío **para que sus países puedan** tomar su lugar en la familia de naciones.

*The leaders are willing to accept this challenge so that their countries can accept their places in the family of nations.*

**5.** Cuando el complemento de una preposición es un infinitivo, el equivalente en inglés es a menudo un gerundio. (Véase la página 17.)

Después de graduarse, consiguió un buen puesto.

*After graduating, he got a good job.*

Miles de niños quedan sin terminar sus estudios.

*Thousands of children are left without finishing their studies.*

## PRACTIQUEMOS

**A. Complete las siguientes oraciones.**

1. Todas mis clases me gustan excepto _____.
2. Escribí esta composición según _____.
3. No empiezan las vacaciones sino hasta fines de _____.
4. Los estudiantes se reunieron a propósito de _____.
5. Voy a sentarme al lado de _____.
6. Preferimos terminar la lectura en vez de _____.
7. Necesito hablar con ustedes respecto a _____.

8. Estudió piano con _____.

9. Andan corriendo tras _____.

10. En cuanto a _____, es mejor no decirle demasiado a la gente.

**B. Traduzca las siguientes frases.**

1. She took the test without studying. / She took the test without our knowing it.

2. In spite of knowing the answer, I didn't write a thing. / In spite of their knowing the answer, I couldn't get any information out of them.

3. After studying, I went to the movies. / After they studied, we all went to the movies.

4. Before going to the lecture, read your notes. / Before we go to the lecture, read your notes.

5. She went back to the dormitory in order to get a jacket. / We went back to the dormitory so that she could get a jacket.

6. The girl next to Enrique is Mexican.

7. The papers underneath that book are my exam.

8. The building opposite the library is the law school.

## Usos especiales de *a, de* y *en*

**A, de** y **en** tienen varios equivalentes en inglés. Nótese los usos de estas preposiciones y sus equivalentes ingleses en los ejemplos que siguen.

**1.** La preposición **a** indica:

**a. dirección**

| | |
|---|---|
| Van a la biblioteca. | *They're going to the library.* |
| Vinieron a la clase de biología. | *They came to the biology class.* |

**b. el término del movimiento** (El equivalente inglés más común es *at.*)

| | |
|---|---|
| Llegaron a la universidad. | *They arrived at the university.* |
| ~~Asistieron a clase.~~ | ~~*They attended class.*~~ |
| Alguien está a la puerta. | *Someone is at the door.* |
| Se sentó a la mesa. | *He sat down at the table.* |

**c. el tiempo en que una cosa ocurre**

| | |
|---|---|
| Salen de clase a las tres. | *They get out of class at three.* |
| Habló con el profesor al día siguiente. | *He talked to the professor the next day.* |

**d. por**  —dinero, tiempo

| | |
|---|---|
| Ganan mil dólares a la semana. | *They earn a thousand dollars a week.* |
| Lo venden a diez dólares el kilo. | *They're selling it for ten dollars a kilo.* |

*Asistir(a)= to attend*
*Asistir = to help*

**e. el modo de hacer una cosa**

Fueron a la universidad a pie.              *They went to the university on foot.*

Se hablan a gritos.                         *They scream at each other. (They talk to*
                                            *each other by screaming.)*

Escribió su composición a máquina.          *He typed his paper.*

**f. de manera**

*pie a la a modé*

Se viste a la española.                     *She dresses Spanish style.*

**g. si** — *contracción de la contracción del "al"*

A saber la respuesta, habría                *If I had known the answer, I'd have*
  salido bien en el examen.                   *passed the exam.*
  (=Si hubiera sabido...)

A decir verdad, no me gusta.                *To tell the truth, I don't like it.*

**2.** La preposición **de** indica:

**a. posesión**

Esa mochila es de mi compañero              *That backpack belongs to my classmate.*
  de clase.

**b. origen**

Somos de Bolivia.                           *We're from Bolivia.*

**c. la materia de la cual se ha hecho una cosa**

Es una probeta de plástico.                 *It's a plastic test tube.*

**d. el contenido**

Compraron una botella de cerveza.           *They bought a bottle of beer.*

**e. por (por estar, tener)**

En la clase de literatura leímos            *In literature class we read Don Quijote,*
  *Don Quijote*, de Cervantes.                *by Cervantes.*

Se puso a temblar de puro enojado.          *He was so mad he started to tremble.*

Está loco de rabia.                         *He's crazy with anger.*

**f. desde**

Lo llevaron de la biblioteca al             *They took it from the library to the*
  laboratorio.                                *laboratory.*

Voy a estar en clase de las diez            *I'm going to be in class from ten to*
  a las once y media de la                    *eleven thirty in the morning.*
  mañana.

**g. cualidades personales**

| | |
|---|---|
| El chico de pelo negro es mi amigo. | *The boy with black hair is my friend.* |
| ¿Quién es ese señor de ojos azules? | *Who's that man with blue eyes?* |

**h. como**

| | |
|---|---|
| Anda vestido de estudiante. | *He goes around dressed like a student.* |

**i. sobre, acerca de**

| | |
|---|---|
| El profesor de historia habló de la Guerra Civil española. | *The history professor spoke about the Spanish Civil War.* |

**j. función**

| | |
|---|---|
| Como tengo un nuevo computador, puedo regalarte mi máquina de escribir. | *Since I have a new computer, I can give you my typewriter.* |
| En esa piscina hay una tabla de saltar. | *At that pool there's a diving board.* |

**k. lugar**

| | |
|---|---|
| Voy a invitar a unos amigos de la oficina. | *I'm going to invite some friends from the office.* |
| El edificio grande del otro lado del campo universitario es la biblioteca. | *The big building on the other side of campus is the library.* |

Nótese que *in* o *on* en las siguientes oraciones se traduce por **de.** No se emplea **en** en una frase adverbial que modifica un substantivo.

| | |
|---|---|
| Mis amigos de la oficina dicen eso. | *My friends **in** the office say that.* |
| La casa de la esquina está para la venta. (o La casa que está en la esquina está para la venta.) | *The house **on** the corner is for sale.* |

**l. la parte del día o de la noche**

| | |
|---|---|
| La clase empieza a las diez de la mañana. | *The class begins at ten in the morning.* |
| Los estudiantes volvieron de madrugada. | *The students got back at dawn.* |

3. La preposición **en** indica:

   **a. lugar o posición** (Nótese que el equivalente inglés a menudo es *at.*)

| | |
|---|---|
| Los estudiantes están en la biblioteca. | *The students are **at** the library.* |

(Nótese la diferencia entre *Van **a** la biblioteca* [dirección] y *Están **en** la biblioteca* [lugar dentro del cual los estudiantes se encuentran].)

| | |
|---|---|
| Los profesores están en una reunión. | *The professors are **at** a meeting.* |
| Dejé el cuaderno en el cuarto de Javier. | *I left the book in Javier's room.* |

**b. sobre**

| | |
|---|---|
| Está sentado en la mesa. | *He's sitting **on** the table.* |

(Nótese la diferencia entre «Está sentado **a** la mesa» [at] y «Está sentado **en** la mesa» [on].)

**c. tiempo**

| | |
|---|---|
| Siempre repaso mis apuntes en la mañana. | *I always review my notes in the morning.* |
| El examen va a empezar en cualquier momento. | *The exam is going to begin at any moment.* |
| En ese instante llamó el rector. | *At that second the president of the university called.* |

*(handwritten: Mexicana — más común internacionales es por la mañana)*

## PRACTIQUEMOS

**A. Complete cada oración con *a, de* o *en*.**

1. Llegaron tarde _____ a _____ la clase _____ de _____ química.

2. Me senté ___ a/en ___ la mesa _____ de _____ vidrio ___ en el / del ___ comedor. *(handwritten: in, on, of the dining room)*

3. Ese muchacho _____ de _____ pelo negro estaba loco _____ de _____ rabia y hablaba _____ a _____ gritos.

4. *(handwritten: Cirta)* Fuimos _____ a _____ verlo _____ en _____ la mañana siguiente.

5. Terminé mi composición _____ a _____ las tres _____ en _____ la mañana; la escribí ___ de (a) ___ máquina.

6. El hombre que trabaja _____ en _____ el mercado me dijo que me lo vendería _____ a _____ tres dólares la libra.

7. Gana ochocientos dólares _____ a _____ la semana trabajando _____ de _____ mesero _____ en _____ un café.

8. Fuimos _____ a _____ pie porque el auto _____ de _____ papá estaba descompuesto. *(handwritten: no se usa en España en ese contexto)*

9. _____ A _____ saber que el profesor estaba enfermo, no habría ido _____ a _____ clase.

10. La chica _____ de _____ anteojos siempre se viste _____ a _____ la española.

*(handwritten: glasses → gafas en España, anteojos / lentes)*

11. Mis amigos ___de___ la oficina fueron ___a___ una fiesta y volvieron ___en la/a la de___ madrugada.

12. La secretaria ___del___ rector llamará ___en___ cualquier momento.

13. Los estudiantes ___de___ la facultad ___de___ leyes están ___en___ huelga.

14. Se sentó junto ___a___ la joven ___de___ ojos azules para poder conversar con ella.

15. Después ___de___ terminar la lección ___de___ astronomía me pondré a leer acerca ___del___ segundo viaje ___de___ Colón.

## B. Traduzca al español.

1. My friends in the dorm are reviewing their notes.
2. I was at the library from eight in the morning until ten at night.
3. The next day I was so tired that I woke up late and missed the test!
4. Two foreign students live in the room opposite ours.
5. The professor's briefcase is on the desk.
6. The girl with brown hair dresses like an executive.
7. I don't like to use glass test tubes in my chemistry class because sometimes they break.
8. The doctor bought a coffee-maker for her waiting room.

### Otros usos de la preposición *a*: *a* + complemento directo que se refiere a una persona

1. La preposición **a** se emplea para indicar que el complemento directo de la oración se refiere a una persona.

| | |
|---|---|
| Los estudiantes invitaron al profesor a cenar con ellos. | *The students invited the professor to have dinner with them.* |
| Los gobiernos están tratando de integrar a las clases humildes al estudiantado. | *The governments are trying to incorporate the lower classes into the student body.* |

2. La preposición **a** se emplea para personalizar un animal u objeto.

| | |
|---|---|
| Lleva a su perro a clase. | *He brings his dog to class.* |
| Bautizaron al buque con una botella de champaña. | *They baptized the ship with a bottle of champagne.* |

3. La preposición **a** se coloca antes de **¿quién(es)?, ¿cuál(es)?, quien(es), el cual (los cuales), el que (los que), alguien, ninguno, cada uno** y **nadie** cuando éstos se refieren a una persona (definida o indefinida) y funcionan como complemento directo de la oración.

| | |
|---|---|
| ¿A quiénes invitaste a tu fiesta? | *Whom did you invite to your party?* |
| No vi a nadie en la biblioteca anoche. | *I didn't see anyone at the library last night.* |
| ¿Quieres llevar a alguien a la reunión? | *Do you want to take someone to the meeting?* |

4. La preposición **a** usualmente se omite cuando el complemento directo se refiere a una persona indefinida o a una categoría de personas.

| | |
|---|---|
| Latinoamérica necesita líderes que entiendan la importancia de la educación. | *Latin America needs leaders that understand the importance of education.* |
| Busco un profesor particular para mi hijo. | *I'm looking for a private tutor for my son.* |

5. En oraciones en las cuales el complemento directo tanto como el indirecto se refieren a una persona, se omite la preposición **a** antes del directo para evitar la confusion.

| | |
|---|---|
| Presenté mi nuevo compañero de cuarto a mi mamá. (en vez de Presenté **a** mi compañero...) | *I introduced my new roommate to my mother.* |

## PRACTIQUEMOS

### A. Explique el uso o la omisión de la preposición *a* en cada caso.

1. Adoro a mi gato.
2. Busco un estudiante que me pueda ayudar a corregir exámenes.
3. ¿A quién llamo ahora?
4. Me chocaron el auto y ahora necesito un buen abogado.
5. ¿Conoces a alguien que estudie psicología?
6. Bautizaron al buque en San Francisco.

### B. Añada la preposición *a* si es necesario.

1. No vimos _____ nadie en el laboratorio.
2. Invitamos _____ cada uno de los chicos.
3. _____ alguien entró en este cuarto.
4. Oí entrar _____ alguien en este cuarto.
5. Juan es muy antipático. Nunca me ha gustado _____ ese chico.
6. Saludamos _____ viejo árbol que, como un buen amigo, siempre está allí para consolarnos.
7. Compré _____ una mochila nueva.
8. ¿_____ quiénes viste en la conferencia?
9. _____ alguien sabe la respuesta.
10. Les presenté _____ mi hijito a todas mis compañeras de trabajo.

### *a* + **el infinitivo**

**Al** + el infinitivo significa *upon* + *verb* + *-ing* o **cuando** + verbo. El sujeto se coloca después del infinitivo.

| | |
|---|---|
| Al llegar a clase, le entregué la composición a la profesora. | *Upon arriving (when I arrived) in class, I handed in my paper to the professor.* |
| Al llegar el profesor a clase, todos los estudiantes se pusieron a aplaudir. | *When the professor got to class, all the students started to applaud.* |

### PRACTIQUEMOS

**A. Diga una oración que exprese la misma idea, empleando *al* + infinitivo.**

MODELO   Cuando llegue a clase, se lo preguntaré al profesor.
**Al llegar a clase, se lo preguntaré al profesor.**

1. Cuando repase mis apuntes, haré una lista de preguntas.
2. Cuando el profesor llegó a clase, pasó lista.
3. Cuando te matricules en la universidad, puedes pedir un horario de clases.
4. Cuando se rompió la probeta, el estudiante se cortó.
5. Cuando prendimos el mechero Bunsen, empezamos a sentir un olor raro.

**B. Traduzca al inglés.**

1. Upon preparing for this test, review your notes carefully.
2. Upon reviewing your notes, write down all the difficult terms.
3. Upon entering the room, sit down and begin writing your answers.
4. Upon finishing the exam, leave your papers on the professor's desk.
5. Upon exiting the room, do not make noise or bother students who are still working.

### Otros usos de las preposiciones *de* y *en*

1. En inglés un substantivo puede modificar otro: a library book; the law school. En español **de** + un substantivo puede modificar otro substantivo: **un libro de biblioteca; la facultad de derecho.**
2. En inglés un infinitivo puede modificar un substantivo: «the desire to learn; the need to grow». En español **de** + un infinitivo puede modificar un substantivo: **el deseo de aprender; la necesidad de crecer**.
3. Un adjetivo modificado por un infinitivo puede a su vez modificar un substantivo o un pronombre. En este caso, **de** precede al infinitivo.

| | |
|---|---|
| Este problema es difícil de resolver. | *This problem is difficult to solve.* |
| Ella es imposible de entender. | *She's impossible to understand.* |

**4.** Sin embargo, si el infinitivo modifica el substantivo o el pronombre en vez del adjetivo, en vez de **de**, se emplea **en**.

| | |
|---|---|
| Los estudiantes son valientes en organizar una protesta. | *The students are brave to organize a protest.* |
| Tú eres tonto en no estudiar para ese examen. | *You're dumb not to study for that test.* |

## PRACTIQUEMOS

**A. Traduzca al español.**

1. a law book
2. an architecture student
3. a Spanish lesson
4. a psychology professor
5. a history exam
6. a laboratory scale
7. the desire to graduate
8. the fear of falling
9. the need to pass
10. the ambition to succeed
11. This assignment is difficult to do.
12. That professor is impossible to understand.
13. That article is easy to read.
14. You're smart not to give up your job.
15. The president of the university is unfair in not listening to the students.
16. She's the last to arrive.

**B. Complete las siguientes oraciones.**

1. Podría preparar una cena deliciosa si tuviera un libro de _____.
2. Los estudiantes son muy inteligentes en _____.
3. Los exámenes de español son difíciles de _____.
4. Para tener éxito todo lo que se necesita es el deseo de _____.
5. Tú eres tonto en _____.
6. Ese profesor es imposible de _____.

 **Por y para**

El equivalente inglés más común de ambos **por** y **para** es *for.*

**1. Para** se emplea en las siguientes situaciones:

   **a. para expresar destino, finalidad o propósito.**

| | |
|---|---|
| No hay fondos disponibles para la educación. | *There are no funds available for education.* |

| | |
|---|---|
| La preparación para una profesión es la meta principal de la universidad. | *Preparation for a profession is the main goal of the university.* |
| Este regalo es para el profesor. | *This gift is for the professor.* |
| Fue al mercado para café. | *He went to the market for coffee.* |

**b. para expresar dirección.**

| | |
|---|---|
| Vamos para la biblioteca. | *We're headed for the library.* |

**c. seguido de un infinitivo, para expresar *in order to, for the purpose of.***

| | |
|---|---|
| Su único propósito era el de entrenar a una elite para entrar en las profesiones. | *It s only purpose was to train an elite to enter the professions.* |
| Los estudiantes se reúnen en cafés para discutir de política. | *Students gather in cafes for the purpose of discussing politics.* |
| Voy a la biblioteca para estudiar. | *I'm going to the library in order to study.* |

**d. para expresar una opinión.**

| | |
|---|---|
| Para los líderes de Latinoamérica, la educación es una prioridad. | *In the opinion of the leaders of Latin America, education is a priority.* |
| Para mí, los electivos son una parte importante de la experiencia universitaria. | *In my opinion, electives are an important part of the university experience.* |

**e. para comparar una cosa o persona con otras del mismo tipo o para expresar la idea *considering*.**

| | |
|---|---|
| Para un estudiante extranjero, se ha adaptado muy rápido a nuestro sistema. | *For a foreign student, he has adapted to our system very quickly.* |
| Está muy alto para un niño de cinco años. | *He's very tall for a five-year-old.* |
| Para lo que se queja, Pedro está bastante bien. | *Considering how much he complains, Pedro is in pretty good shape.* |

**f. para expresar la hora o fecha límite.**

| | |
|---|---|
| La composición es para mañana. | *The paper is due tomorrow.* |
| Para el año 1563, había universidades en México, Perú, la Española y Colombia. | *By the year 1563, there were universities in Mexico, Peru, la Española and Colombia.* |
| Quiero este traje para las tres de la tarde. | *I want this suit by three in the afternoon.* |
| Tengo trabajo para toda la semana. | *I have work for the whole week.* |

**g. para expresar la proximidad de un hecho.**

| | |
|---|---|
| Mi compañera de cuarto tiene tanto trabajo que está para volverse loca. | *My roommate has so much work that she's on the verge of going crazy.* |
| No quiero salir porque está para nevar. | *I don't want to go out because it's about to snow.* |

**h. con *trabajar,* cuando uno recibe un pago o sueldo.** ⊃Para

| | |
|---|---|
| Los profesores trabajan para la universidad. | *The professors work for the university.* |
| Mi primo se graduó de ingeniero y ahora trabaja para una empresa multinacional. | *My cousin got his degree in engineering and now he works for a multinational firm.* |

**2. Por** se emplea en las siguientes situaciones:

**a. para expresar motivo, causa o razón.** Los equivalentes ingleses más comunes son *for, because of, due to, for the sake of, on behalf of.* (Nótese que la traducción de *because of* es **por.**)

| | |
|---|---|
| Muchos padres se sacrifican por sus hijos. | *Many parents make sacrifices for their children.* |
| Lo hice por ti. | *I did it for you (for your sake, because of you).* |
| Por la crisis económica, se ha tenido que parar la construcción de escuelas. | *Because of the economic crisis, they've had to stop the construction of schools.* |
| Lo echaron de la escuela por desobediente. | *They threw him out of school because he was disobedient.* |
| Muchas mujeres trabajan por necesidad. | *Many women work because they have to (because of need.)* |

**b. seguido de un infinitivo, para expresar causa.**

| | |
|---|---|
| Por ser tan pobre, no pudo asistir a la escuela. | *Because he was so poor, he couldn't go to school.* |
| Salió mal en el examen por no haber estudiado. | *He failed the test because he didn't study.* |

**c. para expresar cambio o intercambio.** Los equivalentes ingleses más comunes son *for, in exchange for, instead of, on behalf of.*

| | |
|---|---|
| Me dieron cien dólares por mi colección de casetes. | *They gave me a hundred dollars for my collection of cassettes.* |
| Nadie hace nada por nada. | *No one does anything for nothing.* |
| Hice el trabajo por él. | *I did the work instead of him.* |

| | |
|---|---|
| El rector habló por el estudiantado entero cuando dijo que no aceptaríamos esas condiciones. | *The president of the university spoke for (on behalf of) the entire student body when he said that we would not accept those conditions.* |
| ¿Cuánto pagaste por ese libro? | *How much did you pay for that book?* |

**d. para expresar duración.** También se puede emplear **durante** en este contexto o se puede no emplear ninguna preposición.

| | |
|---|---|
| Estudié física por tres años. | |
| Estudié física durante tres años. | *I studied physics for three years.* |
| Estudié física tres años. | |

**e. para referirse a un lugar no muy preciso.** El equivalente inglés puede ser *by, through, by way of, around, down, in.*

| | |
|---|---|
| Caminamos por la universidad. | *We walked through (around) the university.* |
| Anduvimos por las calles pequeñas. | *We went through (down) the small streets.* |
| Están viajando por México. | *They're travelling in Mexico.* |
| Entraron por la puerta de atrás. | *They came in through the back door.* |
| Hay libros por todos lados. | *There are books everywhere.* |

**f. para referirse a un tiempo no muy preciso.**

| | |
|---|---|
| Volverá por la tarde. | *She'll be back in the afternoon.* |
| Estuvieron aquí por la mañana. | *They were here in the morning.* |

**g. para referirse al medio.**

| | |
|---|---|
| Mandaron el paquete por correo. | *They sent the package by mail.* |
| Fuimos a Los Angeles por avión. | *We went to Los Angeles by plane.* |

**h. para indicar un destino intermedio o una parada temporal.**

| | |
|---|---|
| Pasaremos por tu casa antes de ir al cine. | *We'll stop by your house before going to the movies.* |

**i. para expresar *per*.**

| | |
|---|---|
| Va a 100 kilómetros por hora. | *He's going 100 kilometers per hour.* |
| ¿Cuánto pagan por semana? | *How much do they pay per week?* |
| Entre el 24 y el 60 por ciento de la población es analfabeta. | *Between 24 and 60 percent of the population is illiterate.* |

**j. para referirse al agente en la voz pasiva.**

| | |
|---|---|
| El discurso del rector fue escuchado por miles de estudiantes. | *The president's speech was heard by thousands of students.* |

| | |
|---|---|
| Una huelga fue declarada por los profesores. | *A strike was declared by the professors.* |
| Las dos novelas fueron escritas por el mismo autor. | *Both novels were written by the same author.* |
| Otras universidades fueron establecidas por el rey. | *Other universities were established by the king.* |

**k.  con *estar*, para indicar que algo no está hecho o completo.**

| | |
|---|---|
| Aunque la situación está mejorándose, hay mucho trabajo por hacer. | *Although the situation is getting better, there's still a lot of work left to do.* |
| Estas cartas están por echar. | *These letters are waiting to be mailed.* |

**l.  para indicar una inclinación.** También se puede emplear **a** en este contexto.

| | |
|---|---|
| Tiene una gran afición por (a) las lenguas extranjeras. | *She really likes foreign languages.* |
| Tengo mucha afición por el (al) tenis. | *I love tennis.* |

**m.  para expresar un motivo o una causa.**

| | |
|---|---|
| Luchan por la integración de las clases humildes en el estudiantado. | *They're struggling for the integration of the lower classes into the student body.* |
| Trabajan por la eliminación del analfabetismo. | *They're working for the elimination of illiteracy.* |

(Nótese la diferencia entre **trabajar para** *[to work for pay]* y **trabajar por** *[to work for a cause].*)

**n.  en muchas expresiones idiomáticas.**

| | |
|---|---|
| por fin | *at last* |
| por ejemplo | *for example* |
| por lo general | *in general* |
| por lo menos | *at least* |
| por lo visto | *apparently* |
| por favor | *please* |
| por consiguiente | *therefore* |
| porque | *because* |
| ¿por qué? | *why?* |
| pasar por | *to stop by for* |
| proveer por | *to provide for* |

**PRACTIQUEMOS**

### A. Explique la diferencia entre las dos oraciones de cada par.

1. Vamos por el campo universitario. / Vamos para el campo universitario.
2. El presidente del sindicato estudiantil habló por todos. / El presidente del sindicato estudiantil habló para todos.
3. Para ser tan joven, está bastante fuerte. / Por ser tan joven, está bastante fuerte.
4. Para el año 2000, los hispanos serán la minoría más grande de los Estados Unidos. / Por el año 2000, los hispanos serán la minoría más grande de los Estados Unidos.
5. Mi tía trabaja para las Naciones Unidas. / Mi tía trabaja por las Naciones Unidas.
6. Dame un libro para el estante. / Dame un libro por el estante.
7. ¿Para qué vas a hacerlo? / ¿Por qué vas a hacerlo?
8. Escribió la carta para su novia. / Escribió la carta por su novia.

### B. Traduzca las siguientes pares de oraciones.

1. They're going by way of Los Angeles. / They're headed for Los Angeles.
2. They'll finish building the new laboratory by the year 2000. / They'll finish building the new laboratory around the year 2000.
3. We did it because of the professor. / We made it for (to give to) the professor.
4. She works for the library. / She works on behalf of the library.
5. He's silly for his age. / He's silly because of his age.
6. My roommate gave me a modem (**un modem**) for my old computer. / My roommate gave me a modem in exchange for my old computer.

### C. Complete las oraciones con *por* o *para.*

El problema principal es que no hay fondos suficientes ____(1)____ la educación. Desde 1990 la universidad crece a razón de 500 estudiantes ____(2)____ año. Ya no hay suficientes aulas ____(3)____ todos los estudiantes y los expertos calculan que ____(4)____ el año 2000 la situación estará crítica. No habrá ni aulas ni profesores ____(5)____ casi un cuarto de los jóvenes que, ____(6)____ motivos personales o profesionales, desean continuar su educación. El rector de la Universidad Nacional ha dicho que ____(7)____ resolver el problema es esencial subir los impuestos, pero muchos ciudadanos pobres protestan, diciendo que apenas tienen dinero ____(8)____ mantener a sus familias y que el rector habla ____(9)____ una minoría privilegiada. ____(10)____ ellos, la educación de los futuros profesionales es menos urgente que el problema de proveer

_____(11)_____ sus propios hijos. El rector ha tratado de hacerles ver que está luchando _____(12)_____ el bien de todos, ya que el país entero aprovecharía la ampliación del sistema universitario. _____(13)_____ ejemplo, un aumento en el número de médicos y científicos traería beneficios _____(14)_____ todos. Según él, el sistema actual está _____(15)_____ hundirse bajo el peso de la demanda de miles de jóvenes que reciben su bachillerato*, pero no encuentran lugar en las universidades. Los políticos han hablado _____(16)_____ años de su intención de resolver el problema, pero han hecho muy poco. _____(17)_____ consiguiente, los académicos como él no tienen más remedio que seguir trabajando _____(18)_____ una política gubernamental que mejorará y aumentará el sistema universitario.

## Los conectores

1. La palabra que se usa más frecuentemente para conectar dos cláusulas o un substantivo con una cláusula es **que. Que** puede referirse a una persona o a una cosa. Aunque tradicionalmente se ha llamado **que** un pronombre relativo, usaremos el término **conectores** para referirnos a esas palabras que unen dos cláusulas. Nótese que a diferencia de los pronombres interrogativos (**¿Qué? ¿Quién? ¿Dónde? ¿Cuándo?**) los conectores se escriben sin acento porque nunca aparecen en una posición acentuada.

| | |
|---|---|
| Los líderes saben **que** sus países necesitan producir comerciantes y científicos. | *The leaders know that their countries need to produce business people and scientists.* |
| Los niños **que** abandonan la escuela a menudo necesitan trabajar. | *The children who drop out of school often need to work.* |
| Las universidades **que** ofrecen nuevos programas atraen a muchos estudiantes prometedores. | *The universities that offer new programs attract many promising students.* |

Nótese que en la primera oración anterior, **que** conecta dos cláusulas (Los líderes saben...sus países necesitan). En la segunda, **que** conecta una cláusula adjetival con un substantivo que se refiere a personas (niños). En la tercera, conecta una cláusula adjetival con un substantivo que se refiere a cosas (universidades).

---

*Los estudiantes que se gradúan de una secundaria hispanoamericana han completado más o menos el equivalente de los dos primeros años de la carrera universitaria en el sistema norteamericano. Al terminar la secundaria, se presentan a un examen muy riguroso. Los que salen bien reciben el **bachillerato,** grado que les permite ingresar en una universidad.

**2.** En una cláusula parentética, se puede emplear **quien(es)** para referirse a personas, aunque algunos hispanohablantes prefieren usar **que**.

| | |
|---|---|
| El rector, quien tiene su grado de la Universidad de San Andrés, es más bien conservador. | *The president, who has his degree from the University of Saint Andrews, is rather conservative.* |

**3. Como (según), cuando** y **donde** también pueden servir de nexos entre cláusulas o entre un substantivo y una cláusula.

| | |
|---|---|
| La universidad **donde** estudié se especializa en ciencias. | *The university where I studied specializes in science.* |
| Lo hizo **como (según)** el profesor le dijo. | *He did it the way the professor told him to.* |
| Este edificio es de los tiempos cuando no se admitía a mujeres en la universidad. | *This building is from the time when they didn't admit women to the university.* |

**4.** Para evitar la ambigüedad a menudo se emplea un artículo definido + **que** o **cuales** en vez de **que**.

| | |
|---|---|
| El estudiante recibe una intensa educación humanística en el colegio, la cual incluye el estudio de lenguas y ciencias. | *The student receives an intense humanistic education in high school, which includes the study of languages and science.* (Nótese que **la cual** se refiere a **educación,** no a **colegio.**) |
| La hermana de mi compañero de cuarto, la que estudia química, ganó una beca. | *My roommate's sister, who studies chemistry, won a scholarship.* |
| Los estudiantes del Dr. Gómez, los cuales terminaron el examen temprano, hicieron un montón de ruido. | *Mr. Gómez's students, who finished the exam early, made a lot of noise.* |

**5. Lo** + **que** o **cual** se emplea para referirse a una idea en vez de a un substantivo específico. Por lo general, **lo cual** es el equivalente de *which,* mientras **lo que** es el equivalente de *what.*

| | |
|---|---|
| La Constitución garantiza la autonomía, lo cual quiere decir que el gobierno no puede intervenir. | *The Constitution guarantees autonomy, which means that the government cannot intervene.* |
| La universidad es gratis, lo cual permite que un mayor número de estudiantes ingresen. | *The university is free, which permits a larger number of students to enter.* |
| No sé lo que quiere este profesor. | *I don't know what this professor wants.* |

**6.** En una oración no interrogativa, el equivalente de *what* es **lo que.**

| | |
|---|---|
| Lo que permite que se haya radicalizado el estudiantado es que la Constitución garantiza la autonomía. | *What has permitted the student body to radicalize is that the Constitution guarantees autonomy.* |
| Lo que dices no tiene ningún sentido. | *What you say makes no sense.* |

**7.** Después de una preposición, se emplea **que** para referirse a las cosas y **quien(es)** para referirse a las personas.

| | |
|---|---|
| El libro de que estaba hablando no está en la biblioteca. | *The book I was talking about isn't in the library.* |
| Los estudiantes para quienes preparo este examen son muy trabajadores. | *The students for whom I am preparing this exam are very hard-working.* |
| Los países que no tenían universidades, entre los cuales se puede contar a Uruguay y Costa Rica, se vieron obligados a establecerlas. | *The countries that didn't have universities, among them Uruguay and Costa Rica, had to establish them.* |

**8.** También se puede emplear un artículo definido + **cual** o **que** para referirse a un substantivo específico, se refiera éste a una persona o a una cosa.

| | |
|---|---|
| El libro **del cual (del que)** estaba hablando no está en la biblioteca. | *The book I was talking about isn't in the library.* |
| Los jóvenes **de los cuales (de los que)** estaba hablando no están en el laboratorio. | *The young people I was talking about aren't in the laboratory.* |

**9.** Después de una preposición, se emplea **lo cual** o **lo que** para referirse a una idea. En este contexto, **lo cual** normalmente es el equivalente de *which*, mientras que **lo que** es el equivalente de *what*.

| | |
|---|---|
| Su familia era muy pobre, por lo cual tuvo que trabajar y no pudo estudiar. | *His family was very poor, for which reason he had to work and couldn't study.* |
| Aun las universidades particulares cobran una pequeña parte de lo que normalmente se cobra en los Estados Unidos. | *Even private universities charge a fraction of what is normally charged in the United States.* |

**10.** El conector que se emplea para expresar posesión es **cuyo.** Como otros adjetivos, **cuyo** concuerda con el substantivo que modifica. Puede referirse a una persona o a una cosa.

| | |
|---|---|
| El chico cuyo examen leí se olvidó de contestar una de las preguntas. | *The boy whose exam I read forgot to answer one of the questions.* |
| El edificio cuyas ventanas están rotas es la antigua biblioteca. | *The building whose windows are broken is the former library.* |

En la conversación a veces se emplean **de quien** o **de que (del que, del cual)** en vez de **cuyo.**

| | |
|---|---|
| El chico de quien leí el examen se olvidó de contestar una de las preguntas. | *The boy whose exam I read forgot to answer one of the questions.* |
| El edificio del cual las ventanas están rotas es la antigua biblioteca. | *The building whose windows are broken is the former library.* |

## PRACTIQUEMOS

**A. Combine las dos oraciones.**

> MODELO    Este es el profesor. Enseña química.
> **Este es el profesor que enseña química.**

1. Conozco al estudiante. Habla ruso.
2. Tengo un microscopio. Pertenecía a mi hermano.
3. Invité a esa chica. Tiene un bachillerato en matemáticas.
4. Esta es la mochila. La compré en el centro.
5. Te regalo el maletín. Ya no lo uso más.

**B. Combine las dos oraciones, empezando con la segunda.**

> MODELO    Van a asistir a una conferencia. No nos interesa.
> **No nos interesa la conferencia a la cual van a asistir.**

1. Están hablando de un libro. No lo he leído.
2. Mi compañera de cuarto está saliendo con un chico. No me gusta.
3. El profesor hizo preguntas sobre muchas materias. Nunca las he estudiado.
4. Están trabajando por una causa. No nos importa.
5. Estás copiando tus apuntes para una chica. No la conozco.

**C. Complete cada oración con el conector correcto.**

1. La hija del rector, _____ es muy bonita, está en mi clase de música.
2. Las amigas de mi compañero, _____ nunca me prestan atención, se creen muy especiales.
3. La fiesta de San Juan, _____ es la más divertida del año, es en junio.
4. El profesor cuenta muchos chistes en clase, _____ no le gusta al rector.

5. Mi papá me paga la matrícula, _____ significa un tremendo sacrificio para él.

6. Los estudiantes del doctor Sánchez, _____ hacen mucho ruido, siempre se sientan aquí.

7. La señora _____ hermano es cura no va a la iglesia nunca.

8. El estudiante _____ pintura fue exhibida quiere ser un artista profesional.

**D. Invierta cada oración, según el ejemplo.**

> MODELO   Le presté los apuntes a ese chico.
> **Ese es el chico a quien le presté los apuntes.**

1. Le pedí los ejercicios a ese joven.
2. Les vendí mi computadora a esos señores.
3. Le regalé un microscopio a ese profesor.
4. Le diste tu número a la rubia de ojos azules.
5. Les explicamos los problemas a esos estudiantes.

**E. Traduzca al español.**

1. That's the lecture I was telling you about.
2. That's the drawer the books are in.
3. Which is the girl you're going with?
4. I don't know who he bought that present for.
5. They don't understand what we're talking about.
6. Whose notes are these?

**F. Complete cada oración con el conector correcto.**

Uno de los acontecimientos _____(1)_____ afectó la educación latinoamericana más profundamente fue la Segunda Guerra Mundial. Durante este período los precios de las materias primas de Latinoamérica subieron rápidamente, por _____(2)_____ hubo un importante influjo de dinero en la región. Los líderes, _____(3)_____ entendían la urgencia de mejorar los sistemas educativos, usaron estos ingresos para fundar escuelas y entrenar maestros.

Durante los años 50 los países en _____(4)_____ hubo más expansión en el campo de la educación fueron México, Brasil, Cuba, Venezuela y Panamá. Sin embargo, durante los 60 los problemas económicos _____(5)_____ prevalecían en Latinoamérica obligaron a los gobiernos a enfocar otros problemas. Brasil y Venezuela, _____(6)_____ sistemas educativos siguieron creciendo durante los años 60, fueron las excepciones. Las décadas de los 70 y 80, durante _____(7)_____ se hizo mucho progreso en el campo de la educación, vieron grandes cambios sociológicos. Varios elementos de la sociedad _____(8)_____ no se habían integrado antes al sistema educativo, empezaron a participar por primera vez. Los hijos del campesino, _____(9)_____ no habían tenido la oportunidad de asistir a la escuela, estaban insistiendo en su derecho de estudiar. Sin embargo, la nueva crisis económica _____(10)_____ comenzó a fines de los 80 y siguió durante los primeros años de los 90 representó una nueva amenaza para la educación de miles de niños latinoamericanos.

Quién sabe _____(11)_____ traerá el futuro. Por el momento hay una gran discrepancia entre los países más industrializados de Latinoamérica, en _____(12)_____ un 75 por ciento de los niños van a la escuela, y los menos industrializados,_____(13)_____ suministran una educación primaria sólo a un 15 por ciento de sus niños. _____(14)_____ sí podemos asegurar es _____(15)_____ los líderes de Latinoamérica están plenamente conscientes de la necesidad de resolver el problema de la educación.

## ——————— *Expresiones problemáticas* ———————

### 1. papel, composición, trabajo escrito, ensayo, ponencia

**papel** = *paper (material to write on, wrap packages with, etc.)*

| | |
|---|---|
| Necesito papel para escribir una carta. | *I need paper to write a letter.* |

**papel = rol**

| | |
|---|---|
| ¿Quién hace el papel de Hamlet en esta producción? | *Who is playing the role of Hamlet in this production?* |
| Hoy en día la mujer desempeña un papel importante en la fuerza laboral. | *Today women play an important role in the work force.* |

**composición, trabajo escrito** = *paper (composition, written assignment)*

| | |
|---|---|
| Tengo que escribir una composición sobre el sistema educativo. | *I have to write a paper on the educational system.* |
| Necesito preparar un trabajo escrito para mi clase de inglés. | *I have to prepare a paper for my English class.* |

**ensayo** = *essay, opinion piece, paper*

| | |
|---|---|
| Escribió un ensayo sobre la necesidad de conservar los recursos naturales. | *He wrote a paper on the need to conserve natural resources.* |

**ponencia** = *(oral) paper (presented at a conference, meeting, etc.)*

| | |
|---|---|
| Presentó una ponencia sobre *La vida es sueño* de Calderón. | *He gave a paper on Calderón's* La vida es sueño. |

## 2. tema, materia, asignatura, sujeto

**tema** = *topic, subject*

| | |
|---|---|
| ¿Sobre qué tema vas a escribir? | *What subject are you going to write about?* |
| Es un tema importante. | *It's an important topic (subject).* |

**materia, asignatura** = *subject (in school)*

| | |
|---|---|
| ¿Cuáles son las materias que te gustan más? ¿Matemáticas? ¿Inglés? ¿Filosofía? | *What are the subjects you like the best? Math? English? Philosophy?* |
| La historia es la asignatura más difícil. | *History is the most difficult subject.* |

**sujeto** = *subject (in grammar)*

| | |
|---|---|
| El sujeto de la oración es «perro», el verbo es «ladra». | *The subject of the sentence is "dog"; the verb is "barks".* |

## 3. reporte, informe

**reporte** = *news report*

| | |
|---|---|
| Recibimos un reporte de nuestro corresponsal de La Paz. | *We received a news report from our La Paz correspondent.* |

**informe** = *report*

| | |
|---|---|
| Estoy preparando un informe oral para mi clase de español. | *I'm preparing an oral report for my Spanish class.* |

## 4. fracasar, salir mal, ser reprobado

**fracasar** = *to fail (in a general sense)*

| | |
|---|---|
| Intentó muchas cosas pero siempre fracasó. | *He attempted many things, but he always failed.* |
| Tiene miedo de fracasar en la vida. | *He's afraid to fail in life.* |

**salir mal, ser reprobado** = *to fail (a test, a class)*

| | |
|---|---|
| Salió mal en la clase de teología. | *She failed the theology class.* |
| Fui reprobado en el examen de cálculo. | *I failed the calculus exam.* |

## 5. pasar, salir bien

**pasar** = *to pass; to stop by*

| | |
|---|---|
| Voy a pasar por allí más tarde. | *I'm going to pass by there later.* |
| Pasaremos por ti a las ocho. | *We'll stop by for you at eight.* |

**pasar** = *to spend (time)*

| | |
|---|---|
| Pasé horas estudiando para ese examen. | *I spent hours studying for that exam.* |

**salir bien, aprobar** = *to pass (an exam, a course)*

| | |
|---|---|
| Todos los estudiantes salieron bien. | *All the students passed.* |
| Aprobé el examen de geografía. | *I passed the geography exam.* |

## 6. director, jefe, principal

**director** = *principal (of a school)*

| | |
|---|---|
| La mamá de Juan fue a hablar con el director de la escuela. | *Juan's mom went to talk to the principal.* |

**director, jefe** = *head, chairperson (of a department, program, committee)*

| | |
|---|---|
| ¿Quién es el jefe del Departamento de Español? | *Who's the head of the Spanish Department?* |
| Conozco al director del programa. | *I know the head of the program.* |

**principal** = *main, major, principal (adj.)*

| | |
|---|---|
| ¿Cuál es el tema principal? | *What's the main topic?* |
| Es un problema principal. | *It's a major problem.* |

## PRACTIQUEMOS

### A. Escoja la palabra correcta.

1. Voy a comprar (papel / ponencia) para envolver este paquete.
2. La teología es (la materia / el sujeto) que me gusta más.
3. El (sujeto / tema) del ensayo es la astronomía en la civilización maya.
4. Mi profesor va a presentar (un papel / una ponencia) en un congreso sobre el teatro de Calderón.
5. Yo hago (el papel / la asignatura) del rey en esta obra.
6. Mi compañera está escribiendo (un papel / una composición) para su clase de historia.
7. Tengo miedo de (fracasar / salir mal) en el examen de cálculo.
8. El (director / principal) de la escuela habló con los padres.

9. (Pasé / salí bien en) el curso de literatura.

10. No puede pasar al próximo curso porque (fracasó / fue reprobado).

11. Tuvimos que identificar (el sujeto / la asignatura) y el verbo de la oración.

12. Hizo un (informe / reporte) sobre el uso del quechua en Perú para su clase de lingüística.

**B. Reemplace la expresión que está subrayada con otra.**

1. El profesor pronunció un discurso en la reunión.

2. Tengo que preparar una composición para mi clase de español.

3. El jefe del Departamento de Historia quiere cambiar los requisitos.

4. ¿Quién hace el rol del galán en esa obra?

5. En esta universidad los estudiantes pueden escoger qué materias van a estudiar.

# Selección literaria

*Se supone que las instituciones académicas existen para el Estudiante, pero la Universidad moderna se ha convertido en un monstruo administrativo donde a veces el Estudiante se pierde de vista. ¿Qué pasaría si el Estudiante desapareciera de veras?*

## EL ESTUDIANTE
*E. F. Granell**

—¿A qué hora es el desfile del Estudiante?—preguntó una mujer.

Nadie le contestó.

Se celebraba el Día del Estudiante. En las calles ates-
5  tadas° de gente, pero sobre todo en las vías de acceso al com-          llenas
plejo universitario, no hacía más que repetirse de continuo la
misma pregunta. El público manifestaba con ella su intran-
quilidad. Bueno, asimismo° su natural entusiasmo cívico por          *likewise*
la celebración.

10     La mañana era muy calurosa. El dos de junio suele ser
uno de los días más cálidos del año. En esta fecha es cuando

---

*E.F. Granell (1912–) nació en España pero emigró a los Estados Unidos después de la Guerra Civil. Ahora ha vuelta a vivir en España. Su ficción enfoca los aspectos absurdos o fantásticos de la vida y el autor a menudo emplea técnicas surrealistas. Entre sus novelas se cuentan *La novela del Indio Tupinamba*, *El clavo* y *Lo que sucedió*. Es autor también de varias colecciones de cuentos, entre ellos *El hombre verde* y *Federica no era tonta y otros cuentos*.

finaliza el curso oficial. Y precisamente por eso es por lo que
fue escogida para la solemne festividad anual. De tal modo,
el calor natural serviría de admirable raya subrayadora del
15  fuego que enciende las chispas del conocimiento.[1]

El campo de la Universidad estaba abarrotado° de cu-     muy lleno
riosos desde las primeras horas del amanecer, y otro tanto°     otro... lo mismo
ocurría con el amasijo° de callejas y avenidas que lo circun-     mezcla que causa
dan desde muy antiguo. Claro que, en gran número, tales vías     confusión
20  urbanas habían sido sucesivamente derruidas, según lo fue
exigiendo el crecimiento físico de la institución. Originalmente, ésta estaba constituida por sólo unos diez o doce pequeños edificios, allá por los remotos tiempos del medioevo.
Y así como la ciudad misma le fue robando campos y colinas
25  a la irregular geografía comarcana°, la Universidad se vio     cercana

---

[1]**De...** *So the natural heat would serve as a magnificent ray that would underline the fire ignited by sparks of*
*knowledge. (Note the irony: The ray is a line used for underlining. Granell mocks not only academics' fondness*
*for elaborate imagery that obscures important ideas, but also the practice of constantly underlining words and*
*passages in books.)*

forzada a repetir igual depredación con sus aledaños urbanísticos.°

la... *the University was
forced to pillage the
surrounding
neighborhoods in the
same way.*

Ahora bien, las calles no dejan, ni por un instante, de
estar abiertas de par en par al dominio público. Es decir, que
30  quien quiera que sea puede transitar por ellas o fijarse en no
importa qué punto de las mismas cuando le da la real gana
hacerlo. Con el campo universitario las cosas no suceden así.
No es que no sea público, tal cual lo son las calles. Lo es.
Sólo que al llegar el fin del curso oficial, en vísperas de la
35  celebración, el campo de la Universidad queda—si bien sólo
durante  dos  días—rigurosamente  acotado.°  Es  porque  al

prohibido

recinto universitario en tal ocasión no tiene acceso todo el
mundo.

Las únicas personas que pueden penetrar en la zona es-
40  trictamente universitaria en día tan señalado son los universitarios mismos, y nadie más. El público general queda
excluido de semejante privilegio. «No se ha descubierto aún
la fórmula mediante la cual se haga posible el estiramiento°

extensión

de los factores físicos», según lo manifestó en su oportunidad
45  del Decano de la Facultad de Ciencias Aplicadas. Y esta frase
justificaba  convenientemente  la  disposición  ejecutiva  que
prohibía la entrada de extraños al recinto de la Universidad el
Día del Estudiante.

La zona universitaria queda entonces reservada para
50  ciertas representaciones oficiales. Por un lado y desde luego,
los universitarios propiamente dichos. Por el otro, determi-
nadas delegaciones gubernamentales—las cuales, a su vez,
han tenido por fuerza, que haber sido asimismo universitarias, no siéndolo ya. El espacio universitario es muy vasto.
55  En él tienen cabida—el Día del Estudiante—, en primer término todas las personas relacionadas directamente con las
funciones de la institución; y en segundo término tienen derecho a penetrar en él todos los funcionarios públicos de los diversos organismos del estado, sean de carácter educativo o

60  no. Por eso disfrutan del permiso de acceso los representantes
de las instituciones cívicas caracterizadas por su contribución
al desarrollo organizado de la vida comunal. Cierto que tales
organismos ahora son muy pocos, a causa del gran cambio
sufrido por la estructura básica de nuestra sociedad. La
65  mayor parte de dichas entidades han quedado definitivamente
incorporadas al complejo ejecutivo. Es lo que propiamente se
denomina, en la jerga° oficial, centralización dispersa de la                 *jargon*
regulación funcional colectiva.

Nuestra comunidad fue la primera que tuvo la ocurren-
70  cia, es decir, el acierto de celebrar adecuadamente, con-
cediéndole la solemnidad que el caso requería, al Estudiante.
Es decir, no propiamente la comunidad, que es una mera abs-
tracción compuesta por los individuos reales que, al fin y al
cabo, son los únicos que cuentan, pero las decisiones del
75  Gobernador, lejos de ser caprichosamente individuales, reflejan, al contrario, el sentir colectivo—de ahí que aquella abs-
tracción, aún siéndolo sin duda, adquiera la fuerza
necesariamente humana propia de toda auténtica acción social, necesariamente individual.

80  El estudiante es uno de los puntales° más firmes—«una         pilares, sosténes,
de las columnas», como acaso hubiera podido decirlo el gran    elementos principales
Ibsen°—de la sociedad. Otros piensan que es el más firme de    Henrik Ibsen
todos. Por el «respeto que hacia él siente y ansía manifestar   (1828–1906),
el conglomerado comunal», por los «incontables valores»        dramaturgo noruego
                                                               conocido por sus obras
85  que su condición peculiar atesora, por sus «inestimables ser-  filosóficas, por
vicios al equilibrio y desenvolvimiento colectivos, así como a  ejemplo, *Peer Gynt,*
la afirmación de nuestra personalidad comunal» (según lo ex-    *Casa de muñecas* y
presa el decreto formulado al respecto), «el estudiante        *Hedda Gabler.*
merecía, merece y merecerá que le sean rendidos el re-
90  conocimiento y la estimación que, por ser lo que es y sig-    aumento (Como el
nificar lo que significa, se ha conquistado con creces».° A     narrador señala en la
                                                               siguiente frase, el
uno, particularmente, eso de «con creces» siempre le sonó a     término no tiene
hueco, a vana fraseología burocrática, aparte de que nadie      sentido aquí. Granell
                                                               se burla de la retórica
                                                               de los políticos.)

sepa bien qué cosa puedan ser «creces»: pero con respecto a
95　la intención que vela un tanto la confusa expresión aceptada,
hablando en plata no hay por qué levantar la más insignificante objeción.

　En una palabra: el Día del Estudiante es un día festivo.
Sólo que no uno entre tantos otros. Es el día festivo por exce-
100　lencia. Por eso nadie se extraña,° ya que no tiene por qué ex-　　sorprende
trañarse, de que en tal oportunidad se congreguen en nuestra
capital las gentes más diversas de la vasta colectividad nacional. Varios días antes al de la celebración, empiezan a llegar desde los puntos más remotos los trenes, aviones y
105　caravanas de autobuses especiales que tienen por objeto la
transportación de las innumerables excursiones que acuden a
presenciar el Día del Estudiante. Ni siquiera han sido exclui-
dos los niñitos de muy corta edad,° pues es bien sabido que　　de... muy pequeños
en esos años tiernos es cuando mejor se moldea en el espíritu
110　humano el patrón de conducta moral y social que habrá de
determinar la futura orientación del individuo en el curso de
su evolución hacia la madurez; o sea, hacia su integración
funcional y cabal° en la armazón° colectiva del país.　　exacto, perfecto
　　　　　　　　　　　　　　　　　　　　　　　　　　　　estructura

　Los niñitos de corta edad llegan en sus cómodas cestas
115　acolchonadas° en porciones de media docena. La cestería in-　　*padded*
fantil la proporciona el Departamento de Pedagogía Psicológi-
ca. Cada cesta, claro, hállase marcada con su número
correspondiente, y con la combinación de letras que relata el
lugar de procedencia. Cada infante viajero, a su vez, ostenta
120　en su chichonera° su propia matrícula individual. De modo　　gorro acolchado para
que las protestas elevadas a raíz de la determinación de la　　proteger la cabeza
concurrencia infantil a la fiesta, y relativas a la posibilidad de
confusiones o extravíos infantiles, es completamente infun-
dada.[2] El hecho de que a veces se trastoque° un niñito y se le　　*switch*

---

[2]**De...** *So the strident protests over the participation of small children in the festivities, with respect to the possi-
bility that they will be switched or lost, are completely unfounded.*

125  destine, al devolverlo, a una familia a la cual no pertenece en
puridad, es muy excepcional. Y, además, el error suele subsa-
narse en cosa de unos cuantos días.

Las calles se hallan tan atestadas de gente, que se hace
realmente imposible transitar por ellas. El gentío es, sin duda,
130  impresionante. Forma una masa compacta. Y si esto sucede
con los espectadores apiñados° en las aceras, plazas, edificios          apretados
y graderías adicionales, así como en los múltiples puentes de
madera y metal y en las plataformas especiales que no ha
habido más remedio que montar para dar cabida a la inmensa
135  muchedumbre de curiosos, otro tanto puede decirse del desfile mismo. Una multitud incalculable a simple vista, perfectamente organizada, marcha por la ruta establecida. Todos los
grupos van acompañados de sus correspondientes bandas de
música, charangas° y rondallas,° y el de los hermanos de la        orquestas militares/
140  vecina nación portuguesa con su típica, inmensa, ensordece-        conjuntos musicales
dora treboada.° Enriquece el desfile la innumerable profusión     tipo de canción folklórica
de insignias y gallardetes° y, sobre todo, la inacabable teoría              portuguesa
de las ostentosas carrozas alegóricas,° rodeadas por las di-      banderillas largas que
                                                                      terminan en punta
visas, los escudos y los estandartes° propios de cada especia-    **carrozas...** *floats*
145  lidad profesional. Luego continúan las aguerridas unidades
de los diversos grupos armados, con sus multicolores emble-       **divisas...** *emblems, coats*
mas, gallardetes y banderas; y aún alargan la manifestación          *of arms and banners*
cívico-cultural las múltiples uniones de trabajadores, fun-
cionarios, técnicos y científicos. No habría ni qué decir que
150  tampoco faltan, como es natural, las entidades artísticas, cuyo
vívido concurso mediante el ingenio desplegado por sus
siempre esperadas figuras alegóricas, resulta por lo general
un verdadero alarde de la fantasía. Por eso no estaría de más
significar que este aditamento° indispensable podría denomi-        *addition*
155  narse el «triunfo de la imaginación en libertad» (y creo que
así ha sido, en efecto, ya denominado).

Pero la cosa no se ha acabado aún, ni muchísimo menos.
¿Cómo iban a permanecer ausentes de semejante mani-

festación del bienestar colectivo las representaciones del

160　pueblo auténtico, tradicional y puro? Sería, en tal caso, como

hacer alarde de una fuerza a la cual le faltase la energía, o al

revés. Allí van también, por consiguiente, haciendo os-

tentación legitimísima de sus abundantes maquinarias respec-

tivas, tanto los obreros como los campesinos y los

165　pescadores. Al fin cierran la compacta columna manifesta-

dora las sociedades recreativas y las de charros,° las entidades

cooperativas y las bancarias, las guarderías° infantiles, las

agrupaciones navieras, las fluviales y las aeronáuticas, así

como las sanitarias, filatélicas, escolares, deportivas, benéfi-

170　cas, ajedrecísticas,° colombófilas,° y la de Damas Esterilizadas

de la Patria, la de Caballeros Fecundadores Diplomados, la

de matrimonios esterilizados con autorización, la de

prestamistas colegiados, la de prostitutas pedagogas auto-

rizadas, la de aspirantes al himeneo (mejor dicho, de éstas,

175　las dos, ya que hay una correspondiente a cada sexo), en fin,

todas; sin que falten, encuadradas en sus correspondientes or-

ganismos profesionales, las de los vendedores de churros,°

copistas, colectores de notas al pie de la página para tesis

académicas, cazadores de altura y ordinarios, pegadores de

180　carteles, comadronas,° notarios, coleccionistas (de éstas, unas

doscientas setenta y siete, al parecer), biólogos plásticos, an-

ticuarios de antigüedades y de imitaciones, echadores de car-

tas, cobradores de boletos, conjuntos de ballet, espiritistas,

naranjeros, dentistas rurales provisionales, trapecistas,° y,

185　¡ea!, muchísimas más. Enumerarlas todas sería el cuento de

nunca acabar.

　　Si el público ordinario ocupa el perímetro que circunda

la ciudad del saber—que así suele llamarse a la universidad

en los comunicados oficiales—esto no quiere decir que, de

190　sopetón,° la sociedad quede divorciada en dos grupos hu-

manos irreconciliables. ¡Nada de eso! Para evitarlo, el espa-

cio interno universitario se engalana, el Día del Estudiante,

---

*peasants from Salamanca, where Spain's oldest university is located.*
*day care centers*

*of chess players*
*of pigeon fanciers*

*cruller (kind of long, twisted doughnut)*

*midwives*

*trapeze artists*

**de...** *de repente*

con una animada y expresiva decoración; el tema simbólico
se cambia cada año, sólo que siempre lo anima igual inten-
195  ción, que es, justamente, la de unificar sólidamente la que
sólo en apariencia resulta una división ciudadana. El tema or-
namental cumple la función de soldar la existencia universitaria con el resto de la existencia nacional. Y el símbolo de
este año se había ideado sobre el acertadísimo lema° de *La*  °*motto*
200  *Vida.*

La figuración gráfica del símbolo mentado no pudo
haber sido más original. En todo poste, árbol, esquina,
columna, pórtico, balcón, empalizada, y en el pecho de cada
ciudadano (por medio de un botoncito), proliferaba idéntico
205  escudo: sobre fondo blanco (pureza social) destacaba una
pareja con un niño en medio, los tres pintados de color rosa
(amor familiar), llevando cada cual (el niño también), bajo el
brazo, un libro verde (esperanza cultural). Bordeaban el escudo unas ramas de laurel rojas (es decir, entusiasmo general
210  en la victoria colectiva), y por fin presidíalo un disco dorado
(ya se sabe que el oro significa la autenticidad legal tradicional del sistema). Del disco surgían dos alargados cuernos
de la Fortuna, alusivos al fluir constante de la vida humana y
a los beneficios derivados del esfuerzo colectivo guiado por
215  patrones de conducta racionales. [Huelga decir° que la opor-  **Huelga...** *Needless to say*
tunidad de la elección del tema, efectuada por reputados
artistas (los galardonados en los cinco últimos años), que
luego tuvieron a su cargo la menuda faena de dirigir la ejecu-
ción del decorado alegórico-cultural, fue corroborada en un
220  periquete° por los computadores. Si no, ¡a buena hora!].°  **en...** *in a jiffy*
**a...** *it would be too late: it would never get done*

Lo dicho hasta aquí no pretende, ni muchísimo menos,
pasar por una descripción del fenómeno social causado por el
Día del Estudiante. Tal sería tarea propia tan sólo de un
equipo de antropólogos altamente calificados. El alcance de
225  nuestro relato es mucho más modesto. Se limita, pura y simplemente, a dar cuenta del inesperado acaecimiento° que ha  *event, happening*

marcado, sin lugar a dudas con señal indeleble, la última celebración estudiantil.

Tenemos razón sobrada para sentirnos orgullosos del
230 acuerdo de nuestro gobierno, el que primeramente había
parecido algo así como una mera inspiración irrealizable. Y
también nos llena de satisfacción no menos justificada la resolución gubernamental por medio de la cual se aceptó el presupuesto extraordinario que se destina a sufragar cuantos
235 gastos ocasionase la necesidad insoslayable° de dotar al fes-    inevitable
tejo con los signos del prestigio y la decencia correspondientes al nivel alcanzado entre los pueblos cultos por la
dignidad nacional.

Bastará mirar a no importa qué lado; hacia adelante o
240 hacia atrás, para arriba—no importa a dónde, en efecto—o a
los lados, para notar en el acto que todos los ámbitos están
materialmente repletos de rostros impacientes, a la espera de
la aparición estudiantil. A su paso, los vítores, las canciones,
las exclamaciones de alegría y los gestos de júbilo traducen
245 admirablemente la explosión del regocijo colectivo, ponen de
relieve hasta un grado que sería difícilmente concebible sin
presenciar personalmente el espectáculo, el estado de ánimo
fraternal y entusiasta con que se recibe el solemne festejo estudiantil.

250 Nuestra Universidad es una de las más grandes del
mundo. Muchos aseguran que es la más grande. Sus claustros
y oficinas albergan una verdadera gigantesca población.
Bueno; una idea del carácter y fuerza de nuestra universidad,
podría darla una cifra, una simple cifra. De su presupuesto
255 dependen, pura y simplemente, doscientas setenta mil personas. Es evidente que las universidades de doscientas setenta mil personas todavía no abundan en el mundo. No es
presunción. Se trata de un hecho; de un escueto° hecho es-    simple, unadorned
tadístico, si se quiere, pero no por ello menos elocuente. En
260 cuanto a la composición de la universidad, probablemente

bastaría, para dar sucinta idea de su índole,° decir que de aquellas doscientas setenta mil personas, sólo los profesores alcanzan la cifra fabulosa de veintisiete mil, y en cuanto a las doscientas cuarenta y tres mil almas restantes, éstas integran

265  a cabalidad el cuerpo administrativo. Claro que tan imponente conjunto, del que se oye decir en todas partes que funciona como un reloj—símil bastante infeliz, si se considera que las cuatro esferas de su torre marcan siempre cuatro horas distintas simultáneas—, se halla espléndidamente re-

270  tribuido, y es, holgaría afirmarlo, indiscutiblemente considerado con la estimación que merece por la colectividad en su conjunto.

No se nos escapa que a todo lo dicho es fuerza agregar el estudiante. Sería inconcebible imaginar siquiera el complejo

275  universitario sin el Estudiante. Equivaldría a algo así como a figurarse la vida del hombre...sin la respiración. Una universidad existe, de modo fundamental, por el excelso acuerdo que se deriva de la recíproca relación estudiante-profesor. Sin este sustancial equilibrio, sin la existencia de semejantes

280  vasos comunicantes, hay que reconocer que la universidad no pasaría de ser una ilusión.

Si nuestro Gobernador pasa a la historia o no, es algo que aún discutiéndose cada día más en los círculos directamente interesados en la cuestión, también cada día tiende

285  claramente a acentuarse en el consenso comunal de manera más afirmativa. Ahora bien, la idea robustecida de continuo según la cual nuestro Gobernador será desde luego histórico, se apoya en el hecho de acreditársele por unanimidad la ocurrencia que condujo a la institucionalización del Día del Estu-

290  diante.

—¿Cuándo llega el Estudiante?—volvió a oírse que alguien preguntaba. Era probablemente una mujer, a juzgar por el timbre de la voz. Las mujeres—esto ha sido observado con frecuencia, y hasta se ha precisado con datos concretos—sue-

de... de qué tipo de institución es

295  len ser quienes exteriorizan su impaciencia de manera más
persistente y espontánea. Es que, sin duda ansiosas de gozar
los efluvios de la solemnidad, no pueden reprimir la exci-
tación a que las conduce la ansiedad de la espera. Por eso
preguntan incansablemente que cuándo va a llegar el Estu-
300  diante.

En el caso de hoy—hay que decirlo todo—, en el caso de
esta mañana no les faltó razón. Nos encontrábamos en la
Gran Plaza del Claustro, y se había fijado la hora de su paso
por dicho lugar a las diez y trienta y cinco. El caso es que ya
305  eran las doce menos cuarto, y no sólo no había pasado aún la
procesión estudiantil, sino que ni siquiera se atinaba a vis-
lumbrar° su cabeza en la distante curva que marca la salida de
la Avenida Central.

**ni...** *couldn't even catch a glimpse*

Las ambulancias se habían llevado ya, de sólo las cer-
310  canías de aquellos andurriales,° a unas treinta o cuarenta personas, las cuales se desmayaron bien fuese por efecto de la
fatiga que causa una excesiva espera, o bien por haber velado
una noche entera guardando un lugar preferente, o por la debilidad que ocasiona un plazo de tiempo exagerado sin in-
315  gerir alimento alguno, o a consecuencia de la insolación. Es
evidente que en una muchedumbre tan compacta, cuarenta y
hasta el doble número de desmayos, no cuentan absolutamente para nada. Sólo se consigna aquí el percance para significar la tardanza con que parecía desarrollarse el desfile
320  oficial.° Mas no por la espera ya larga decrecía el entusiasmo.

**lugar** alejado o fuera de camino

**sólo...** *these misfortunes are only mentioned here in order to give an idea of how long it took the official parade to get under way.*

Podría asegurarse, sin ninguna clase de exageración, que
en nuestra comunidad nadie es más celebrado, más estimado,
más festejado, más venerado—¡ésta sí que es la expresión
justa!—que el Estudiante. Hace ya un quinquenio que se ha
325  promulgado el ascenso de este substantivo a la categoría de
nombre propio. Claro que no hay que exagerar. Se trata de un
símbolo. Pero el hecho es que el vocablo se escribe siempre—por lo menos en la prensa, así como en los documentos

oficiales—con letra mayúscula. También la antigua Plaza de
330   la Constitución ha pasado a ser la Plaza del Estudiante. Y si
todavía continúa denominándosela por su nombre anterior,
no deja de ser significativa la decisión de su rebautizo.

—¿Cuándo llega el Estudiante? ¿No decían que a las
diez y media?

335   Me sonreí. Porque esta vez la pregunta me fue directamente dirigida. Y porque, como cabía esperarlo, quien me
preguntaba era una mujer. Por eso, al volver la cabeza y comprobar una vez más que la ansiedad resultaba ser una vez más
femenina, me sonreí. Lo cual no me impidió responder a la
340   pregunta con toda corrección. (¿Ah!, se me había olvidado
decir que el Día del Estudiante tiene un apéndice: se ha deter-
minado que sea también el Día de la Corrección Cívica, lo
cual está muy bien, ¡qué caramba!) Le contesté:

—Justo, querida señora. Tiene usted toda la razón. No
345   debemos alarmarnos, sin embargo. Seguramente no habrá
pasado nada. Nada de particular, ¡vamos! Lo que debe haber
ocurrido—como sin duda lo habrá supuesto usted—, no será
más que alguna irregularidad imprevista en el desfile.

Aparte de que las «irregularidades imprevistas» moteen°   *sully*
350   cada día con mayor frecuencia el mecanismo de nuestro funcionamiento comunal, lo cierto es que muy especialmente el
Día del Estudiante irregularidades de esta especie venían
prodigándose a un creciente ritmo progresivo. Tanto, que el
fenómeno ha llegado a preocupar a algunos de nuestros más
355   destacados sociólogos, psicólogos, planificadores y econo-
mistas. Un retraso tan prolongado como el de hoy, ciertamente, yo no lo recuerdo. Todos los años los hubo, para ser
exactos. Todos, no deberá omitirse que asimismo cada año, la
Comisión Mixta Reguladora intentó explicar con cálculos y
360   cifras el un tanto enojoso problema. Igualmente, no faltó ni
un año en el cual no se hubiese hecho hincapié en las medidas que se adoptarían al siguiente para corregir esta descon-

certante deficiencia. Mas pese a cuantos planes y previsiones
se adoptasen y estableciesen de antemano, el caso es que
365   cada año fue mayor el retraso de la arribada del Estudiante a
los puntos principales cuyo horario, detallado en el programa, se había pretendido que fuese por fin inalterable. Y
acaso el éxito editorial que el Doctor Nefasto Caparra alcanzó con su obra *Aproximación a una teoría reducida del*
370   *crecimiento de la irregularidad cronométrica funcional,* se
haya debido al acentuado retraso incontenible de la perturbadora «irregularidad imprevista» de la circunstancia.

Por cierto que haciendo comentarios acerca de este libro,
la buena impaciente señora con la que acababa de iniciar un
375   diálogo, me dijo:

—Con todo, caballero; aun según los cálculos del Doctor
Caparra, el retraso supera en quince minutos el margen de
probabilidades previsto por sus tablas computadoras.

De manera que la buena señora era una mujer culta y cu-
380   riosa, ya que también ella había leído la discutida obra.

Alzóse de pronto gran revuelo.° Un campo de rostros        movimiento confuso
viró hacia la izquierda, azotado por el repentino vendaval de
la curiosidad. Millares de ojos se fijaban justamente donde se
acentúa la curva saliente de la Avenida Central. Hasta em-
385   pezaron a oírse algunas gozosas exclamaciones sueltas:

—¡Viva el Estudiante! ¡Viva el Estudiante!

Y se iniciaron los compases° de algunas canciones relati-    *rhythms*
vas a la festividad:

*Loa° y gratitud de nuestra sociedad a la inquietud de la*    *Praise*
390   *Universidad.*

Pero todo volvió a desmoronarse de repente. Menos el
entusiasmo. Habíase tratado de una falsa alarma. Lo visto a la
distancia no era nada en relación con lo deseado. En vez de
la cabeza de la comitiva,° había aparecido un carro de        acompañamiento, grupo
                                                              que acompaña
395   bomberos, empleado en la tarea de atenuar la fiebre que
amasaba el pavimento, y alguien había tomado el camión

pintado de rojo por los colorados estandartes distintivos de la
Asamblea Comunal, que es la que encabeza el desfile.

La confusión dio motivo a jocosos comentarios, chistes
400  más o menos oportunos y cómicas analogías y comparaciones. Lo importante fue que el incidente contribuyó a
aliviar momentáneamente lo que empezaba a transformarse
en una espera tan estirada ya como sofocante, pues lo cierto
es que el Estudiante no acababa de aparecer por ninguna
405  parte.

Mucha de la gente congregada para la ocasión jamás
había visto el desfile. Contábanse por millares los neófitos,
entre la fenomenal balumba de excitados forasteros y turistas.
La curiosidad de los primerizos era ilimitada, y es natural que
410  asimismo resultase serlo su encendida ansiedad. Yo, en esto,
venía a ser algo así como un veterano, o como un pionero—
según se prefiera. No me gusta decirlo, ni lo proclamo nunca,
por simple modestia; sin embargo, me cuento muy probablemente entre las escasas personas que hayan tenido la fortuna
415  de presenciar el desfile del Estudiante año tras año, desde su
inauguración inolvidable. Lo he visto todas las ocasiones que
ha tenido lugar, sin faltar ni una sola. Ya, nada menos que sus
buenas doce veces. O sea, casi tres lustros,° o casi decenio y       período de quince años
cuarto. Comprendo, claro, que no todo el mundo pueda ser, a
420  este respecto—ahora me refiero al retraso—tan comprensivo
como lo soy yo. Ni, por lo tanto, tampoco tan paciente. Hay
que tener en cuenta que a la altura a que estamos, todavía no
ha gozado de este privilegio ni la vigésima parte de los habitantes del país. Por eso sería injusto que yo fuese ahora a que-
425  jarme por un retraso algo más prolongado que los de
costumbre. Aún estoy por reconocer que ello sería viciosa-
mente° injusto.                                                      extremadamente,
                                                                      pervertidamente
Al fin y al cabo, en la misma Universidad no todos los
profesores han experimentado la honda satisfacción que se
430  deriva de contemplar siquiera sea por una sola vez el Desfile

del Estudiante. Y este es un hecho importante, porque deter-
mina ciertas fricciones entre el cuerpo docente, las cuales
pugnan constantemente por aliviar las oportunas interven-
ciones de las autoridades universitarias competentes. Es
435    decir, la Comisión Superior Sicológica-Psiquiátrica-Socioló-
gica. Pues aunque reine en el claustro una cordialidad si no
tradicional, sí, al menos, hoy por hoy, admirable ya, podría
afirmarse que el mismo se halla al parecer irremisiblemente
dividido en dos castas—de cuya existencia, sólo males po-
440    drán derivarse, y de ahí el enorme interés puesto en su elimi-
nación. Una la componen aquellos escasos profesores y
funcionarios universitarios que en alguna ocasión les fue
dado contemplar, o que de alguna manera tuvieron que entrar
en relación directa con el Desfile del Estudiante. La otra es la
445    compuesta por la inmensa mayoría del personal universitario,
la cual está integrada por quienes todavía no han alcanzado el
disfrute de la anhelada distinción. Se ha llegado a expresar,
por parte de algunos de estos individuos, que «mejor hubiese
sido ser simple público espectador, que funcionario universi-
450    tario»; lo cual, dígase lo que se diga, parece traslucir una
forma de resentimiento impropia de gentes que, después de
todo, tienen el honor de denominarse nada menos que universitarios. Por fortuna, la Administración parece haber sido
inspirada cuando tomó la decisión de rechazar una propuesta,
455    presentada por los Conferenciantes de Paleontología y los de
Pedagogía Erótica Infantil, que consistía en pretender que
quienes hubiesen visto personalmente el Desfile del Estudiante, sólo por ello tuviesen acceso inmediato a ciertos niveles del rango académico.
460    Y ¿dónde quedaría entonces la objetividad científica?,
fue lo que, como quien no quiere la cosa, les espetó de golpe
el Presidente del Tribunal Conciliador Universitario. Los pobres Paleontólogos y los Erotólogos se quedaron de una
pieza, como no podía ser menos. Y el prestigio de la autori-

*se...were left
dumbfounded*

465 dad académica permaneció desde entonces asentado sobre
unos fundamentos que no es nada exagerado calificar como
invulnerables. De haberse aprobado aquella proposición con
carácter reglamentario, hubiese dado por resultado que los
Instructores, Monitores, Conferenciantes, Observadores,

470 Comprobadores y Calificadores, pasarían a ser, de sopetón,
nada menos que Instructores Auxiliares, Monitores Auxiliares, Conferenciantes Auxiliares, Observadores Auxiliares,
Comprobadores Auxiliares y hasta—lo que ya es el colmo—
Observadores Auxiliares también. La administración univer-

475 sitaria se habría convertido en un indescriptible desbarajuste, °    desorden, confusión
la estructura orgánica de la institución se encontraría parce-
lada de la manera más absurda.

    Lo dicho es verdad. La decisión fue justa. Pero, con
todo, el hecho es que nadie puede evitar que quienes han

480 visto con sus propios ojos aunque sea una sola vez el Desfile
del Estudiante, y esto tanto si se trata de universitarios como
de extraños, de meros ciudadanos, se consideren a sí mismos
socialmente superiores a todos los demás. Y es verdad igualmente que así los consideran de manera automática, por su

485 parte, quienes no habiendo pasado por tal experiencia fundamental, aspiran, sin embargo, y con todas sus fuerzas—a
decir verdad—a contarse entre los agraciados por la contaminación de las emanaciones carismáticas que se derivan de la
cosa en sí. Muchas veces no se hace difícil notar a simple

490 vista que tal o cual profesor, o éste o aquel funcionario administrativo, pertenecen a la primera casta. Es que se les ve
más seguros de sí mismos; caminan con la cabeza erguida,
cual si aspirasen un sutilísimo aroma imperceptible para los
demás, y se expresan indefectiblemente con un peculiar tono

495 de gravedad, envuelto en una intencionada lentitud
prosódica, exageradamente enfática, que a la vez rebosa
cierta artificiosa solemnidad. En una palabra, transpiran
orgullo. Y aunque hay que reconocer que en situaciones simi-

lares el orgullo dista de constituir un defecto, sino que más
500  bien pasa a ser una loable virtud, no por eso semejante actitud se despoja automáticamente del germen que podría conducir la necesaria uniformidad universitaria a una pendiente
discrepante tan inapropiada como calamitosa. Por lo dicho,
los más suelen llamar a los menos ‹los virtuosos›. Pero, como
505  los virtuosos aclaran, no sin razón: «Qué sería de la entera institución docente sin el Estudiante? Ergo, lógico resulta que
quienes hemos visto cara a cara su desfile no podamos eliminar hipócritamente las consecuencias del acontecimiento».
Razonamiento demoledor en la simplicidad de su formu-
510  lación.

Se dice (aunque los periódicos jamás lo atestiguan, por
lo cual el rumor resulta un tanto sospechoso), que la idea del
transporte infantil, rigurosamente calculado según el ascenso
proporcional de la población global, tiende a atenuar a la me-
515  dida de lo posible aquella discrepancia que distingue, de momento sólo entre los universitarios, a los ‹virtuosos› de
quienes aun no lo son.

Un día, no mucho tiempo atrás, corrió por todas partes
un rumor de lo más alarmante. Nos llevamos un susto feno-
520  menal. Se propaló la especie° de que el Estudiante estaba en-   se... se divulgó el secreto
fermo. Bueno; el Estudiante, desde hace unos tres años a esta
parte, está siempre enfermo. Pero es que entonces se dijo que
se había agravado de modo considerable su ya de por sí precaria condición. Sus achaques° comenzaron hará ya unos diez   enfermedad,
                                                                indisposición
525  años. Estos aumentaron, y algunos de ellos se convirtieron en
crónicos. Pero como no se ahorraron medios para mantenerlo
en condiciones de al menos una aparente normalidad vital,
nadie le concedió mayor importancia al asunto. Por otra
parte, como cada año se efectuaba su desfile, se tenía la im-
530  presión de que las habladurías infundadas respecto a su estado de salud procedían, tal vez, de váyase a saber qué
individuo dolorido por no haber sido aún testigo de su des-

file. Hay que agregar que, en todo caso, el Estudiante es el
enfermo más saludable de toda la nación. Si se tiene en
535 cuenta su edad, hay que reconocer que goza de una normalidad difícilmente explicable.

Por fortuna, el boletín diario relativo al estado de salud
del Estudiante venía manteniendo tal estabilidad, que resultaba ser uno de los boletines médicos más aburridos y
540 monótonos de que haya noticia. Ni un instante deja de atender al Estudiante el especialista requerido. El Estudiante,
como es natural, no carece de nada. No transcurre ni una sola
hora de su preciosa existencia sin que sea sometido a riguroso examen. Su morada ha sido edificada con arreglo a las
545 más estrictas exigencias de la arquitectura sanitaria. Su atención ha sido desde luego confiada a los más sobresalientes especialistas de la ciencia médica en cada rama. Cada una de
las personas relacionadas con su conservación, cuidado e intereses (no habiendo sido revelado su número, estímase en
550 unas cuatrocientas tres), lleva ostentosamente en la solapa un
disco verde (Veedor Especial Reconocido del Estudiante), indicativo de su rara distinción. No es preciso extenderse
acerca de las convenientes ventajas de que tales seres gozan. En
cuanto al Estudiante, los premios, becas, bolsas de viaje, con-
555 decoraciones, recompensas y honores de que continuamente
se le hace objeto, montan ya una suma equivalente de considerable prestigio personal y de fortuna.

—¿Cuántos años tendrá ahora el Estudiante?

Me hizo la pregunta la misma dama de antes, la cual, a
560 fuerza de empujones adjudicados° con una técnica impecable, *dados*
logró por fin situarse a mi lado. Pero su pregunta entrañaba
un acertijo un tanto impertinente, por no decir audaz. Porque
si es cierto que ningún dato le está vedado a ciudadano alguno—la Constitución garantiza todo derecho de informa-
565 ción imaginable—, se ha creído conveniente echar un manto

de discreción sobre este particular. El Estudiante es, como los
símbolos, un ser sin fecha, un ente ucrónico.°

    —Lo siento—le repuse—. No podría decírselo, así de
primera intención, a ciencia cierta. Claro que...

570     —Ya, ya—me interrumpió, y añadió con ironía—. Se
trata del secreto del que nadie quiere hablar. Hasta hay quien
dice que ése es el talón de Aquiles° del Estado. Un secreto de
estado, por lo tanto.

    —No creo que sea eso exactamente. No veo por qué no
575 habría de revelarse la edad del Estudiante. Es bien sabido que
dista mucho de ser un jovencito. Al fin y al cabo, era una tontería suponer que el estudio debía confinarse a la primera y
segunda etapas de la vida.

    —No vale la pena hablar del asunto—me dijo la señora,
580 con el tono de quien pide disculpas por algo—. Por favor, no
se preocupe. Ya me doy cuenta de que mi pregunta no fue
muy discreta. Yo no pretendía comprometer a nadie.

    —¿Comprometer? ¿Y por qué me había de comprome-
ter? Uno puede decir y saber lo que se le antoje. Si usted me
585 apura, yo creo que debe andar por los...

    —¡Calma, calma! ¡Si no hay por qué apurarse! Estoy
muy lejos de ponerle a usted entre la espada y la pared.

    —¡Caray! Lo que yo digo, lo que calculo, así, a ojo de
buen cubero, es que el Estudiante, en realidad, ni debe tener
590 la edad que a veces se sugiere ser la suya en ciertos círculos
oficiales, ni debe haber llegado aún a la que exageradamente,
algunas veces, le atribuye el vulgo.

    —¡Muchas gracias! Pues sí que me ha sacado usted de la
duda. Mire...

595     —¿Es que sabe usted algo, con certeza?

    —Eso no. Con certeza no se sabe nada. Pero una amiga
mía, Ayundanta segunda, ella es de la Facultad de Catalo-
gación de Contables Disponibles, dice haberlo visto a dos

*que existe fuera de la cronología, atemporal*

**talón...** *Achilles' heel, weak spot*

pasos; me lo dijo a mí, y que lo oyó hablar. De esto hará unos
600   dos o tres meses. Y fue entonces cuando me aseguró que tendría unos...

   ¡Y me dijo la edad del Estudiante! La edad calculada por
su amiga. Pero me fue imposible entenderla bien. En aquel
instante estallaron a la vez las músicas y el griterío de la mul-
605   titud. Repicaban° las campanas y detonaron los cohetes.° Y

Sonaban
*rockets, firecrackers*

tan pronto como empezó a oírse el himno en el carillón de la
torre central, retumbaron los motores de la aviación que
escribía en el aire repetidamente el consabido «¡Viva el Estudiante!» Todo, unido, formaba un grandioso cántico, ensor-
610   decedor, en el que se resumía, como una explosión de re-
verencia, o de admiración, la fe de la comunidad en el
destino del Estudiante.

   Pero al divisarse el cortejo en medio del regocijo general, tuve la sensación de recibir una instantánea sacudida
615   de frío. Miré a mi lado, y la buena señora habíase esfu-
mado.° Miré el reloj y vi que eran ya las cuatro de la tarde.

desaparecido

Sentí pena por el fracaso de los cómputos del Doctor Caparra. Y, de repente, me apercibí de que por primera vez en
doce años me fue imposible ver pasar al Estudiante. No sólo
620   porque las gentes que se hallaban delante de mí pegaban
enormes brincos a la vez que procuraban ajustar sus
periscopios. Es que la procesión estudiantil se efectuó a una
velocidad inusitada.

   Apenas se había divisado el cortejo, doblando la curva,
625   cuando, en un cerrar y abrir de ojos, el auto del Estudiante
pasaba como una centella ante nosotros y enseguida pene-
traba en el recinto universitario. Primero creí que con tal
celeridad se pretendía compensar la larga espera. Pero pronto
supe lo erróneas que eran mis superficiales presunciones.
630   Lo acontecido fue algo más serio. Muchísimo más
trágico. Me cuesta trabajo consignarlo por escrito. Porque lo
sucedido fue que el Estudiante cumplió con su existencia. La

prensa de la tarde no registra la hora exacta de su expiración.
Tampoco dice nada al respecto el Boletín diario. La gente se
635   ha empeñado en afirmar que el Estudiante feneció después
del desayuno. No puedo admitirlo, porque, en tal caso, resul-
taría que el día mismo de su festividad el Estudiante habría
efectuado su propio desfile ya como cadáver.

El caso es que el país está de luto.° Se halla conmovido     de... *in mourning*
640   hasta lo más profundo. Nadie osa levantar la voz; ni siquiera
la vista. La gente ni se habla ni se mira. Se camina en puntillas y reina por todas partes un silencio casi aterrador. ¡Qué
horrible perspectiva se presiente! El claustro universitario se
halla reunido en sesión permanente. ¡Que Día del Estudiante
645   tan aciago! Doscientos setenta mil universitarios están ahora
pendientes no sólo de su futuro personal inmediato, sino del
futuro de la ciencia. Y lo mismo el país, consciente de la
catástrofe que lo aniquilaría° de desintegrarse° la Universi-     destruiría
dad. Porque la Universidad está fuera de duda que se            de... si se desintegrara
650   desmoronaría si no hallase el medio de mantener el indis-
pensable equilibrio estudiante-profesor.

Para cortar por lo sano° toda posible acción derrotista, el     cortar... *settle once and*
gobierno acaba de promulgar una sabia medida: ha pro-                        *for all*
movido al rango académico inmediato a ciento ochenta y
655   cinco mil universitarios, y ha incorporado al cuerpo universitario a cincuenta mil aspirantes, éstos seleccionados de las
casi inagotables° reservas socio-profesionales de la comu-     *inexhaustible*
nidad nacional.

## PREGUNTAS

1. ¿Por qué estaban las calles llenas de gente? ¿Qué se celebraba?
2. Describa el campo de la Universidad ese día.
3. ¿Había crecido mucho la Universidad o había mantenido su tamaño original?
4. ¿Estaban las calles abiertas al público? ¿Por qué? ¿Quiénes podían entrar a la zona universitaria?
5. ¿Cómo describe el Gobernador al Estudiante? ¿Cómo se burla el autor de la retórica vacía de los políticos?

6. ¿Era el Día del Estudiante una fiesta local o participaban personas de diversas partes del país? Explique su respuesta.

7. ¿Qué problemas se asociaban con la participación de «niños de corta edad»?

8. ¿Qué elementos enriquecían el desfile? ¿Qué grupos estaban presentes? ¿Por qué es cómica esta enumeración, especialmente en vista del hecho que sólo personas «relacionadas directamente con las funciones de la institución» o «funcionarios públicos de los diversos organismos del estado» tenían permiso para participar? ¿De qué se burla el autor?

9. ¿Cuál era el lema de la celebración? ¿Cómo se representaba alegóricamente? Explique la ironía de la descripción del lema.

10. ¿Cuántos empleados tenía la Universidad? ¿Cómo se burla el autor de la gigantesca burocracia universitaria?

11. ¿Por qué se ponía impaciente una de las espectadoras? ¿Cómo caracteriza el narrador a las mujeres? ¿Por qué insiste en que «eso ha sido observado...y se ha precisado con datos concretos»?

12. ¿En qué sentido se había convertido el Estudiante en un símbolo?

13. ¿Por qué se tuvo que llevar al hospital en ambulancia a algunas personas?

14. ¿Qué libro había escrito el Doctor Nefasto Caparra? ¿Había tenido éxito entre los académicos? ¿Cómo reaccionó el narrador cuando la espectadora lo mencionó?

15. ¿Qué conflictos habían surgido entre los profesores a causa del Día del Estudiante? ¿Qué propuesta de los Conferenciantes de Paleontología y los de Pedagogía Erótica Infantil rechazó la Administración? ¿Cómo se burla el autor de la jerarquía universitaria en este pasaje?

16. ¿Qué rumor alarmante se propalaba por la comunidad universitaria? ¿Cómo se sabe que este rumor preocupaba bastante a los administradores?

17. ¿Desfiló finalmente el Estudiante? ¿Cómo pasó por la calle, rápida o lentamente? ¿Por qué? ¿En qué condiciones estaba?

18. ¿Cómo afectó a la Universidad la muerte del Estudiante? ¿Cerró sus puertas o siguió funcionando?

## ANALISIS

1. ¿De qué aspectos de la Universidad se burla Granell? ¿Qué dice de la burocracia? ¿de la jerarquía? ¿de la mezquindad y las pretenciones de los profesores? ¿de la proliferación de departamentos especializados?

2. ¿Qué dice de la importancia del Estudiante en la conciencia colectiva del país? ¿de la verdadera posición del Estudiante dentro de la estructura universitaria?

3. ¿Qué semejanzas y diferencias existen entre la Universidad que describe Granell y la de usted?

4. Para Granell, ¿es la educación el verdadero enfoque de la Universidad? ¿Por qué no?

5. ¿Cree usted que en los Estados Unidos la educación en general sufre de los mismos problemas que el autor describe, o se limitan estos problemas a la Universidad? Explique su respuesta.

6. ¿Cree usted que el exceso de burocracia es un problema exclusivamente español y universitario o no? Explique.

7. ¿Por qué es irónico el fin de «El Estudiante»?

8. ¿Qué soluciones propone usted a los problemas de la Universidad?

9. ¿Cómo contribuyen las largas enumeraciones que se incluyen en el cuento al sentido de exceso que Granell quiere comunicar?

10. ¿Es estrictamente realista o no la descripción de Granell? ¿Por qué cree usted que emplea esta técnica?

# Composición

## COMO SE PREPARA UN TRABAJO DE INVESTIGACION

Muchos cursos requieren trabajos de investigación. Este tipo de trabajo obliga al estudiante a usar libros, enciclopedias, revistas, periódicos u otros materiales de referencia para conseguir información sobre un tema. Un trabajo de investigación puede ser una exposición, una descripción o una narración, o puede tomar alguna otra forma.

## ANTES DE ESCRIBIR

1. Escoja su tema, pero no forme opiniones rígidas antes de comenzar sus investigaciones. Es decir, no se limite a buscar información que apoye un solo punto de vista. Trate de mantener la mente abierta con respecto a su tema.

2. Limite su tema a un tamaño manejable. Por ejemplo, en vez de «La educación en Latinoamérica», escoja un tema como «La situación actual de la educación primaria en México» o «La presencia de la mujer en las universidades latinoamericanas».

3. Por otra parte, no escoja un tema tan específico que puede ser difícil encontrar información. Por ejemplo, evite temas como «Los ingresos de los profesores de kínder en Bolivia entre 1990 y 1995».

4. En la biblioteca busque información acerca de su tema. Consulte las enciclopedias para adquerir ideas generales. Luego, consulte los ficheros o computadores para encontrar libros sobre aspectos más específicos de su tema. Consulte *The Reader's Guide to Periodical Literature* para encontrar artículos en inglés. Pregúntele al bibliotecario qué revistas y periódicos españoles y latinoamericanos recibe su biblioteca. Sobre temas políticos y sociológicos, los informes sobre países individuales publicados por el Departamento de Estado Norteamericano son buenas fuentes de información. Las publicaciones de la Organización de Estados Americanos y las de las Naciones Unidas también

pueden ser útiles. Para temas literarios, consulte las bibliografías de la *Modern Language Association.*

5. Escoja el material más útil para su informe. Asegúrese de que su información sea reciente y válida. Elimine cualquier fuente que sea demasiado antigua para ser útil. Lea su material con cuidado, sacando apuntes y anotando de dónde ha sacado cada dato.

6. Organice sus apuntes.

7. Refine su tema. Ahora que ha organizado sus apuntes, puede ser que usted haya modificado su punto de vista o quiera darle un enfoque un poco diferente a su trabajo. Posiblemente haya encontrado mucha información sobre algún aspecto particular de su tema original y quiera concentrarse en él.

8. Organice su composición. Haga un esquema, apuntando las ideas centrales de la introducción, el cuerpo del trabajo y la conclusión.

9. Indique en su esquema dónde tiene que incluir notas al pie de la página. Las notas se emplean para indicar sus fuentes o para agregar cualquier información adicional que usted estime importante incluir pero no quiera hacerlo en el texto mismo. Observe que hay varias formas de escribir notas. Consulte el *Chicago Manual of Style* o el manual de estilo de la *Modern Language Association*. El primero requiere notas completas al pie de la página. El segundo requiere sólo el nombre del autor del libro o artículo que se ha empleado, el cual se indica entre paréntesis, junto con la página (González 39); al final del trabajo de investigación se incluye una lista completa de Obras Citadas.

## DESPUES DE ESCRIBIR

1. Examine la organización de su composición. ¿Ha definido usted el tema claramente en la introducción? ¿Desarrolla su tema de una manera lógica? ¿Es lógica su conclusión?

2. Examine su información. ¿Ha incluido notas siempre para indicar sus fuentes? ¿Necesita agregar notas?

3. Examine el estilo de sus notas. ¿Ha seguido los modelos de los manuales cuidadosamente?

4. Examine su puntuación y ortografía.

5. Prepare una lista de Obras Citadas.

# EJERCICIOS DE COMPOSICION

1. Examine el trabajo escrito que se encuentra en la página 383. ¿Está bien organizado? ¿Qué información habría podido eliminar el estudiante que lo escribió? ¿Preparó correctamente las notas al pie de la página? ¿Debería incluir más notas o menos notas? ¿Incluyó todas sus fuentes en las Obras Citadas?

2. Escriba un trabajo de investigación sobre uno de los siguientes temas. Si le parece conveniente, puede modificar el tema después de comenzar sus investigaciones.

   a. Las primeras universidades latinoamericanas

   b. Influencias francesas y norteamericanas en el desarrollo de la educación en Latinoamérica

   c. La educación técnica en Latinoamérica

   d. La estructura de los sistemas educativos de Latinoamérica

   e. Cambios recientes en los sistemas educativos de Latinoamérica

   f. La educación de la mujer en Latinoamérica

   g. El uso de lenguas indígenas en las escuelas de los Andes (o de cualquiera otra área)

   h. Clase social y educación en Latinoamérica

   i. La universidad latinoamericana y la norteamericana: una comparación

   j. Los estudios científicos en Latinoamérica

# CAPITULO 11

# Los animales

## Los animales domésticos

| | | |
|---|---|---|
| **1.** el perro | **3.** el ratón blanco | **5.** el pez dorado |
| **2.** el gato | **4.** el hámster | **6.** el pájaro |

**VOCABULARIO ADICIONAL:**
**1.** el cachorro   **2.** razas de perro   **3.** el perro dogo, el bull-dog   **4.** el terrier
**5.** el galgo   **6.** el perro alsaciano, el pastor alemán, el perro policía   **7.** el perro de aguas, el cócker   **8.** el perro de muestra, el póinter   **9.** el perro de lanas, el poodle
**10.** el perro tejonero, el perro salchicha   **11.** el San Bernardo   **12.** el pastor escocés
**13.** el perro mestizo, el quiltro   **14.** el gato siamés   **15.** el gato de Angora   **16.** el loro
**17.** el canario   **18.** el perico, el periquito

**ADDITIONAL VOCABULARY:**
**1.** puppy   **2.** breeds of dog   **3.** bulldog   **4.** terrier   **5.** greyhound   **6.** German shepherd, police dog   **7.** cocker spaniel   **8.** pointer   **9.** poodle   **10.** dachshund   **11.** St. Bernard
**12.** sheepdog   **13.** mixed breed, mongrel   **14.** Siamese cat   **15.** Persian cat   **16.** parrot
**17.** canary   **18.** parakeet

## Los animales de la finca

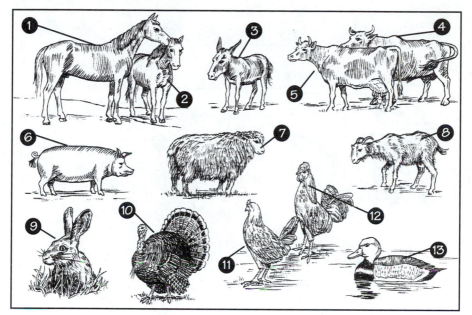

1. el caballo
2. la yegua
3. el asno, el burro.
   el borrico
4. el toro
5. la vaca

6. el cerdo, el cochino,
   el marrano, el chancho
7. el carnero
8. el chivo, el cabro
9. el conejo

10. el pavo, el guajolote
    (Mex.)
11. la gallina
12. el gallo
13. el pato

### VOCABULARIO ADICIONAL
1. el buey   2. el becerro   3. la mula   4. el cordero   5. el pavo real   6. el ganso
7. la oveja

**ADDITIONAL VOCABULARY:**
1. ox   2. calf   3. mule   4. lamb   5. peacock   6. goose   7. ewe

## Anfibios y reptiles

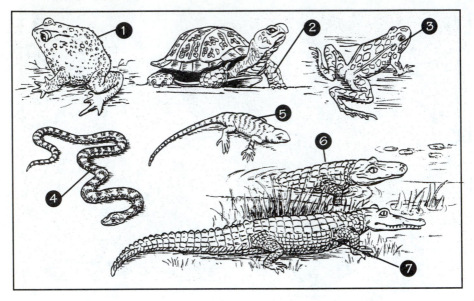

1. el sapo
2. la tortuga
3. la rana

4. la culebra, la
   serpiente, la víbora
5. el lagarto

6. el caimán
7. el cocodrilo

# Mamíferos de la selva

1. el elefante, la elefanta
2. la cebra
3. el hipopótamo
4. la jirafa

5. el tigre, la tigresa
6. el león, la leona
7. el oso
8. el venado
9. el mono

10. el mapache
11. el lobo
12. el zorro

**VOCABULARIO ADICIONAL:**
1. la hiena   2. el leopardo   3. el chimpancé   4. el gorila

**ADDITIONAL VOCABULARY:**
1. hyena   2. leopard   3. chimpanzee   4. gorilla

## Los insectos

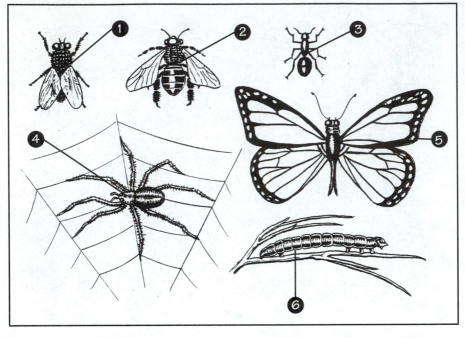

| | | |
|---|---|---|
| **1.** la mosca | **3.** la hormiga | **5.** la mariposa |
| **2.** la abeja | **4.** la araña | **6.** la oruga |

**VOCABULARIO ADICIONAL:**
**1.** la crisálida  **2.** los sonidos de los animales  **3.** El perro ladra.  **4.** El gato maúlla y ronronea.  **5.** El ratón chilla.  **6.** El pájaro pía.  **7.** El caballo relincha.
**8.** El toro brama.  **9.** El becerro bala.  **10.** La oveja bala.  **11.** El león ruge.

**ADDITIONAL VOCABULARY:**
**1.** cocoon  **2.** the sounds of the animals  **3.** The dog barks.  **4.** The cat meows and purrs.
**5.** The mouse squeaks.  **6.** The bird chirps.  **7.** The horse whinnies.  **8.** The bull bellows.
**9.** The calf bleats.  **10.** The sheep baas.  **11.** The lion roars.

# Cómo perdió el Chivo la cola

La gente siempre ha incorporado los animales a sus mitos, fábulas y leyendas. En Latinoamérica, donde la fauna es abundante y variada, los animales figuran de una manera prominente en el folklore. Cada pueblo tiene un caudal de historias en que los animales desempeñan un papel principal. Aquí va un cuento popular de Puerto Rico:

El señor León y la señora Leona vivían cerca de un bosque grande y espeso. Tenían muchos amigos y compañeros con quienes hacían vida social: el Tigre y la Tigresa, el Caballo y la Yegua, el Cerdo y la Cerda, el Burro y la Burra, el Gato y la Gata, el Toro y la Vaca, el Perro y la Perra, el Gallo y la Gallina, el Chivo y la
5    Chiva.

Un año hubo terribles huracanes que casi destruyeron la isla y no había casi nada que comer. El león y la leona se morían de hambre.

—¿Qué vamos a hacer?—dijo el señor León.—Nosotros somos los más fuertes de todos, pero vamos a morir de hambre.

10    La Leona se puso a pensar.—No puede ser—dijo finalmente.—¿Has oído el dicho, «el pez grande se come al pequeño»? Aquí nosotros somos los peces grandes. ¿Me comprendes?

—Te comprendo perfectamente—dijo el León.—¿Qué propones?

—Pues,—dijo la Leona—la carne más deliciosa y blanda es la del chivo.

15    —Claro,—dijo el León—ésa es la que me gusta más. Es la más fina.

—Bueno,—dijo la señora—ésa es la que vamos a comer. Tengo una idea.

—¿Sí? Dime, amor de mi vida.

—Vamos a dar un gran baile—comenzó la Leona.—Invitaremos a todos los animales—al Caballo y a la Yegua, al Carnero y a la Oveja, al Conejo y a la Coneja
20    y, por supuesto, al Chivo y a la Chiva. Todos son buenos compadres nuestros y no sospecharán nada. Mientras todos están cantando y bailando y tocando la guitarra, haremos una hoguera inmensa. Cuando se acerquen el Chivo y la Chiva, les daré un empujón y caerán al fuego. Todos pensarán que fue un accidente. Después, cuando se vayan los demás, los comeremos.

25    —Ya estoy soñando con un sabroso plato de carne de chivo bien sazonado— dijo el León.—Pero tenemos que darnos prisa. Tengo mucha hambre.

La Leona le dio un beso a su rey y le guiñó un ojo.

—Eres brillante, mi reina—dijo él ronroneando.

—Lo sé—dijo ella.—Además, la necesidad es la madre de la invención.

30    El León y la Leona salieron a invitar a sus compadres a la fiesta.

—¡Hola, comadre!—saludó a la Oveja cuando la vio.—El León y yo vamos a dar un baile esta noche. Nos encantaría que fueras con el Carnero.

—Cóoooomooo nooo,—baló la Oveja.—Con mucho gusto. Nos encantan las fiestas.

35    Después se encontró con la Yegua.

—Qué suerte topar contigo,—dijo.—Venía a invitarlos a una fiesta. ¿Podrán ir?

—Síiiii,—dijo la Yegua, relinchando.—Encantados.

El León fue a la casa de los Perros.

—Mi mujer y yo damos una fiesta esta noche,—dijo.—¿Quieren ir?

40 El Perro se puso sospechoso inmediatamente. Sabía que el León y la Leona estaban muertos de hambre y no tenían con qué dar una fiesta.

—Yo iré,—gruñó finalmente—pero la Perra no irá.

La Perra comenzó a ladrar.

—¡Yo quiero ir también! ¡Quiero ir!

45 —No—gruñó el Perro—tú no irás.

El Perro era íntimo amigo del Chivo, y corrió a su casa.

—Si viene el León a invitarlos a una fiesta—dijo—acepta tú pero no dejes que vaya la comadre Chiva. Tú y yo iremos juntos para protegernos si fuera necesario. No me sorprendería que el León estuviera tramando alguna maldad.

50 —A mí tampoco,—dijo el Chivo.—Gracias por avisarme, compadre.

En la fiesta todos se divertían como locos. La Gata se había puesto un magnífico collar francés y la Yegua llevaba botas españolas. El Tigre bailaba con la Leona y el Conejo con la Cerda. Un mono tocaba la guitarra y una rana cantaba una canción alegre: «¡Croac! ¡Croac! ¡Croac!»

55 Mientras tanto el León hacía una gran hoguera.

El Chivo observaba intranquilo, dando saltos de un lado al otro.

—Me parece que corremos peligro,—le dijo al Perro.—Hay que tener cuidado.

—Tienes razón,—contestó el Perro.—Sospecho que esa hoguera es para ti y para mí. Lo mejor sería que nos marcháramos inmediatamente sin que el León se dé

60 cuenta.

Los dos fueron alejándose de a poco. Al llegar a la verja echaron a correr como relámpago sin volver la cabeza para ver si alguien les seguía.

Ya que no había venido la Chiva, el León contaba con el Perro para su cena. Al darse cuenta que tanto él como el Chivo se le habían escapado se puso a rugir con

65 furia y salió detrás de ellos.

A causa del huracán el río había crecido muchísimo. Al llegar a la ribera el Perro se tiró adentro y echó a nadar, pero el Chivo se desesperó porque le daba miedo el agua. Ya oía los rugidos temibles y los pasos pesados del León. El Chivo infeliz nunca se había visto en un apuro tan horrible. Por delante, el agua y por de-

70 trás, el León. ¿Qué hacer?

Allí cerca había un montón de paja seca que algún labrador había comenzado a juntar para sus animales. De repente al Chivo se le ocurrió una idea. Se escondió debajo de la paja teniendo mucho cuidado con cubrir su cuerpo entero. Aunque tenía calor y estaba sudando de miedo, sujetó la respiración para no moverse. Pero

75 no se dio cuenta de que se la había quedado afuera la cola.

El Chivo tenía una cola larga y blanca, delgada y tiesa como un palo.

El León llegó rugiendo ferozmente. El Perro, que ya había llegado a la otra ribera, se mofaba de él, brincando y haciendo muecas. El León empezó a tirarle cuanto encontrara. Recogió una piedra grande y se la arrojó. Recogió una rama de

80 árbol que el huracán había dejado y se la arrojó. Entonces vio la cola del Chivo, y pensando que era un palo, la agarró fuerte, la arrancó y se la arrojó.

El Chivo sintió un dolor terrible pero no se movió, no hizo un sonido.

Del otro lado del río el Perro siguió burlándose del León.

—A ver si me das con una pajita ahora,—gritó.

85    Entonces el León echó mano al montón de paja bajo el cual el Chivo estaba escondido.

—Con una pajita, no,—rugió—sino con este montón.

Y cogió el montón de paja y se lo lanzó al Perro sin darse cuenta de que el Chivo estaba adentro.

90    Entonces saltó el Chivo y se puso a berrear de alegría.

—¡Gracias, gracias!—gritaba.—¡Eso era lo que yo quería!

Y se puso a cantar:

¡La cola me arrancaste
Pero me pasaste!

95    El León se sintió ridículo. Bajó la cabeza y volvió a su casa.

Y ahora sabes por qué los Chivos no tienen cola, sino un muñoncito.

# Para enriquecer su vocabulario

**1.** Muchas expresiones comunes se forman con **tener.** El equivalente en inglés usa el verbo *to be.*

| | |
|---|---|
| **tener... años** | Mi gato tiene tres años. |
| **tener calor** | El Chivo tenía calor y estaba sudando. |
| **tener la culpa** | ¿Quién tiene la culpa? |
| **tener cuidado** | Hay que tener cuidado. |
| **tener frío** | Si tienes frío, ponte un abrigo. |
| **tener ganas de** | El León tenía ganas de comer carne de chivo. |
| **tener hambre** | Tengo mucha hambre. |
| **tener miedo** | El Perro le tenía miedo al León. |
| **tener prisa** | Tuvieron prisa en organizar su fiesta. |
| **tener que** | Tenemos que escaparnos. |
| **tener razón** | —Tienes razón,—contestó el perro. |
| **tener sed** | El León tenía hambre y sed. |
| **tener sueño** | El Chivo no pudo dormir, aunque tenía sueño. |
| **tener suerte** | El Chivo tuvo mucha suerte porque se escapó del León. |
| **tener vergüenza** | El León tuvo vergüenza y bajó la cabeza. |

Con la excepción de **tener que,** estas expresiones se forman con **tener** más un substantivo. Para modificar el substantivo, se emplea **mucho** u otro adjetivo.

| | |
|---|---|
| Tengo mucha hambre. | *I'm very hungry.* |
| El Chivo tuvo mucha suerte. | *The Goat was very lucky.* |
| Teníamos un frío espantoso. | *We were terribly cold.* |

**2.** Muchos de los substantivos que se emplean en las expresiones que se mencionan arriba también se usan con **dar.**

| | |
|---|---|
| El café le dio calor. | *The coffee made him warm.* |
| El helado me dio frío. | *The ice cream made me cold.* |
| Ver toda esa comida nos dio hambre. | *Seeing all that food made us hungry.* |
| Estar con mis amigos me dio ganas de cantar. | *Being with my friends made me feel like singing.* |
| El ejercicio me da sed. | *Exercise makes me thirsty.* |
| ¿Te dio sueño el vino? | *Did the wine make you sleepy?* |

**3.** Note también las siguientes expresiones con **dar.**

| | |
|---|---|
| **darse cuenta**   *to realize* | Al darse cuenta de que el Perro se había escapado, el León su puso furioso. |
| **darse prisa**   *to hurry* | —Tenemos que darnos prisa,—dijo el León. |
| **darle la razón (a alguien)** *to say someone is right* | El Chivo le dio la razón a su amigo. |

## EJERCICIOS

### A. Complete las siguientes oraciones.

1. El gato no ladra sino que _____.
2. Un perro muy joven se llama _____.
3. La hembra del gallo es _____.
4. Un tipo de perro que cuida ovejas es _____.
5. La hembra del carnero es _____ y el carnero joven es _____.
6. _____ es un insecto que produce miel.
7. Un reptil que no tiene ni piernas ni patas es _____.
8. Un primate grande y a veces feroz es _____.
9. El león no maúlla sino que _____.
10. El pájaro _____ y el ratón _____.

**B. Explique la relación que existe entre las dos palabras de cada par.**

1. toro / vaca
2. galgo / pastor alemán
3. sapo / rana
4. mariposa / oruga
5. oruga / crisálida

6. caballo / relinchar
7. maullar / ronronear
8. finca / productos agrícolas
9. cerdo / tocino
10. hormiga / pícnic

**C. Conteste las siguientes preguntas.**

1. Describa la vida del León y la Leona antes de los terribles huracanes. ¿Cómo cambiaron su vida los huracanes?
2. ¿Qué proyecto tenía la Leona? ¿Qué quiere decir «El pez grande se come a los pequeños»? ¿Cómo usa la Leona este dicho para justificar su plan?
3. ¿Cómo reaccionó el Perro cuando el León lo invitó a la fiesta?
4. ¿Por qué cree usted que no quería que su mujer fuera a casa de los Leones?
5. ¿A quién fue a avisar? ¿Qué plan tenían ellos?
6. Describa la fiesta de los Leones. ¿Qué hacía el León mientras sus invitados bailaban?
7. ¿Qué hicieron el Chivo y el Perro al ver que el León estaba haciendo una hoguera? ¿Cómo reaccionó el León al darse cuenta de lo que había pasado?
8. ¿Qué hicieron los dos amigos al llegar al río? ¿En qué situación terrible se encontraba el Chivo?
9. ¿Dónde se escondió? ¿Cómo perdió su cola?
10. ¿Cómo logró pasar al otro lado del río? ¿Pudo recuperar su cola?

**D. Responda a cada comentario usando una expresión con *tener* o *dar*.**

1. Hace días que no comen los Leones.
2. El León huele el olor delicioso de la carne de chivo.
3. Los invitados tienen ganas de beber algo.
4. Ninguno de los invitados lleva abrigo.
5. El Perro es muy joven todavía.
6. La Yegua quiere acostarse porque tomó mucho champaña y ya no puede más.
7. El Perro no perdió nada; se escapó con su cola intacta.
8. El Perro y el Chivo querían irse rápido.

**E. Temas de conversación.**

1. ¿Qué enseña el cuento «Cómo perdió el Chivo la cola» acerca de la naturaleza humana?
2. ¿Por qué cree usted que la gente siempre ha inventado fábulas en que los personajes son animales?

3. ¿Tiene usted un animal en casa? ¿Por qué cree usted que a tanta gente le gusta tener gatos y perros en casa? ¿Qué otros animales domésticos tiene la gente?

4. ¿Por qué cree usted que a muchas personas ancianas o enfermas les gusta tener animales?

5. Si asociamos el elefante con la memoria, ¿con qué característica asociamos el zorro? ¿el lobo? ¿la oveja? ¿el burro? ¿el perro? ¿la tortuga? ¿la serpiente? ¿Cree usted que esto varía de una cultura a otra? ¿Por qué?

6. Cuente alguna fábula o alguna anécdota relacionada con un animal.

**F. Pro y contra: temas de debate.**

1. Se debe abolir los experimentos médicos y científicos en que se emplean animales.

2. Debe ser ilegal comprar o usar abrigos de pieles.

3. El ser humano tiene que comer carne; el vegetarianismo es una ridiculez.

4. La conservación de los animales del bosque es más importante que la protección de la industria maderera.

5. Los animales saben cosas que los seres humanos no saben.

**G. Situaciones.**

1. Usted está visitando el zoológico con un amigo. Van de una sección a la otra mirando los animales. De repente un oso se escapa de su jaula. A su amigo le entra el pánico y usted trata de calmarlo y de buscar un lugar seguro donde puedan esconderse.

2. Su compañero/a de cuarto quiere conseguir un perro, pero a usted le parece que no hay bastante espacio en el departamento. Además cree que a usted le va a tocar ocuparse del animal.

3. Usted va a cenar a casa de unos amigos. Tienen varios animales y usted les tiene alergia, pero no quiere ofender a sus anfitriones.

# GRAMATICA
## *Complementos de verbos*

### El verbo seguido de un substantivo

**1.** La mayoría de los verbos en español no requieren una preposición antes del substantivo que le sigue.

| | |
|---|---|
| El León comprendió el plan. | *The Lion understood the plan.* |
| El Perro sospechaba una trampa. | *The Dog suspected a trap.* |

Nótese que en español los siguientes verbos no requieren una preposición antes del substantivo que le sigue, mientras que el equivalente inglés la requiere.

| | | | |
|---|---|---|---|
| agradecer | *to thank for* | esperar | *to wait for* |
| buscar | *to look for* | mirar | *to look at* |

| pedir | *to ask for* | solicitar | *to apply for* |
|---|---|---|---|
| presidir | *to preside over* | | |

| El Perro miró la hoguera y se asustó. | *The Dog looked at the bonfire and got scared.* |
|---|---|
| El Chivo pidió la ayuda de su amigo. | *The Goat asked for his friend's help.* |

2. Algunos verbos requieren una preposición antes del substantivo que le sigue.

| El Perro siguió burlándose **del** León. | *The Dog kept on mocking the Lion.* |
|---|---|
| Estoy soñando **con** un sabroso plato de carne de chivo. | *I'm dreaming about a delicious dish of goat meat.* |

Verbos que requieren **a** antes del substantivo que le sigue:

| acercarse a | *to approach* | caer(se) a[1] | *to fall into* |
|---|---|---|---|
| bajar a | *to go down to* | oler a | *to smell of* |
| entrar a[1] | *to enter* | saber a | *to taste like* |
| ir a | *to go to* | subir a | *to go up to* |
| llegar a | *to arrive* | jugar a(l)[2] | *to play* |
| parecerse a | *to look like, resemble* | convidar a | *to invite to* |
| semejarse a | *to look like, resemble* | invitar a | *to invite to* |

Verbos que requieren **de** antes del substantivo que le sigue:

| abusar de | *to abuse* | gozar de | *to enjoy* |
|---|---|---|---|
| acordarse de | *to remember* | mudarse de | *to move, change residence* |
| cambiar(se) de (for something else) | *to (ex)change* | sorprenderse de | *to be surprised at* |
| desconfiar de | *to distrust* | tratar de | *to be about* |
| disculparse de (por) | *to apologize for* | olvidarse de | *to forget* |
| disfrutar de | *to enjoy* | salir de | *to leave, go out of* |
| dudar de | *to doubt* | compadecerse de | *to feel sorry for* |
| fiarse de | *to trust* | depender de | *to depend on* |

---

[1] Algunos hispanohablantes usan **en** después de **entrar** y **caer**: **Entró en el patio** (en vez de **Entró al patio**); **Se cayó en el lago** (en vez de **Se cayó al lago**).

[2] En la conversación y en el periódico a menudo se omite la preposición: **Juega tenis** (en vez de **Juega al tenis**).

| | | | |
|---|---|---|---|
| ocuparse de | *to take care of* | hacer de | *to serve as, play the part of* |
| despedirse de | *to say good-by to* | reírse de | *to laugh at* |
| enamorarse de | *to fall in love with* | burlarse de | *to make fun of* |
| | | servir de | *to serve as* |

Verbos que requieren **en** antes del substantivo que le sigue:

| | | | |
|---|---|---|---|
| entrar en[1] | *to enter* | reparar en | *to notice* |
| fijarse en | *to notice* | caer(se) en | *to fall into* |
| influir en | *to influence* | consistir en | *to consist of* |
| interesarse en (por) | *to be interested in* | pensar en | *to think about* |

Verbos que requieren **con** antes del substantivo que le sigue:

| | | | |
|---|---|---|---|
| acabar con | *to put an end to* | encariñarse con | *to become fond of* |
| casarse con | *to marry* | encontrarse con | *to run across, to meet* |
| contar con | *to count on* | soñar con | *to dream about* |
| dar con | *run across, hit upon (an idea)* | topar con | *to run across* |
| correr con | *be responsible for* | | |

Verbos que requieren **por** antes del substantivo que le sigue:

| | | | |
|---|---|---|---|
| apurarse por | *to worry about* | mirar por | *to look out for* |
| disculparse por | *to apologize for* | preguntar por | *to ask for, about* |
| felicitar por | *to congratulate on* | preocuparse por | *to worry about* |
| inquietarse por | *to worry about* | pasar por | *to stop by for; pass as* |
| interesarse en (por) | *to be interested in* | | |

## PRACTIQUEMOS

**A.** **Complete cada oración usando el verbo que está entre paréntesis y cualquier substantivo que tenga sentido.**

> MODELO (acordarse) La Leona temía que su esposo _____.
> **La Leona temía que su esposo no se acordara de la dirección de los Chivos.**

1. (saber) No me gusta esta carne. Me parece que _____.
2. (subir) Antes de salir quiero _____.
3. (invitar) El León le dijo al Perro que él y su esposa lo _____.
4. (oler) Creo que esta comida está mala; _____.

---

[1]Véase la nota 1, página 451.

5. (cambiarse) Antes de ir a la fiesta, la Gata _____.

6. (tratar) Esta fábula _____.

7. (contar) El problema con dar una comida es que no podemos _____.

8. (depedirse) Se va todo el mundo. Debes _____.

9. (influir) Los jóvenes _____.

10. (felicitar) Me dijeron que te habías casado. Quería _____.

11. (parecerse) Ojos castaños... pelo negro... El bebé _____.

12. (correr) Dijo que si dábamos una fiesta él _____.

**B. Llene cada espacio con la preposición necesaria, si es que se necesita una.**

Cuando el León llegó _____(1)_____ su casa, entró _____(2)_____ la sala cabizbajo. Toda la casa olía _____(3)_____ humo, a causa de la hoguera que se había hecho en el patio. Su esposa no estaba allí, entonces subió _____(4)_____ dormitorio, donde la señora Leona estaba cambiándose _____(5)_____ ropa. Se había puesto una bata vieja, pero el León no se fijó _____(6)_____ la tenida de su esposa, que consistía _____(7)_____ una bata de levantarse rosada y unas pantuflas rotas. Estaba seguro de que ella iba a burlarse _____(8)_____ él cuando supiera que se le había escapado el Chivo. Estaba pensando _____(9)_____ la excusa que le iba a dar cuando ella preguntara _____(10)_____ la comida. Ella soñaba _____(11)_____ una buena cena esa noche y seguramente contaba _____(12)_____ la carne de perro y de chivo que su esposo le había prometido. El León estaba muy enamorado _____(13)_____ la Leona y se preocupaba mucho _____(14)_____ su bienestar. Entonces se acercó cautelosamente _____(15)_____ su cónyuge y se puso a rugir tristemente.

**C. Traduzca al español.**

1. "I want to thank you for your help," said the Lioness to the Lion.

2. The Hyena applied for a job in the Lioness's house, but didn't get it.

3. The Goat ( *f* ) was waiting for her husband, who had gone to the Lion's party.

4. The Lion and the Lioness abuse their neighbors by inviting them to their house and then having them for dinner!

5. The Goat asked the Dog for advice, and the Dog told him to be very careful.

6. When the Dog and the Goat ran across the Bear and told him what had happened, the three of them forgot their problems and laughed.

### El verbo seguido de un infinitivo

**1.** La mayoría de los verbos no requieren una preposición antes del infinitivo que le sigue.

—Yo quiero ir también,—dijo
la Perra.

*"I want to go too," said the Dog.*

El Chivo no sabía nadar.

*The Goat didn't know how to swim.*

2. Algunos verbos requieren una preposición antes del infinitivo que le sigue.

La Leona se puso **a** pensar.

*The Lioness started to think.*

Empezó **a** tirarle cuanto
encontrara.

*He started to throw everything in sight
at him.*

El León trató **de** alcanzar al Perro.

*The Lion tried to catch up with the Dog.*

Verbos que requieren **a** antes del infinitivo que le sigue:

| | | | |
|---|---|---|---|
| acostumbrarse a | *to be accus-tomed to* | venir a | *to come to* |
| alcanzar a | *to succeed in, manage to* | empezar a | *to start, begin to* |
| | | enseñar a | *to teach to* |
| aprender a | *to learn to* | entrar a | *to enter* |
| arriesgarse a | *to risk (verb + -ing)[1]* | enviar a | *to send to* |
| | | incitar a | *to incite to* |
| atreverse a | *to dare to* | inclinarse a | *to be inclined to* |
| ayudar a | *to help* | invitar a | *to invite to* |
| bajar a | *to go down to* | ir a | *to go to* |
| comenzar a | *to start to* | llegar a | *to succeed in* |
| condenar a | *to condemn to* | mandar a | *to order to, to send to* |
| convidar a | *to invite to* | negarse a | *to refuse to* |
| correr a | *to run to* | obligar a | *to force to* |
| decidirse a | *to decide to* | oponerse a | *to be opposed to* |
| dedicarse a | *to devote oneself to* | persuadir a | *to persuade to* |
| | | ponerse a | *to start to* |
| detenerse a | *to stop to* | salir a | *to go out to* |
| echarse a | *to start to* | prepararse a | *to prepare to* |
| volver a | *to (do some-thing) again* | | |

Verbos que requieren **de** antes del infinitivo que le sigue:

| | | | |
|---|---|---|---|
| abstenerse de | *to abstain from* | acordarse de | *to remember* |
| acabar de | *to finish (verb + -ing), to have just* | alegrarse de | *to be glad to* |
| | | arrepentirse de | *to be sorry to* |
| | | cansarse de | *to get tired of* |

---

[1] El equivalente inglés requiere el gerundio: **Se arriesgó a saltar.** = *He risked jumping.*

| cesar de | *to stop* | parar de | *to stop (verb + -ing)* |
| cuidar de | *to take care of* | | |
| cuidarse de | *to be careful to* | terminar de | *to stop, finish (verb + -ing)* |
| deber de | *must, probably be* | | |
| dejar de | *to stop* | tratar de | *to try to* |
| encargarse de | *to take charge of* | tratarse de | *to be about* |
| olvidarse de | *to forget to* | | |

Verbos que requieren **en** antes del infinitivo que le sigue:

| consentir en | *to consent to* | obstinarse en | *to persist in* |
| consistir en | *to consist of* | ocuparse en | *to keep busy by* |
| convenir en | *to agree to* | pensar en | *to think of, about[2]* |
| demorarse en | *to delay in* | persistir en | *to persist in* |
| empeñarse en | *to try hard to, to insist on* | quedar en | *to agree on, to* |
| | | tardar en | *to delay in* |
| insistir en | *to insist on* | | |

Verbos que requieren **con** antes del infinitivo que le sigue:

| amenazar con | *to threaten to* | contar con | *to count on, to intend to* |
| conformarse con | *to be content to, to resign one- self to* | contentarse con | *to be satisfied to* |
| | | soñar con | *to dream of* |

Verbos que requieren **por** antes del infinitivo que le sigue:

| acabar por | *to wind up by (verb + -ing)* | luchar por | *to struggle to* |
| | | trabajar por | *to work on behalf of* |
| empezar por | *to begin by (verb + -ing)* | terminar por | *to end by (verb + -ing)* |

## PRACTIQUEMOS

**A. Conteste cada pregunta usando el verbo que está en paréntesis y cualquier infinitivo que tenga sentido.**

MODELO    ¿Qué está haciendo? (tratar)
          **Estoy tratando de aprender estos verbos.**

1. ¿Qué va usted a hacer esta tarde? (comenzar)
2. ¿Por qué llegó tarde el profesor? (demorarse)

---

[2]**Pensar en** significa *to think about (doing something)*: **Pienso en dormir en la playa.** *I'm thinking about sleeping on the beach.* **Pensar** + infinitivo significa *to intend (to do something)*: **Pienso terminar este ensayo hoy.** *I intend to finish this essay today.*

3. ¿Qué decidieron usted y su amigo? (quedar)
4. ¿Cómo? ¿No va a estudiar más? (dejar)
5. ¿No viene Javier a nuestra fiesta? (negarse)
6. ¿Va usted a repasar los verbos otra vez? (volver)
7. ¿Qué hicieron el Perro y el Chivo una vez que se habían escapado de la casa del León? (echar)
8. ¿Qué quiere hacer su amigo? (empeñarse)
9. ¿Va a terminar todo su trabajo esta noche? (tratar)
10. ¿Qué van a hacer ustedes este fin de semana? (salir)

**B. Llene cada espacio con la preposición necesaria, si es que se necesita una.**

El León se demoró _____(1)_____ hablar. Había aprendido _____(2)_____ temer las reacciones violentas de su esposa y por un momento no se atrevió _____(3)_____ abrir la boca. Se arrepentía mucho _____(4)_____ haber dejado escapar a los animales que iban a ser su cena. Había que tratar_____(5)_____hacer entender a su esposa que él realmente no tenía la culpa. No sabía cómo decirle que iban _____(6)_____ tener que contentarse _____(7)_____ comer hojas y frutas como si fueran elefantes o jirafas por un par de días más. Pensaba que sería mejor empezar _____(8)_____ explicarle que el Perro y el Chivo habían hecho trampa y acabar _____(9)_____ mencionar que de todos modos no le gustaba mucho la carne de perro. Sabía que la Leona estaba cansándose _____(10)_____ esperar sus noticias, entonces respiró profundamente y se puso _____(11)_____ hablar.

**C. Traduzca al español.**

1. Stop talking and start working! Don't forget to feed the turtles and the snakes.
2. We keep busy by caring for the animals.
3. You take charge of getting food for the giraffes and I'll try to find something for the zebras.
4. The crocodiles are accustomed to eating fish, but now they're threatening to eat the frogs and toads.
5. The monkeys stopped playing and now they insist on ruining their cage.
6. I guess the bears have to be satisfied with eating these small pieces of meat.
7. I'm afraid that the leopards will wind up stealing food from the tigers.
8. You must be very tired. There's so much work to do in a zoo.

# GRAMATICA
## *Uso de artículos; concordancia*

 **Usos y omisiones del artículo definido y del artículo indefinido**

| I.  Se usa el artículo definido: | Se omite el artículo definido: |
|---|---|
| 1. Cuando se emplea un substantivo en un sentido general. | Cuando se emplea un substantivo en un sentido limitado. |
| Todavía Los animales también tienen derechos. | Hay animales en el zoológico. |
| Me encantan los perros. | Mi tía cría y vende perros. |
| Las botas son muy caras. | La Yegua llevaba botas españolas. |
| Toca el piano. | Afina pianos. |
| 2. Con substantivos abstractos. | |
| La necesidad es la madre de la invención. | |
| 3. Con los nombres de idiomas. | Después de **hablar, estudiar, aprender, enseñar, en, de.** |
| El español se habla en muchos países. | Está estudiando español. |
| El finlandés es muy difícil. | El libro está en finlandés. |
| 4. En vez del posesivo, con substantivos que se refieren a partes del cuerpo o a prendas de ropa.[1] | Cuando se quiere hacer hincapié en la posesión. |
| El León bajó la cabeza. | Olga me prestó sus guantes. |
| Me duelen los pies. | Mis pies son más grandes que los tuyos. |
| Hace frío. Ponte el abrigo. | Su collar francés es muy elegante. |
| 5. Con **de,** para indicar posesión. | |
| El collar de Gloria. | |
| Los aretes de Magda. | |
| 6. Con títulos (**señor, doctor, arquitecto**[2]), cuando se habla de una persona. | Con títulos, cuando se le habla directamente a una persona. |
| El señor Martín doma tigres. | ¿Cómo está su herida, señor Martín? |
| El ingeniero Franco quedó en llamarme. | ¿Dónde almorzamos, ingeniero Franco?               *[continúa]* |

---

[1]Recuerde que cuando cada uno tiene uno, se usa la forma singular del substantivo: **Los chicos levantaron la mano derecha.** *The children raised their right hands.*

[2]En varios países los nombres de profesiones se usan como títulos: **el arquitecto Pares; el ingeniero Franco.**

| | |
|---|---|
| 7. Con nombres de bautizo, cuando éstos están modificados.<br><br>El pequeño Mario vino con su papá. | Con los títulos **don** y **doña**.<br><br>Don Pedro acaba de salir con doña María. |
| 8. Con días de la semana, fechas, estaciones y la hora.<br><br>La fiesta es el sábado.<br>El examen es el tres de marzo.<br>Vamos a la playa en el verano.<br>La reunión es a las tres y media. | Con los días de la semana, cuando se usan con **hoy, mañana, ayer, pasado mañana, anteayer.**<br>Hoy es sábado; ayer fue viernes. |
| 9. Con expresiones con **próximo** y **pasado.**<br><br>Te lo diré la próxima vez que nos veamos.<br>Vino el año pasado. | |
| 10. Con nombres de comidas **(desayuno, almuerzo, cena).**<br>¿Cuándo van a servir la cena? | |
| 11. Con varios substantivos que se refieren a lugares **(escuela, trabajo, cárcel, iglesia, pueblo)** cuyos equivalentes ingleses se emplean sin artículo.<br><br>Está en el trabajo. *(at work)*<br>Lo mandaron a la cárcel. *(to jail)*<br>Fueron a la iglesia. *(to church)* | |
| 12. Con los nombres de ciertos países **(Perú, Ecuador, Brasil, Argentina, Canadá, Japón, China, India)**, aunque hoy en día la tendencia es de omitir el artículo definido, excepto cuando éste se considera parte del nombre: **la República Dominicana; El Salvador; la Habana.** El artículo puede usarse u omitirse con Estados Unidos.[3]<br><br>Viven en (el) Brasil.<br>Son de (la) Argentina. | Con los nombres de la gran mayoría de los países.<br><br><br><br><br><br><br><br>Viven en Chile.<br>Son de Francia     *[continúa]* |

---

[3]Cuando se emplea el artículo definido, se usa la forma plural del verbo: **Los Estados Unidos son el mayor importador de productos mexicanos.** Cuando no se emplea el artículo definido, se usa la forma singular del verbo: **Estados Unidos es...**

*continuación*

| 13. Con los nombres de calles y lugares geográficos. | En construcciones apositivas. |
|---|---|
| Vive en la calle Matías Rojas. *(Matías Rojas Street)* Mi oficina está en la Quinta Avenida. Nunca he visitado el Lago Titicaca. | Buenos Aires, capital de la Argentina, es una ciudad grande y moderna. Enrique Irizarry, presidente del Club Vasco, pidió la palabra. |
| 14. Para indicar el porcentaje. El 30 por ciento de la población es analfabeta. | |

| II. El artículo indefinido se omite: | El artículo indefinido se emplea: |
|---|---|
| 1. Antes de un substantivo no modificado que se refiere a la nacionalidad, religión, partido político o profesión de una persona. | Cuando el substantivo está modificado. |
| María Angélica es puertorriqueña. | María Angélica es una puertorriqueña perfectamente bilingüe. |
| Jacobo es judío. | Jacobo es un judío ortodoxo. |
| Mi papá es republicano. | Mi papá es un republicano moderado. |
| Soy arquitecto. | Soy un arquitecto residencial. |
| 2. En situaciones en que se emplea el partitivo *(some, any)* en inglés. | Para hacer hincapié en la cantidad. |
| ¿Tienes lápiz? *(Do you have a pencil?)* | ¿Tienes un lápiz? *(Do you have a single pencil?)* |
| Hay fábulas y leyendas. | Hay unas (algunas) fábulas y leyendas. (*some fables and legends*) |
| Cría gallinas. | Cría unas (algunas) gallinas. |
| No hay culebras en Irlanda. | No hay ninguna[1] culebra en Irlanda. *(not a single snake)* |
| No usa productos de cuero. | No usa ningún producto de cuero. |

*[continúa]*

[1]**Ningún (ninguna)** normalmente se usa en el singular, excepto con esos substantivos que siempre se emplean en el plural: **ningunas tijeras.**

*continuación*

| 3. Con **cien(to), mil, otro, medio, tal, cierto.** | Con **millón.** |
|---|---|
| Invitaron a cien personas. | Ganó un millón de dólares. |
| Tiene mil cosas que hacer. | |
| Consiguió otro loro. | |
| ¡Se ha visto tal cosa! *(Have you ever seen such a thing!)* | |
| 4. Después de **qué,** para expresar "what a". | |
| ¡Qué cazador! No mató un solo zorro. | |

## PRACTIQUEMOS

**A. Forme oraciones usando los elementos que están en la lista.**

1. perros / existir / todo / parte / mundo
2. niños / tocar / piano / desarrollar / bueno / sentido / musical
3. necesidad / ser / madre / invención
4. español / ser / difícil / pero / muy / útil
5. examen / ser / cuatro / tarde
6. león / bajar / cabeza / tener / vergüenza
7. cuando / (yo) ir / mercado / siempre / comprar / manzanas
8. doctor / González / ser / pediatra
9. ¡qué / muchacho! / hablar / francés / ruso / japonés
10. almuerzo / ser / servido / dos
11. Buenos Aires / capital / Argentina / tener / población / diez / millones / personas
12. arquitecto / Sánchez / ganar / millón / dólares / año / pasado
13. lindo / María / ser / mexicano
14. verano / gustarme / mucho / pero / invierno / no gustarme / nada
15. hoy / lunes / viernes / haber / examen / de / inglés

**B. Traduzca al español.**

1. Good morning, Miss Moreno. Do you still live on Fifth Avenue?
2. Next year I want to go to Perú and Havana.
3. Dad is at work and mother is at church. Little Pedro is playing soccer with his friends.

4. Mr. Dávila, president of the company, is a Puerto Rican. He's an excellent administrator.

5. Mrs. Soto is a Catholic. She's a devout Catholic.

6. "Do you have a tie?" "No, I don't wear a tie."

7. There aren't any foreign students at this school.

8. A certain young lady told me that you had won a hundred dollars in the lottery.

9. She didn't have time for lunch. She ate half of a sandwich and ran out.

10. Can you tell me another fable about animals?

### Formas y posición de adjetivos

1. Los adjetivos que terminan en **-o** cambian **-o** por **-a** para formar el femenino (**delicioso, deliciosa**). Se forma el plural agregando **-s** (**deliciosos, deliciosas**). Los adjetivos que terminan en **-e, -ista** o una consonante no cambian para formar el femenino (**verde, comunista, azul, cortés, feroz**). Forman el plural agregando **-s** cuando terminan en una vocal (**verdes**) o **-es** cuando terminan en una consonante (**azules**).[1] Ciertos adjetivos que están relacionados con substantivos y terminan en **-n, -r, -l, -s** forman el femenino agregando una **-a** (**español, española; trabajador, trabajadora; burgués, burguesa**). Muchos adjetivos que se refieren a nacionalidades o religiones pertenecen a esta categoría. Los adjetivos que terminan en **-ote** cambian **-a** por **-e** en la forma femenina (**grandote, grandota**). Un adjetivo concuerda con el substantivo que modifica.

| | |
|---|---|
| La fauna es **abundante** y **variada**. | *The fauna is abundant and varied.* |
| Es un hombre **renacentista**. | *He's a Renaissance man.* — no cambia |
| Nosotros somos los peces **grandes**. | *We're the big fish.* — no cambia |
| La Yegua llevaba botas **españolas**. | *The Mare wore Spanish boots.* |

2. El adjetivo descriptivo (uno que describe un substantivo) normalmente se coloca después del substantivo que modifica.

| | |
|---|---|
| La Gata se había puesto un collar francés. | *The Cat had put on a French necklace.* |
| La Rana cantaba una canción alegre. | *The Frog sang a happy song.* |

Cuando dos adjetivos modifican a un substantivo, se conectan con **y**.

| | |
|---|---|
| El Chivo tenía una cola larga y blanca. | *The Goat had a long, white tail.* |

---

[1]Los adjetivos que terminan en **-és** pierden el acento en el plural: **cortés, corteses**. Los adjetivos que terminan en **-z** sustituyen **-c** por **-z** en el plural: **feroz, feroces**.

3. Un adjetivo descriptivo puede preceder al substantivo que modifica para lograr cierto efecto estilístico. En este caso su función puede ser decorativa o poética en vez de puramente descriptiva, o puede expresar la actitud subjetiva del locutor.

| | |
|---|---|
| Se había puesto un magnífico collar francés. | *She had put on a magnificent French necklace.* |
| Estoy soñando con un sabroso plato de carne de chivo. | *I'm dreaming of a delicious plate of goat meat.* |
| Corría por los desagües la roja sangre de los patriotas. | *The red blood of the patriots ran through the gutters.* |
| Las blancas nieves de febrero... | *The white snows of February...* |

En las dos últimas oraciones, **rojo** y **blanco** no sirven para describir substantivos (ya que la sangre siempre es roja y la nieve siempre es blanca) sino para crear un tono poético.

4. Los adjetivos determinativos (los que indican cantidad, los posesivos cortos, los demostrativos, los interrogativos) se colocan antes del substantivo que modifican.

| | |
|---|---|
| Tenían **muchos** amigos y compañeros. | *They had a lot of friends and companions.* |
| ¿**Cuántos** animales había en el Arca de Noé? | *How many animals were there in Noah's Ark?* |
| **Varios** invitados llevaron guitarras. | *Several guests brought guitars.* |
| **Tres** lobos y **dos** zorros tramaban contra el León. | *Three wolves and two foxes were plotting against the Lion.* |

5. Cuando hay dos adjetivos determinativos, uno de los cuales es un número, a diferencia del inglés, en español el número siempre precede al otro adjetivo: **las tres primeras personas** *(the first three people);* **las dos últimas cosas** *(the last two things).*

6. La **-o** final de los siguientes adjetivos se omite cuando preceden a un substantivo masculino singular.

| | | | |
|---|---|---|---|
| uno | un | malo | mal |
| alguno | algún | primero | primer |
| ninguno | ningún | tercero | tercer |
| bueno | buen | postrero | postrer |

Cuando no preceden a un substantivo masculino singular, funcionan como otros adjetivos.

| | |
|---|---|
| Es la primera fábula que me han contado. | *It's the first fable they've told me.* |

| | |
|---|---|
| Es una buena historia. | *It's a good story.* |
| Son los primeros invitados que llegaron. | *They're the first guests to arrive.* |

**7.** Se emplea **gran** en vez de **grande** antes de un substantivo singular masculino o femenino. En este caso significa *great* en vez de *large*.

*[handwritten: gran = great / grande = large]*

| | |
|---|---|
| Es un gran presidente. | *He's a great president.* |
| El León hizo una gran hoguera. | *The Lion made a great bonfire.* |

Se emplea **cien** en vez de **ciento** cuando precede a un substantivo, cuando precede a un número más grande que 100 y cuando se cuenta.

*[handwritten: → cualquier substantivo?]*

| | |
|---|---|
| Tengo cien cosas que hacer. | *I have a hundred things to do.* |
| Pagaron cien mil dólares. | *They paid a hundred thousand dollars.* |
| Noventa y ocho, noventa y nueve, cien... | *Ninety-eight, ninety-nine, one hundred...* |

Se emplea **san** en vez de **santo** antes de un nombre masculino singular, con las excepciones de **Santo** Domingo, **Santo** Tomás y **Santo** Toribio.

Se emplea **cualquier** en vez de **cualquiera** antes de un substantivo singular, ya sea masculino o femenino.

| | |
|---|---|
| Ponte cualquier vestido y ven a la fiesta. | *Put on any old dress and come to the party.* |

**8.** El equivalente en inglés de ciertos substantivos es diferente si el adjetivo precede a un substantivo que lo sigue. Por lo general, el significado del adjetivo es puramente descriptivo cuando sigue al substantivo y subjetivo o determinativo cuando le precede.

| | |
|---|---|
| —Eres la única mujer capaz de resolver el problema,—le dijo el León a su esposa. | *"You're the only woman capable of solving the problem," said the Lion to his wife.* |
| —Eres una mujer única. | *"You're a unique woman."* |
| El Perro y el Chivo eran viejos amigos. | *The Dog and the Goat were old friends. (They had been friends for a long time.)* |
| Rex tiene casi doce años; es un perro viejo. | *Rex is almost twelve years old; he's an old dog.* |
| Ese hombre es un perfecto caballo. | *That man is an absolute jerk.* |
| Este animal es un caballo perfecto. | *This animal is a perfect (flawless) horse.* |

Sigue una lista de adjetivos cuyo equivalente inglés varía según su posición.

*Estudie*

| Equivalente si precede al substantivo | Adjetivo | Equivalente si sigue al substantivo |
|---|---|---|
| *former* | antiguo | *ancient, old* |
| *certain (one of a group)* | cierto | *certain, sure* |
| *different (various)* | diferente | *different, unusual* |
| *any, any old* | cualquiera | *ordinary, vulgar, coarse* |
| *different (various)* | diverso | *assorted* |
| *great* | grande | *large* |
| *same* | mismo | *himself, herself, etc.* |
| *new, different* | nuevo | *brand new* |
| *perfect, absolute, complete* | perfecto | *perfect in every detail* |
| *poor, unfortunate* | pobre | *poor (without money)* |
| *own* | propio | *characteristic of* |
| *sheer, nothing but* | puro | *pure* |
| *few* | raro | *rare* |
| *such* | semejante | *similar* |
| *mere* | simple | *simple-minded* |
| *wretched, sorry* | triste | *sad* |
| *only* | único | *unique* |
| *old, long-lasting* | viejo | *old, elderly* |

## PRACTIQUEMOS

**A. Sustituya el substantivo subrayado por el que está entre paréntesis.**

1. Cierta abeja decidió que era demasiado bonita e inteligente para trabajar con los demás e hizo planes para formar su propia sociedad. (insectos)

2. La reina, quien era grande, feroz y muy dominadora, supo lo que estaban tramando y se puso furiosa. (rey)

3. Los soldados, todos obedientes y bien entrenados, atacaron a los disidentes y estaban seguros de vencer. (ejército)

4. Pero entonces las inmensas hormigas rojas, quienes eran muy trabajadoras y fuertes, se aliaron a los rebeldes y les ayudaron a ganar la batalla. (araña)

**B. Describa a las siguientes personas mencionando su estatura, el color de su pelo y de sus ojos, su nacionalidad, su tipo de personalidad y otras características sobresalientes.**

1. su padre o su madre
2. sus abuelos
3. su compañero/a de cuarto
4. su mejor amigo/a
5. un/a profesor/a especial
6. usted

**C.** **Describa una escena de un libro o algún revista mencionando los colores, los tamaños de los objetos y el ambiente general.**

**D.** **Coloque la forma correcta del adjetivo en la posición adecuada.**

1. (primero, aceptable) Este es el candidato que se ha presentado.
2. (poco, portugués) Hay representantes en esta reunión.
3. (francés, último, tres) Estos son los perfumes que nos quedan.
4. (español, magnífico) Compró unas botas.
5. (bueno, bilingüe) Estamos buscando un gerente.
6. (hermoso, largo, rubio) Tiene unas trenzas.
7. (importado, ninguno) No hay auto aquí.
8. (inglés, tercero) Es el cliente que ha llamado.
9. (raro, válido) Hay ejemplos de este fenómeno.
10. (especial, alguno) Hay tipos de culebra que se comen.

**E.** **Forme oraciones combinando los siguientes elementos.**

1. mucho / estudiantes / francés / español / querer / venir / Estados Unidos / para / estudiar
2. gobierno / norteamericano / ofrecer / numeroso / becas / para / estudiantes / extranjero
3. alguno / recipiciente / dichoso / tener / oportunidad / estudiar / nuestro / universidad
4. primero / candidato / que / pedir / beca / no recibirla / porque / no saber / suficiente / inglés
5. ser / grande / oportunidad / para / alguno / persona / que / tener / interés / estudiar / cultura / norteamericano

**F.** **Traduzca al español.**

1. You only have a thousand pesos, but you need a thousand two hundred to buy a new briefcase.
2. No students can receive a degree without working a hundred hours in the community.
3. She is counting: "ninety-seven... ninety-eight... ninety-nine... a hundred..."
4. My mother has statues of Saint Anthony and Saint Thomas at home.
5. She's a coarse girl. She'll go out with any man who invites her.
6. There are several breeds of dog here, but she's looking for a certain type of German shepherd.
7. My old (former) roommate had a mutt. He was an old dog but he did different tricks.
8. The professor herself said that she would give the same exam as last year.
9. It was a perfect day. The white snow glistened on the mountain.
10. Poor guy. He's an absolute jerk, but he's the only friend she has.

11. She's a unique woman with a different point of view.

12. That wretched horse is nothing but bones, but poor people depend on animals like that.

13. She's talking about behavior characteristic of birds.

14. There's nothing but boys in this class. He's a mere boy but he's very strong.

15. I've never seen such a child, but in a way he's very similar to his brother.

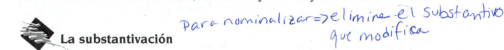

### La substantivación

*Para nominalizar => elimine el substantivo que modifica*

1. Cualquier artículo o adjetivo puede nominalizarse. Esto quiere decir que puede funcionar como substantivo. Para nominalizar un artículo o un adjetivo, sencillamente se elimina el substantivo que modifica. (Nótese que sigue concordándose con el substantivo, aunque éste se haya omitido.) El equivalente inglés a menudo incluye la palabra *one (the red one, the good one, the one that I want).* La nominalización se usa a menudo para evitar la repetición.

   El tigre que fue a la fiesta y el tigre que se quedó en casa → El que fue a la fiesta y el que se quedó en casa

   Las mariposas amarillas y las mariposas anaranjadas → Las amarillas y las anaranjadas

   Un perro grande y un perro pequeño → Uno grande y uno pequeño

2. El adjetivo invariable **cada** es seguido de **uno** o **una** cuando no se emplea con un substantivo.

   Hay tres culebras en la jaula y cada una es venenosa.

   *There are three snakes in the cage and each is poisonous.*

---

### PRACTIQUEMOS

**A. Conteste cada pregunta eliminando el substantivo.**

1. ¿Le gustan más los perros de raza o los perros mestizos?

2. ¿Prefiere los perros que ladran mucho o los perros que no hacen ruido?

3. ¿Prefiere usted los gatos que se quedan en casa o los gatos que salen?

4. ¿Son más bonitas las aves locales o las aves exóticas?

5. ¿Quiere usted comprar un auto grande o un auto pequeño?

6. ¿Prefiere vivir en una casa que esté en pleno centro o en una casa que esté en las afueras?

**B. Traduzca al español.**

1. Each animal has its own home and each one has its own way of getting food.

2. There are a hundred butterflies in this collection and each one has its own distinct colors.

3. Each of us wants to help protect the environment.

4. I want each of you to find a fable and bring it to class.

5. Each professor has her own way of doing things and each thinks that hers is the best.

 **Cuál y qué**

1. Hay dos equivalentes españoles de la palabra inglesa *what:* **cuál** y **qué. Cuál(es)** implica que el que contesta tendrá que hacer una selección entre dos o varias posibilidades.

| | |
|---|---|
| ¿Cuál es el nombre de esa flor? | *What's the name of that flower?* |
| ¿Cuál es la capital de Chile? | *What's the capital of Chile?* |
| ¿Cuáles son tus planes para esta tarde? | *What are your plans for this afternoon?* |
| ¿Cuáles son las aves de corral? | *What are the poultry birds?* |

**Qué** pide que se defina o identifique alguna cosa o persona.

| | |
|---|---|
| ¿Qué es un anfibio? | *What is an amphibian?* |
| ¿Qué es su hermano? ¿Un físico nuclear? | *What's your brother? A nuclear physicist?* |
| ¿Qué son esas cosas? | *What are those things?* |

2. Para algunos hispanohablantes sólo **qué** puede funcionar como adjetivo.

| | |
|---|---|
| ¿Qué chaqueta vas a ponerte? | *What (which) jacket are you going to wear?* |
| ¿Qué día te conviene más? | *Which day is best for you?* |

Para estas personas **cuál(es)** siempre es un pronombre.

| | |
|---|---|
| ¿Cuál de las chaquetas vas a ponerte? | *What (which) jacket are you going to wear? (Which of the jackets are you going to wear?)* |
| ¿Cuál de los perros te gusta? | *What (which) dog do you like?* |

Para otros hispanohablantes **cuál(es)** puede funcionar o como adjetivo o como pronombre.

| | |
|---|---|
| ¿Cuál chaqueta vas a ponerte? | *What (which) jacket are you going to wear?* |
| ¿Cuál perro te gusta? | *What (which) dog do you like?* |

### PRACTIQUEMOS

**A. Usando** *cuál(es)* **o** *qué,* **haga una pregunta para cada respuesta.**

1. Es un animal que comienza su vida como ser marino y después desarrolla pulmones capaces de respirar aire.

2. La blusa verde de seda me gusta más que la otra.

3. Los que tienes en la mano me parecen más bonitos.

4. Es un abogado que se especializa en la inmigración.

5. Puedo acompañarte el viernes.

6. La otra llave es la que abre esta puerta.

**B. Usando las palabras que están en la lista, dirija una pregunta a un/a compañero/a de clase, quien a su turno le contestará.**

1. las aves de corral
2. un gato siamés
3. la raza de perro que le gusta más
4. un perro dogo
5. un mamífero

6. la capital de California
7. sus planes para esta noche
8. el apellido del profesor
9. el animal más feroz del zoológico
10. el sábado o el domingo

### Los demostrativos

1. Los adjetivos demostrativos son **este** *(this)*, **ese** *(that)*, **aquel** *(that over there)*. **Aquel** se emplea para referirse a algo que está lejos del que habla y del interlocutor en el espacio o en el tiempo. En algunas regiones de Hispanoamérica **aquel** está desapareciendo. Las formas de los adjetivos demostrativos son:

| | | *neutros* | | |
|---|---|---|---|---|
| este | esta | estos | estas | this/these |
| ese | esa | esos | esas | that/those |
| aquel | aquella | aquellos | aquellas | that over there/those over there |

2. Los adjetivos demostrativos pueden funcionar como pronombres *(this one, that one, that one over there)*. En este caso se escriben con un acento.

Quiero ver el perro negro. Sí, **ése** que está moviendo la cola.

*I want to see the black dog. Yes, that one that's wagging his tail.*

Préstame tu pluma, por favor. A **ésta** se le acabó la tinta.

*Please lend me your pen. This one's out of ink.*

3. **Éste/a** y **ése/a** o **aquél/la** pueden significar *the latter* y *the former*.

Carlos y Roberto son estudiantes extranjeros. **Éste** es venezolano y **ése** es mexicano.

*Carlos and Roberto are foreign students. The latter is Venezuelan and the former is Mexican.*

4. **Esto, eso** y **aquello** son pronombres neutros. Se refieren a conceptos, acontecimientos u objetos no identificados.

—¿Qué es esto?—¡Eso es la cola del Chivo!

*"What's this?" "That's the Goat's tail!"*

¡Eso era lo que yo quería!—gritó el Chivo.

*"That's just what I wanted!" yelled the Goat.*

## PRACTIQUEMOS

### A. Traduzca al español.

1. I'm going to buy this Siamese cat instead of that Persian one.

2. Those buildings way over there are part of the university.

3. Dr. Sainz and Dr. Cabello both spoke at the zoology conference. The latter talked about amphibians and reptiles while the former discussed jungle mammals.

4. "What is that?" "This is a special kind of lizard."

5. Dr. Campos gave a lecture on poisonous snakes. That doesn't interest me.

6. This mare neighs constantly. That worries me. I wonder what's the matter with her.

7. Those rabbits are a problem because they eat all the vegetables in the garden.

8. These chickens lay (**ponen**) lots of eggs, which we sell to that store.

### Los posesivos

1. En español hay dos tipos de adjetivos posesivos: *(en función del adjetivos)*

| Formas apocopadas | | Formas largas | |
|---|---|---|---|
| **Singular** | **Plural** | **Singular** | **Plural** |
| mi *(my)* | mis | mío, mía *(my, mine)* | míos, mías |
| tu *(your)* | tus | tuyo, tuya *(your, yours)* | tuyos, tuyas |
| su *(his, her, your, its)* | sus | suyo, suya *(his, her, hers, your, its)* | suyos, suyas |
| nuestro, nuestra *(our)* | nuestros, nuestras | nuestro, nuestra *(our, ours)* | nuestros, nuestras |
| vuestro, vuestra *(your)* | vuestros, vuestras | vuestro, vuestra *(your, yours)* | vuestros, vuestras |
| su *(your pl., their)* | sus | suyo, suya *(your, yours pl., their, theirs)* | suyos, suyas |

Como otros adjetivos, los posesivos concuerdan con el substantivo que modifican.

2. Los adjetivos posesivos apocopados (cortos) siempre preceden al substantivo. Por lo general, no se acentúan, ya que ocupan una posición en la oración que normalmente no puede recibir el énfasis. Si se menciona más de una cosa que pertenece a una sola persona, se repite el adjetivo posesivo.

Mi perro y mis gatos...           *My dog and cats...*
Sus ojos y su boca...             *Her eyes and mouth...*

3. **Su** puede significar *his, her, its, your, their.* Para evitar la ambigüedad se puede emplear el artículo definido + substantivo y **de** + **usted, él, ella, ustedes, ellos, ellas.**

El perro de él es un galgo.       *His dog is a greyhound.*
El gato de ella es un siamés.     *Her cat is a Siamese.*

4. Los adjetivos posesivos largos se usan para enfatizar al poseedor, ya que ocupan una posición en la oración en que pueden acentuarse. También se usan para traducir *of mine, of yours,* etc.

El loro mío sabe hablar. El loro     ***My** parrot knows how to talk. **Her** parrot*
   suyo no dice una sola palabra.      *doesn't say a single word.*
El hijo nuestro amaestra leones.     ***Our** son tames lions.*
El Perro ayudó al Chivo porque       *The Dog helped the Goat because he was*
   era un amigo suyo.                  *a friend of his.*
Una tía mía colecciona mariposas.    *An aunt of mine collects butterflies.*

5. Los adjetivos posesivos largos se usan después de **ser** (o **parecer**) para contestar la pregunta **¿De quién es?**

—¿De quién es este poodle?        *"Whose poodle is this?" "It's mine."*
—Es mío.

6. Como otros adjetivos, los posesivos pueden ser nominalizados: **la yegua mía** → **la mía; los gatos suyos** → **los suyos.**

¿Las colecciones de mariposas?    *The butterfly collections? Mine is on the*
   La mía está en la mesa y la tuya    *table and yours is here.*
   está aquí.

Los posesivos nominalizados se usan después de **ser** (o **parecer**) para contestar la pregunta **¿Cuál es?**

—¿Cuál poodle es? ¿El mío o el    *"Which poodle is it? Yours or mine?"*
   tuyo? —Es el mío.                   *"It's mine."*

7. Para evitar la ambigüedad, se puede sustituir **suyo** por **de** + **usted, él, ella, ustedes, ellos, ellas.**

—¿Cuál poodle es? ¿El de ella o   *"Which poodle is it? Hers or yours?"*
   el de usted?

## PRACTIQUEMOS

**A.** **Complete cada oración con el adjetivo posesivo apocopado que le corresponde al sujeto.**

1. Siempre llevo _____ perro conmigo.

2. Mi primo dice que _____ perro es un pastor alemán pero yo creo que es un quiltro.

3. Cuando vamos al campo, _____ gatos van con nosotros en el auto.

4. No debes dejar _____ ratones blancos en una caja de cartón.

5. Si pensáis venir con _____ cócker lo tendréis que dejar amarrado en el patio.

6. Mi hermanito está contento jugando con _____ ranas y _____ lagartos.

7. Mis tías dicen que _____ vaca da más leche que ninguna otra.

8. Mi abuela tiene un corral donde cría _____ pollos y _____ patos.

**B. Complete cada oración libremente.**

1. El León no quería volver a casa porque su _____.

2. No tengo ni un perro ni un gato porque mis _____.

3. Siempre cenamos en casa ya que nuestra _____.

4. Se fueron de la fiesta temprano puesto que su _____.

5. No debes dejar que ese perro entre a la casa a menos que tu _____.

6. La profesora dijo que no iba a dar un examen con tal de que sus _____.

**C. Traduzca al español.**

1. Her dog is a dachshund and his is a pointer.

2. A friend of mine has a pig that he treats as if it were a dog.

3. *My* horse does tricks and dances. *Your* horse doesn't do anything.

4. Your rooster and chickens are in danger because of the wolf.

5. A cousin of ours bought a hamster.

6. Whose rabbits are these? They're his.

7. Their donkey is white but hers is grey.

8. Which bird is this, yours or hers? It's mine.

9. Their butterfly collection is very complete. Hers is quite small.

10. A professor of theirs is an expert on amphibians and reptiles.

——————————— *Expresiones problemáticas* ———————————

**1. tal, tan, algo**

**tal** + substantivo = *such a*

| | |
|---|---|
| Nunca he visto tal quiltro. | *I've never seen such a mutt.* |
| Tal auto debe costar un dineral. | *Such a car must cost a fortune.* |
| Jamás he trabajado con tales colegas. | *I've never worked with such colleagues.* |

**tan** + adjetivo = *such a*

| | |
|---|---|
| Una culebra tan venenosa es un peligro. | *Such a poisonous snake is a danger. (A snake as poisonous as that is a danger.)* |
| Un pez tan raro debe ser muy caro. | *Such a rare fish must be very expensive.* |
| No es un médico tan bueno. | *He's not such a good doctor.* |

**tan** + adjetivo o adverbio = *so*

| | |
|---|---|
| No la encuentro tan bonita. | *I don't think she's so pretty.* |
| No hables tan rápido. | *Don't talk so fast.* |

**algo** = *such a thing as*

| | |
|---|---|
| Hay algo que se llama buena educación. | *There's such a thing as good manners.* |

## 2. deber, deber de

**deber** = *to owe*

| | |
|---|---|
| Me debes un favor. | *You owe me a favor.* |
| Le debo veinte dólares. | *I owe him twenty dollars.* |

**deber** = *must, should, be supposed to*

| | |
|---|---|
| Debes terminar tus tareas. | *You must finish your homework.* |
| Debo llamarlo esta tarde. | *I'm supposed to (I am to) call him this afternoon.* |
| No debes fiarte del León. | *You shouldn't trust the Lion.* |

**deber** (en el imperfecto) = *was, were to; should*

| | |
|---|---|
| El Perro y el Chivo debían encontrarse en casa del León. | *The Dog and the Goat were to meet at the Lion's house.* |
| Me dijeron que no debía acercarme a la hoguera. | *They told me I shouldn't get close to the bonfire.* |
| Debías haberle dicho la verdad. | *You should have told him the truth.* |

**deber** (en el potencial o en el pasado de subjuntivo) = *should, ought to*

| | |
|---|---|
| Deberías llamarla para darle las gracias. | *You ought to call and thank her.* |
| Deberías ayudarla. | *You really should help her.* |

El uso del potencial suaviza el verbo. **Debes hacerlo** es más fuerte que **deberías hacerlo** *(you really ought to do it)*. **Debieras hacerlo** es la forma menos fuerte.

**deber** (en el pretérito) = *should have*

| | |
|---|---|
| Debí hacerlo. | *I should have done it.* |
| No debiste aceptar su invitación. | *You shouldn't have accepted her invitation.* |

**deber de** = *must, probably*

El León debe de sentirse ridículo.     *The Lion must feel (probably feels) ridiculous.*

Debes de estar muy contento.     *You must be very happy.*

Nótese que en algunos dialectos del español no se hace ninguna distinción entre **deber** y **deber de,** excepto cuando **deber** significa *owe.*

**3. gente, personas, pueblo**

**gente, personas** = *people*

La gente siempre ha incorporado los animales a sus mitos.     } *People have always incorporated animals into their myths.*

Las personas siempre han incorporado los animales a sus mitos.

A mucha gente le gustan los perros y los gatos.     } *Lots of people like dogs and cats.*

A muchas personas les gustan los perros y los gatos.

**Gente** es un substantivo femenino singular, mientras **personas** es un substantivo femenino plural. Como siempre, los verbos, adjetivos y clíticos correspondientes concuerdan con el substantivo.

Sólo **personas** puede usarse con un número y con **varias,** que siempre se emplea en el plural.

Tres personas contaron la misma fábula.     *Three people told the same fable.*

Hay varias personas que quieren hablar con usted.     *There are several people who want to speak with you.*

**pueblo** = *people (nation, ethnic group)*

Cada pueblo tiene sus mitos y leyendas.     *Every people has its myths and legends.*

## PRACTIQUEMOS

**A. Complete cada oración con la palabra correcta.**

1. Nunca he conocido a (tan / tal) chico.
2. Hay cien (gente / personas) que esperan ver al médico.
3. Cada (gente / pueblo) tiene su caudal de mitos y leyendas.
4. Ese señor me (debe / debe de) cincuenta dólares.
5. A mucha (gente / pueblo) le encanta tener animales en casa.

## B. Traduzca al español.

1. You must take care of the animals.
2. You really should help your parents with the housework.
3. I should have taken the children to the zoo today.
4. He won the lottery. He must be very happy.
5. The Dog shouldn't have gone to the Lion's party.
6. How much money do you owe him?
7. They told us that we should see the crocodiles at the zoo.
8. Those people shouldn't touch the animals. The guard ought to tell them.

# Selección literaria

## PASEO
### *José Donoso\**

*Para Mabel Cardahi*

I

Esto sucedió cuando yo era muy chico cuando mi tía Matilde
y tío Gustavo y tío Armando, hermanos solteros de mi padre,
y él mismo, vivían aún. Ahora están todos muertos. Es decir,
prefiero suponer que están todos muertos porque resulta más
5   fácil, y ya es demasiado tarde para atormentarse con preguntas que seguramente no se hicieron en el momento oportuno.
No se hicieron porque los acontecimientos parecieron para-
lizar a los hermanos, dejándolos como ateridos de horror.        helados
Luego comenzaron a construir un muro de olvido o indife-
10  rencia que lo cubriera todo para poder enmudecer sin necesi-     que... *that would cover up everything*

*José Donoso (1924–   ) es uno de los autores más distinguidos de su generación. Nació en Chile, donde estudió en escuelas inglesas y en la Universidad de Chile. En 1949 recibió una beca para estudiar en Princeton; allí publicó sus dos primeros cuentos en inglés en una revista universitaria. Más tarde enseñó en la Universidad de Iowa; fue el primer escritor hispanoamericano de renombre que dio cursos de «creative writing» en los Estados Unidos. Sus novelas más conocidas son *Coronación* (1956), *El obsceno pájaro de la noche* (1970), *Casa de campo* (1978), *El jardín de al lado* (1982), *La desesperanza* (1986). *Tarantuta; Naturaleza muerta con chachimba* (1990) son dos novelas cortas que fueron publicadas juntas en un volumen.

dad de martirizarse haciendo conjeturas impotentes. Bien
puede no haber sido así, puede que mi imaginación y mi recuerdo me traicionen. Después de todo yo no era más que un
niño entonces, al que no tenían por qué participar° las angus-
15   tias de las pesquisas,° si las hubo, ni el resultado de sus con-
versaciones.

   ¿Qué pensar? A veces oía a los hermanos hablar queda-
mente,° lentamente, como era su costumbre, encerrados en la
biblioteca, pero la maciza puerta tamizaba° el significado de
20   las palabras, permitiéndome escuchar sólo el contrapunto
grave y pausado de sus voces. ¿Qué decían? Yo deseaba que
allí dentro estuvieran hablando de lo que era importante de
verdad, que, abandonando el respetuoso frío con que se trataban, abrieran sus angustias y sus dudas haciéndolas sangrar.°
25   Pero tenía tan poca fe en que así fuera, que mientras rondaba
junto a los altos muros del vestíbulo cerca de la puerta de la
biblioteca, se grabó en mi mente la certeza de que habían

**al...** *with whom they had
no reason to share*
investigaciones

*softly*

*blocked out*

**haciéndolas...** *making
them bleed (as if they
were wounds)*

elegido olvidar, reuniéndose sólo para discutir, como siempre, los pleitos del estudio jurídico que les pertenecía, espe-

*jurisprudence*
*maritime*

30 cializado en derecho marítimo. Ahora pienso que quizás
tuvieran razón en desear borrarlo todo, porque ¿para qué
vivir con el terror inútil de verse obligado a aceptar que las
calles de una ciudad pueden tragarse a un ser humano, anu-
larlo, dejándolo sin vida y sin muerte, suspendido en una

35 dimensión más inciertamente peligrosa que cualquiera
dimensión con nombre?

Y sin embargo...

Un día, meses después de los acontecimientos, sorprendí
a mi padre mirando la calle desde el balcón de la sala del se-

40 gundo piso. El cielo estaba estrecho, denso, y el aire húmedo
agobiaba las grandes hojas lacias de los ailantos. Me acerqué
a mi padre, ávido de una respuesta que contuviera una mí-
nima aclaración:

*aithanthus tree (kind of tree originally from Asia)*

—¿Qué hace aquí, papá?—susurré.

45 Al responder, algo se cerró súbitamente sobre la desesperación de su rostro, como el golpe de un postigo° que se
cierra sobre una escena vergonzosa.

*peephole*

—¿No ves? Estoy fumando...—replicó.

Y encendió un cigarrillo.

50 No era verdad. Yo sabía por qué acechaba° calle arriba y
calle abajo, con sus ojos ensombrecidos, llevándose de vez
en cuando la mano a su suave patilla° castaña: era con la esperanza de ver que reaparecía, que regresaba como si tal
cosa° debajo de los árboles de la acerca, con la perra blanca

*observaba, vigilaba*

*sideburn*

**como...** como si nada hubiera pasado
**de...** si hubiera tenido

55 trotando a sus talones. ¿Hubiera esperado así de tener°
cualquiera certeza?

Poco a poco me fui dando cuenta de que no sólo mi
padre, sino que todos los hermanos, como escondiéndose
unos de los otros y sin confesarse ni a sí mismos lo que

60 hacían, rondaban las ventanas de la casa, y si alguien llegaba
a mirar desde la acera de enfrente, quizás divisara la sombra

de cualquiera de ellos apostada junto a una cortina o rostros envejecidos por el sufrimiento atisbando desde atrás de los cristales.°

*ventanas*

## II

65     Ayer pasé frente a la casa donde entonces vivíamos. Hacía años que no andaba por allí. En aquel tiempo la calle era adoquinada con quebracho° y bajo los ailantos copudos° transitaba de vez en cuando un tranvía estrepitoso de fierros sueltos.° Ahora ya no existen ni adoquines de madera, ni tran-
70 vías, ni árboles en las aceras. Pero nuestra casa está en pie aún, angosta y vertical como un librito apretado entre los gruesos volúmenes de los edificios nuevos, con tiendas en la planta baja y un burdo cartel recomendando camisetas de punto que cubre los dos balcones del segundo piso.

**adoquinada...** *paved with wooden blocks*

**un...** *a trolley car clanging with loose pieces of metal*

**camisetas...** *undershirts*

75     Cuando vivíamos allí casi todas las casas eran altas y delgadas como la nuestra. La cuadra estaba siempre alegre con los juegos de los niños en los manchones de sol de la acera, y con los chismes de las sirvientas de hogares prósperos al regresar de sus compras. Pero nuestra casa no
80 era alegre. Lo digo así, «no era alegre», en vez de «era triste» porque es exactamente lo que quiero decir. La palabra «triste» no sería justa porque tiene connotaciones demasiado definidas, peso y dimensiones propias. Y lo que sucedía en nuestra casa era justamente lo contrario: una ausencia, una
85 falta que por ser desconocida era irremediable, algo que si pesaba, pesaba por no existir.

    Cuando murió mi madre, antes que yo cumpliera cuatro años, se estimó necesaria la presencia de una mujer junto a mí para que me protegiera con sus cuidados. Como tía
90 Matilde era la única mujer de la familia y vivía con mis tíos Gustavo y Armando, los tres solterones vinieron a vivir en nuestra casa, que era amplia y vacía.

    Tía Matilde desempeñó sus funciones junto a mí con ese esmero° característico de cuanto hacía. Yo no dudaba de que

*cuidado*

95 me quisiera, pero jamás logré sentir ese cariño como una experiencia palpable que nos unía. Había algo rígido en sus afectos, igual que en los hombres de la familia, y el amor existía confinado dentro de cada individualidad, sin saltar límites para expresarse y unir. Para ellos, expresar sus afectos era de-
100 sempeñar perfectamente sus funciones unos respecto a los otros, y, sobre todo, no incomodar,° jamás incomodar. Tal vez *disturb*
expresar cariño de otra manera les fuera innecesario ya, puesto que tenían tanta historia juntos, tanto pasado en común dentro del cual quizás fuera expresado hasta el har-
105 tazgo,° y todo ese posible pasado de ternura se hallaba ahora **tanto...** *so much past in common in which it (that affection) was expressed until they were tired of expressing it*
estilizado bajo la forma de acciones certeras, símbolos útiles que no requerían mayor elucidación. Quedaba sólo el respeto como contacto entre los cuatro hermanos silenciosos y aislados que recorrían los pasillos de aquella honda casa que, a se-
110 mejanza de un libro, sólo mostraba la angosta franja de su lomo° a la calle. **la...** *the narrow edge of its back*

Yo, naturalmente, no tenía historia en común con tía Matilde. ¿Cómo podía tenerla si no era más que un niño que comprendía sólo a medias los adustos motivos de los ma-
115 yores? Deseaba ardientemente que ese cariño confinado se rebasara,° expresándose de otro modo, con un arrebato, por **se...** *break loose*
ejemplo, o con una tontería. Pero ella no podía adivinar este deseo mío porque su atención no estaba enfocada sobre mí, yo era una persona periférica a su vida, tangente a lo sumo,
120 nunca central. Y no era central porque su centro entero estaba colmado° por mi padre y por mis tíos Gustavo y Armando. *ocupado; completamente lleno*
Tía Matilde nació única mujer—mujer fea, además—en una familia de varones apuestos,° y al darse cuenta de que su ma- *elegantes, guapos*
trimonio era poco probable, se consagró a velar por la como-
125 didad de esos hombres, a llevarles la casa,° a cuidarles la **a...** *a ocuparse de su casa*
ropa, a encargar para ellos sus platos favoritos. Desempeñaba estas funciones sin el menor servilismo, orgullosa de su papel porque no dudaba de la excelencia y dignidad de sus her-

manos. Además, como todas las mujeres, poseía en grado
130 sumo esa fe tan oscura en que el bienestar físico es, si no lo
principal, ciertamente lo primero, y que no tener hambre ni
frío ni incomodidad es la base para cualquier bien de otro
orden. No es que sufriera con las fallas° en este sentido, sino                    imperfecciones
que, más bien, la impacientaban, y al ver miseria o debilidad
135 en torno suyo tomaba medidas inmediatas para remediar lo
que, sin duda, eran errores en un mundo que debía, que tenía
que ser perfecto. En otro plano era intolerancia por camisas
que no estuvieran planchadas estupendamente, por carne que
no fuera de primerísima calidad, por la humedad que debido
140 a un descuido se introducía en la caja de los habanos.° Aquí                      *Havana cigars*
residía el vigor indiscutido de tía Matilde, alimentando por
medio de él las raíces de la grandeza de sus hermanos, y
aceptando que ellos la protegieran porque eran hombres, más
sabios y más fuertes que ella.

145          Después de comida, siguiendo lo que sin duda era una
liturgia antiquísima en la familia, tía Matilde subía al piso de
los dormitorios y en el cuarto de cada uno de sus hermanos
alistaba las camas, apartando los cobertores con sus manos
huesudas. Ponía un chal a los pies de la cama de tal,° que era              uno (un hermano)
150 friolento; colocaba un almohadón de plumas a la cabecera de
cual,° que leía antes de dormirse. Luego, dejando los ve-               otro (otro hermano)
ladores encendidos junto a los vastos lechos, bajaba a la sala
de billar a reunirse con los hombres, para tomar café y jugar
unas cuantas carambolas° antes que, como conjurados por                    *carom, in billiards*
155 ella, se retiraran a llenar las efigies vacías de los pijamas dis-
puestos sobre las blancas sábanas entreabiertas.

          Pero tía Matilde jamás abría mi cama. Al subir a mi
cuarto yo llevaba el corazón detenido con la esperanza de en-
contrar mi cama abierta con la reconocible pericia° de sus                 *expertise*
160 manos, pero siempre tuve que conformarme con el estilo
tanto menos puro de la sirvienta encargada de hacerlo. Nunca
me concedió esa marca de importancia, porque yo no era su

hermano. Y no ser «uno de mis hermanos» le parecía una desdicha de la que eran víctimas muchas personas, casi todas en realidad, incluso yo, que al fin y al cabo no era más que hijo de uno de ellos.

A veces tía Matilde me mandaba a llamar a su cuarto, y cosiendo junto a la alta ventana se dirigía a mí sin jamás preguntarme nada, dando por hecho° que todos mis sentimientos, gustos y reflexiones eran producto de lo que ella decía, segura de que nada podía entorpecerme para recibir íntegras sus palabras. Yo la escuchaba atento. Me ponderaba el privilegio que era haber nacido de uno de sus hermanos, pudiendo así vivir en contacto con todos ellos. Me hablaba de la probidad absoluta de sus sagaces actuaciones como abogados en los más intrincados pleitos marítimos, comunicándome su entusiasmo por su prosperidad y distinción, que sin duda yo prolongaría. Me explicaba el embargo de un cargamento de bronce, cierta avería° por colisión con un insignificante remolcador,° los efectos desastrosos de la sobreestadía de un barco de bandera exótica. Esto, para ella, era la vida, esto y los problemas de la casa. Pero al hablarme de los barcos, sus palabras no enunciaban la magia de esos roncos pitazos navegantes que yo solía oír a lo lejos en las noches de verano cuando, desvelado por el calor, subía hasta el desván, y asomándome por una lucerna contemplaba las lejanas luces que flotaban, y esos bloques de tinieblas de la ciudad yacente a la que carecía de acceso porque mi vida era, y siempre iba a ser, perfectamente ordenada. Tía Matilde no me insinuaba esa magia porque la desconocía, no tenía lugar en su vida, como no podía tener lugar en la vida de gente que estaba destinada a morir dignamente para después instalarse con toda comodidad en el cielo, un cielo idéntico a nuestra casa. Mudo, yo la escuchaba hablar, con la vista prendida a la hebra° de hilo claro que al ser alzada contra su blusa negra parecía captar toda la luz de la ventana. Yo poseía una melancólica sensación de imposibilidad frente a esos pitazos

*dando... taking for granted*

*damage*

*tugboat*

*strand*

navegantes en la noche, y a esa ciudad oscura y estrellada tan semejante al cielo al que ella no concedía misterio alguno.

200 Pero me regocijaba ante el mundo de seguridad que sus palabras trazaban para mí, ese magnífico camino recto que desembocaba en una muerte no temida, igual a esta vida, sin nada fortuito ni inesperado. Porque la muerte no era terrible. Era el corte final, limpio y definitivo, nada más. El infierno

205 existía, claro, pero no para nosotros sino que para castigar a los demás habitantes de la ciudad, o a los anónimos marineros que ocasionaban las averías que, al terminar los pleitos, llenaban las arcas familiares.

Tía Matilde era tan ajena a la idea de amenaza de lo ines-

210 perado, a toda idea de temor, que, porque creo que el temor y el amor van tan unidos, me acomete la tentación de pensar que en aquella época no quería a nadie. Pero tal vez me equivoque. A su manera, aislada y rígida, es posible que a sus hermanos la ligara una suerte° de amor. En la noche, después     *clase*

215 de la cena, se reunían en la sala de billar para tomar café y jugar unos partidos. Yo los acompañaba. Allí, frente a ese círculo de amores confinados que no me incluía en su ruedo, sufría percibiendo que los hilos de sus afectos ya ni siquiera intentaban atarse.° Es curioso que mi imaginación, al recordar     **Allí...** *There, in the face*

220 la casa, no me permita más que grises, sombras, matices;     *of that closed circle of* pero evocando esa hora, sobre el verde estridente del tapete,     *love that didn't include* el rojo y blanco de las bochas° y el cubito de tiza azul vuel-     *me, I suffered with the* ven a inflamarse en mi memoria, iluminados por la lámpara     *realization that the* baja cuya pantalla desterraba todo el resto de la habitación a     *threads of their*

225 la penumbra. Siguiendo una de las tantas formas rituales de     *affection no longer* la familia, la voz lisa de tía Matilde iba rescatando° por     *even attempted to* turnos a cada uno de sus hermanos de la oscuridad, para que     *attach themselves to* hicieran sus jugadas:     *anyone else./*

—Ahora tú, Gustavo...     *billiard balls*

230 Y al inclinarse sobre el verde de la mesa, taco en mano,     *recovering, pulling out* se iluminaba el rostro de tío Gustavo, frágil como un papel, cuya nobleza era extrañamente contradicha por sus ojos

demasiado pequeños y juntos. Terminando de jugar regresaba
a la sombra, donde aspiraba un habano cuyo humo se des-
235 prendía° flojo hasta disolverse en la oscuridad del techo. Su
hermana decía entonces:

—Bueno, Armando...

Y el rostro fofo° y tímido de tío Armando, con sus
grandes ojos celestes opacados por las gafas de marco de oro,
240 bajaba a la luz. Su jugada era generalmente mala, porque era
«el niño», como a veces lo llamaba tía Matilde. Después de
los comentarios suscitados por su juego, se refugiaba detrás
del diario y tía Matilde decía:

—Pedro, tu turno...

245 Yo retenía la respiración al verlo inclinarse para jugar, la
retenía viéndolo sucumbir ante el mandato de su hermana, y
con el corazón hecho un nudo rogaba que se rebelara contra
los órdenes preestablecidos. Naturalmente, yo no podía
darme cuenta de que ese orden rígido era en sí una forma de
250 rebelión inventada por ellos contra lo caótico, para que no los
tocara la mano terrible de lo que no se puede explicar ni solucionar. Mi padre, entonces, se inclinaba sobre el paño verde,
midiendo con su mirada suave las distancias y posiciones de
las bolas. Hacía su jugada y al hacerla resoplaba de manera
255 que sus bigotes y su patilla se agitaban un poco alrededor de
la boca entreabierta. Luego me entregaba su taco para que lo
tizara con el cubo de tiza azul. Así, con este mínimo papel
que me asignaba, me hacía tocar, por lo menos en la periferia,
el círculo que lo unía a sus hermanos, sin hacerme participar
260 más que tangencialmente en él.

Después jugaba tía Matilde. Era la mejor jugadora. Al
ver que su rostro tosco, construido como con los defectos de
los rostros de sus hermanos, descendía desde la sombra, yo
sabía que iba a ganar, que tenía que ganar. Y, sin embargo...,
265 ¿no he visto un destello de alegría en sus ojos diminutos en
medio de ese rostro irregular como un puño brutalmente

*was emitted*

*soft, plump*

apretado, cuando por casualidad alguno de ellos lograba vencerla? Esa gota de alegría era porque, aunque lo deseara, nunca se hubiera permitido dejarlos ganar. Eso sería intro-
270 ducir el misterioso elemento del amor en un juego que no debía incluirlo, porque el cariño debe permanecer en su sitio, sin rebasarse° para deformar la realidad exacta de una caram-    *mostrarse, exhibirse*
bola.

### III

Jamás me gustaron los perros. Tal vez alguno me haya
275 asustado siendo yo muy niño, no lo recuerdo, pero siempre me han desagradado. En todo caso, por aquella época mi desa-grado por esos animales era inútil, ya que en casa no había perros, y como yo salía poco, se presentaban escasas oca-siones para que me incomodaran. Para mis tíos y mis padres,
280 los perros, como todo el reino animal, no existían. Las vacas, claro, suministraban la crema que enriquecía el postre dominguero servido sobre una bandeja de plata; eran los pá-jaros los que al crepúsculo piaban agradablemente en la copa del olmo, único habitante del pequeño jardín al que la casa
285 daba la espalda. Pero el reino animal existía sólo en la me-dida en que contribuyera al regalo° de sus personas. Para qué    *personal comfort*
decir, entonces, que los perros, haraganes° como son los pe-    *perezosos*
rros de la ciudad, ni siquiera les rozaban la imaginación con una posibilidad de existencia.

290 Es cierto que a veces, regresando de misa los domingos, algún perro solía cruzarse en nuestro camino, pero era fácil no concederle existencia. Tía Matilde, que siempre iba ade-lante conmigo, sencillamente no elegía verlo, y unos pasos más atrás, mi padre y mis tíos iban preocupados con proble-
295 mas demasiado importantes para fijarse en algo tan banal como un perro callejero.

A veces tía Matilde y yo íbamos a misa temprano para comulgar. Rara vez lograba concentrarme al recibir el sacra-mento, porque generalmente la idea de que ella me vigilaba

300 sin mirar ocupaba el primer plano de mi conciencia. Aunque
sus ojos estuvieran dirigidos al altar o su frente humillada
ante el Santísimo, cualquier movimiento mío llamaba su
atención, tanto que, al salir de la iglesia, me decía con disi-
mulado reproche que sin duda fue una pulga atrapada en los
305 bancos lo que me impidió concentrarme en meditar que la
muerte es el buen fin previsto, y en rogar que no fuera do-
lorosa, que para eso servían misas, rezos y comuniones.

Fue una de esas mañanas.

Una llovizna minuciosa amenazaba transformarse en
310 temporal, y los adoquines de quebracho extendían sus nítidos
abanicos brillosos de acera a acera, tarjados por los rieles del
tranvía. Como tenía frío y deseaba estar pronto de vuelta en
casa, apresuré el paso bajo el hongo enlutado del paraguas
sostenido por tía Matilde. Pasaban pocas personas porque era
315 temprano. Un señor muy moreno nos saludó sin levantar el
sombrero, a causa de la lluvia. Mi tía, entonces, acaparó° mi   *grabbed*
atención, reiterándome su desprecio por la gente de raza
mixta, pero de pronto, cerca de donde caminábamos, un tranvía que no oí venir frenó brutalmente haciéndola suspender
320 su monólogo. El conductor se asomó por la ventanilla:

—¡Perro imbécil!—vociferó.

Nos detuvimos para mirar.

Una pequeña perra blanca escapó casi de entre las ruedas
del tranvía, y rengueando° penosamente, con la cola entre las   *limping*
325 piernas, fue a refugiarse en el umbral de una puerta. El tranvía volvió a partir.

—Estos perros, es el colmo que los dejen andar así...—
protestó tía Matilde.

Al seguir nuestro camino pasamos junto a la perra acu-
330 rrucada° en el rincón del umbral. Era pequeña y blanca, con   *crouching*
las patas demasiado cortas para su porte y un feo hocico pun-
tiagudo que pregonaba toda una genealogía de mesalianzas°   **que...** *that revealed a*
callejeras, resumen de razas impares que durante genera-   *whole genealogy of*
ciones habían recorrido la ciudad buscando alimento en los   *misalliances*

335 tarros de basura y entre los desperdicios del puerto. Estaba
empapada, débil, tiritando de frío o de fiebre. Al pasar frente
a ella percibí una cosa extraña: mi tía miró a la perra y los
ojos de la perra se cruzaron con su mirada. No vi la expresión
de los ojos de mi tía. Sólo vi que la perra la miró, haciendo
340 suya esa mirada, contuviera lo que contuviere,° sólo porque
se fijaba en ella.

    Seguimos hacia casa. Unos pasos más allá, cuando yo
estaba a punto de olvidar a la perra, mi tía me sorprendió al
darse vuelta bruscamente y exclamar:
345     —¡Pssst! ¿Andate!

    Se había vuelto con una certeza tan absoluta de encon-
trarla siguiéndonos, que vibré con la pregunta muda que
surgió de mi sorpresa: «¿Cómo lo supo?» No podía haberla
oído puesto que la distancia a que nos seguía era apreciable.
350 Pero no lo dudó. ¿Tal vez esa mirada que se cruzó entre ellas,
de la que yo sólo pude ver lo mecánico—la cabeza de la
perra alzada apenas hacia tía Matilde, la cabeza de tía
Matilde entornada apenas hacia ella—, contuvo algún com-
promiso° secreto, alguna promesa de lealtad que yo no
355 percibí? No lo sé. En todo caso, al darse vuelta para echar a
la perra, su «pssst» corto y definitivo era la voz de algo como
un deseo impotente de alejar un destino que ya se ha tenido
que aceptar. Es probable que diga todo esto a la luz de hechos
posteriores, que mi imaginación adorne de significado lo que
360 no fue más que trivial. Sin embargo, puedo asegurar que en
ese momento sentí extrañeza, temor casi, ante la repentina
pérdida de dignidad de mi tía al condescender a volverse,
otorgándole rango° a una perra enferma y sucia que nos
seguía por razones que no podían tener importancia.
365     Llegamos a casa. Subimos las gradas y el animal se
quedó abajo, mirándonos desde la lluvia torrencial recién
desencadenada.° Entramos, y el delectable proceso del desayuno posterior a la comunión logró borrar de mi mente a la
perra blanca. Jamás sentí tan protectora nuestra casa como

**contuviera...** *whatever it contained*

obligación

**otorgándole...** *bestowing rank*

*released*

370　aquella mañana, nunca fue tan grande mi regocijo por la seguridad con que esas viejas paredes deslindaban mi mundo.

¿Qué hice el resto de esa mañana? No lo recuerdo, pero
supongo que haría lo de siempre: leer revistas, hacer tareas,
vagar por la escalera, bajar hasta la cocina para preguntar qué
375　había de almuerzo ese domingo.

En uno de mis vagabundeos por las estancias° vacías— _dormitorios; cuartos_
mis tíos se levantaban tarde los domingos de lluvia, excusán-
dose de ir a la iglesia—, alcé la cortina de una ventana para
ver si la lluvia prometía amainar.° El temporal seguía. Y _disminuir_
380　parada al pie de las gradas, tiritando aún y escudriñando° la _scrutinizing_
casa, volví a ver a la perra blanca. Dejé caer la cortina para
no verla allí, empapada y como presa de una fascinación. De
pronto, detrás de mí, del ámbito oscuro de la sala, surgió la
voz queda de tía Matilde, que, inclinada para atracar un fós-
385　foro a la leña ya dispuesta en la chimenea, me preguntaba:

　　—¿Está ahí todavía?

　　—¿Quién?

　　Yo sabía quién.

　　—La perra blanca...

390　Respondí que allí estaba. Pero mi voz fue insegura al
formar las sílabas, como si de alguna manera la pregunta de
mi tía derribara° los muros que nos cobijaban, permitiendo _would break down_
que la lluvia y el viento inclemente se instalaran dentro de
nuestra casa.

IV

395　Debe de haber sido el último temporal de ese invierno,
porque recuerdo claramente que los días siguientes se
abrieron y que las noches comenzaron a entibiarse.

La perra blanca continuó apostada en nuestra puerta,
siempre temerosa, escudriñando las ventanas como si buscara
400　a alguien. En la mañana, al partir al colegio, yo trataba de es-
pantarla para que se fuera, pero no bien° me trepaba al auto- **no...** _just as soon as_
bús la veía reaparecer tímidamente por la esquina o desde

atrás de un farol. Las sirvientas también trataron de alejarla,
pero sus tentativas fueron tan infructuosas como las mías,
405 porque la perra nunca dejaba de regresar, como si permanecer cerca de nuestra casa fuera una tentación que,
aunque peligrosa, tenía que obedecer.

Una noche estábamos todos despidiéndonos al pie de la
escalera antes de irnos a dormir. Tío Gustavo, que siempre se
410 encargaba de hacerlo, ya había apagado todas las luces,
menos la de la escalera, dejando el gran espacio del vestíbulo
poblado por las densidades de los muebles. Tía Matilde, que
recomendaba a tío Armando que abriera la ventana de su
cuarto para que entrara un poco de aire, de pronto enmude-
415 ció, dejando sus despedidas inconclusas y los movimientos
de todos nosotros, que comenzábamos a subir, detenidos.

—¿Qué pasa?—preguntó mi padre bajando un escalón.

—Suban—murmuró tía Matilde, dándose vuelta para
mirar la penumbra del vestíbulo.

420 Pero no subimos.

El silencio de la sala, generalmente tan espacioso, se
colmó con la voz secreta de cada objeto—un grano de tierra
escurriéndose entre el viejo papel y el muro, maderas cru-
jientes, el trepidar de algún cristal suelto—y esos escasos se-
425 gundos se inundaron de resonancias. Alguien, además de
nosotros, estaba donde estábamos nosotros. Una pequeña
forma blanca venció la penumbra junto a la puerta de servicio. Era la perra, que atravesó el vestíbulo rengueando lentamente en dirección a tía Matilde, y sin mirarla siquiera se
430 echó a sus pies.

Fue como si la inmovilidad de la perra hubiera vuelto a
hacer posible el movimiento de los que contemplábamos la
escena. Mi padre bajó dos escalones, tío Gustavo encendió la
luz, tío Armando subió pesadamente y se encerró en su dor-
435 mitorio.

—¿Qué es esto?—preguntó mi padre.

Tía Matilde permanecía inmóvil.

—¿Cómo entraría?—se preguntó de pronto.

Sus palabras parecían apreciar la proeza° que significaba

440 haber saltado tapias en ese estado lamentable, o haberse introducido en el sótano por un vidrio roto, o haber burlado la vigilancia de las sirvientas para deslizarse por una puerta casualmente° abierta.

*feat*

*inadvertently, accidentally*

—Matilde, llama para que se la lleven—dijo mi padre, y

445 subió seguido por tío Gustavo.

Quedamos ella y yo mirando la perra.

—Está inmunda—dijo en voz baja—. Y tiene fiebre. Mira, está herida...

Llamó a una sirvienta para que se la llevara, ordenándole

450 que le diera de comer y que al otro día llamara a un veterinario.

—¿Se va a quedar en la casa?—pregunté.

—¿Cómo va a andar así por la calle?—murmuró tía Matilde—. Tiene que sanar para poder echarla. Y tiene que

455 sanar pronto, porque no quiero tener animales en la casa.

Luego agregó:

—Sube a acostarte.

Ella siguió a la sirvienta que se llevaba a la perra.

Reconocí esa antigua urgencia de tía Matilde porque

460 todo anduviera bien en torno suyo, ese vigor y pericia que la hacían reina indudable de las cosas inmediatas, encontrándose tan segura dentro de sus limitaciones, que para ella lo único necesario era solucionar desperfectos, errores no de intención o motivo, sino de estado. La perra blanca, por lo

465 tanto, iba a sanar. Ella misma, porque el animal había entrado en el radio de su poder, se encargaría de ello. El veterinario le vendaría la pata herida bajo su propia vigilancia, y protegida por guantes de goma y por un paño, ella misma se encargaría de lavarle las pústulas con desinfectantes que la harían gemir.

470 Pero tía Matilde permanecería sorda a esos gemidos, segura, tremendamente segura, de que cuanto hacía era para bien.

Así fue.

La perra se quedó en la casa. No es que yo la viera, pero conocía el equilibrio de personas que la habitaban, de manera

475 que la presencia de cualquier extraño, aunque permaneciera en los confines del sótano, podía establecer un desnivel en lo acostumbrado. Algo, algo me acusaba° su existencia bajo el    revelaba
mismo techo que yo. Quizás ese algo no fuera tan imponderable. A veces veía a tía Matilde con los guantes de goma en

480 la mano, llevando un frasco lleno de líquido rojo. Encontré un plato con piltrafas° en un pasillo del sótano, donde fui a    *scraps of food*
contemplar la bicicleta que acababan de regalarme. Débilmente, amortiguado° por pisos y muros, a veces llegaba hasta    *muffled*
mis oídos la sospecha de un ladrido.

485 Una tarde bajé a la cocina, y la perra blanca entró, manchada como un payaso con el desinfectante rojo. Las sirvientas la echaron sin miramientos.° Pero vi que no rengueaba ya,    **sin...** *unceremoniously*
que su cola, antes lacia, se enroscaba como una pluma dejando a la vista su trasero desvergonzado.

490 Esa tarde le pregunté a tía Matilde:

—¿Cuándo la va a echar?

—¿A quién?—preguntó ella.

Lo sabía perfectamente.

—A la perra blanca.

495 —Todavía no está bien—respondió.

Más tarde pensé insistir, diciéndole que aunque la perra no estuviera sana del todo, seguramente ya nada le impediría encaramarse en los tarros para husmear la basura en busca de comida. No lo hice porque creo que fue esa misma noche

500 cuando tía Matilde, después de perder la primera partida de billar, decidió que no tenía ganas de jugar otra. Sus hermanos siguieron jugando, y ella, sumida en el enorme sofá de cuero,

les iba indicando sus turnos. De pronto se equivocó en el
orden de los nombres. Hubo un momento de desconcierto,
505 pero el hilo del orden fue retomado prontamente por esos
hombres que rechazaban la casualidad si no les era favorable.
Pero yo ya había visto.

Era como si tía Matilde no estuviera allí. Respiraba a mi
lado como siempre. La honda alfombra silenciadora cedía
510 como de costumbre bajo sus pies. Sus manos cruzadas tranquilamente—tal vez aun más tranquilamente que otras
noches—pesaban sobre su falda. ¿Cómo es posible que se
sienta con tanta certeza la ausencia de un ser cuando su
corazón está en otra parte? Sólo su corazón estaba ausente,
515 pero la voz con que iba llamando a sus hermanos arrastraba
significaciones desusadas porque nacía en otro lugar.

Las noches siguientes fueron iguales, enturbiadas por ese
borrón° casi invisible de su ausencia. Dejó por completo de
tomar parte en el juego y de llamarlos por sus nombres. Ellos
520 parecieron no notarlo. Pero quizás lo notaran, porque los partidos se hicieron más cortos, y noté que la deferencia con que
la trataban aumentó infinitesimalmente.

Una noche, cuando salíamos del comedor, la perra hizo
su aparición en el vestíbulo y se unió al grupo familiar. Ellos,
525 como de costumbre, aguardaron en la puerta de la biblioteca
para que su hermana los precediera hasta la sala de billar, esta
vez seguida airosamente por la perra blanca. No hicieron comentario alguno, como si no la hubieran visto, iniciando su
partido como todas las noches.

530 La perra se sentó a los pies de tía Matilde, muy quieta,
sus ojos vivísimos recorriendo la sala y siguiendo las manio-
bras de los jugadores, como si todo aquello la entretuviera
muchísimo. Ahora estaba gorda y tenía la pelambre brillosa,
todo su cuerpo, desde el palpitante hociquillo hasta la cola
535 lista para agitarse, repleto de una vital capacidad de diversión. ¿Cuánto tiempo había permanecido en casa? ¿Un mes?

**enturbiadas...** *sullied by*
*that blotch*

Tal vez más. Pero en ese mes tía Matilde la había obligado a
sanar, cuidándola sin despliegues de ternura, pero con la gran
sabiduría de sus manos huesudas empeñada en componer lo
540  descompuesto. Le había curado las llagas, implacable ante su
dolor y sus gemidos. Su pata estaba sana. La había desinfec-
tado, alimentado, bañado, y ahora la perra blanca era un ser
entero.°

*era... was as good as new*

Todo esto, sin embargo, no parecía unirla a la perra.
545  Quizás la aceptara como esa noche mis tíos también acep-
taron su presencia: rechazarla hubiera sido darle una importancia que para ellos no podía tener. Yo veía a tía Matilde
tranquila, recogida, colmada de un elemento nuevo que no
llegaba a desbordarse para tocar su objeto, y ahora éramos
550  seis los seres separados por algo más vasto que trechos de alfombra y de aire.

En una de sus jugadas, tío Armando, que era torpe, tiró al
suelo el cubito de tiza azul. Inmediatamente, obedeciendo a
un resorte que la unía a su picaresco pasado callejero, la perra
555  corrió hasta la tiza y, arrebatándosela a tío Armando, que se
había inclinado para recogerla, la tomó en el hocico. Entonces sucedió algo sorprendente. Tía Matilde, como si de
pronto se deshiciera, estalló en una carcajada incontenible
que la agitó entera durante unos segundos. Quedamos hela-
560  dos. Al oírla, la perra abandonó la tiza, corrió hacia ella con
la cola agitada en alto, y saltó sobre su falda. La risa de tía
Matilde se aplacó, pero tío Armando, vejado, abandonó la
sala para no presenciar ese desmoronamiento° del orden me-

*crumbling*

diante la intrusión de lo absurdo. Tío Gustavo y mi padre
565  prosiguieron el juego; ahora era más importante que nunca
no ver, no ver nada, no comentar, no darse por aludido° de los

*no... pretending not to notice*

acontecimientos, y así quizás detener algo que avanzaba.

Yo no encontré divertida la carcajada de tía Matilde. Era
demasiado evidente que algo oscuro la había suscitado. La
570  perra se aquietó sobre su falda. Los chasquidos° de las bolas

*cracking*

al golpearse, precisos y espaciados, parecieron conducir la
mano de tía Matilde primero desde su lugar en el sofá hasta
su falda, y luego hasta el lomo de la perra adormecida. Al ver
esa mano inexpresiva reposando allí, observé también que la
575 tensión que jamás antes había percibido como tal en las fac-
ciones de mi tía—nunca sospeché que pudiera ser otra cosa
que dignidad—se había disuelto, y que una gran paz suavi-
zaba su rostro. No pude resistirlo. Obedeciendo a algo más
poderoso que mi voluntad me acerqué a ella sobre el sofá.
580 Esperé que me llamara con una mirada o que me incluyera
mediante una sonrisa, pero no lo hizo porque la nueva
relación entablada° era demasiado exclusiva, y en ella no                    formada
había lugar para mí. Eran sólo dos los seres unidos. Aunque
no lo deseaba, yo quedaba afuera. Y los demás, los hermanos,
585 permanecían aislados porque desoyeron la peligrosa in-
vitación que tía Matilde se atrevió a escuchar.

V

Cuando yo llegaba del colegio por la tarde, iba directamente a la planta baja, y montando mi bicicleta nueva daba
vuelta tras vuelta por el estrecho jardín del fondo de la casa
590 centrado en torno al olmo y al par de escaños de fierro. Detrás de la tapia, los nogales de la otra casa comenzaban a
mostrar un leve bozo primaveral, pero yo no hacía caso de las
estaciones y sus dádivas porque tenía cosas demasiado
graves en que pensar. Y como sabía que nadie bajaba al
595 jardín hasta que el ahogo de pleno verano lo hiciera peren-
torio,° era el mejor sitio para meditar sobre lo que en casa      el... *the oppressive heat*
sucedía.                                                          *of summer made it*
                                                                  *necessary*
Superficialmente se hubiera dicho que nada sucedía.
¿Pero cómo permanecer tranquilo frente a la curiosa relación
600 anudada entre mi tía y la perra blanca? Era como si tía
Matilde, después de servir esmeradamente y conformarse con
su vida impar, por fin hubiera hallado a su igual, a alguien
que hablaba su lenguaje más inconfesado, y como entre

damas, llevaban una vida íntima llena de amabilidades y refi-
605 namientos gratos. Comían bombones que venían en cajas
atadas con frívolos cintajos. Mi tía disponía naranjas, piñas,
uvas en las empinadas fruteras de cristal, y la perra la observaba como si criticara su buen gusto o fuera a darle su
opinión. Era como si hubiera descubierto una región más be-
610 nigna de la vida en este compartir de agrados, tanto que ahora
todo había perdido importancia para ella frente a este nuevo
mundo afectuoso.

Era frecuente que pasando junto a la puerta de su
habitación yo escuchara una carcajada similar a la que había
615 echado por tierra el viejo orden de su vida° aquella noche, o

**había...** *had destroyed
the old order of her life*

que la oyera dialogar—no monologaba como conmigo—con
una interlocutora cuya voz yo no oía. Era la vida nueva. La
perra, la culpable, dormía en una cesta en su cuarto, una cesta
primorosa, femenina, absurda a mi parecer, y la seguía a
620 todas partes, menos al comedor. La entrada allí le estaba
vedada, pero esperando la salida de su amiga, la seguía hasta
la biblioteca o el billar, según donde nos instaláramos, y se
sentaba a su lado o en su falda, cruzando, de tanto en tanto,
cómplices miradas de entendimiento. Yo sentía que la perra
625 era la más fuerte de las dos, la que mostraba y enseñaba cosas
desconocidas a tía Matilde, que se había entregado por completo a su experiencia.

¿Cómo era posible?, me preguntaba yo. ¿Por qué tuvo
que esperar hasta ahora para lograr rebasarse por fin y
630 entablar un diálogo por primera vez en su vida? A veces la
veía insegura respecto a la perra, como temerosa de que así
como un buen día llegó, también partiera, dejándola sola, con
todo este nuevo caudal pesándole en las manos. ¿O temía aún
por su salud? Era demasiado extraño. Estas ideas flotaban
635 como borrones suspendidos en mi imaginación, mientras oía
crujir la gravilla del sendero bajo las ruedas de mi bicicleta.
Lo que no era borroso, en cambio, era mi vehemente deseo

de enfermar de gravedad, para ver si así lograba yo también cosechar una relación parecida. Porque la enfermedad de la
640 perra había sido la causa de todo. Sin eso mi tía jamás se hubiera ligado con ella. Pero yo tenía una salud de fierro, y además era claro que el corazón de tía Matilde no daba cabida° más que para un solo amor a la vez, sobre todo si era tan inmenso.

°daba... tenía lugar

645     Mi padre y mis tíos no parecieron notar cambio alguno. La perra era silenciosa, y abandonando sus modales de callejera, pareció adquirir las maneras un tanto dignas de tía Matilde, conservando, sin embargo, todo su empaque de hembra a la cual las durezas de la vida no han podido ensom-
650 brecer ni su buen humor ni su inclinación por la aventura. Para ellos resultaba más fácil aceptarla que rechazarla, ya que lo último hubiera comprometido por lo menos sus comentarios, y tal vez hasta una revisión incómoda de sus cánones de seguridad.

655     Una noche, cuando el jarro de limonada ya había hecho su aparición sobre la consola de la biblioteca, refrescando ese rincón de la penumbra, y las ventanas quedaban abiertas al aire, mi padre se detuvo bruscamente al entrar en la sala de billar.

660     —¿Qué es esto?—exclamó mirando el suelo.

Consternados, los tres hombres se pararon a mirar una pequeña charca redonda en el piso encerado.°

°waxed

—¡Matilde!—llamó tío Gustavo.

Ella se acercó a mirar y enrojeció de vergüenza. La perra
665 se había refugiado bajo la mesa del billar en la habitación contigua. Al dirigirse a la mesa, mi padre la vio allí, y cambiando bruscamente de rumbo salió de la sala seguido por sus hermanos, dirigiéndose a los dormitorios, donde cada uno se encerró mudo y solo.

670     Tía Matilde no dijo nada. Subió a su cuarto seguida de la perra. Yo permanecí en la biblioteca con un vaso de limonada

en la mano, mirando el cielo del verano, y escuchando, escuchando ansiosamente algún pitazo lejano de un barco, y el
rumor de la ciudad desconocida, terrible y también deseada,
675  que se extendía bajo las estrellas.

Pronto oí bajar a tía Matilde, que apareció con el sombrero puesto y con las llaves tintineando en la mano.

—Anda a acostarte—dijo—. Voy a llevarla a pasear a la
calle para que haga sus necesidades.

680  Luego agregó algo que me hizo temblar:

—Está tan linda la noche...

Y salió.

De esa noche en adelante, en vez de subir después de comida para abrir las camas de sus hermanos, iba a su pieza, se
685  encasquetaba el sombrero y volvía a bajar, haciendo tintinear
las llaves. Salía con la perra, sin decirle nada a nadie. Y mis
tíos y mi padre y yo nos quedábamos en el billar, y más avanzada la estación, sentados en los escaños del jardín, con todo
el rumor del olmo y la claridad del cielo pesando sobre
690  nosotros. Jamás se habló de estos paseos nocturnos de tía
Matilde, jamás mostraron de manera alguna que se daban
cuenta de que algo importante había cambiado en la casa al
introducirse allí un elemento que contradecía todo orden.

Al principio tía Matilde permanecía afuera a lo sumo
695  veinte minutos o media hora, regresando pronto para tomar
cualquier cosa con nosotros y cambiar algunos comentarios
triviales. Más tarde, sus salidas se fueron prolongando inex-
plicablemente. Ya no era una dama que sacaba a pasear a su
perra por razones de higiene; allá afuera, en las calles, en la
700  ciudad, había algo poderoso que la arrastraba. Esperándola,
mi padre miraba furtivo su reloj de bolsillo, y si el atraso era
muy grande, tío Gustavo subía a la sala del segundo piso,
como si hubiera olvidado algo allí, para mirar por el balcón.
Pero permanecían mudos. Una vez que el paseo de tía
705  Matilde se prolongó demasiado, mi padre caminó una y otra

vez por el sendero que serpenteaba entre los macizos de hor-
tensias, abiertas como ojos azules vigilando la noche. Tío
Gustavo tiró un habano que no logró encender a su gusto, y
luego otro, aplastándolo con el taco de su zapato. Tío Ar-
710 mando volcó° una taza de café. Yo los miraba esperando que    *knocked over*
por fin estallaran,° que dijeran algo, que llenaran con angustia    *explotaran*
expresada esos minutos que se prolongaban y se prolongaban
unos detrás de otros sin la presencia de tía Matilde. Eran las
doce y media cuando llegó.

715       —¿Para qué me esperaron en pie?—preguntó sonriente.
          Traía el sombrero en la mano, y su cabello, de ordinario
tan cuidado, estaba revuelto. Observé que un ribete de barro
manchaba sus zapatos perfectos.
          —¿Qué te pasó?—preguntó tío Armando.
720       —Nada—fue su respuesta, y con ella clausuró para
siempre todo posible derecho de sus hermanos para in-
miscuirse° en esas horas desconocidas, alegres o trágicas o    *mix, interfere*
anodinas, que ahora eran su vida.
          Digo que eran su vida porque durante esos instantes que
725 permaneció con nosotros antes de subir a su cuarto, con la
perra también embarrada junto a ella, percibí una animación
en sus ojos, una alegre inquietud parecida a la de los ojos del
animal, como recién bañados en escenas nunca antes vistas, a
las que nosotros carecíamos de acceso. Esas dos eran com-
730 pañeras. La noche las protegía. Pertenecían a los rumores, a
los pitazos de los barcos que atravesando muelles, calles os-
curas o iluminadas, casas, fábricas y parques, llegaban a mis
oídos.
          Sus paseos con la perra continuaron durante algún
735 tiempo. Ahora nos despedíamos inmediatamente después de
la comida, y cada uno se iba a encerrar en su cuarto, mi
padre, tío Gustavo, tío Armando y yo. Pero ninguno se dormía hasta oírla llegar, tarde, a veces terriblemente tarde,

cuando la luz del alba ya clareaba la copa de nuestro olmo.
740  Sólo después de oírla cerrar la puerta de su dormitorio cesa-
ban los pasos con que mi padre medía su habitación, o se
cerraba por fin la ventana del cuarto de uno de sus hermanos
para excluir ese fragmento de noche que ya no era peligrosa.

Una vez la oí subir muy tarde, y como me pareció oírla
745  cantar una melodía suavemente y con gran dulzura, entreabrí
mi puerta y me asomé. Al verla pasar frente a mi cuarto, con
la perra blanca envuelta en sus brazos, su rostro me pareció
sorprendentemente joven y perfecto, aunque estuviera algo°      un poco
sucio, y vi que había un jirón° en su falda. Esa mujer era      *tear*
750  capaz de todo; tenía la vida entera por delante. Me acosté
aterrorizado pensando que era el fin.

Y no me equivoqué. Porque una noche, muy poco
tiempo después, tía Matilde salió a pasear con la perra
después de comida y no volvió más.

755  Esperamos en pie toda la noche, cada uno en su cuarto, y
no regresó. Al día siguiente nadie dijo nada. Pero continuaron
las esperas mudas, y todos rondábamos en silencio, sin parecer hacerlo, las ventanas de la casa, aguardándola. Desde ese
primer día el temor hizo derrumbarse la dignidad armoniosa
760  de los rostros de los tres hermanos, y envejecieron mucho en
poco tiempo.

—Su tía se fue de viaje—me respondió la cocinera
cuando por fin me atreví a preguntarle.

Pero yo sabía que no era verdad.

765  La vida en casa continuó tal como si tía Matilde viviera
aún con nosotros. Es cierto que ellos solían reunirse en la
biblioteca, y quizás encerrados allí hablaran, logrando sobre-
pasar el muro de temor que los aislaba, dando rienda suelta°   **dando...** *giving rein*
a sus temores y a sus dudas. Pero no estoy seguro. Varias
770  veces vino un visitante que claramente no era de nuestro
mundo, y se encerraron con él. Pero no creo que les haya

traído noticias de las posibles pesquisas, quizás no fuera más
que el jefe de un sindicato de estibadores que venía a recla-

775   mar indemnización por algún accidente. La puerta de la biblioteca era demasiado maciza, demasiado pesada, y jamás
supe si tía Matilde, arrastrada por la perra blanca, se perdió
en la ciudad, o en la muerte, o en una región más misteriosa
que ambas.

## PREGUNTAS

1. ¿En qué momento de su vida cuenta esta historia el narrador?
2. ¿Quiénes vivían en la casa? ¿Cómo sabemos que había algún secreto que todos ocultaban?
3. ¿Por qué fueron a vivir con el chico y su padre los tres hermanos de éste? ¿Cómo se expresaba el cariño en aquella casa? ¿Se sentía el muchacho realmente parte de la familia? Explique.
4. ¿Cómo lo trataba la tía Matilde? ¿Qué tipo de mujer era? ¿Por qué consideraba lo inesperado «una amenaza»?
5. Describa la rutina de los hermanos. ¿Qué hacían después de cenar, por ejemplo? ¿Por qué nunca dejaba Matilde que uno de sus hermanos ganara un partido de billar?
6. ¿Qué elemento inesperado se introdujo un día en la vida de la familia? ¿Dónde vio Matilde a la perra blanca por primera vez? ¿Qué tipo de perra era? ¿Qué hubo de extraño en el encuentro?
7. ¿Cómo entró la perra a la casa? ¿Cómo reaccionó el padre del muchacho? ¿Y la tía Matilde?
8. ¿Qué hizo Matilde para que la perra sanara? ¿Cómo sabemos que estaba encariñándose con la perra?
9. ¿Cómo empezó a cambiar la vida de los hermanos? ¿Qué hizo Matilde una noche cuando la perra le arrebató la tiza al tío Armando durante un partido de billar? ¿Cuál es la importancia de este incidente?
10. ¿Cómo se sintió el muchacho al ver a la perra dormida en la falda de su tía? ¿Qué tipo de relación se había desarrollado entre las dos?
11. ¿Qué libertades se tomaba la perra? ¿Cuál es la importancia del hecho de que la tía permitiera que se las tomara? ¿Parecían los hombres notar algún cambio en su hermana?
12. ¿Qué hizo la perra una noche en la sala de billar? ¿Cómo reaccionaron los hermanos? ¿Cómo cambió la rutina de Matilde esa noche?
13. ¿Por cuánto tiempo se quedaba afuera? ¿Cómo mostraron los hermanos su inquietud una noche cuando su salida se prolongó demasiado? ¿En qué estado

volvió? ¿Qué dijo cuando su hermano le preguntó qué le había pasado? ¿Qué logró con esa respuesta?

14. ¿Qué transformación se notaba en la tía? ¿Qué importancia tiene el hecho de que la perra fuera una quiltra callejera?

15. ¿Qué cosa inesperada hizo Matilde una noche cuando salió? ¿Cómo reaccionaron los hermanos? ¿Qué explicación ofreció la cocinera?

## ANALISIS

1. ¿Qué clase social describe Donoso en este cuento? ¿En qué sentido es el cuento un comentario sobre la vida de la gente de esta clase social?

2. Compare el mundo social representado por la familia con el de la perra. ¿Cómo se explica la atracción que Matilde siente hacia la perra?

3. ¿Qué aspectos de su personalidad estuvieron ocultados o suprimidos antes de la aparición de la perra?

4. ¿Qué simboliza la mancha que dejó la perra en el piso de la sala de billar?

5. ¿Qué importancia tiene el hecho de que el narrador sea un hombre adulto que recuerda un episodio de su niñez?

6. ¿Qué piensa usted que le habrá pasado a la tía Matilde?

7. ¿Cree usted que esta historia podría haber pasado en los Estados Unidos o trata de realidades esencialmente hispanoamericanas?

# Composición

## COMO SE ESCRIBE UNA DESCRIPCION

Una descripción debe hacer vivir una escena o un personaje para el lector. Una buena descripción recrea un ambiente general de un lugar o un retrato general de una persona, pero esto se logra típicamente por medio del detalle. Para escribir una buena descripción usted necesita observar con cuidado el sujeto y escoger los detalles más notables o sobresalientes para incluirlos en su composición. Debe fijarse no sólamente en colores, tamaños, edades y otras cosas obvias, sino también en las relaciones espaciales y temporales entre personas u objetos, gestos, movimientos e impresiones. Su descripción no debe referirse sólo a elementos visuales; puede incluir referencias a lo auditivo, tactil, olfativo y gustativo. Para enriquecer su descripción, además del adjetivo, puede emplear metáforas, símiles, hipérboles (exageraciones que ayudan a formar una idea del sujeto) y otros recursos retóricos. Cuidado con no incluir demasiado material en su descripción para no diluir su efecto. Elimine cualquier información superflua.

Una descripción a menudo incluye referencias al pasado o al futuro. ¿Es la escena que usted describe el resultado de algún acontecimiento particular? ¿Qué elementos del cuadro que usted describe cambiarán en el futuro?

Una descripción puede ser objetiva o subjetiva. Una descripción objetiva menciona los elementos esenciales del cuadro sin subrayar la actitud del escritor hacia la escena que describe. Una descripción subjetiva revela y aún subraya las emociones del escritor.

El tono de la descripción es un elemento fundamental. Usted puede adoptar un tono crítico, laudatorio, burlón, respetuoso, humorístico, romántico, nostálgico, etc.

Una descripción puede presentar más de una perspectiva. Si está describiendo un edificio, por ejemplo, puede empezar con el exterior y después enfocar el interior. Si está describiendo a una persona, puede empezar con su aspecto físico y después revelar las características de su personalidad. En cualquier descripción, puede comenzar con lo objetivo y después presentar un punto de vista más subjetivo.

Estudie los dos primeros párrafos de la segunda parte de *Paseo*. ¿Describe el autor una escena del pasado o del presente? ¿Cuáles son los elementos principales del cuadro? ¿Qué adjetivos utiliza para describir su casa? ¿Qué símil usa? ¿Qué efecto produce la mención de «un burdo cartel recomendando camisetas de punto»? ¿Describe Donoso sólo el aspecto físico de la casa? ¿Qué efectos produce la mención de los niños, los manchones de sol y las sirvientas? ¿Por qué dice que su casa «no era alegre» en vez de decir que era triste? ¿Qué impresión produce esta descripción? ¿Es objetiva o subjetiva? ¿Qué tono adopta Donoso aquí?

## ANTES DE ESCRIBIR

1. Escoja una escena—una foto de una revista, un recuerdo, una imagen que ha visto o el retrato de una persona.
2. Decida cuáles son los elementos más importantes de la escena. ¿Qué detalles va a describir? Ordénelos de una manera lógica. ¿Qué adjetivos va a usar? ¿Qué elementos retóricos va a usar?
3. Decida qué relaciones son importantes para pintar un cuadro vivo o desarrollar el ambiente. ¿Será necesario mencionar relaciones espaciales? (Use expresiones como **al lado de, encima de, en medio de, a la derecha [a la izquierda] de, alrededor de.**) ¿Va a mencionar relaciones temporales? (¿Qué pasó antes del momento que usted describe? ¿Qué pasará después?)
4. Decida desde qué perspectiva va a describir la escena. ¿Va a cambiar de perspectiva en medio de la descripción?
5. Defina su actitud hacia su tema.
6. Decida qué tono le va a dar a su descripción.
7. Organice su material. ¿Va a revelar su actitud desde el principio, de a poco o al final? ¿Cómo va a crear el tono?

## DESPUES DE ESCRIBIR

1. Vuelva a examinar el cuadro que ha descrito. ¿Ha incluido todos los elementos que necesita para crear una descripción viva y dinámica? ¿Ha incluido

demasiado material? ¿Hay cosas que pueda eliminar? ¿Ha ordenado bien los detalles?

2. Examine los adjetivos, metáforas, símiles y otros recursos retóricos. ¿Ha usado las formas correctas? ¿Son válidas sus comparaciones?

3. ¿Ha descrito bien las relaciones espaciales y temporales? Repase las preposiciones y los adverbios y conjunciones adverbiales para asegurarse de que comunican las relaciones que usted desea.

4. Examine su perspectiva. ¿Contribuyen todos los elementos de su composición a la creación de esta perspectiva? ¿Hay elementos que estén en conflicto con su perspectiva que deban eliminarse?

5. ¿Qué actitud ha querido comunicar? ¿Cómo la ha comunicado? ¿Necesita agregar más detalles?

6. ¿Qué tono ha querido establecer? ¿Hay algunos elementos de su descripción que estén en conflicto con el tono? Si los hay, debe eliminarlos.

7. Examine su organización. ¿Sirve para dar el enfoque deseado a su composición?

# EJERCICIOS DE COMPOSICION

1. Escriba dos breves descripciones de la universidad. La primera debe ser puramente objetiva e incluir información acerca de los edificios, la matrícula, los cursos, el número de estudiantes y de profesores. La segunda debe pintar una imagen positiva con el propósito de atraer a nuevos estudiantes.

2. Escriba dos breves descripciones de un amigo o pariente. La primera debe pintar un retrato más bien objetivo de la persona. La segunda debe comunicar sus sentimientos hacia esta persona.

3. Describa su antigua escuela o su antiguo barrio comunicando sus sentimientos—nostalgia, cariño, desagrado—hacia su sujeto. Trate de usar lo objetivo para reforzar lo subjetivo. Mencione cómo ha cambiado su escuela o su barrio y qué siente usted con respecto a estos cambios.

4. Escoja una escena de algún libro o de una revista en que haya personas que están trabajando o jugando. Describa la escena mencionando sólo los elementos más significativos. Preste atención a las acciones y gestos de las personas. ¿Qué piensa usted que pasó antes? ¿Qué piensa que pasará después? Use palabras y expresiones descriptivas y mencione las relaciones que existen entre las personas y su ambiente. Trate de crear un cuadro verbal vivo y dinámico.

## La ciudad

1. la calle principal
2. la circulación, el tráfico
3. la calle secundaria
4. el semáforo
5. el farol
6. la señal que prohíbe el estacionamiento
7. la señal de tráfico
8. el vendedor ambulante
9. la acera, la banqueta
10. la solera, el bordillo
11. la cuadra, la manzana
12. la carretera

**VOCABULARIO ADICIONAL:**

1. una calle transitada, concurrida   2. Los peatones cruzan (atraviesan) la calle.
3. Los choferes tocan la bocina.   4. el centro   5. El semáforo está en verde.
6. El semáforo está en rojo.   7. la calle que conduce al extrarradio, a las afueras

**ADDITIONAL VOCABULARY:**

1. a busy street   2. The pedestrians cross the street.   3. The drivers honk their horns.
4. downtown area (business district)   5. The light is green.   6. The light is red.
7. street leading to the outskirts

# El pueblo, la aldea

1. la plaza central
2. el palacio municipal, el ayuntamiento
3. la catedral
4. el palacio de justicia
5. el parque
6. los tribunales
7. el palacio de exposiciones

## El centro

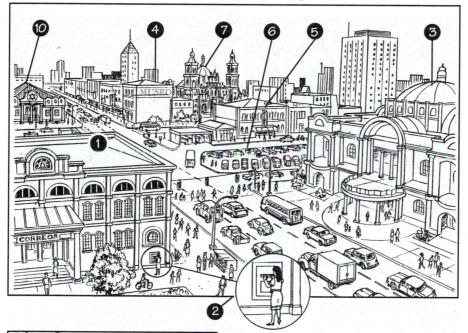

1. la oficina de correos
2. La señora echa una carta.
3. la ópera
4. el museo
5. el cine
6. el aparcamiento (estacionamiento)
7. la iglesia
8. El cura (sacerdote) dice misa.
9. Los feligreses rezan.
10. la sinagoga

## El centro

1. la estación de trenes
2. la taquilla
3. el andén

**VOCABULARIO ADICIONAL:**
1. la Central de Correos y Telégrafos    2. El guardacoches estaciona el coche.
3. el rabino    4. el cementerio    5. el zoológico    6. las jaulas    7. el jardín botánico
8. la terminal de autobuses

**ADDITIONAL VOCABULARY:**
1. Post and Telegraph Office    2. The parking attendant is parking the car.    3. rabbi    4. cemetery
5. zoo    6. cages    7. botanical garden    8. bus station

## Las zonas

1. la zona industrial
2. la barriada (arrabal)
3. el aeropuerto
4. la zona residencial

# *Noticiero*

Lucía Fernández, corresponsal de la Cadena Hispana de Televisión, informa desde Lima sobre la reunión de la Organización Interamericana de Estudios Urbanísticos.

**FERNANDEZ:** Hoy en día nos enfrentamos a dramáticas transformaciones sociales debidas a la redistribución de la población. Todos los años miles de
5 campesinos llegan a los centros urbanos en busca de mejores oportunidades de trabajo. En varios países latinoamericanos más del 50 por ciento de la población vive en ciudades. Aunque la industrialización atrae a un gran número de personas del interior, las metrópolis no ofrecen siempre mejores condiciones de vida que el campo. Por lo general, los recién llegados se enfrentan a escaseces de vivienda, servicios
10 médicos y sanitarios, escuelas y trabajo. La situación es mucho más difícil de lo que se habían imaginado.

El crecimiento de las barriadas es un fenónmeno que caracteriza a todas las grandes ciudades. Aunque las agencias sociales a menudo tratan de suministrar vivienda barata al mayor número posible de los pobres, las listas de espera son más
15 largas que las de unidades de vivienda disponibles. Así que crecen estas acumulaciones de chocitas de madera, hojalata, plástico, cartón y arpillera, llamadas «callampas» en Chile, «favelas» en Brasil o «arrabales» en Puerto Rico—barrios sin electricidad, ni instalaciones sanitarias, ni agua corriente, donde reinan la miseria y el crimen. Cuando hace mal tiempo—es decir, cuando hace mucho viento o
20 frío o mucho calor—los habitantes de estas casas sufren atrozmente porque las paredes delgadísimas no les ofrecen ninguna protección. Lo más trágico es que los pequeños crecen en un ambiente de pobreza y desesperación, sin poder gozar de su niñez.

Esta semana se han reunido en Lima representantes de casi todos los países de
25 Latinoamérica para hablar de estos problemas. Tenemos aquí con nosotros a Gustavo Núñez Contreras, de México. Sr. Núñez, ¿cuáles son los principales cambios que han ocurrido en México en cuanto al crecimiento de las ciudades?

**NUÑEZ:** Lo más notable es que entre 1970 y 1980 la población urbana aumentó a 36,3 millones de personas—el 52,8 por ciento del total nacional. Este aumento se
30 debe no sólo a la migración del campo, sino también a la alta tasa de natalidad y a una tasa de mortalidad que baja dramáticamente desde 1950. Fue la primera vez en la historia de México que la población urbana superaba la rural. México, D. F. tiene actualmente una población de casi 11 millones—19 millones si incluimos toda la zona metropolitana—y es la ciudad más grande del mundo.

35 **FERNANDEZ:** Gracias, Sr. Núñez. La doctora Irma Calderón de Lepanto es psiquiatra con el Instituto de Salud Mental de Santiago de Chile. ¿Quisiera hacer un comentario sobre los efectos psicológicos de la urbanización, doctora?

**CALDERON DE LEPANTO:** Cómo no. Ahora bien, quiero empezar por hacer hincapié en una cosa: la ciudad ofrece muchísimas oportunidades. Puede ser un

40  lugar extraordinariamente estimulante. Es el centro cultural. Allí se encuentran los teatros, los museos, las grandes universidades y bibliotecas. En todas las ciudades de Latinoamérica hay zonas muy lujosas, donde la gente goza de todas las ventajas de la vida urbana. Llegan las últimas modas de París y de Nueva York. La gente anda tan elegante como en cualquier centro urbano europeo o norteamericano. De

45  hecho, la vida de un porteño o un bogateño de clase media o alta no es tan diferente de la de un neoyorquino o un parisiense de la misma clase. Sería una tontería denigrar la experiencia urbana.

Sin embargo, el proceso de urbanización está produciendo un cambio importante en las ciudades grandes. En las zonas suburbiales—es decir, en las barriadas

50  que se forman en las afueras de los centros metropolitanos—la vida es una lucha. Las ciudades no cuentan con la infraestructura necesaria para satisfacer las necesidades de sus poblaciones. Y sin embargo, siguen llegando migrantes del campo. Se ha producido una urbanización incontrolable.

Desde un punto de vista psicológico, los efectos han sido desastrosos. Se

55  aglomeran personas que no tienen raíces ni vínculos en la zona, y viven el síndrome del anonimato. De hecho, toda nuestra sociedad, debido a la industrialización y la creciente mobilidad, se ha vuelto más anónima, pero para los campesinos que llegan a estos barrios marginados, el aislamiento, la incomunicación y la soledad se hacen insoportables. Muchos campesinos llegan solos, sin su esposa e hijos, con la esper-

60  anza de reunirse con su gente cuando hayan conseguido un empleo decente. Sin el apoyo de la familia y de la comunidad, se desesperan muy pronto. A veces buscan refugio en el alcohol o en la droga, o terminan dedicándose al crimen, contribuyendo así a la deteriorización de los centros urbanos. Hace tiempo que vemos un aumento en el abuso del alcohol y de la droga en las áreas más pobres.

65  La paradoja de la gran ciudad es que hay muchos contactos físicos entre las personas; en los ascensores, las instalaciones deportivas, los colectivos, las tiendas, nos apretamos como sardinas en un espacio muy pequeño. Pero el auténtico contacto personal es prácticamente inexistente. Esto conduce a la desesperación, la depresión y a veces la violencia.

70  **FERNANDEZ:** Muchísimas gracias, doctora. Ahora quisiera hacerle una pregunta a María Teresa García López de Oliveira, directora del Consejo Latinoamericano de Estudios Femeninos, que se encuentra aquí con nosotros. Señora, ¿qué nos puede decir acerca de los efectos de la migración en la mujer?

**GARCIA LOPEZ DE OLIVEIRA:** Pues, por mucho tiempo fueron más bien los

75  hombres los que migraban a la ciudad. En algunas zonas rurales de Latinoamérica era una especie de rito o prueba—un muchacho llegaba a cierta edad y tenía que ir a la ciudad a trabajar. Ahora bien, lo de la mujer es interesante porque representa un cambio radical. Desde 1960 las mujeres predominan en la migración a la ciudad.

**FERNANDEZ:** ¿A qué se debe esto?

80  **GARCIA LOPEZ DE OLIVEIRA:** La pobreza del campo... la violencia...

**FERNANDEZ:** ¿Y encuentran trabajo en la ciudad?

**GARCIA LOPEZ DE OLIVEIRA:** A veces los hombres buscan por meses sin encontrar ningún puesto pero a las mujeres les es más fácil conseguir trabajo porque abundan puestos para sirvientas. El servicio doméstico facilita la integración social
85 de estas mujeres al medio urbano y es el primer paso hacia un trabajo asalariado como, por ejemplo, el de operaria textil. Algunas mujeres que acompañan a su esposo a la ciudad trabajan como vendedoras ambulantes. Otras siguen con su papel tradicional de madre y esposa. En este caso también, la integración al nuevo ambiente es más fácil para la mujer que para el hombre porque las que no trabajan
90 fuera de la casa forman grupos de apoyo mutuo dentro de las comunidades. Es decir, hay ciertos beneficios que se derivan de la cohesión interna de la comunidad para la mujer que se queda en casa.

**FERNANDEZ:** ¿Qué problemas son particulares de la migrante mujer?

**GARCIA LOPEZ DE OLIVEIRA:** Por lo general, las mujeres que migran son
95 más jóvenes que los hombres y a veces carecen de la experiencia y de la confianza necesarias para protegerse de los peligros. A menudo llegan a depender completamente de sus patrones. Hacen todo lo que se les pida porque tienen miedo de encontrarse solas en el caso de que sus patrones las echen. Así, terminan más subyugadas que en el campo. A diferencia de los hombres, las mujeres por lo común no reciben
100 beneficios sociales ya que los empleos domésticos no los ofrecen.
Las mujeres con hijos tienen problemas especiales. Tienen que vivir en condiciones diferentes de las de su lugar de origen sin poder contar con la ayuda de su madre o su hermana, lo cual limita sus actividades en el campo laboral.

**FERNANDEZ:** Señor Núñez, ¿qué tendencias nuevas ve usted en el proceso de ur-
105 banización?

**NUÑEZ:** Durante los ochenta, en muchos países de Latinoamérica la deuda nacional y otros factores económicos dieron por resultado una reducción del ingreso per cápita bastante notable. Los grupos de menos recursos sufrieron más por esta reducción, la cual se tradujo en una alta tasa de desempleo y la caída de los salarios
110 reales. Los problemas causados por las fluctuaciones de la situación económica internacional se sienten menos en las áreas rurales que en las ciudades, lo cual condujo a un fenómeno que se ha observado en varias regiones de Latinoamérica: la migración de retorno o remigración de las zonas metropolitanas hacia el campo—o, muchas veces, hacia otros países.

115 **FERNANDEZ:** Muchas gracias a nuestros tres expertos por sus comentarios interesantes y valiosos. Aquí con ustedes desde Lima, Lucía Fernández.

# *Para enriquecer su vocabulario*

**1. Hacer** se usa en muchas expresiones impersonales que se refieren al tiempo.

| | |
|---|---|
| Cuando hace mal tiempo—es decir, cuando hace frío o viento o calor—esta gente sufre muchísimo. | *When the weather is bad—that is, when it's cold or windy or hot—these people suffer a whole lot.* |

Algunas de las expresiones con **hacer** más comunes son:

| | |
|---|---|
| hacer frío | *to be cold outside* |
| hacer calor | *to be hot, warm outside* |
| hacer viento | *to be windy outside* |
| hacer sol | *to be sunny outside* |
| hacer buen, mal tiempo (día) | *to be nice, bad outside* |
| ¿Qué tiempo hace?[1] | *How is the weather?* |

Nótese que **frío, calor, viento** y **sol** son substantivos y se modifican con un adjetivo.

| | |
|---|---|
| Hace mucho viento. | *It's very windy.* |
| Hace un frío espantoso. | *It's terribly cold.* |

**2. Hacer** se usa para expresar *ago.*

| | |
|---|---|
| Hace varios meses que llegaron a la ciudad. | *They arrived in the city several months ago.* |
| Llegaron a la ciudad hace varios meses. | |

**3. Hacer** + período de tiempo + verbo se usa para expresar que una actividad o condición ha tenido lugar durante cierto período de tiempo. (Véase la página 22.)

| | |
|---|---|
| Hace tiempo que vemos un aumento en el abuso del alcohol. | *We've been seeing an increase in alcohol abuse for some time.* |

Una variante es verbo + **desde hace** + período de tiempo.

| | |
|---|---|
| Vemos un aumento en el abuso del alcohol desde hace tiempo. | *We've been seeing an increase in alcohol abuse for some time.* |

---

[1]También se dice, ¿«Cómo está el tiempo»? o ¿«Cómo está el día»?

**4.** Muchas otras expresiones idiomáticas se forman con **hacer.** Puesto que éstas no son expresiones impersonales, puede usarse cualquier forma del verbo.

Quiero hacer hincapié en una cosa.   *I want to emphasize one thing.*

Quisiera hacerle una pregunta a   *I'd like to ask María Teresa García a*
María Teresa García.   *question.*

**5.** Algunas de las expresiones más comunes con **hacer** son:

| | | | |
|---|---|---|---|
| hacerse | *to become* | Se hizo cura. | *He became a priest.* |
| hacerse | *to get used to* | No me hago a la idea. | *I can't get used to the idea.* |
| hacer bien | *to do the right thing* | Hiciste bien. | *You did the right thing.* |
| hacer el papel de | *to play the role of* | Hizo el papel de Hamlet. | *He played the role of Hamlet.* |
| hacer las veces de | *to act as, serve as* | Hizo las veces de enfermera. | *She acted as (served as) a nurse.* |
| hacer pedazos | *to tear, break* | Lo hicieron pedazos. | *They tore it to pieces.* |
| hacer recados | *to run errands* | Está haciendo recados. | *She's running errands.* |
| hacer tiempo | *to kill time* | Hacemos tiempo mientras ellos se preparan. | *We'll kill time while they get ready.* |
| hacer una pregunta | *to ask a question* | Le hice una pregunta. | *I asked her a question.* |
| hacer hincapié en | *to emphasize* | Hizo hincapié en ese problema. | *He emphasized that problem.* |
| hacer caso (a alguien, a algo) | *to pay attention* | No le hagas caso. | *Don't pay attention to him.* |
| hacer cola | *to wait in line* | Tuvimos que hacer cola. | *We had to wait in line.* |
| hacer saber | *to let know* | Te lo hago saber. | *I'll let you know.* |
| hacer de | *to act as* | Hace de madre para esos chicos. | *She acts as a mother to those kids.* |
| hacer de | *to work as* | Hace de reportero ahora. | *He's working as a reporter now.* |

## EJERCICIOS

**A. Comente los siguientes temas usando las palabras que están entre paréntesis.**

1. los diversos barrios que se encuentran en una ciudad (municipal, comercial, rascacielos, residencial, barriada)
2. la actividad de la calle (circulación, peatones, policías, vendedores ambulantes)
3. la calle principal (calle transitada, circulación, bocina, semáforo, señal de tráfico, farol)
4. las afueras (barrios residenciales, cuadra, jardín, acera, solera)
5. la oficina de correos (hacer cola, estampillas, paquetes, echar cartas)
6. la plaza central (ayuntamiento, catedral, justicia, exposiciones, peatones, vendedores ambulantes)
7. las ventajas de la ciudad (ópera, museo, cine, universidad, gran almacén, zoológico, jardín botánico, iglesia, sinagoga, oportunidades)
8. las desventajas de la ciudad (circulación, contaminación, crimen, barriada, servicios médicos, educativos y sanitarios, anonimato)

**B. Explique lo que se hace en los siguientes lugares.**

1. el palacio de justicia
2. un museo
3. una farmacia
4. la ópera
5. la catedral
6. la Central de Correos y Telégrafos
7. un cementerio
8. una estación de trenes
9. el zoológico
10. el ayuntamiento

**C. Conteste las siguientes preguntas usando las expresiones que están entre paréntesis.**

1. ¿Por qué no quieren ir a la playa? (hacer mal tiempo, frío, viento)
2. ¿Cuándo llegaron sus parientes? (hacer una semana)
3. ¿Su papá finalmente aceptó la idea de que usted va a ir a España este verano? (hacerse a la idea)
4. ¿Qué le pareció la obra de teatro de anoche? (hacer el papel de)
5. ¿Qué pasó con ese lindísimo florero que estaba en el vestíbulo? (hacer pedazos)
6. ¿Qué vamos a hacer mientras Angela se maquilla y se pinta las uñas? (hacer tiempo)
7. ¿Quería usted saber algo más? (hacer una pregunta)
8. ¿Cuándo es la reunión? (hacer saber)
9. ¿Qué ideas subrayó en su conferencia? (hacer hincapié)
10. ¿Quién va a enseñar la clase cuando el profesor vaya a Venezuela? (hacer las veces de)

**D. Temas de conversación.**

1. ¿Por qué crecen tan dramáticamente las ciudades hispanoamericanas? Compare esta situación con la que existe en los Estados Unidos.

2. En Hispanoamérica, ¿a qué problemas se enfrentan los campesinos que llegan a la ciudad? ¿Existen estos mismos problemas en las barriadas norte-americanas?

3. ¿Cómo ha cambiado México, D. F. desde 1970? ¿Qué factores han contribuido a esta situación?

4. ¿Qué efectos dañinos produce la urbanización excesiva? ¿Se notan estos efectos en la zona en que usted vive? Si usted vive en una ciudad, mencione algunos efectos negativos de la urbanización que usted ha notado.

5. ¿Cuáles son las ventajas de vivir en una gran ciudad? Después de graduarse, ¿preferiría usted vivir en el centro de una gran ciudad, en las afueras de una gran ciudad, en una aldea o en pleno campo? ¿Por qué?

6. ¿Cree usted que hoy en día vivimos el síndrome del anonimato? ¿En qué aspectos de la vida se nota esto?

7. ¿Cuáles son algunos efectos en la mujer de la migración del campo a la ciudad? ¿Por qué es la migración a veces más fácil para la mujer que para el hombre? ¿Cree usted que en general la vida es más fácil para la mujer que para el hombre? Explique.

8. ¿Qué es la «migración de retorno»? ¿Por qué se ha producido? ¿Qué efectos cree usted que tendrá? ¿Ha ocurrido lo mismo en los Estados Unidos? ¿Qué soluciones sugiere usted para resolver los problemas de nuestras ciudades?

**E. Pro y contra: temas de debate.**

1. Para resolver los problemas de nuestras ciudades necesitamos más programas de ayuda social.

2. Las condiciones de vida en las barriadas fomentan la violencia doméstica y el crimen. Por lo tanto, una persona que nace dentro de este ambiente realmente no tiene ninguna posibilidad de salir adelante.

3. Nuestras ciudades ya no pueden absorber el gran número de inmigrantes que llegan todos los años. Para resolver los problemas de nuestras ciudades será necesario limitar la inmigración legal y controlar la ilegal.

4. El anonimato es un resultado inevitable de la vida moderna.

5. A causa de los problemas que existen en las escuelas urbanas, sería mejor que cada familia tuviera la opción de mandar a sus hijos a cualquier escuela, esté o no en su barrio inmediato.

6. El suministrar servicios a los diversos grupos de inmigrantes en su idioma materno retarda su asimilación y hace imposible que salgan adelante en este país.

## F. Situaciones.

1. Usted es un reportero para la Cadena Hispana de Televisión. Entreviste a varios de sus compañeros de clase sobre los problemas que existen en las ciudades norteamericanas y las posibles soluciones.

2. Usted tiene un programa de televisión en el que entrevista a diversas personas conocidas—políticos, artistas de cine, escritores, etc. En el programa de hoy, entreviste a un político liberal y a uno conservador sobre estos temas: las tácticas que debe adoptar la policía para eliminar la droga y mantener el orden público; cómo evitar que los jóvenes abandonen sus estudios y se dediquen al crimen; cómo mejorar los servicios médicos y educativos dentro de las comunidades pobres.

3. Usted y su compañero/a de cuarto llegan a casa y descubren que alguien ha entrado a robar. Ustedes examinan todas sus cosas para averiguar qué falta. Entonces, tratan de decidir qué hacer. Usted quiere explorar la situación por su cuenta pero su compañero/a quiere llamar a la policía inmediatamente.

4. Usted vive en el campo y llega a la ciudad por primera vez. Por suerte tiene un primo que le explica cómo sobrevivir en la metrópolis. Aunque usted llegó lleno/a de ilusiones, poco a poco empieza a darse cuenta de que el proceso de adaptación no va a ser fácil.

# GRAMATICA
## *Más sobre los artículos y adjetivos*

### Contables y no contables

Los substantivos que se refieren a cosas individuales que se pueden contar (lápices, estampillas) se llaman **contables.** Los que se refieren a una multitud o grupo en vez de a cosas individuales (poesía, ganadería, gente, estudiantado) se llaman **no contables.** Algunos substantivos que son contables en español corresponden a no contables en inglés. El plural de estos substantivos corresponde a una forma singular en inglés. Cuando estos substantivos se emplean en el singular, el equivalente en inglés suele llevar una palabra como *bit, piece,* etc.

| | | | |
|---|---|---|---|
| actualidades | *news (current events)* | actualidad | *piece of news* |
| condiciones | *condition* | condición | *particular condition* |
| helados | *ice cream* | helado | *serving of ice cream* |
| joyas | *jewelry* | joya | *piece of jewelry, jewel* |
| muebles | *furniture* | mueble | *piece of furniture* |
| negocios | *business* | negocio | *piece of business* |
| noticias | *news* | noticia | *piece of news* |
| tonterías | *foolishness* | tontería | *piece of foolishness* |
| vacaciones | *vacation* | vacación | *short vacation, vacation day* |

Fíjese en la forma del substantivo en las siguientes oraciones.

| | |
|---|---|
| Los muebles están en excelentes condiciones. | *The furniture is in excellent condition.* |
| El mueble está en excelentes condiciones. | *The piece of furniture is in excellent condition.* |
| Siempre anda con muchas joyas. | *She always goes around with a lot of jewelry.* |
| ¡Qué joya más hermosa! | *What a beautiful piece of jewelry!* |
| ¿Oíste las noticias? | *Did you hear the news?* |
| Me contó una noticia increíble. | *She told me an unbelievable piece of news.* |

## PRACTIQUEMOS

### A.  Traduzca al español.

1.  All the kids want ice cream. / Buy an ice cream for the little boy.
2.  I'm tired of this nonsense. / What a piece of nonsense!
3.  The furniture is old. / This piece of furniture is old.
4.  We were listening to the news on the radio. / This happened last week; it's not a piece of news.
5.  In most of South America summer vacation begins in December. / I need a day off (a vacation day).
6.  The car is in terrible condition. / I'll sell it to you under one condition.
7.  Business is good this year. / He proposed an interesting piece of business to me.
8.  My sister tells me all the news about the family. / The piece of news about her marriage shocked me.

### B.  Responda a cada pregunta usando la forma correcta (singular o plural) del substantivo que está en paréntesis.

1.  (actualidad) ¿Leyó usted el periódico esta mañana?
2.  (joya) La ostentación de cierta gente es deplorable, ¿no le parece?
3.  (condición) Creo que debemos botar este televisor, ¿no?
4.  (helado) ¿Tiene usted hambre?
5.  (mueble) ¿Sólo tiene una silla, una mesa y una cama en su departamento?
6.  (tontería) ¿Qué le pareció el discurso del nuevo rector de la universidad?
7.  (noticia) Me dijeron que los estudiantes iban a declarar una huelga. ¿Será verdad?
8.  (vacación) ¿Qué va a hacer usted cuando terminen las clases?
9.  (negocio) ¿Está fuerte la economía o no?

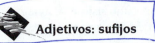 **Adjetivos: sufijos**

1. El diminutivo **-ito** se agrega a la base de un substantivo, un adjetivo y a veces de un adverbio para indicar que el objeto al cual se refiere es pequeño o para indicar intimidad o afecto de parte de la persona que habla.[1] Los substantivos diminutivos mantienen el mismo número y género que la base.

| | |
|---|---|
| Crecen las conglomeraciones de chocitas. | *The conglomerations of little huts grow.* |
| Déjame explicarte el problema, Juanito. | *Let me explain the problem to you, Johnny.* |
| ¿Puedes bajar la voz un poquito? | *Can you lower your voice a little bit?* |

2. El diminutivo **-cito** se emplea con substantivos, adjetivos o adverbios que terminan en **-e** y a los de más de una sílaba que terminan en **-n** o **-r.**

| | |
|---|---|
| Voy a tomar un cafecito. | *I'm going to have a nice cup of coffee.* |
| ¿Quién es ese jovencito? | *Who is that nice young man?* |
| Carmencita ya está hecha toda una mujercita. | *Little Carmen is a real young lady already.* |

3. El diminutivo **-ecito** puede emplearse con substantivos, adjetivos o adverbios que contienen los diptongos **ie** o **ue (puertecita, vientecito)**. A veces estas palabras tienen más de un diminutivo (puertecita o puertita, por ejemplo).

| | |
|---|---|
| El gato entra por una puertecita. | *The cat comes in through a little door.* |
| El niño está sacando sus dientecitos. | *The child is cutting his little teeth.* |
| Hay un vientecito suave y agradable. | *There's a soft, pleasant little wind.* |

4. Los diminutivos **-ito**, **-cito** y **-ecito** tienen variantes locales. En el Caribe, y en muchos lugares de España, por ejemplo, se tiende a usar **-ico**, **-cico** y **-ecico**. También es posible agregar un diminitivo a otro: **poquitito** *(a tiny bit)*, **chiquitito** *(very, very small)*.

5. Los diminutivos **-illo** y **-cillo** comunican desprecio.

| | |
|---|---|
| ¿Quién es ese hombrecillo petulante? | *Who is that petulant, vulgar little man?* |
| ¿Por qué ha venido esa mujercilla? | *Why has that vulgar little woman come?* |

---

[1] Si la base termina en **-z**, la **-z** cambia a **-c: choza** → **chocita**. Si la base termina en **-g** o **-q**, se agrega una **u** despúes de la **-g** o la **-q: lago** → **laguito; Paco** → **Paquito.**

**6.** Para expresar **muy** + un adjetivo o un adverbio, el sufijo **-ísimo** se agrega a la base del adjetivo o del adverbio. Las mismas reglas de concordancia se aplican a los diminutivos que a otros adjetivos y substantivos.

| | |
|---|---|
| Los recién llegados sufren muchísimo. | *The newcomers suffer a whole lot.* |
| Son problemas interesantísimos. | *They are extremely interesting problems.* |

## PRACTIQUEMOS

**A. Responda a las siguientes oraciones usando un diminutivo y cualquier otra palabra que sea necesaria.**

MODELO    Ni siquiera hay lugar para muebles en este cuarto.
**Es un cuartito muy pequeño. o**
**¿Cómo pueden arrendar este cuartito por un precio tan astronómico?**

1. Queremos mucho a Carmen.
2. No hay lugar para más de una cama en esa choza.
3. Espera un poco. No serán dos minutos.
4. Lo trágico es que estos niños tan pequeños crezcan en la pobreza.
5. Vamos a tomar un café para descansar.
6. Este pueblo no es muy grande pero es muy pintoresco.
7. No me gusta nada ese profesor. Es tan presumido y pesado.
8. ¿Por quién se toma esa mujer tan ordinaria y desagradable?
9. Mi sobrina tiene unos dientes nuevos.
10. Hay una fuente muy bonita en el jardín.

**B. Responda a las siguientes oraciones usando un adjetivo o un adverbio con -ísimo y cualquier otra palabra que sea necesaria.**

1. Tengo tanto que hacer que no sé por dónde empezar.
2. Hace más de cinco minutos que estamos esperando que cambie el semáforo.
3. Este almacén es muy grande. Aquí hay de todo.
4. Tanto tráfico. Esta es una calle muy concurrida.
5. Este barrio es muy lindo. Hay casas preciosas.
6. La zona industrial es muy sucia. No es una área buena para pasearse.

## El artículo neutro *lo*

**1.** El artículo neutro **lo** se emplea para referirse a una idea abstracta. A menudo la traducción inglesa contiene una palabra como *stuff, thing, part, business*. El equivalente inglés de **lo que** es *what*.

| | |
|---|---|
| Lo trágico es que crecen en un ambiente de pobreza. | *The tragic thing is that they grow up in an environment of poverty.* |
| Lo más notable es que la población urbana aumentó a 36,3 millones de personas—el 52,8 por ciento del total nacional. | *The most notable thing is that the urban population grew to 36.3 million people—52.8 percent of the national total.* |
| Lo de la mujer es interesante. | *The part about women is interesting.* |
| No saben lo que los espera en la ciudad. | *They don't know what's waiting for them in the city.* |

**2. Lo** se emplea en los mismos contextos gramaticales que los artículos definidos nominalizados, pero a diferencia de éstos, **lo** nunca se refiere a un substantivo particular. Compare las siguientes pares de oraciones.

| | |
|---|---|
| Lo de Juan es fantástico. | *That business about Juan is fantastic.* |
| Vi las dos fotos. La de Juan es fantástica. | *I saw the two photos. Juan's is fantastic.* |
| Lo que tú dices es verdad. | *What you say is true.* |
| ¿Las bufandas? La que tú compraste es preciosa. | *The scarves? The one you bought is gorgeous.* |
| Lo malo es que han perdido la esperanza. | *The bad thing is that they've lost hope.* |
| Hay dos mujeres en el cuento. La buena se casa con un príncipe y la mala desaparece para siempre. | *There are two women in the story. The good one marries a prince and the bad one disappears forever.* |

**3.** Cuidado con no confundir **qué** (el pronombre interrogativo) con **lo que.**

| | |
|---|---|
| ¿Qué quieres? | *What do you want?* |
| Lo que quiero es un buen trabajo. | *What I want is a good job.* |

**4. Lo** puede emplearse con un adjetivo para traducir *how* cuando el adjetivo se refiere a un substantivo específico. En este caso el adjetivo concuerda con el substantivo que modifica.

| | |
|---|---|
| Con lo cara que es la vida, no podemos mandar a nuestro hijo a la universidad. | *Considering how expensive life is, we can't send our son to college. (Life is so expensive that we can't send our son to college.)* |
| No puedo creer lo bonita que está Mimí. | *I can't believe how pretty Mimí looks.* |
| ¿Ves lo mal portados que están esos niños? | *Do you see how badly behaved those children are?* |

## PRACTIQUEMOS

**A. Conteste las siguientes preguntas usando *lo de*.**

> MODELO    ¿Qué dijeron de Roberto?
> **No oí lo de Roberto. o**
> **No sé. Lo de Roberto no me interesa.**

1. ¿Qué sabe usted de la campesina que se traslada a la ciudad?
2. ¿Qué dijeron los expertos acerca de las zonas urbanas?
3. ¿Hablaron del problema de la vivienda?
4. ¿Leyó usted acerca de la formación de nuevas barriadas?
5. ¿Han considerado las autoridades la cuestión de la salud pública?
6. ¿Qué dijeron del asunto de la industrialización?

**B. Conteste las siguientes preguntas usando *lo que*.**

> MODELO    ¿Qué va a hacer el gobierno para resolver el problema?
> **No sé lo que va a hacer. o**
> **Lo que va a hacer es mandar construir**
> **nuevas viviendas.**

1. ¿Qué van a hacer las autoridades con respecto a la escasez de unidades de vivienda baratas?
2. ¿Qué dijo el reportero acerca de la redistribución de la población?
3. ¿Qué piensa usted del problema del anonimato?
4. ¿Qué se puede hacer para que el gobierno suministre más servicios médicos?
5. ¿Qué se debe hacer para aliviar el problema de la falta de electricidad en los barrios pobres?
6. ¿Qué dijo la doctora Calderón con respecto a las ventajas que ofrece la ciudad?

**C. Complete las siguientes oraciones usando *lo* + el adjetivo indicado.**

> MODELO    Lo malo es que carecen del apoyo de la familia pero _____.
> (bueno)
> **Lo malo es que carecen del apoyo de la familia pero lo bueno es**
> **que ganan más dinero que en el campo. o**
> **Lo malo es que carecen del apoyo de la familia pero lo bueno es**
> **que aprenden muchas cosas nuevas.**

1. Lo de la mujer es un problema especial y _____. (interesante)
2. Miles de campesinos llegan a la ciudad todos los años y _____. (trágico)
3. Llegan llenos de esperanza y _____. (triste)
4. Lo fácil es inventar teorías, pero lo _____. (difícil)

5. Lo bueno es que hay museos, restaurantes, teatros y grandes almacenes, pero _____. (malo)

6. Hay muchas oportunidades en la ciudad y _____. (bueno)

**D. Responda a cada comentario usando *lo* seguido de un adjetivo.**

> MODELO   Los boletos para la ópera están carísimos.
> **No puedo creer lo caros que están. o**
> **Con lo caros que están, nadie puede ir.**

1. Hay una cola larguísima en la oficina de correos.

2. La clase de filosofía es muy aburrida.

3. Esta sinagoga es muy antigua.

4. Las barriadas de esa zona son horribles.

5. Los feligreses son muy devotos.

6. Las zonas residenciales son muy pintorescas.

## Indefinidos y negativos

1. Una palabra indefinida no se refiere a una persona o cosa en particular. Sigue una lista de palabras indefinidas y las correspondientes palabras negativas. **También, o** y **con** no son palabras indefinidas, pero se han incluido aquí porque tienen negativos que les corresponden.

| | |
|---|---|
| algo | nada |
| alguien | nadie |
| uno, otro, alguno, todo | ninguno *— not one* |
| algún día, alguna vez, a veces, siempre | nunca, jamás |
| también | tampoco |
| o... o | ni... ni... |
| con | sin |

*no son palabras indefinidos*

2. Se puede colocar una palabra negativa antes o después del verbo. Si se coloca después, **no** o alguna otra palabra negativa se emplea antes del verbo.

> Nunca encontró un puesto. / No encontró un puesto nunca.
> Nadie sabe la respuesta. / No sabe la respuesta nadie.
> Tampoco la sabes tú. / No la sabes tú tampoco.

3. Varias palabras negativas pueden aparecer en una misma oración.

> Buscó por meses, sin encontrar ningún puesto.
> Nadie le ha ofrecido nunca ninguna ayuda.
> Ni su padre ni su madre le han dado nunca nada tampoco.

4. Cuando una palabra indefinida que se refiere a una persona funciona como complemento directo, le precede la preposición **a.**

| | |
|---|---|
| ¿Entrevistó **a** alguien que le gustara? | *Did you interview someone you liked?* |
| Entrevisté **a** varias personas pero no tomé a nadie. | *I interviewed several people but I didn't hire anybody.* |

5. **Alguno, ninguno** y **uno** pueden funcionar como adjetivos; en este caso, concuerdan con los substantivos que modifican. Delante de un substantivo masculino de singular, se emplean las formas especiales **algún, ningún, un.**

| | |
|---|---|
| No encontró ningún puesto. | *He found no job.* |
| Algunas personas tienen suerte y encuentran trabajo inmediatamente. | *Some people are lucky and find work right away.* |

6. **Ninguno** normalmente se emplea en la forma singular, a menos que modifique un substantivo que siempre se usa en el plural, por ejemplo, **tijeras.**

| | |
|---|---|
| No hay ningún baño en ese conventillo. | *There are no bathrooms in that tenement building.* |

7. Ambos **nunca** y **jamás** significan *never,* pero **jamás** es más enfático.

| | |
|---|---|
| No lo veo nunca. | *I never see him.* |
| No lo veo jamás. | *I **never** see him.* |

## PRACTIQUEMOS

**A. Haga una pregunta con las palabras de cada lista. Entonces, contéstela negativamente.**

1. ¿haber / alguien / aquí / saber / respuesta?
2. ¿haber visto (tú) / callampa / alguna vez?
3. ¿tener (ellos) / o / electricidad / o agua corriente?
4. ¿necesitar / ustedes / algo?
5. ¿querer (tú) / yo / prestarte / alguno / dinero?
6. ¿ayudar (ella) / pobres / siempre?

**B. Haga una pregunta que corresponda a cada respuesta.**

1. No, no llamó nadie.
2. No encontraron ni vivienda ni trabajo.
3. No hay ningún puesto que pague más de cien pesos al día.
4. Nada ha cambiado en mi vida.
5. Jamás he tenido que pedirle dinero prestado a nadie.

**C. Responda a cada comentario con una oración negativa.**

> MODELO   A mí no me gustó esa película.
> **A mí tampoco. o**
> **A ti no te gusta ninguna película italiana.**

1. Todos los años miles de campesinos llegan a la ciudad.
2. No hay agua corriente en esta zona de la ciudad.
3. Mi hermana es corresponsal de la Cadena Hispana de Televisión.
4. La ciudad ofrece muchísimas ventajas.
5. Quiero ir o al teatro o a la ópera esta noche.

 **Comparaciones con *más***

**1.** Para comparar cosas o cantidades desiguales, se emplea **más... que** o **menos... que.**

| | |
|---|---|
| A la mujer le es más fácil adaptarse al nuevo ambiente que al hombre. | *It's easier for the woman to adapt to the new environment than it is for the man.* |
| La población de México, D. F. es más grande que la de Caracas. | *The population of Mexico City is larger than that of Caracas.* |
| Sufren menos en el campo que en la ciudad. | *They suffer less in the country than in the city.* |

**2.** En vez de **más bueno, más malo (más bien) (más mal), más viejo/grande, más joven/pequeño** se puede usar **mejor, peor, mayor** o **menor.**

| | |
|---|---|
| Viven mejor en el campo que en la ciudad. | *They live better in the country than in the city.* |

**3.** Para expresar *more than* + un número, se emplea **más de, menos de.**

| | |
|---|---|
| Más del 50 por ciento de la población vive en ciudades. | *More than 50 percent of the population lives in cities.* |
| Se construyen menos de 20 nuevas unidades de vivienda al mes. | *Less than 20 new housing units are built a month.* |

**4.** En una oración negativa, *no more than* con el significado de *only* se expresa con **no... más que.**

| | |
|---|---|
| No tiene más que diez pesos. | *He only has ten pesos.* |
| No hay más que tres cuartos en esta choza. | *There are only three rooms in this hut.* |

**5.** En una oración negativa, *no more than* con el significado de *at the most* se expresa con **no... más de.**

| | |
|---|---|
| No tiene más de diez pesos. | *He has ten pesos at the most.* |
| No hay más de tres cuartos en esta choza. | *There are three rooms at the most in this hut.* |

Compare los ejemplos de los párrafos 4 y 5. **No tiene más que diez pesos** quiere decir que tiene **exactamente** diez pesos *(only ten pesos, no more, no less)*, mientras que **No tiene más de diez pesos** implica que podría tener menos—siete u ocho, por ejemplo.

6. Cuando la comparación se hace con una idea expresada en una cláusula, se emplea **más... de lo que.**

| | |
|---|---|
| Es más difícil de lo que se habían imaginado. | *It's harder than what they imagined.* |
| Esto es peor de lo que había pensado. | *This is worse than I thought.* |

7. Cuando la comparación se hace con una cláusula que se refiere a un substantivo específico, se emplea **del que, de la que, de los que, de las que.**

| | |
|---|---|
| Las mujeres tienen que vivir en condiciones diferentes de las que existían en su lugar de origen. | *Women have to live in different conditions from those that existed in their places of origin.* |
| Ganan más dinero del que ganaban en el campo, pero gastan más también. | *They earn more money than in the country, but they also spend more.* |

8. En oraciones superlativas, se emplea **más + de;** en el equivalente inglés, traduce **de** *in.*

| | |
|---|---|
| México, D. F. es la ciudad más grande del mundo. | *Mexico City is the biggest city in the world.* |

## PRACTIQUEMOS

**A. Compare las dos cosas usando *más / menos... que.***

MODELO    industrialización / sobrepoblación
**La industrialización ha traído más problemas que la sobrepoblación. o**
**Potencialmente la industrialización es más dañina que la sobrepoblación.**

1. vivienda / servicios médicos
2. barriada / zona elegante
3. campo / ciudad
4. carretera / calle secundaria
5. tienda pequeña / gran almacén
6. abuelo / abuela

7. sinagoga / iglesia

8. catedral / palacio de justicia

9. aeropuerto / estación de trenes

10. peatones / choferes de automóvil

11. semáforo / señal de tráfico

12. crimen / contaminación

**B. Traduzca al español.**

1. More than 19 million people live in Mexico City.

2. She only earns five pesos a day working as a maid.

3. I have a hundred dollars at the most.

4. In some countries more than 50 percent of the population lives in cities.

5. The problem is more serious than we thought.

6. She spends more than she earns. / She spends more money than she earns.

7. They're building more highways than they need.

8. Life in the city is less interesting than you imagine.

9. He bought more stamps at the post office than I wanted.

10. I go to church to pray more often than you think.

11. New York is the biggest city in the United States.

12. Santa Clara street is the busiest in the city.

 **Comparaciones con *tan, tanto***

1. **Tanto** significa *so much:* Llueve tanto. = *It rains so much.* Usado como adjetivo, puede significar *so many* o *that many.* Querían diez boletos pero no pude conseguir tantos. = *They wanted ten tickets but I couldn't get that many.*

2. Para comparar cosas o cantidades iguales, se emplea **tan...** o **tanto como.**

3. **Tan** se emplea con adjetivos y adverbios.

*tan ... como...*

| | |
|---|---|
| La gente anda tan elegante como en cualquier centro urbano europeo. | *People are as elegant as in any European urban center.* |
| Los hombres no se asimilan a la vida urbana tan rápido como las mujeres. | *Men don't assimilate to urban life as quickly as women.* |

4. **Tanto** puede modificar un substantivo. En este caso funciona como adjetivo y concuerda con el substantivo que modifica.

| | |
|---|---|
| Hoy en día tantas mujeres como hombres migran a la ciudad. | *Today as many women as men migrate to the city.* |

**Tanto** también puede modificar un verbo; en este caso funciona como adverbio.

| | |
|---|---|
| Las mujeres trabajan tanto como los hombres. | *Women work as much as men.* |

5. **Tanto... como** también puede traducir *both* o expresar la idea *this as well as that.*

| | |
|---|---|
| Los hombres tanto como las mujeres gozan del ballet. | *Both men and women enjoy ballet. / Men as well as women enjoy ballet.* |

## PRACTIQUEMOS

**A. Diga una oración que exprese la misma idea.**

> MODELO   La vida urbana es difícil y la rural también.
> **La vida urbana es tan difícil como la rural.**

1. Las carreteras son peligrosas y las calles secundarias también.
2. Hay muchos rascacielos y muchos grandes almacenes también.
3. Los choferes de autos tocan la bocina y los camioneros también.
4. La plaza central es inmensa y el parque municipal también.
5. Los feligreses rezan mucho y el cura también.
6. En esta ciudad hay muchas zonas lujosas y muchas barriadas también.

**B. Haga oraciones combinando los siguientes elementos con *tanto... como*.**

> MODELO   palacio de justicia / oficina de correos / necesitar / renovaciones
> **El palacio de justicia tanto como la oficina de correos necesita renovaciones.**

1. barrios comerciales / residenciales / peligroso
2. iglesias / sinagogas / estar / lleno
3. estación de trenes / terminal de autobuses / estar / afueras
4. choferes / desobeceder / semáforos / otras señales de tráfico
5. peatones / choferes / romper / leyes

**C. Conteste las siguientes preguntas con una comparación con *más/menos... de/que* o *tanto... como*.**

1. ¿Prefiere usted vivir en el centro o en las afueras?
2. ¿Dónde prefiere usted comprar, en un gran almacén o en una tienda especializada?
3. ¿Es la ciudad en la que usted vive tan grande como México, D. F.?
4. ¿Sabía usted que iba a haber tanto trabajo en esta clase?
5. ¿Preferiría usted ir al cine o al teatro más a menudo?
6. ¿Cuál prefiere usted, la ópera o el rock?
7. ¿Hay otras universidades que sean tan buenas como ésta?
8. ¿Cree usted que las iglesias y las sinagogas están perdiendo feligreses?

# GRAMATICA
## *Adverbios y conjunciones*

 **Adverbios**

**1.** El adverbio puede colocarse antes o después del verbo que modifica.

| | |
|---|---|
| Se desesperan muy luego. | *They despair very soon.* |
| A veces buscan refugio en el alcohol. | *Sometimes they seek refuge in alcohol.* |
| A menudo terminan volviendo al campo. | *Often they wind up returning to the country.* |

**2.** Muchos adverbios se componen de la forma femenina de un adjetivo + **-mente: únicamente, fácilmente, lentamente.**

| | |
|---|---|
| Los centros urbanos están deteriorándose lentamente. | *Urban centers are deteriorating slowly.* |

Cuando se emplean juntos dos adverbios de este tipo, se elimina el sufijo del primero.

| | |
|---|---|
| Los locutores de televisión tienen que hablar lenta y claramente. | *Television announcers have to speak clearly and slowly.* |

**3.** Cuando se agrega **-mente** a un adjetivo, éste retiene su acento escrito: **único** → **únicamente; rápido** → **rápidamente.** Nótese que **solo** (sin acento) es un adjetivo; **sólo** (con acento) es un adverbio.

| | |
|---|---|
| Está solo. | *He's alone.* |
| Tengo sólo diez minutos. | *I only have ten minutes.* |

**4.** Un verbo puede servir de enlace entre el subjeto y un adjetivo. En las siguientes oraciones, la palabra que sigue al verbo es un adjetivo que modifica el sujeto; no es un adverbio.

| | |
|---|---|
| Olga anda enojada. | *Olga goes around mad.* |
| Los niños llegaron empapados. | *The kids arrived soaking wet.* |
| Entramos contentas. | *We came in happy.* |
| Escuchaban atónitos. | *They were listening, amazed.* |

---

### PRACTIQUEMOS

**A. Conteste cada pregunta usando el adverbio que está entre paréntesis.**

> **MODELO**   (muy) ¿Hay mucha circulación en esta calle?
> **Sí, es una calle muy transitada. o**
> **No, muy poca gente pasa por aquí.**

1. (poco) ¿Maneja usted mucho por el centro?
2. (así) ¿Cómo dirige el policía la circulación?
3. (siempre) ¿Va usted a los grandes almacenes esta tarde?
4. (puntualmente) ¿Son buenos los trenes españoles?
5. (claramente, fuertemente) ¿Cuáles son algunas características de un político eficaz?
6. (largamente, discretamente) ¿Va usted a explicarle la situación al jefe?
7. (estúpidamente, precipitadamente) ¿Por qué tuvo Juan ese problema?
8. (lentamente, cuidadosamente) ¿Estacionó bien el auto?

**B. Combine los siguientes elementos para formar oraciones. Use la forma correcta del adjetivo o sustitúyalo por el adverbio correspondiente, si es necesario.**

1. campesinos / llegaron / furioso
2. cura / hablar / suave
3. feligreses / rezar / silencioso
4. pájaro / cantar / dulce / árbol
5. peatones / caminar / distraído
6. equipo / ganar / fácil
7. película / ser / absoluto / fantástico
8. yo / simple / querer / decirte / cosa

### Conjunciones distributivas; usos especiales de *si*

1. Las conjunciones distributivas **ya, ora** y **(o) bien** se usan para conectar dos oraciones que expresan condiciones mutuamente exclusivas. Estas conjunciones pueden emplearse con el indicativo o el subjuntivo.

| | |
|---|---|
| Trabajan en el campo, ya haga frío, ya haga calor. | *They work in the fields, no matter whether it's hot or cold.* |
| Ora aparezcan feligreses, ora no, el cura siempre tiene listo su sermón. | *Whether or not the parishoners come, the priest always has his sermon ready.* |
| No se puede contar con el semáforo. (O) bien funciona (o) bien no funciona. | *You can't count on the traffic light. Sometimes it works, sometimes it doesn't.* |

Hoy en día **ora** se usa poco en la conversación.

2. **Si** también puede funcionar como conjunción distributiva. Siempre se emplea con el indicativo.

| | |
|---|---|
| Si encuentran trabajo, se mueren de cansancio; si quedan sin trabajo, se mueren de hambre. | *If they find work, they die of exhaustion; if they're left jobless, they die of hunger.* |

**3. Si** también se emplea para expresar una idea más enfáticamente; a veces corresponde a *why* o *but* en inglés.

| | |
|---|---|
| Si te quiero con toda mi alma. | *But I love you with all my heart.* |
| Si no has hecho nada en todo el día. | *Why, you haven't done a thing all day.* |
| Si lo creo. | *I do believe it.* |

## PRACTIQUEMOS

**A. Diga una oración que signifique lo mismo.**

> MODELO  Si llueve o si hace buen tiempo, voy a ir.
> **Ya llueva, ya haga buen tiempo, voy a ir.**

1. Si el semáforo está en rojo o si está en verde, pasan igual.
2. Si se prohíbe el estacionamiento o si se permite, los choferes dejan sus autos allí.
3. Si van por la carretera o si toman las rutas locales, van a llegar tarde.
4. Los feligreses son impredecibles. A veces van a la iglesia, a veces se quedan en casa.
5. Tampoco se puede contar con el cura. A veces prepara su sermón, a veces viene sin prepararlo.
6. Los peatones están locos. A veces cruzan en la esquina, a veces se pasean entre los autos.

**B. Complete la idea con una oración que empiece con *si*.**

> MODELO  ¿Cómo puedes preguntar si te quiero?
> **Si sabes que te adoro. o**
> **Si sólo te quiero a ti.**

1. ¿Por qué me pides que vaya a la oficina de correos ahora?
2. Estoy segura que he estado en esta aldea antes.
3. ¿Cómo pueden llegar y atravesar la calle?
4. Son las diez de la noche. ¿Cómo se te ocurre ir de compras ahora?
5. ¿Por qué tomaría las calles secundarias?
6. ¿Para qué comprarían una casa en las afueras?

## *Expresiones problemáticas*

**1. ya, ya no, ya que**

**ya** + tiempo pasado = *already, yet*

| | |
|---|---|
| Ya compré estampillas. | *I already bought stamps.* |
| ¿Ya terminaste? | *Did you finish yet?* |

**ya** + tiempo presente = *already, now, really (for emphasis)*

| | |
|---|---|
| ¿Ya están aquí? | *Are they here already?* |
| Ya estamos empezando. | *We're starting now.* |
| Ya me estás enojando. | *You're really making me mad.* |

**ya** + tiempo futuro = *later, soon, sooner or later, really (for emphasis)*

| | |
|---|---|
| Ya vendrán. | *They'll be here soon.* |
| Ya lo haré. | *I'll do it later.* |
| Si no deja de molestar, ya le voy a pegar. | *If he doesn't stop bothering everybody, I'm really going to hit him.* |
| Ya aprenderán. | *Sooner or later they'll learn.* |

**ya** = *okay, yes, fine, sure*

| | |
|---|---|
| —¿Vamos al cine? | *"Shall we go to the movies?"* |
| —Ya. | *"Sure."* |

**ya no** = *any more*

| | |
|---|---|
| ¿Ya no trabajas allí? | *Don't you work there any more?* |

**ya que** = *since, now that*

| | |
|---|---|
| Ya que hay mucha circulación a esta hora, decidimos partir más tarde. | *Since there's so much traffic at this hour, we decided to leave later.* |
| Ya que el semáforo está en verde, podemos pasar. | *Now that the light is green, we can go.* |

## 2. si, sí

**si** = *but, why, really (emphasis)*

| | |
|---|---|
| Si conozco este pueblo. | *Why, I know this town.* |
| Si te digo que no es cierto. | *But I'm telling you that it's not true.* |
| Si esto es absurdo. | *But this is absurd.* |

**si** = *what if, if only*

| | |
|---|---|
| ¡Si fuera verdad! | *What if it were true!* |
| Si pudieran ayudarnos. | *If only they could help us.* |

**por si** = *just in case*

| | |
|---|---|
| Compra más comida por si vienen. | *Buy extra food just in case they come.* |

**sí** = *really, certainly (emphasis)*

| | |
|---|---|
| Yo sí voy a misa. | *I certainly am going to mass.* |
| Ellos sí son españoles. | *They certainly are Spaniards.* |

### 3. y, e; o, u

**y** = *and (except before a word beginning with [i])*

Isabel y Fernando son conocidos como los Reyes Católicos.

*Ferdinand and Isabella are known as the Catholic Kings.*

**e** = *and (before a word beginning with [i])*

Fernando e Isabel son conocidos como los Reyes Católicos.

*Ferdinand and Isabella are known as the Catholic Kings.*

**o** = *or (except before a word beginning with [o])*

¿Es hotel o casa?

*Is it a hotel or a house?*

¿Hay ópera o teatro esta noche?

*Is there opera or theater tonight?*

**u** = *or (before a word beginning with [o])*

¿Es casa u hotel?

*Is it a house or a hotel?*

¿Hay teatro u ópera esta noche?

*Is there theater or opera tonight?*

### 4. casual, casualidad, por casualidad, casualmente, informal, informalmente

**casual** = *accidental, chance*

Fue un encuentro casual.

*It was a chance encounter.*

**casualidad** = *accident, chance, coincidence*

¡Qué casualidad!

*What a coincidence!*

Fue una casualidad que nos viéramos.

*It was an accident that we saw each other.*

**por casualidad, casualmente** = *by chance, happen to*

Si lo ves por casualidad, dile que me llame.

*If you happen to see him, tell him to call me.*

¿Por casualidad tienes estampilla?

*Do you by any chance have a stamp?*

**informal** = *casual*

Es gente informal.

*They're casual people.*

Voy a ponerme un blue jean. Me visto informalmente.

*I'm going to wear blue jeans. I dress casually.*

### 5. actual, actualmente, actualidad, real, verdadero, de veras, de verdad, realmente, verdaderamente

**actual** = *current, present*

El gerente actual es Pedro López.

*The current manager is Pedro López.*

**actualmente** = *presently, currently*

Trabaja actualmente de reportero.

*He's presently working as a reporter.*

**actualidad** = *piece of news;* **actualidades** = *news, current events*

| | |
|---|---|
| Es una actualidad importante. | *It's an important piece of news.* |
| Vamos a escuchar las actualidades. | *We're going to listen to the news.* |

**real, verdadero** = *actual*

| | |
|---|---|
| No es un diamante real. | *It's not an actual diamond.* |
| Es un verdadero héroe. | *He's an actual hero.* |

**realmente, de veras, de verdad, verdaderamente** = *actually*

| | |
|---|---|
| Realmente (verdaderamente) no le creo. | *I don't actually believe her.* |
| ¿Quieres ir de veras? | *Do you actually want to go?* |
| ¿De verdad sacaste una A? | *Did you actually get an A?* |

### 6. ir, venir

**ir** = *go (move away from where the speaker is now);* **venir** = *come, go (move toward where the speaker is now)*

| | |
|---|---|
| —¡Juan, ven acá! | *Juan, come here!* |
| —Voy. | *I'm coming.* |
| —¿Vienes a mi fiesta? | *Are you coming to my party?* |
| —No, no puedo ir. | *No, I can't come.* |

### 7. traer, llevar

**traer** = *bring (toward the speaker);* **llevar** = *bring, take (away from the speaker)*

| | |
|---|---|
| —Tráeme un vaso de agua, por favor. | *Please bring me a glass of water.* |
| —Ya te lo llevo. | *I'll bring it to you right away.* |
| Voy a la fiesta de Olga y voy a llevar el postre. | *I'm going to Olga's party and I'm going to bring dessert.* |

## PRACTIQUEMOS

**A. Escogiendo de las palabras que están entre paréntesis, complete cada oración correctamente.**

1. Nunca se pone un vestido elegante. Prefiere la ropa (casual / informal).

2. La catedral (actual / real) fue construida en las ruinas de la catedral antigua.

3. No es un rubí (actual / real). Sólo es una imitación.

4. ¿Puedes (llevarme / traerme) los boletos ahora?

5. Ya te los (llevo / traigo).

6. —¡Carlos! ¡Esteban! Vengan inmediatamente.—Ya (venimos / vamos), mamá.

**B. Traduzca al español.**

1. I discovered that old cemetery by chance.
2. Are you going with Ana or Olga?
3. We went to see cathedrals and churches.
4. Did you buy the stamps yet? Yes, I already bought them.
5. The play will begin soon.
6. Do you want to walk one more block? Fine.
7. I don't live in the suburbs any more. I live downtown.
8. You are really annoying me, children!
9. I want to watch the news now.
10. Since we have no money, we'll have to stay home.
11. You mean she actually lives on this block? But this is a real coincidence!
12. If only we could get out of this slum.
13. Take the small streets, just in case there's a lot of traffic on the highway.
14. This park certainly is enormous.
15. All my friends are very casual.

# Selección literaria

## LAS EXILIADAS
### Sergio Vodanovic*

*El orden social empieza a cambiar. La antigua clase alta, con sus costumbres y pre-
juicios anticuados, se resiste a adaptarse a las nuevas circunstancias. ¿Qué les
pasará a esos tradicionalistas cuyo mundo caduca y se extingue?*

*Escenario vacío. Al fondo, panorámica.*

   *Después de un instante entra* HORTENSIA, *en silla de
ruedas, empujada por su chofer,* VICTOR. *Más atrás, los
sigue desganadamente°* EMILIA                               sin tener muchas ganas

   HORTENSIA *tiene sobre sesenta años. Viste ropa clara
anticuada. Su rostro está surcado° de arrugas a pesar de la*     furrowed

---

*Sergio Vodanovic nació en Yugoslavia en 1926, pero su familia se trasladó a Chile cuando él era muy
joven. Empezó a escribir para el teatro cuando aún era estudiante de Leyes. En sus primeras obras pre-
domina la farsa, pero pronto Vodanovic, como otros de su generación, comenzó a interesarse por temas
políticos y sociales. *Las exiliadas* es una obra de tesis—es decir, una en que el autor propone una posición ideológica. En este pequeño drama Vodanovic enfoca la evolución de la ciudad, en este caso Viña
del Mar.

Ruby Aránguiz, *Woman at the Beach,* pastel, 32″ × 26″ (photo by Kathleen M. Podolsky).

*gargantilla° de terciopelo negro que usa para estirar su tez.*   short necklace, collar
*Usa audífono. VICTOR es un hombre de su misma edad, con*
*un estereotipado y desvaído° aspecto de servil dignidad. Usa*   dull, spiritless
*un anticuado uniforme, mezcla de viejo cochero y de chofer.*
*EMILIA tiene cuarenta años. Es más bien gruesa, de fac-*
*ciones toscas, de aspecto tenso y hastiado. En ella, especial-*
*mente, debe advertirse que este paseo matinal es parte de*
*una rutina fastidiosa.*

   HORTENSIA: Aquí, Víctor. Aquí. Ya estamos lo sufi-
cientemente lejos. Todos los días son veinte metros más lejos.
Retrocedemos, Víctor, retrocedemos. Cada día ellos se
adueñan de una franja° más de la playa. El viaje es cada día   banda, segmento
5 más largo, pero ahora tenemos auto y no el antiguo coche...
¿Eh, Víctor? ¿Te acuerdas cuando llegaste a la casa para
servir de cochero? *(Para sí en voz débil).* Pasa el tiempo,
pasa el tiempo... *(Se dirige de nuevo a Víctor sin mirarlo).*

Ahora eres chofer y empleado particular°... ¡No había em-
10   pleados particulares en aquel tiempo! ¿Eh? Y estabas mejor, *self-employed*
¿no es cierto? ¡Las leyes sociales! Recuerdo que mi sobrino
León, que era muy astuto y muy dado a la política, decía...
*(Se ríe y recuerda. Luego agrega evocativa).* ¡Era muy inge-
nioso León!... ¡Murió! *(Pausa).* Ya puedes volver al auto,
15   Víctor... vuelve en una hora más.

     *(Víctor se va. Hortensia mira a Emilia, que se ha man-
tenido de pie, inmóvil e indiferente).*

     HORTENSIA: ¿Y tú? ¿Qué haces? ¿Estás esperando que
se vaya Víctor para tomar tu baño de sol? No puedo com-
20   prender cuál es el placer de permanecer tendida una hora
sobre la arena, desnuda, recibiendo sol. En mis tiempos...

     *(Emilia se saca el vestido y queda en traje de baño, un
traje anticuado de busto plano y largo pollerín. Se tiende de
bruces).*

25   HORTENSIA: En mis tiempos, las señoritas iban a la
playa, no a tomar sol, no a bañarse. Claro que a veces lo
hacíamos, pero recatadamente.° Lo importante era conversar, discretamente
hacer vida social. Todos nos conocíamos. Sabíamos quiénes
éramos. La playa era nuestra. Fue en la playa donde conocí a
30   tu padre. Y conversamos, conversamos largamente, hasta
que nos enamoramos... Pero ahora... ¿Quién conversa? Sólo
dan chillidos en el agua o se tienden como tú, impúdica-
mente, a recibir sol. No entiendo, no puedo entender... *(De
pronto Hortensia huele algo. Saca un pañuelo mientras hus-
35   mea ostensiblemente).* ¿Hueles? ¡Pescado podrido! ¡Aquí
nos han tirado! ¡A un botadero de pescados podridos! ¡A
esto han llegado! ¡Y me lo hacen a mí! ¡A mí! Me acuerdo
cuando principiaron a llegar. Tú ni habías nacido. Llegaban
en tren en las mañanas de los domingos y se iban por la
40   tarde. Primero ocuparon una parte distante de la playa.
Nosotros los dejábamos estar. ¡Nos daban risa! Eran tan pin-

torescos. Nos reíamos a costa de ellos: sus trajes, sus modales, la forma como trataban de imitarnos sin conseguirlo. Pero cada domingo llegaban diez más... Yo creo
45 que lo hacían con toda intención. Despacito, despacito, se iban acercando más a nosotros. Cuando fueron muchos, decidimos quedarnos en nuestras casas los domingos. ¡No! No vayas a creer tú que nos pusimos de acuerdo o que hicimos una... una... ¿cómo se llama eso ahora?..., una... ¡una asam-
50 blea! No, nada de eso. Cada uno lo decidió separadamente. Eramos buenos cristianos, esa gente tenía derecho a divertirse por lo menos un día a la semana. Y nosotros debíamos sacrificar el domingo por ellos. Eso fue lo que me dijo tu padre, al menos. ¡Pero yo creo que se equivocó! Había otros
55 sitios donde podían ir. Viña° era de nosotros. ¡De nosotros! *(Dirigiéndose a Emilia).* ¿O no, dices tú? ¡Emilia! ¡Contesta!... Emilia, sé que no estás dormida, sé que me estás oyendo... Contesta... ¿De quién es Viña?

EMILIA *(Sin moverse. Como un cansado eco):* De
60 nosotros.

HORTENSIA: ¿De nosotros? ¿Y por qué si es de nosotros nos han expulsado a este sitio que es un pudridero de pescados? ¿Por qué? ¿Quién lo permitió? ¿Quién? Yo, antes, cuando tu padre vivía, me levantaba de mi cama y veía
65 el mar desde mi ventana. Y de pronto empecé a ver moles de cemento agujereadas° y me empinaba° para un lado y para otro tratando de ver el mar, hasta que un día no hubo ya más mar. Sólo ventanas, ventanas de conventillos° que se elevaban hasta el cielo; cientos de conventillos, miles de ventanas
70 que se iluminaban en las noches, y ahí estaban ellos: gentes, gentes que nadie conocía, que miraban, que reían, que jugaban *(bajando la voz),* que hacían el amor... ¿Te he contado alguna vez lo que vi una noche por una ventana?... ¡Y pensar que tú pudiste verlo! *(Emilia principia a hacer ejercicios*
75 *gimnásticos. Primero suavemente, para ir aumentando en*

Viña del Mar, balneario pintoresco de Chile

**moles...** *masses of concrete with holes (windows) in them leaned*
casas de departamentos donde vive gente pobre

*ritmo y energía gradualmente).* ¡Los culpables son los extranjeros! No debieron dejarlos entrar nunca al país. Turcos, judíos, alemanes, yugoslavos, yanquis... ¡Hasta húngaros! ¡Gitanos! Antes sólo había ingleses. Ellos eran los únicos extranjeros, los únicos que uno veía, al menos... ¡Y eran tan finos! Eran rubios, distinguidos, súbditos del rey: jugaban tenis y hablaban inglés. El inglés de antes, no el de ahora... ¿Te he hablado alguna vez de Mr. Wotherspool?... ¡Mr. Wotherspool! Lo que sucede es que se ha perdido el orgullo. Han dejado que nos invadan. ¡Pero yo no renuncio! ¡No me mezclaré! Moriré como he nacido. *(Recapacitando con súbito pavor. A media voz).* Moriré. Tengo que morirme. Todos se mueren. *(Volviendo a adquirir seguridad).* Llegaré al cielo y le diré a San Pedro: «Aquí vengo yo. He sido una buena cristiana, he cumplido con los mandamientos, tengo todos los sacramentos, vengo a tomar el lugar que me corresponde en el cielo. Allá, en la Tierra, me arrinconaban, me lanzaban a los pudrideros de pescados, pero acá, acá reclamo mis derechos». Y San Pedro me dirá: «Pase, misiaº Hortensia,    señorita
venga, venga a sentarse a la diestra de Dios Padre Todopoderoso; aquí encontrará su lugar, son todos amigos suyos; vea, vea quién está aquí, su señor esposo y sus antiguos vecinos, don Ramón, don Estanislao, la señora Matilde y la señorita Eulalia, que murió virgen»... ¡Ahí quiero ver a esos extranjeros, a esos medios pelos,º a esos rotos!º ¡Ahí los    gente mediocre con pretensiones/ gente de clase baja
quiero ver! ¡En el cielo! *(Queda un momento pensando en su venganza, sonriente y feliz. De pronto, un inquietante pensamiento enturbiaº su expresión).* Emilia... ¡Emilia! ¿Te has    *clouds*
fijado? ¿Cuando vamos a misa? ¿En las mañanas cuando comulgamos?º Ellos también van a misa..., también rezan, también comulgan... ¡Quieren embaucarº a Dios, Emilia! Quieren    *we take communion* / *defraud*
invadir el cielo, como lo hicieron con Viña. Llegarán primero humildes y, después, lentamente, se irán apoderando de todo y nos expulsarán de la diestraº de Dios Padre Todopoderoso.    la mano derecha

110   ¡Emilia! ¡Hay que avisar al señor cura! Que no les permita
entrar a la iglesia, que no les dé los sacramentos, que les im-
pida invadir el cielo. ¡Escúchame, Emilia! He dicho algo
nuevo, algo importante, diferente a lo que digo todas las
mañanas. ¡Escúchame! *(Emilia continúa haciendo enérgica-*
115   *mente ejercicios de gimnasia).* ¡Basta! ¡Basta! *(Lanza contra*
*ella su bastón. Emilia se detiene y mira a su madre).* ¿Para
qué haces ejercicios todas las mañanas?

EMILIA: ¿Quieres saber?

HORTENSIA: No. No quiero saber. Quiero que me
120   oigas. Tengo miedo. Hay que avisar al señor cura...

EMILIA *(Interrumpiendo):* ¿Quieres saber por qué hago
ejercicios todas las mañanas?

HORTENSIA: ¡No! Quiero que me escuches. Hay una
confabulación°, otra confabulación contra nosotros. Se trata...          *conspiracy, plot*
125   EMILIA *(Interrumpiendo nuevamente):* ¿Así que
quieres saber por qué hago ejercicios todas las mañanas?

HORTENSIA: No me importa. Quiero que me escuches.

EMILIA: Te voy a decir por qué hago ejercicios todas
las mañanas.

130   HORTENSIA: No te voy a oír. Tú no me escuchas, yo
tampoco te escucho.

EMILIA: Me has preguntado. Por primera vez, en años,
me has preguntado.

HORTENSIA: ¡Escucha tú! ¡Soy tu madre!

135   EMILIA: Tengo cuarenta años.

HORTENSIA: Eres una vieja. Tienes cuarenta y
cuarenta y cuarenta y cuarenta...

EMILIA: Sí. Cada minuto lo vivo cinco veces. Porque
cada minuto lo dedico a una sola cosa: a esperar.

140   HORTENSIA: No quiero saber qué es lo que esperas. Te
decía que ellos están tratando de embaucar a Dios, de deste-
rrarnos del cielo, igual que...

EMILIA *(Implacable):*° Espero que te mueras.          *relentless*

HORTENSIA: ¡No oigo! *(Se saca el audífono)*. Sin el
145   audífono no puedo oír. Lo sabes perfectamente.

EMILIA: No me importa tu audífono. No me importa
que no oigas. Me has preguntado. Por primera vez me has
preguntado. Me enseñaste de niña que hay que responder a
los mayores. Te contestaré, te contestaré.

150   HORTENSIA: No oigo nada, no oigo nada. Lará, lará
lará lará...

*(Tararea° febrilmente una canción para demostrar que*   *She hums*
*no oye, y este tarareo continuará hasta extinguirse lenta-*
*mente durante el próximo parlamento).*

155   EMILIA: Espero que te mueras. Espero que tú mueras
para poder vivir yo. Sé que no soy capaz de escapar de ti, me
educaste para que fuera un animalito sumiso y lo soy. Pero
todo será diferente cuando tú mueras. Debo conservarme
joven. Tengo que ser perseverante. Ejercicios todos los días,
160   todos los días, para mantener el cuerpo joven. Entonces,
cuando tú te mueras, seré un pichoncito° nuevo y dejaré que   *figurativamente, una*
                                                                *joven*
los hombres metan sus dedos por mi corpiño.° Y lo encon-   *long-line bra, bodice*
trarán aún firme. Tengo que prepararme para cuando tú te
mueras. Para eso hago ejercicios, para eso leo. Suceden cosas
165   impresionantes en el mundo, allá, donde están ellos. Nadie
me despreciará por juntarme a los otros. Cuando tú te mueras
voy a empezar a vivir. ¡A vivir!

*(Fuera de escena se oye el movido ritmo de una canción*
*de moda proveniente de una radio portátil. Emilia oye y mira*
170   *hacia donde viene la música, en temerosa tensión).*

RODOLFO *(Fuera)*: ¡Qué está hediondo° por este lado!   **está...** huele muy mal

CARLOS *(Fuera)*: Creo que por aquí es donde los
pescadores botan los pescados que no pueden vender.

RODOLFO *(Fuera)*: ¡Dónde se te ocurrió venir a
175   mariscar!°   *to fish for shellfish*

EMILIA *(Buscando refugio en su madre)*: ¡Mamá!
¡Mamá! Ahí vienen. Son ellos. Los veraneantes. Tenemos

que irnos de aquí..., rápido. ¡Mamá! *(Advierte que Hortensia está dormida).* ¡No te duermas ahora! ¡No me dejes sola!

180    *(Mira desesperada hacia todos lados, buscando un refugio para el peligro que se avecina. Opta por acostarse sobre la arena con el rostro encendido, fingiendo dormir. Entran Rodolfo y Carlos. Visten trajes de playa. Uno, traje de baño; el otro, blue jeans. Es Rodolfo quien lleva la radio portátil).*

185    RODOLFO: Por aquí no vamos a encontrar nada.

CARLOS *(Reparando en Hortensia):* ¡Mira! ¡Una vieja!

RODOLFO *(Apagando la radio):* ¿Dónde?

CARLOS *(Mostrando a Hortensia):* Ahí.

RODOLFO: ¡Bah! Una vieja vieja.

190    CARLOS: ¿Y qué querías?

RODOLFO: Yo creía que era una vieja pescado...

CARLOS *(Acercándose a Hortensia):* Y en silla de ruedas.

RODOLFO *(Haciendo lo propio):* Está dormida.

195    CARLOS: Y es sorda.

RODOLFO: ¿Cómo lo sabes?

CARLOS *(Tomando el audífono de Hortensia y mostrándoselo a Rodolfo):* Tiene micrófono.

RODOLFO *(Tomando el audífono y hablando por él):*
200    Aló, aló..., probando, probando...

CARLOS: ¡No seas bruto!

RODOLFO *(Reparando en Emilia y golpeando con un codo a Carlos para llamarle la atención):* Mira...

CARLOS: Otra vieja.

205    RODOLFO: ¡Y en traje de baño!

CARLOS *(Paseándose en forma inspectiva alrededor de Emilia):* Y no está tan mal que digamos°...

**no...** *she's not really so bad*

RODOLFO: ¿Será sorda?

CARLOS: No se le ve micrófono.

210    RODOLFO: Probemos. *(Se sienta al lado de Emilia).* Señora... *(Espera reacción y como no la hay, le hace un gesto a Carlos significando que es sorda).*

CARLOS: A lo mejor no es señora...

RODOLFO: Señorita... *(A Carlos)*. Tampoco es señorita.

215 CARLOS: Quién te dice que no es una sirena.°                    *mermaid*

RODOLFO: Sirena encantada podrá ser, porque de lo contrario...

CARLOS: ¡Eso! Una sirena encantada por un mago maléfico que la ha sumido en un sueño eterno en espera que

220 llegue un príncipe que pronuncie las palabras mágicas que le devolverán su hermosura y juventud.

RODOLFO: Yo soy el príncipe que la despertará. *(Se arrodilla junto a Emilia y habla con fingida grandilocuencia).* Princesa, princesa mía, despierta de tu sueño legendario. El

225 momento ha llegado, princesa. No te traigo riquezas, te traigo amor. El mundo está despierto. Hay sol. Sol que hace vivir a las plantas. Hay luna. Luna que hace soñar a los enamorados. No puedes seguir viviendo ajena al sol y a la luna. Es como despreciar a Dios, que nos los ha dado. Despierta, despierta...

230 *(Emilia se incorpora lentamente y mira con dulzura a Rodolfo).*

CARLOS: ¡Mierda!

EMILIA: Perdón, estaba durmiendo.

RODOLFO: Disculpe, señora. No quise despertarla...

235 EMILIA: Señorita.

RODOLFO: Disculpe, señorita...

EMILIA *(Indicando a Hortensia):* Mi mamá.

*(Rodolfo se vuelve hacia Hortensia y viendo que aún duerme, le hace una venia.° Emilia mira a Carlos esperando*     *le... la saluda*

240 *una presentación formal).*

RODOLFO: Carlos, un amigo.

*(Emilia y Carlos se hacen una cortés venia. Emilia se vuelve a Rodolfo).*

EMILIA: Continúe.

245 RODOLFO: ¿Continúo qué?

EMILIA: Usted me estaba hablando... *(Rodolfo la mira extrañado).* Del sol, la luna...

RODOLFO: ¡Ah! ¿Alcanzó a oír? Era una broma, señora..., digo, señorita.

250    *(Una pausa embarazosa).*

EMILIA: Me tiene que excusar. No tengo costumbre de conversar con desconocidos... *(Rectificándose rápidamente).* No, no quise decir eso, no se ofenda. Usted no es un desconocido. Le he presentado a mi madre y usted a su amigo. Yo me

255    llamo Emilia.

RODOLFO: Mi nombre es Rodolfo.

EMILIA: ¿Rodolfo? ¿Igual que el artista?

RODOLFO: ¿Qué artista?

EMILIA: No sé bien. Mi madre me ha hablado de un

260    artista que se llama Rodolfo. Todas las mujeres se vuelven locas por él. Hasta se desmayan en los biógrafos.°          cines

RODOLFO: Yo voy al teatro y no lo conozco.

EMILIA: Al teatro no, al biógrafo. Las fotografías esas que se mueven...

265    RODOLFO: ¿El cine?

EMILIA: Es imposible que no lo conozca. Es famoso. El apellido es Valen... No, no es Valenzuela... ¡Valentino! Eso es...

RODOLFO: ¿Rodolfo Valentino?° Pero ése murió hace          actor de cine italiano muy

270    mucho tiempo.          popular al principio del
          siglo, durante la época
          de las películas mudas

EMILIA: ¿Murió? Lo siento. Lo siento mucho. ¿No le parece que la muerte es terrible, Rodolfo? Yo no quiero morir, no quiero morir todavía. Casi no he nacido aún...

275    CARLOS: Rodolfo..., ¡vamos!

*(Rodolfo se vuelve hacia Carlos y le hace un gesto indicándole que Emilia está medio loca y que quiere divertirse).*

EMILIA: Deseo tan intensamente vivir. Espero día a día

280    el momento de empezar a vivir. ¿Usted vive, no es cierto?

RODOLFO: Sí..., vivo.

EMILIA: ¿Y qué hace? ¡Cuénteme!

RODOLFO: Trabajo... Trabajo en la Grace°... y veraneo... igual que usted.

> compañía de buques de
> vapor inglesa

285   EMILIA *(Con aire de superioridad):* No. Yo no veraneo.
Yo vivo en Viña. ¡Nací en Viña!

*(Carlos se ha alejado para irse y mira inquieto hacia
Rodolfo).*

CARLOS: Rodolfo... ¡Yo me voy!

290   RODOLFO *(Levantándose):* Con permiso..., mi amigo
me llama.

*(Emilia, en ademán súbito y angustiado, estira su brazo
para detener a Rodolfo).*

EMILIA: ¡No! ¡No se vaya! *(Rodolfo la mira atónito.*
295   *Suplicante.)* ¡Quédese!

*(Carlos hace un gesto de fastidio y se va. Rodolfo, resig-
nado, vuelve a sentarse al lado de Emilia).*

EMILIA: ¿Usted conversa?

RODOLFO: ¿Cómo?

300   EMILIA: Si conversa. A mí me gusta tanto conversar.
Siempre converso, pero no con personas.

RODOLFO: ¿Con quién, entonces?

EMILIA: Imagino... Imagino que converso. Ayer imaginé algo nuevo. Estaba en un hotel, en el restaurante de un
305   lujoso hotel. ¿Sabe con quién? ¡Con un pretendiente!° Be-
bíamos champaña. ¿Le gusta el champaña?

> *suitor*

RODOLFO: No sé. Sólo tomo en los matrimonios y en
el Año Nuevo.

EMILIA: ¿Y qué bebe usted en un restaurante de lujo?

310   RODOLFO: Gin con gin.

EMILIA: ¿Qué es eso?

RODOLFO: Gin con..., con gin.

EMILIA: ¡Ah! No lo había leído nunca. En las novelas
siempre toman champaña. Tampoco sé cómo es el champaña.
315   No voy a matrimonios ni a Años Nuevos.

RODOLFO *(Inquieto):* Carlos, mi amigo, me debe estar esperando.

EMILIA: ¡No se vaya! No puede irse.

RODOLFO: ¿Por qué no puedo irme?

320    EMILIA: Usted es el único hombre que me conoce. Víctor no es un hombre. Es un chofer. Usted sabe cosas íntimas de mí. Cosas que nadie sabe.

RODOLFO: ¿Qué cosas?

EMILIA: Que imagino que converso... con preten-
325    dientes. Ni mi madre lo sabe. A ella le parecería mal. Ella no quiere mezclarse.˚ Y yo quiero mezclarme, Rodolfo.     *mingle* Aprovechemos mientras ella duerme.

RODOLFO *(Malicioso):* ¿Así que quiere mezclarse?

EMILIA: Sí. No sé cómo se hace. Tengo poco tiempo.
330    Ella aún no se ha muerto. Duerme solamente.

RODOLFO: Bien...

*(Pone su mano en la rodilla de Emilia. Ella reacciona de inmediato, apartándose en actitud de repulsión y de temor).*

RODOLFO: ¿No quería mezclarse?

335    *(Emilia se recupera con esfuerzo y se acerca lentamente a Rodolfo, le toma la mano y la coloca sobre su rodilla. Cierra los ojos).*

EMILIA: Es difícil acostumbrarse.

RODOLFO: Solamente le he tomado la rodilla.

340    EMILIA: Calle..., deje sentir..., sentirlo bien. Quiero poder recordarlo.

*(Un momento de silencio, en el que Rodolfo mira a Emilia entre divertido y temeroso. Entra Carlos, que trae un pescado muerto tomado de la cola con gesto de repulsión. Le*
345    *hace señas a Rodolfo).*

EMILIA *(Con los ojos aún cerrados):* Rodolfo..., béseme...

RODOLFO: ¿En la boca?

EMILIA: En la boca.

350 *(Carlos se acerca a Rodolfo y le pasa el pescado.*
*Rodolfo pone la boca del pescado en la boca de Emilia,*
*primero suavemente y luego lo refriega.° Emilia se convul-*        **lo...** *moves it around*
*siona° sensualmente. Al verla, Carlos y Rodolfo prorrumpen*        *trembles, shakes*
*en carcajadas y hacen mutis° riendo. Emilia, desconcertada,*        **hacen...** *they exit*
355 *abre los ojos aún sin comprender. Ve el pescado y lo observa*
*un instante, para reaccionar violentamente botándolo con*
*asco. Se levanta y se dirige hacia Hortensia. Se sienta a los*
*pies de ella).*

EMILIA: Vamos, mamá. Vamos. Tenemos que irnos.
360 Alejarnos más aún. También este pedazo de playa lo han in-
vadido ellos. Más allá, estaremos solas. Quiero que me
cuentes cómo era antes Viña. Nunca te he oído cuando me
hablabas de Mr. Wotherspool y ahora quiero oírte. No voy a
hacer más gimnasia, mamá. Es inútil, ¿sabes? No se puede
365 principiar a vivir de repente. Hay que principiar poco a poco.
Y tú no has querido que yo lo haga, mamá, porque tú quieres
a tu niña, no quieres que ella sufra. Ahora comprendo. Somos
diferentes. No debemos mezclarnos. No podemos hacerlo.
Escúchame, mamá. ¡Despierta!

370 *(La remece° suavemente. La mano de Hortensia cae y se*        *rocks*
*balancea° sin vida. Emilia la mira extrañada. Detiene la*        *swings*
*mano y luego la hace balancearse).*

EMILIA: ¿Te fuiste ya? ¿Terminó tu espera? ¿Estás sen-
tada a la diestra de Dios Padre Todopoderoso? ¿Encontraste,
375 al fin, tu lugar? ¿Dejaste de ser una exiliada? *(Se levanta y la*
*mira fríamente).* Yo también esperaré, mamá. Igual que tú.
En tu silla. *(Entra Víctor).*

VICTOR: Las doce, señorita Emilia. Hora del regreso.

EMILIA *(Indicando a Hortensia):* Está muerta. *(Víctor,*
380 *imperturbable, se saca la gorra).* Tómala. *(Víctor toma en*
*brazos a Hortensia).*

EMILIA *(Indicando el lugar por donde se fue Rodolfo):*
¡Allá! ¡Allá está el botadero de pescados podridos! *(Víctor*
*sale en esa dirección, cargando el cadáver de Hortensia.*
385    *Emilia, sola, recoge el pescado con gran delicadeza y, luego,*
*se sienta en la silla adoptando la misma postura de Horten-*
*sia, levanta el pescado hasta ponerlo muy próximo a su*
*cara).*

EMILIA: Así es... como yo sé que es... un beso.
390    *(Y, con triste ternura, besa al pescado para, luego, cual*
*si fuera un niño, aprisionarlo contra su pecho).*

## PREGUNTAS

1. ¿Dónde tiene lugar la acción? Describa la escena.
2. ¿De qué se queja Hortensia? ¿Cómo trata a su hija?
3. ¿Cómo era la playa antes? ¿Cómo ha cambiado?
4. ¿Quiénes son los culpables, según Hortensia? ¿Qué dice de los ingleses?
5. ¿De qué cree que hay que advertir al cura?
6. Describa la confrontación entre Emilia y su madre.
7. ¿Qué tipo de personas son Rodolfo y Carlos? ¿Cómo reacciona Emilia al ver que se acercan?
8. ¿Cómo se burlan de Emilia mientras ésta finge dormir? ¿Qué hace Emilia cuando finalmente abre los ojos?
9. ¿Qué sueños y esperanzas menciona? ¿Qué detalles indican que Emilia está viviendo en otra época?
10. ¿Qué le pide a Rodolfo que haga? ¿Qué broma le hace éste?
11. ¿Cómo reacciona Emilia cuando se da cuenta? ¿Qué le ha pasado a Hortensia mientras tanto?
12. ¿Qué hace Emilia entonces?

## ANALISIS

1. Describa la relación que existe entre Hortensia y Emilia.
2. ¿Cuál es el rol de Víctor? ¿Qué cree usted que Víctor siente por las dos mujeres?
3. Compare el mundo de éstas con el de Rodolfo y Carlos.
4. ¿Por qué les tiene Emilia miedo a Rodolfo y a Carlos cuando llegan a la playa?
5. Compare la actitud de Emilia con la de su madre hacia los cambios sociales.

6. Si Emilia ha hecho un esfuerzo por mantenerse joven física y psicológicamente, ¿por qué no puede adaptarse al mundo moderno que representan los dos muchachos?

7. ¿Qué simboliza la muerte de Hortensia? ¿Por qué la reemplaza Emilia al fin de la obra?

8. ¿Cuál es el mensaje de Vodanovic? ¿Cree que el antiguo orden social va a adaptarse al nuevo o va a extinguirse? ¿Por qué?

# Composición

## COMPARACION Y CONTRASTE

La comparación y el contraste son útiles para la exposición, la definición y descripción o la argumentación.

Cuando se presenta información sobre un tema o una cosa, se puede aclarar los conceptos al hacer comparaciones con algo que le es familiar al lector. Por ejemplo, si usted escribe sobre la urbanización en Latinoamérica, puede señalar las semejanzas y diferencias que existen entre las ciudades latinoamericanas y las norteamericanas: «Mientras que en las ciudades norteamericanas las barriadas se encuentran en el centro de la ciudad, en Latinoamérica se aglomeran poblaciones pobres en las periferias de las zonas urbanas». O «Aunque hay grandes diferencias entre las metrópolis latinoamericanas y las norteamericanas, la soledad y la enajenación son características de los habitantes de ambas». También se puede comparar la situación actual con la anterior. «Hoy en día más del 50 por ciento de la población vive en zonas metropolitanas, mientras que en 1970 sólo un 25 por ciento habitaba en ciudades». La comparación y el contraste sirven para sacar a relucir cierta información: «Alaska ha dado una gran importancia a la educación pública. De hecho, en Alaska se gastan unos $9000 por estudiante al año. En comparación, en Misisipí se gastan menos de $3000». También se puede comparar y contrastar dos cosas completamente diferentes: «El campo tanto como la ciudad ofrece ciertas ventajas».

La comparación y el contraste son útiles para la definición y la descripción porque permiten que se pinten las características de un objeto o de una persona de una manera más vívida. La metáfora y el símil son especialmente apropiados para la descripción: «Mi tía Eulalia es una mujer poco atractiva. Se parece un poco a un lagarto». O «El chilacayote es una planta prácticamente desconocida en los Estados Unidos. Su fruto se parece a ciertos tipos de calabaza y como la calabaza, es de carne fibrosa».

La comparación y el contraste sirven en la argumentación para sacar a relucir datos importantes de una manera más dramática: «Es urgente que se reforme nuestro sistema médico. En 1980 un día en un hospital costaba $127. Sólo diez años después costaba unos $250».

Supongamos que usted va a escribir una exposición sobre la urbanización en Latinoamérica usando la comparación y el contraste como método. Podría organizar su composición de la siguiente manera:

**Introducción:**    Todos los años miles de campesinos van a la ciudad en busca de una vida mejor. El resultado es que las ciudades latinoamericanas están creciendo tan rápido que las autoridades municipales apenas pueden atender a las necesidades de los recién llegados, a pesar de lo cual los migrantes siguen llegando.

**Párrafo 2:**    La ciudad ofrece más oportunidades económicas que el campo.

1. mayor variedad de trabajos
2. mejores sueldos
3. más beneficios sociales

**Párrafo 3:**    La ciudad ofrece más oportunidades educativas que el campo.

1. escuelas (primarias, secundarias, técnicas)
2. libros y periódicos
3. cines y teatros
4. museos y salas de exposición

**Párrafo 4:**    El campo también ofrece ciertas ventajas.

1. familia y amigos
2. tranquilidad (menos crimen, menos ruido)
3. alimentos frescos y sanos
4. más espacio, menos promiscuidad *(crowding, closeness)*

**Conclusión**    Resumen de las ideas principales y conclusión del autor. (Como se trata de una exposición, usted no tiene que ofrecer un juicio sobre la superioridad de un estilo de vida o el otro. Puede presentar una evaluación de los datos, un pronóstico para el futuro o una observación general.)

### ANTES DE ESCRIBIR

1. Escoja un tema que se preste a la comparación y el contraste.
2. Decida si su composición será una exposición, una descripción o una argumentación.

3. Decida qué tipo de comparación o contraste va a hacer usted. (¿Va a comparar una situación actual con una que existía en el pasado? ¿Va a comparar la situación que existe en una parte del mundo con la que existe en otra? ¿Va a comparar dos objetos?)

4. Haga una lista de diferencias y semejanzas.

5. Decida qué detalles mencionará usted para reforzar sus comparaciones y contrastes.

6. Organice su composición; haga un esquema apuntando los datos importantes dentro de la categoría apropiada.

## DESPUES DE ESCRIBIR

1. Examine su introducción. ¿Queda clara su tesis?

2. Examine las comparaciones y los contrastes que ha hecho. ¿Sirven para desarrollar su tema? ¿Ayudan a subrayar datos importantes? ¿a crear descripciones más vívidas o argumentos más dinámicos?

3. Examine los detalles y datos que ha incluido. ¿Refuerzan las comparaciones y los contrastes?

4. Examine su conclusión. ¿Es lógica? ¿Es clara?

# EJERCICIOS DE COMPOSICION

1. Escriba una composición sobre la urbanización en Latinoamérica usando la comparación y el contraste para sacar a relucir los problemas más importantes. Por ejemplo, puede comparar la ciudad moderna con la de antes, la ciudad latinoamericana con la norteamericana o la ciudad y el campo.

2. Describa algún lugar, objeto o persona mediante la comparación y el contraste.

3. Compare el mundo que representan Hortensia y Emilia con el que representan Rodolfo y Carlos en *Las exiliadas*.

4. Compare la actitud de Hortensia ante la modernidad con la de Emilia.

5. Defienda uno de los siguientes puntos de vista usando la comparación y el contraste para presentar sus argumentos de una manera más dramática y convincente.

   a. Necesitamos mejorar la calidad de educación en nuestras escuelas públicas.

   b. Es esencial que pongamos más escuelas técnicas para crear una fuerza laboral más capacitada.

   c. Necesitamos controlar la migración a la ciudad para evitar el deterioro de nuestros centros urbanos.

   d. Es urgente que reformemos nuestro sistema médico.

   e. Debemos invertir más dinero en la exploración del espacio.

# Glosario

The following vocabulary contains words and phrases found in this book, with the exception of cognates. Verb stem alternations are indicated in parentheses, but irregular forms are not.

**a:** to, at, in; – **través (de):** across; through
**abajo:** below
**abandonar:** to quit, drop out (of school), leave, abandon
**abanico:** fan, fan-shaped
**abarrotado (de):** filled, bursting (with), stuffed full (of)
**abeja:** bee
**abogado, -a:** lawyer
**abolir:** to abolish
**aborto:** abortion
**abrazar:** to hug, embrace
**abrelatas *(m sing):* – automático:** electric can opener
**abrigo:** coat
**abrir:** to open
**abrochar:** to fasten
**abstenerse (de):** to abstain (from)
**abstraerse:** to distract oneself
**abuelo, -a:** grandfather, grandmother
**aburrirse:** to get bored
**acabar (de):** to finish; – **por:** to wind up by; – **con:** to put an end to
**acaecimiento:** event, happening
**acaparar:** to monopolize
**acariciar:** to caress
**acarrear:** to carry, transport
**acaso:** perhaps, maybe, by chance
**acatar:** to respect
**acechar:** to watch stealthily, spy on
**aceite *(m):* oil**
**acelerador *(m):* accelerator, gas pedal**
**acera:** sidewalk, pavement
**acerca de:** about
**acercarse (a):** to approach
**acertijo:** riddle, puzzle
**aciago:** ill-fated, fateful
**acierto:** success, sensible choice, good idea
**aclarar:** to clarify
**acoger:** to welcome
**acogida:** welcome
**acolchonado:** padded

**acomodado:** well-off (financially)
**acomodarse:** to settle down, get comfortable
**acompañar:** to accompany
**acompasado:** rhythmic
**acongojar:** to be distressed
**aconsejable:** advisable
**aconsejar:** to advise
**acontecimiento:** event, occurrence
**acordarse (ue) (de):** to remember
**acosar:** to plague
**acoso sexual:** sexual harassment
**acostarse (ue):** to lie down, go to bed
**acostumbrarse (a):** to be accustomed to
**acotar:** to choose, to check, verify, remark
**actitud *(f):* attitude**
**actual:** current, present
**actualidad:** piece of news, current event; – **es *(pl):* news**
**acudir (a):** to come, call on, have recourse to
**acuerdo:** decision, agreement, accord
**acurrucar:** to crouch
**acusado:** defendant
**acusar:** to acknowledge (receipt), reveal
**acuse *(m):* acknowledgement of receipt**
**achaque *(m):* ailment, infirmity, weakness**
**achicar:** to make smaller
**adelanto:** advance, progress
**adelgazar:** to become thin
**ademán *(m):* gesture, attitude**
**además de:** besides
**aderezo:** dressing, seasoning
**adinerado:** rich, affluent, wealthy
**aditamiento:** addition
**adivinar:** to guess
**adjudicar:** to award
**adjuntar:** to enclose
**admitir:** to allow
**adolorido:** afflicted, sore
**adormecer (zc):** to grow drowsy; –**se:** to fall asleep, get drowsy
**adorno:** decoration
**adquirir (ie, i):** to acquire, obtain
**adrede:** on purpose
**adueñarse (de):** to seize, take possession (of)
**adusto:** gloomy, severe
**advenimiento:** arrival, coming
**advertir (ie, i):** to notice, observe, advise, warn
**aeromozo (a):** flight attendant

**afán** *(m):* eagerness
**afanoso:** industrious
**afecto:** affection
**afeitarse:** to shave
**afiebrarse:** to have a fever
**afinado:** finely tuned
**afinar:** to tune
**afines:** related fields
**afuera:** outside
**afueras** *(pl):* outskirts
**agachar:** to lower; **–se** to bend down
**agarrar:** to grab, seize, catch, hold
**agasajar:** to entertain
**agente** *(m, f)* **de viajes:** travel agent
**aglomerar:** to heap, crowd, throng
**agobiar:** to weigh down
**agotar:** to use up, exhaust
**agraciado:** lucky
**agradar:** to please
**agradecer (zc):** to thank for, be grateful for
**agrandar:** to enlarge, make larger
**agravarse:** to worsen, get worse
**agregar:** to add
**agrícola:** agricultural
**agrura:** sourness, acidity
**agua:** water; **– corriente:** running water
**aguacate** *(m):* avocado
**aguantar:** to stand, put up with (something, someone)
**aguardar:** to wait, wait for, hold on to
**aguardiente** *(m):* spirits, firewater
**aguja:** needle
**agujero:** hole
**ahogarse:** to drown
**ahora:** now; **– bien:** now then, well now, but, however; **– que:** now that
**ahorrar:** to save, avoid
**ahorro:** savings
**ahuyentar:** to scare away
**airoso:** graceful
**aislado:** isolated, solitary
**ajedrecístico:** of chess players
**ajedrez** *(m):* chess
**ajetrear:** to wear out
**ají** *(m):* chili pepper
**ajo:** garlic; **– picado:** chopped garlic
**ala:** wing
**alabanza:** praise
**alambre** *(m):* wire
**alarde** *(m):* show, display; **hacer – de:** to make a show of
**alargar:** to lengthen
**alarmante:** alarming

**alba:** dawn, break of day
**albacora:** albacore, swordfish
**albañil** *(m):* mason, bricklayer
**albaricoque** *(m):* apricot *(Spain)*
**alberca:** pool
**albergar:** to shelter, lodge
**alborotarse:** to get excited
**alcachofa:** artichoke
**alcalde, -esa:** mayor
**alcance** *(m):* reach, extent
**alcanzar:** to reach; **(a):** succeed in, manage to
**alcoba:** bedroom
**aldea:** hamlet, village
**alegar:** to argue, dispute *(Latin America),* allege
**alegrarse (de):** to be glad, be happy (that)
**alejarse:** to go away
**alemán, -ana:** German
**alero:** eaves
**aletear:** to flutter
**alféizar** *(m):* windowsill
**alfombra:** rug, carpet
**alfombrilla:** throw rug; carpet
**alhaja:** jewel
**alimento:** food
**aliño:** dressing, seasoning
**aliviar:** to relieve
**alma:** soul, person, heart
**almacén** *(m):* department store, storehouse
**almeja:** clam
**almendra:** almond
**almíbar** *(m):* syrup
**almohada:** pillow
**almorzar (ue):** to (have) lunch
**almuerzo:** lunch
**alojarse:** to stay, lodge
**alquilar:** to rent
**alquiler** *(m):* rent
**alrededor de:** around
**alto:** tall
**altoparlante** *(m):* loud-speaker
**altura: a estas –s:** at this point, at this stage
**alzar:** to raise; **–se:** to get up
**allá:** there; **más – de:** beyond
**ama de casa:** housewife
**amaestrar:** to tame
**amainar:** to diminish
**amanecer (zc):** to dawn; *(m)* dawn
**amante** *(m, f):* lover
**amarrado:** tied
**amarrar:** to tie up
**amasar:** to mold, knead, mix
**amasijo:** medley, hodgepodge

**ambiente** *(m):* environment, atmosphere
**ambigüedad** *(f):* ambiguity
**ámbito:** circuit, area, field
**amenaza:** threat
**amenazar (con):** to threaten (to)
**amistad** *(f):* friend; friendship
**amistoso:** friendly
**amortiguador** *(m):* shock absorber
**amortiguar:** to muffle
**ampliar:** to extend, widen
**amplio:** wide, large
**analfabeto:** illiterate
**ananás** *(m):* pineapple
**anciano:** elderly
**ancho:** wide
**andar:** to walk (around), go, move
**andén** *(m):* platform
**andurrial** *(m):* out-of-the-way place
**anfibio:** amphibian
**anfitrión, -ona:** host, hostess
**angosto:** narrow
**anhelar:** to long for
**anillo:** ring; – **de alianza:** engagement, wedding ring; – **de matrimonio:** wedding ring
**animadversión** *(f):* ill will
**animal de juguete** *(m):* stuffed animal
**ánimo: estado de –:** spirits, mood
**animosamente:** excitedly
**aniquilar:** to annihilate, to destroy
**anoche:** last night
**anochecer (zc):** to grow dark, *(m)* nightfall
**anonadado:** overwhelmed
**anonimato:** anonymity
**anorac** *(m):* anorak (waterproof coat with a hood)
**ante:** before, in the presence of
**antemano: de –:** beforehand
**antena:** antenna
**anteojos** *(pl):* glasses
**anterior:** former, previous
**antes (de) (que):** before
**antesala:** waiting room
**anticoncepción** *(f):* birth control
**anticuado:** outdated, antiquated
**antipático:** disagreeable, nasty
**antojarse:** to fancy, to crave
**anuario:** yearbook
**anudar:** to resume, knot
**anuncio:** announcement, advertisement; – **clasificado:** classified ad; – **de propaganda:** advertisement; – **comercial:** commercial
**añadir:** to add

**año:** year; **tener 18 –s:** to be 18 years old
**apaciguar:** to calm down
**apagar:** to shut off
**aparato:** apparatus, appliance
**aparcamiento:** parking
**aparecer (zc):** to appear
**aparición** *(f):* appearance
**apartado:** post office box
**apartarse:** to remove
**aparte de:** besides
**apellido:** last name
**apenas:** scarcely, hardly, as soon as
**apersonar:** to appear
**apestar:** to infest, stink
**apiñado:** packed, pressed together
**apio:** celery
**aplastar:** to crush
**apodo:** nickname
**aportar:** to contribute, bring
**apostado:** stationed
**apoyar:** to support; –**se:** to lean on, be supported by
**apoyo:** support
**apreciar:** to appreciate, esteem
**aprender:** to learn
**aprendiz** *(m, f):* apprentice
**apresurado:** hurried
**apresurarse:** to be quick to
**apretado:** clasped, tight, squeezed in
**apretar (ie):** to squeeze, tighten
**aprobar (ue):** to approve, pass
**aprovechar(se) (de):** to take advantage (of), benefit (from)
**aproximarse:** to approach
**apuesto:** good-looking, handsome
**apuntar:** to aim
**apunte** *(m):* note, memorandum
**apurado:** hard-pressed, harassed
**apurar:** to hurry, hasten; –**se:** hurry up; –**se por:** to worry about
**apuro:** predicament, difficulty
**aquí:** here
**araña:** spider
**arañar:** to scratch
**árbitro:** referee
**árbol** *(m):* tree
**arbusto:** bush
**arca:** coffer, strongbox
**arcilla:** clay
**archivar:** to file
**archivero:** file cabinet
**archivo:** file
**arena:** sand, ring (arena)
**arete** *(m):* earring

**argolla:** wedding ring
**arma:** – **de fuego:** firearm
**armar:** to set up
**armario:** closet
**armazón** *(f):* frame, structure
**aro:** ring, hoop, earring
**arpillera:** burlap
**arquero:** goalie
**arquitecto, -a:** architect
**arquitectura:** architecture
**arrabal** *(m):* suburb, slum
**arraigar:** to become rooted
**arrancar:** to pull out, start up
**arrasado:** destroyed
**arrastrar:** to drag
**arrebatar:** to snatch
**arrebato:** fit, rage, rapture
**arreglar:** to fix, arrange
**arreglo:** arrangement
**arrendar:** to rent, lease, lct
**arrepentido:** sorry, repentant, regretful
**arrepentirse (ie, i) (de):** to be sorry for,
    repent
**arriba:** above, up
**arribada:** arrival
**arriesgarse (a):** to risk
**arrinconar:** to put into a corner, shelve
**arroba:** Spanish weight of about 11 ½ kg
    (about 25 ½ lbs.)
**arrojar:** to throw (an object)
**arropar:** to wrap up, tuck in; –**se:** to
    cover oneself, wrap oneself up
**arroyo:** brook
**arroz** *(m):* rice
**arruga:** wrinkle
**arveja:** pea *(Latin America)*
**asalto:** assault
**asamblea:** assembly
**asar:** to roast, grill
**ascenso:** promotion
**ascensor** *(m):* elevator
**asegurar:** to assure; –**se:** to assure oneself
**aseo:** house cleaning
**asequible:** accessible
**asesinar:** to murder
**asesinato:** murder
**así (que):** thus, like that, in that manner
**asiento:** seat
**asignatura:** subject (in school)
**asimismo:** likewise
**asistir (a):** to attend
**asno:** ass
**asomarse:** to peek out
**asombro:** surprise

**aspiradora:** vacuum cleaner
**aspirante** *(m, f):* aspirant, candidate
**aspirar:** to breathe
**astutamente:** craftily
**asunto:** matter, topic, affair, subject; –**s**
    **extranjeros:** foreign affairs
**asustar:** to frighten
**atacar:** to attack
**atar:** to tie, fasten, bind
**atardecer (zc):** to grow late (in the
    afternoon); *(m)* late afternoon
**atarraya:** casting net
**atasco:** traffic jam
**ataviado:** decked out
**atender (ie) (a):** to treat (a patient), take
    care of, tend
**atenuar:** to attenuate, diminish, tone down
**aterido:** stiff with cold
**aterrador:** terrifying, dreadful
**aterrizar:** to land
**aterrorizar:** to terrify
**atesorar:** to treasure, hoard up, possess
**atestado:** full, overflowing
**atestiguar:** to testify to, attest
**ático:** attic
**atinado:** appropriate
**atinar:** to hit upon the mark, guess right
**atisbar:** to peep, spy, observe
**atleta** *(m, f):* athlete
**atole** *(m):* corn-flour gruel
**atolondrar:** to daze
**atónito:** amazed, flabbergasted
**atraco:** hold-up, mugging
**atraer:** to attract
**atrapar:** to catch, capture
**atraque** *(m):* mooring place, berth
**atrasado:** behind
**atrasar:** to delay, postpone; –**se:** to be late
**atraso:** delay, lateness
**atravesar (ie):** to cross
**atrever:** –**se (a):** to dare to
**atril** *(m):* lectern
**atroz:** atrocious
**atún** *(m):* tuna
**audaz:** audacious, bold
**audífono:** hearing aid, headphone
**augurar:** to predict
**aula:** classroom
**aumentar:** to increase
**aumento:** increase, raise
**aun:** even, still; – **si:** even if; – **cuando:**
    even when
**aún:** yet, as yet, still
**aunque:** although, even though

**auricular** *(m)*: telephone receiver, earpiece
**ausencia:** absence
**auto:** car
**autobús** *(m)*: bus
**avaricia:** greed
**ave** *(f)*: bird
**avecinarse:** to approach, be coming
**avenimiento:** agreement, coming to terms
**avería:** damage
**averiguar:** to find out, ascertain
**avión** *(m)*: airplane; – **de hélice:** propeller
　plane
**avisar:** to warn, let somebody know, advise
**aviso:** notice, information, warning
**ayer:** yesterday
**ayudar (a):** to help, assist
**ayuntamiento:** town or city hall
**azafata:** female flight attendant
**azahar** *(m)*: citrus flower
**azar** *(m)*: chance
**azotar:** to whip, flog
**azúcar** *(m, f)*: sugar
**azucarero:** sugar bowl
**azul:** blue

**babear:** to slobber, drool
**bacalao:** codfish
**bachillerato:** secondary school, degree
　baccalaureate, bachelor's degree
**bahía:** bay
**baja:** reduction
**bajar:** to lower, go down, downstairs;
　–**se:** to get out of, off of (car, bus)
**bajo:** under, below
**balancearse:** to rock, swing, sway
**balanza:** balance, scale
**balar:** to bleat
**balbucear:** to babble
**balde: no estar de –:** to be useful, not to
　be in vain
**balneario:** bathing resort
**balón: – volea** *(m)*: volleyball
**baloncesto:** basketball
**balonmano:** handball
**balumba:** mess, mass of many things
　thrown together
**banalidad** *(f)*: banality
**banana:** green banana
**banco:** pew, bench, bank
**bandeja:** tray
**bandera:** flag
**banderillero:** banderillero (bullfighter who
　sticks the **banderillas** into the bull)

**banqueta:** bench; – **del piano:** piano
　bench
**bañar:** to bathe; –**se:** to take a bath,
　bathe
**bañera:** bathtub
**baño:** bath, bathroom; – **María:** double
　boiler
**bar** *(m)*: bar, café
**barato:** inexpensive, cheap
**barba:** beard
**barco:** boat; –**de vela:** sailboat
**barrer:** to sweep
**barriada:** slum
**barrio:** neighborhood; – **comercial:**
　business district
**barro:** clay, mud
**barrote** *(m)*: bar
**base** *(f)*: base
**básquetbol** *(m)*: basketball
**basta:** stitch, stitching, basting
**bastante:** *(adj)* enough, sufficient; *(adv)*
　enough, pretty, rather
**bastar:** to suffice, be enough
**bastón** *(m)*: cane
**basura:** garbage
**basurero:** wastebasket
**bata:** robe
**batalla:** battle
**bate** *(m)*: bat
**bateador, -a:** batter (in baseball)
**batidora:** beater, whisk, blender
**batir:** to beat, blend
**batracio:** reptile, cold-blooded animal
**baúl** *(m)*: trunk
**bautizo:** baptism
**bebé** *(m)*: baby
**beber:** to drink; –**se:** to drink (all) up
**bebida:** drink
**beca:** scholarship, grant
**becerro:** calf, young bull
**béisbol** *(m)*: baseball
**belleza:** beauty
**bellota:** acorn
**bendecir (i):** to bless
**berrear:** to low, bawl
**besar:** to kiss
**betarraga:** beet
**biblioteca:** library
**bibliotecario, -a:** librarian
**bien:** well; **no –:** just as soon as
**bienes** *(pl)*: goods
**bienestar** *(m)*: well-being, comfort
**biftec** *(m)*: steak
**bigote** *(m)*: moustache

**billete** *(m):* ticket; – **de ida y vuelta:** round-trip ticket

**billón** *(m):* billion

**bisabuelo, -a:** great-grandparent, great-grandfather, great-grandmother

**blanco:** target

**blando:** soft, malleable

**bloc** *(m):* – **de papel:** block, pad of paper

**blusa:** blouse

**boca:** mouth

**bocado:** mouthful

**bocina:** (car) horn, claxon

**bocha:** billiard ball

**boda:** wedding

**bodega:** cellar

**bogateño, -a:** native or inhabitant of Bogota, Colombia

**boicotear:** to boycott

**boicoteo:** boycott

**boletero:** conductor

**boletín** *(m):* bulletin; – **metorológico:** weather report

**bolígrafo:** ballpoint pen

**bolsa:** purse, stock exchange

**bolsillo:** pocket

**bombero:** firefighter

**bombón** *(m):* bonbon, candy

**bonachón, -ona:** good-natured

**bondad** *(f):* goodness, kindness

**bonete** *(m):* cap that clerics use

**bonito:** pretty

**borbollón** *(m):* a –es: hastily, tumultuously

**bordado:** *(m)* piece of embroidery; *(adj)* embroidered

**bordar:** to embroider

**borde** *(m):* edge, side

**borracho:** drunk, intoxicated

**borrador:** *(m):* eraser

**borrar:** to erase

**borravino:** scarlet

**borrico:** ass, donkey

**borrón** *(m):* blotch

**borroso:** tenuous, blurred

**bosque** *(m):* wood, forest

**bota:** boot

**botar:** to throw away

**botella:** bottle

**botón** *(m):* button, knob

**botones** *(sing):* bellhop

**bóveda:** vault, dome, cave

**boxeador, -a:** boxer

**boxear:** to box

**boxeo:** boxing

**bozo:** upper lip; down on upper lip

**bragas:** panties

**bramar:** to low, moo

**brasero:** hearth

**brazalete** *(m):* bracelet

**brazo:** arm

**brincar:** to leap, jump

**brindar:** to toast, offer

**bróculi** *(m):* broccoli

**broche** *(m):* clasp, fastener, hook and eye, brooch; – **de presión:** snap

**broma:** joke, jest, prank

**bruces:** de –: face down, flat on one's face

**brújula:** compass

**budín** *(m):* pudding, cake

**buey** *(m):* ox, steer

**bufanda:** scarf

**bufete** *(m):* lawyer's office

**bullir:** to boil

**buque** *(m):* ship; – **de vapor:** steamship

**burdo:** coarse, clumsy

**burla:** mockery

**burlarse (de):** to mock, make fun of

**burlón, -ona:** mocking

**burro:** donkey

**buscar:** to look for, search for; **buscárselas:** to ask for it, have it coming

**buzo:** sweatsuit, sleeper (for baby)

**cabal:** exact, full, complete

**caballo:** horse

**cabecera:** headboard (of a bed)

**cabello:** hair (of the human head)

**caber:** to fit

**cabeza:** head

**cabida:** space, room, capacity

**cabildeo:** scheming, plotting

**cabina:** bathhouse, cabin; – **telefónica:** telephone booth

**cabizbajo:** with bowed head, crestfallen

**cablevisión** *(f):* cable television

**cabo:** end; **al _ de:** at the end of

**cabro:** goat

**cacahuete** *(m):* peanut

**cacerola:** casserole, saucepan

**cacique** *(m):* chief (of an Indian tribe), warlord, strong man, political boss

**cachorro:** puppy, cub

**cada:** each; – **vez:** each, every time

**cadena:** chain, network

**caducar:** to outlive its usefulness, to expire

**caer:** to fall; _se (en):_ to fall down (into); **caérsele la baba:** to drool

**café** *(m):* coffee, café; – **instantáneo:** instant coffee

**cafetera:** coffee pot

**caimán** *(m):* alligator, cayman

**caja:** box, checkout

**cajero, -a:** cashier

**cajón** *(m):* drawer

**calabaza:** squash

**calamina:** calamine

**cálculo:** calculation, estimate, figure

**caldera:** cauldron, kettle

**caldo:** broth, bouillon, gravy

**calefacción** *(f):* heating

**calentamiento:** warming

**calidad** *(f):* quality

**cálido:** hot, burning

**calificación** *(f):* grade

**calificar:** to grade

**caluroso:** warm

**calzado:** footwear

**calzón** *(m):* – **de baño:** swimming trunks

**calzones:** trousers, shorts, bathing trunks, underpants

**callampa:** slum

**callarse:** to be quiet

**calle** *(f):* street; – **principal:** main street

**calleja:** alley

**cama:** bed; – **doble:** double bed; – **matrimonial:** double bed

**cámara:** house, chamber; – **alta:** upper house; – **de Representantes:** House of Representatives; _ **baja:** lower house; – **de los Diputados:** Chamber of Deputies; – **de los Comunes:** House of Commons; – **de los Lores:** House of Lords

**camarero, -a:** waiter, waitress; – **principal:** head waiter, waitress; – **de habitación:** hotel maid

**camarón** *(m):* shrimp *(Latin America)*

**cambiar:** to change; – **se de ropa:** to change clothes

**cambio:** change; – **automático:** automatic shift; – **manual:** stick shift

**camión** *(m):* truck, bus *(Mexico)*

**camioneta:** station wagon

**camisa:** shirt; – **de dormir:** nightshirt, nightgown

**camiseta:** t-shirt

**campana:** bell

**campeonato:** championship

**campesino, -a:** rustic, peasant

**camping** *(m):* campground

**campo:** country, countryside; – **de fútbol:** soccer field

**canal** *(m):* channel, canal

**canalla:** scoundrel, rascal

**canasta:** basket

**canciller** *(m):* chancellor

**cancha:** – **de tenis:** tennis court; – **de fútbol:** soccer field

**canela:** cinnamon

**canoa:** canoe

**cansado:** tired

**cansancio:** fatigue, weariness

**cansarse:** to grow tired

**canturrear:** to hum

**capa:** – **de ozono:** ozone layer

**capaz:** able, competent

**capital** *(f):* capital city (of a place); *(m)* capital, money; *(adj)* deadly, mortal, important

**capitolio:** capitol

**capó** *(m):* hood (of a car)

**capota:** hood

**cara:** face

**carabela:** caravel

**¡caramba!:** *(interj)* darn it! goodness!

**caramelo:** candy

**¡caray!:** darn it! goodness!

**carbón** *(m):* coal, charcoal

**carcajada:** burst of laughter, guffaw

**cárcel** *(f):* jail, prison

**carecer** **(zc)** **(de):** to lack

**carente:** lacking

**cargamento:** shipment

**cargar:** to charge, carry

**caricatura:** comics

**carillón** *(m):* bell tower

**cariño:** affection, fondness

**cariz** *(m):* look

**carne** *(f):* meat, flesh; – **molida:** ground meat

**carnero:** sheep, mutton

**carnicería:** butcher's shop

**carnicero:** butcher

**caro:** expensive

**carpeta:** portfolio, folder, file

**carrera:** course of study, profession, race

**carreta:** buggy, cart, carriage

**carretera:** highway

**carretilla:** wheelbarrow

**carro:** car

**carro de capota plegable:** convertible

**carrocería:** body (of a car)

**carroza:** float (in processions)

**carta:** letter, menu
**cartapacio:** satchel, notebook, briefcase
**cartel** *(m):* poster, placard, sign
**cartera:** purse, bag; – **de mano:** pocketbook, wallet, purse; – **de documentos:** briefcase
**cartón** *(m):* cardboard, pasteboard
**casa:** house; – **para dos familias:** duplex
**casadero:** of a marriageable age
**casado:** married
**casamiento:** wedding, marriage
**casarse (con):** to marry, get married (to)
**cáscara:** rind, peel; – **de limón:** lemon rind
**caseta de baño:** bathhouse, restroom
**casi:** almost
**casilla:** mailbox
**casillero del correo:** mailbox
**casta:** caste, race, stock, breed
**castigar:** to punish, chastise
**castigo:** punishment, penalty
**castillo:** castle
**casual:** accidental, chance
**casualidad:** accident, chance, coincidence; **por –:** by chance, accidentally
**catedral** *(f):* cathedral
**catedrático, -a:** university professor
**catequizar:** to catechize
**catre** *(m):* cot, light bed, mattress
**caudal** *(m):* wealth, plenty, abundance
**causa: a – de:** because of
**causar:** to cause
**cauteloso:** cautious
**cavar:** to dig
**cavilar:** to meditate
**cazar:** to hunt
**cebar:** to fatten, feed, prepare
**cebolla:** onion
**cebra:** zebra
**cédula:** charter, royal order
**cegar (ie):** to blind
**celeridad:** celerity, quickness
**cena:** supper
**cenar:** to have supper, dine
**ceniza:** ash
**centavo:** cent
**centella:** spark, flash
**centrista** *(m, f):* centrist
**centro:** center, downtown
**cepillo:** brush
**cera:** wax
**cerca (de):** near
**cercano:** near
**cerdo:** pig, pork; **manos de _:** pig's feet

**cereza:** cherry
**cerrar (ie):** to close
**cerveza:** beer
**cesar (de):** to stop, cease
**césped** *(m):* grass, lawn, sod
**cesta:** basket, hamper
**cestería:** basketmaking, basketwork
**cetrino:** greenish-yellow; melancholy
**ciclismo:** bicycling
**cidra:** cider
**cielo:** sky; – **raso:** ceiling
**cien:** hundred
**ciencia:** science; **a – cierta:** for certain, for a fact
**cierre** *(m):* – **relámpago:** zipper
**cierrecler** *(m):* zipper
**cierto:** certain
**cifra:** (numerical) figure
**cima:** mountain
**cinc** *(m):* movie theatre
**cinta:** tape
**cintura:** waist
**cinturón** *(m):* belt
**cinturón de seguridad** *(m):* seat belt
**cíper** *(m):* zipper
**circulación** *(f):* traffic, movement of vehicles
**circundar:** to surround
**ciruela:** plum
**cita:** appointment, engagement, date
**ciudad** *(f):* city
**ciudadano, -a:** citizen
**claustro:** cloister, ~~faculty~~
**cláusula:** clause
**clausurar:** to close (a meeting, etc.)
**clavar:** to nail; to dive *(Mexico)*
**clave** *(f):* key (to a puzzle, etc.)
**clavo:** nail
**cliente** *(m, f):* customer, client; **clienta:** female customer
**clítico:** clitic
**clip sujetapapeles** *(m):* paper clip
**club nocturno** *(m):* nightclub
**cobija:** cover
**cobrar:** to charge (money)
**cocer (ue):** to cook, boil
**cocido:** stew
**cocina:** stove, range, kitchen, cuisine, cooking; – **de gas:** gas stove; – **eléctrica:** electric stove
**cocinar:** to cook (food), do the cooking; – **al horno:** to bake in the oven
**cocinero, -a:** cook
**coco:** coconut

cocodrilo: crocodile

coche (m): car, – descapotable: convertible; – cama: sleeping car

cochero: coachman, carriage driver

cochino: pig, hog

codificarse: to codify, establish oneself

coger: to take (a taxi, bus), catch, seize

cohete (m): rocket, firecracker

cohibir: to restrain, inhibit

col (f): cabbage

cola: tail; hacer –: to wait in line

colador (m): strainer, colander

colarse: to slip into

colcha: quilt; bedspread

colchón (m): mattress

colega (m, f): colleague

colegial, -a: school child

colegio: school

colgador (m): hanger

colgante: hanging

colgar (ue): to hang (up)

coliflor (f): cauliflower

colina: hill

colmo: para –: on top of everything; es el –: that's the last straw

colocar: to place, set

colombófilo: pigeon fancier

columna: column

columpio: swing

collar (m): necklace

collera: cuff link

comadre (f): friend, godmother of child (with relation to parent)

comadrona: midwife

comal (m): flat earthenware cooking pan (Mexico)

comarcano: neighboring

combinación (f): full slip

comedia piadosa: white lie

comedor (m): dining room

comenzar (ie): to begin

comer: to eat; –se: to eat (all) up

comerciante (m, f): business person

comercio: commerce, business

comida: meal, food

comitiva: procession, accompaniment

cómoda: dresser

comodidad (f): comfort

compadecerse (zc) (de): to feel sorry (for)

compadre (m): friend, godfather of one's child (with respect to parents)

compañero, -a: companion, mate, associate; –de trabajo: work associate; –de cuarto: roommate

compartimiento: compartment; –de no fumadores; non-smoking compartment

compartir: to share

compás (m): rhythm, beat

complejo: complex

complemento: object

comportarse: to behave, act

comprador, -a: customer

comprar: to buy

comprobar (ue): to corroborate

comprometer: to expose, discredit; –se: to become engaged

compromiso: obligation, commitment, undertaking

computación (f): computer sciences

computador, -a: computer

comulgar: to take Holy Communion

común: common; – y corriente: ordinary

con tal (de) que: provided that

concluir (y): to conclude

concordar (ue): to agree

concurrido: frequented

concurrir: to meet

concha: shell, conch

condenar (a): to condemn (to)

condición: condition, nature; –es: condition, terms, circumstances; a de que: as long as

condimento: condiment, seasoning

condiscípulo: classmate

conducir (zc): to lead to, drive

conejo: rabbit

confabulación (f): conspiracy, plot

conferencia: lecture

confianza: trust

confiar (í): to trust

confitura: comfit, jam

conformarse (con): to be content to, resign oneself to

confundir: to confuse

congelador: freezer

congreso: conference, congress

conjunto: band

conjurado, -a: conspirator

conocer (zc): to know, meet

conocido, -a: acquaintance; (adj) well-known

conocimiento: knowledge

conseguir (i, i): to get, obtain, attain, succeed in

consentir (ie, i) (en): to consent (to)

conservador, -a: conservative

consignar: to assign

**consiguiente: por —:** therefore
**consistir (en):** to consist of
**consolar (ue):** to console
**consomé** *(m):* broth; soup
**constar (de):** to consist (of), be composed (of)
**consultorio:** clinic, doctor's office
**contabilidad** *(f):* accounting
**contaminación** *(f):* pollution
**contar (ue):** to tell (about), to count; **— con:** to count on, intend to
**contener (ie):** to contain
**contenido:** content, contents
**contentarse (con):** to be satisfied (to)
**contestar:** to answer
**contestón (ona):** who talks back
**continuar (ú):** to continue
**contra:** against
**contradecir (i):** to contradict
**contraer:** to contract, to get (a disease): **— matrimonio:** to get married
**contratar:** to hire
**controlador (a):** comptroller, auditor
**contundente:** substantial, conclusive, convincing
**convencer:** to convince
**convenio:** agreement
**convenir (ie):** to be advisable; **— en:** to agree to
**conventillo:** tenement building
**convidar (a):** to invite to
**convocarse:** to convene
**cónyuge** *(m, f):* spouse
**copa:** top (of a tree), wine glass
**coralino:** coral, red
**corazón** *(m):* heart
**corbata:** necktie
**corchete** *(m):* hook, hook-and-eye
**corcho:** cork
**cordero:** lamb
**cordillera:** mountain range
**cordón** *(m):* cord, string, lace
**corista:** chorus girl
**corona:** crown
**corpiño:** long-line bra, bodice
**corre-corre** *(m):* running around, hustle bustle
**corredor:** hallway
**corredor, -a: (de la bolsa):** stockbroker
**corregir (i, i):** to correct
**correo:** mail
**correr:** to run; **— con:** to be responsible for
**corresponsal** *(m, f):* correspondent
**corrida de toros:** bullfight

**cortar:** to cut
**corte:** *(f)* court; *(m)* cut
**cortejo:** courtship, wooing
**Cortes:** Spanish Parliament
**cortina:** curtain
**cosa:** thing
**cosecha:** crop, harvest
**cosechar:** to harvest, reap, gather
**coser:** to sew
**costa:** coast
**costura:** sewing
**costurera:** seamstress
**cotidiano:** daily, everyday
**crecer (zc):** to grow
**creces: con —:** amply, fully
**creciente:** increasing, growing
**crecimiento:** growth
**credulidad** *(f):* gullibility
**creer:** to believe, think
**crema:** cream
**cremallera:** zipper
**cremera:** creamer
**crepúsculo:** twilight, dusk
**criada:** maid
**criar (í):** to rear, raise, bring up
**crimen** *(m):* crime
**crisálida:** chrysalis, cocoon, pupa
**cronista** *(m, f):* columnist; **— deportivo:** sports columnist
**crujía:** corridor, passage
**crujir:** to crackle, crunch, creak
**cruzar:** to cross (a street)
**cuaderno:** notebook
**cuadra:** (city) block
**cuadrado:** square
**cuadrilátero:** (sports) ring
**cuadro:** picture, painting, (baseball) diamond
**cuajar:** to coagulate, set
**cualquiera:** any (old); whatever, whichever; ordinary, common
**cuando:** when; **¿cuándo?:** when?
**cuanto: en — a:** as for; **— antes:** as soon as possible
**cuánto:** however much; **¿cuánto?:** ¿how much?
**cuarto:** room, bedroom, fourth; **— de lavar:** laundry room; **— de recreo:** recreation room
**cubero:** cooper
**cubículo:** cubicle
**cubierto:** place setting; covered
**cubrir:** to cover
**cuchara:** spoon; **— de té:** teaspoon; **— de sopa:** tablespoon

cucharada: spoonful
cuchillo: knife
cuello: neck, collar
cuenta: account, bill, check, calculation;
   por su –: on his, her, their own
cuento: story
cuerdo: sane
cuerno: horn (of an animal)
cuero: leather
cuerpo: body; – de agua: body of water
cuestión (f): question, matter
cueva: cave
cuidado: care
cuidadosamente: carefully
cuidar: to tend, to take care of; –se de: to
   be careful to, of
culebra: snake
culpa: blame
culpable: guilty
culpar: to blame
culto: educated, cultured
cumpleaños (m sing): birthday
cumplir: to accomplish, fulfill
cuñado, -a: brother/sister-in-law
cúpula: dome
cura (m): priest, (f) cure
curarse: to get well
curiosear: to pry
cursar: to study
curtido: tanned, weather-beaten
cuyo: whose
chal (m): shawl
chaleco: vest
champaña (m): champagne
chancho: pig, hog
chandal (m): sweatshirt
chapado a la antigua: old-fashioned
chaparro: short (Mexico)
chapurrear: to speak with difficulty
chaqueta: jacket
charanga: military orchestra
charca: puddle
charlar: to chat
charolar: to varnish
charro (a): peasant from Salamanca;
   Mexican cowboy
chasquido: cracking noise, snap
checo: Czech
chícaro: pea (Latin America)
chicozapote (m): sapodilla plum tree
chichonera: bonnet, cap
chilacayote (m): a variety of squash
chillar: to squeak, squeal, whine
chillón, -ona: noisy, loud

chino: Chinese, curly
chirriar: to screech, squeal
chisme (m): piece of gossip
chispa: spark
chiste (m): joke; el – es: the trick is to
chistoso: witty, funny
chivo: goat
chocar: to collide, crash, shock
choclo: corn (Andean region)
chofer (m): chauffeur, driver
chompa: sweater
chongo: chignon, bun (Mexico); joke, jest
chorizo: Spanish sausage
choza: hut, cabin, hovel, shanty
chuleta de cordero: lambchop
chupar: to suck
churro: cruller (kind of long, twisted
   doughnut)
chutar: to shoot

dádiva: gift, present
dado: block, square, die (used in gaming)
dama: lady
damasco: apricot (Latin America)
danés, -esa: Danish
dañino: harmful
dar: to give; – a: to face; – a luz: to give
   birth; – un codazo: to elbow; – una
   coz: to kick, buck (said of animals); –
   una patada: to kick (a person or
   object); – un puntapié: to kick (a
   person or object); – la vuelta: to turn
   around, complete a circle; – con: to run
   across, hit upon (an idea); – por hecho:
   to take for granted; – por sentado: to
   take for granted; – rabia: to make
   angry; –se cuenta (de): to realize; –
   motivo a: to give reason to; –se prisa:
   to hurry up
dátil (m): date (fruit)
dato: fact
de: – allí en adelante: from now on;
   – cuclillas: squatting; – golpe: all of a
   sudden; – habla francesa: French-
   speaking; – hecho: in fact; – modo de,
   – manera que: so that; – puntillas: on
   tiptoe; – repente: all of a sudden;
   – todos modos: anyway; – veras: truly
debajo: under; – de: underneath
deber (de): must, should, ought to, owe,
   probably be; –se a: to be due to
debido a: due to
débil: weak
debilidad (f): weakness

década: decade
decano: dean
decidirse (a): to decide (to)
décimo: tenth
decimocuarto: fourteenth
decimonoveno: nineteenth
decimoctavo: eighteenth
decimoquinto: fifteenth
decimoséptimo: seventeenth
decimosexto: sixteenth
decimotercero: thirteenth
decimotercio: thirteenth
decir (i): to say, tell; – para sí: to say to
  oneself; – entre sí: to say to oneself
decimonono: nineteenth
decretar: to decree
decreto: decree
dedal (m): thimble
dedicarse (a): to devote oneself (to)
defensa: defense; – izquierdo: left back
  (soccer); – derecho: right back (soccer)
dejar: to leave behind, to let (permit);
  – de: to stop, cease (doing something)
dejo: touch
delantal (m): apron
delante de: in front of
delantera: front, forward line
delantero: forward (soccer)
delatar: to give away, denounce
deletreo: spelling lesson
delgado: thin, slender, slim
delincuente (m, f): delinquent
demasiado: too many, much
democracia: democracy
demoledor, -a: demolishing, destructive
demorarse: to be delayed; – en: to delay
  in
demostrar (ue): to show, demonstrate
denodado: bold
dentro: inside; – de: inside of
departamento: apartment, department
depender (de): to depend (on)
dependiente, -a: clerk, salesperson
deporte (m): sport
deportivo: pertaining to sports
derecha: right (direction)
derechista (m, f): right-winger
derecho: law, right; –s humanos: human
  rights
derretir (i, i): to melt
derribar: to tear down
derrota: defeat, downfall
derrotista (m, f): defeatist
derruir (y): to pull down (a building), ruin

derrumbar: to collapse, topple
desafío: challenge
desagradar: to displease, offend
desagrado: displeasure
desagüe (m): sewer, gutter
desahogarse: to relieve oneself
desanimado: discouraged, downhearted
desarraigo: uprooting (of people)
desarrollar: to develop
desarrollo: development
desatender (ie): to shirk
desayunarse: to breakfast
desayuno: breakfast
desazón (m): uneasiness
desbarajuste (m): disorder, confusion
desbaratar: to destroy
desbordar: to run over, exude
descalzo: barefoot
descampado: open
descansar: to rest
descanso: rest, break, recess
descifrar: to uncover
descompuesto: out of order, broken
desconfiar (í) (de): to distrust
descortés: impolite, rude
describir: to describe
descuidado: careless
descuido: carelessness; al –: off-handedly
desde: since, – que: since; – luego: of
  course
desear: to want, to desire
desembocar (en): to end (at), lead (to)
desempeñar: to play, act out, fill (a role)
desempleo: unemployment
desencadenar: to release, unleash
deseo: wish
desesperar: to despair
desfilar: to march past, parade
desfile (m): parade
desgastarse: to wear away (by erosion),
  wear out
deshacer: to destroy, undo
deshecho: (m) waste; (adj) very upset,
  ruined
deshora: off schedule
desierto: desert
deslindar: to fix the boundaries or limits
  of
deslizarse: to slide, slip
deslustrar: to tarnish, dull
desmayarse: to faint, pass out
desmoronarse: to crumble, disintegrate,
  fall to pieces
desnivel (m): imbalance

**desocupado:** vacant, free
**desolado:** desolate
**desorden** *(m):* disorder
**despacio:** slow
**despachar:** to get rid of
**despacho:** office
**despedida:** farewell, leave-taking, good-bye, firing
**despedir (i, i):** to fire, dismiss (an employee), give off; **_se (de):** to say good-bye (to), take leave (of)
**despensa:** pantry
**desperdiciar:** to waste
**desperdicio:** waste, remains, garbage
**despertar (ie):** to awaken; **_se:** to wake up
**despierto:** awake
**desplazarse:** to move
**desplegar (ie):** to unfold
**despojarse (de):** to give up, divest oneself of
**despojos:** leavings, scraps, garbage
**desposeer:** to dispossess
**desprecio:** scorn, contempt
**desprender:** to remove, come loose
**desprestigiar:** to discredit
**después (de) (que):** after
**desquitarse (de):** to get even
**destacarse:** to stand out
**destello:** sparkle, flash
**desterrar (ie):** to exile, banish
**destinatario:** addressee
**destreza:** skill
**desvaído:** dull, spiritless
**desván** *(m):* garret, loft, attic
**desvelado:** awake
**desventaja:** disadvantage
**detallado:** detailed
**detalle** *(m):* detail
**detener (ie):** to stop; **_se a:** to stop to
**detrás (de):** behind
**deuda:** debt
**devastar:** to destroy
**devolver (ue):** to return
**diablo:** devil
**diamante** *(m):* diamond
**diariero:** paperboy
**diario:** *(m)* daily newspaper; *(adj)* daily
**dibujante** *(m, f):* draftsman, draftswoman
**dictador, -a:** dictator
**dictadura:** dictatorship
**dicha:** happiness, good luck
**diente** *(m):* tooth
**diestra:** right hand
**diestro** *(adj):* right (hand), skillful

**difundir:** to spread
**digno:** worthy
**diluir (y):** to dilute, dissolve
**dinero:** money
**dirección** *(f):* address; direction
**dirigir:** to direct, instruct, address; **_se a:** to address
**disculparse (de, por):** to apologize (for)
**discurso:** speech
**diseñador, -a:** designer
**disfrutar (de):** to enjoy
**disfrute** *(m):* enjoyment
**disimulo:** dissimulation, disguising
**disminuir (y):** to decrease
**disponer:** to make use of
**disponible:** available
**dispuesto (a):** ready, willing (to)
**distar (de):** to be far from
**disyuntiva:** alternative
**diurno:** daily
**diván** *(m):* couch
**divertido:** fun, amusing
**divertir (ie, i):** to amuse; **_se:** to have a good time
**divisa:** emblem
**divisar:** to perceive at a distance, sight
**divorciarse:** to get divorced
**doblar:** to turn, fold
**docena:** dozen
**docente:** teaching
**doler (ue):** to hurt
**dolor:** **_ de cabeza** *(m):* headache
**dolorido:** painful
**domar:** to tame
**dominio:** domain, control
**donde:** where; **¿dónde?:** where?
**dorar:** to brown
**dormir (ue, u):** to sleep; **_se:** to fall asleep
**dormitorio:** bedroom
**dotado:** gifted, apt
**dotar:** to bestow
**dramaturgo:** dramatist, playwright
**drenaje** *(m):* drainage
**driblar:** to dribble
**droga:** drug; drugs
**drogadicto:** drug addict
**ducha:** shower
**ducharse:** to shower
**duda:** doubt
**dudar (de):** to doubt
**duende** *(m):* **historia de _es:** fairy tale
**dueño:** owner
**dulce** *(m):* candy, sweet

**dulzura:** sweetness
**duodécimo:** twelfth
**duradero:** lasting
**durante:** during, for
**durar:** to last
**durazno:** peach *(Latin America)*
**duro:** hard

**echar:** to throw, to throw away; **– una carta:** to mail a letter; **– una mano:** to help out; **– un vistazo:** to take a glance; **– de menos:** to miss; **– por tierra:** to destroy; **–se a:** to start to (do something)
**ecología:** ecology
**economía:** economy
**edad** *(f):* age
**edificio:** building
**eficaz:** effective
**efluvio:** emanation
**ejecutivo:** executive
**ejemplo:** example; **por –:** for example
**ejercicio:** exercise
**ejército:** army
**ejote** *(m):* green (string) bean *(Mexico)*
**electricista** *(m, f):* electrician
**elegir (i, i):** to choose, elect
**elevador** *(m):* elevator
**elote** *(m):* ear of corn *(Mexico)*
**embarrar:** to mess up
**embaucar:** to deceive, defraud
**embelesado:** delighted
**embotellamiento:** bottleneck
**embrollar:** to ensnare
**embrollo:** tangle, mess
**emocionado:** excited
**empalizada:** palisade, stockade
**empantanar:** to flood, mess up
**empapar:** to soak, drench
**empaque:** mien, appearance, boldness
**empaquetar:** to package
**emparentado:** related
**empate** *(m):* tie (in score)
**empellón** *(m):* push
**empeñarse (en):** to try hard to, insist on, strive to
**empeorar:** to worsen
**empezar (ie):** to begin; **– por:** to begin by
**empinado:** towering
**empinar:** to stand up, set straight; **–se:** to lean
**empleada:** maid
**empleado:** employee; **–s domésticos:** domestic help

**emplear:** to use, employ
**empleo:** employment, work, job
**empotrar:** to embed, build in
**empresa:** firm, company, business
**empujar:** to push, shove
**empujón** *(m):* push, shove
**en: – las aras:** for the sake; **– caso (de) que:** in the event that; **– cuanto:** as soon as; **– pos de:** after; **– punto:** on the dot; **– vez de:** instead of; **– vías de:** in route to, on the way to
**enagua:** slip; **– completa:** full slip
**enamorado:** sweetheart, lover
**enamorarse (de):** to fall in love (with)
**encabezamiento:** heading
**encabezar:** to head
**encabritar al prójimo:** to drive a guy crazy
**encaje** *(m):* lace
**encantar:** to charm; **me encanta:** I love it
**encaramarse:** to hoist onself, climb
**encarcelar:** to jail
**encargado de la recepción:** receptionist
**encargarse (de):** to take charge (of)
**encariñarse (de, con):** to become fond (of)
**encender (ie):** to turn on, to light
**encerrar (ie):** to enclose
**encima (de):** on top (of)
**encogerse de hombros:** to shrug
**encomienda:** plot of land owned by a Spaniard and worked by Indians; errand
**encontrar (ue):** to find; **–se con:** to run across, meet
**encuadernar:** to bind (a book)
**encuadrar:** to frame
**encuesta:** survey
**enchufar:** to plug in
**enchufe** *(m):* plug, electrical outlet
**enderezar:** to set upright
**enfadarse:** to become irritated, annoyed
**enfático:** emphatic
**enfermarse:** to get sick
**enfermo:** sick
**enfocar:** to focus on
**enfoque** *(m):* focus
**enfrentarse:** to confront, face
**enfriar (í):** to cool off
**engalanar:** to adorn, bedeck
**engallarse:** to be arrogant, hold up one's head
**enganchar:** to hook
**engordar:** to gain weight, get fat

**engrapadora:** stapler
**engrapar:** to staple
**enjuagar:** to rinse
**enjuto:** lean
**enlatado:** canned
**enlazar:** to join
**enlodado:** muddy
**enlutado:** in mourning
**enojar:** to anger; –se: to get angry
**enojoso:** annoying, bothersome
**enredar:** to get mixed up
**enrejado:** iron railing, grating, bars
**enriquecer (zc):** to enrich
**enroscarse:** to coil, twist itself
**ensalada:** salad
**ensanchar:** to widen, broaden, enlarge
**ensayo:** essay, paper; **tubo de –:** test tube
**enseñar (a):** to teach, show
**ensimismado:** deep in thought
**ensordecedor:** deafening
**entablar:** to start, form
**entender (ie):** to understand
**enterarse (de):** to find out about
**entidad** *(f):* entity
**entierro:** funeral, burial
**entonces:** then
**entornado:** ajar
**entorpecer (zc):** to make sluggish, awkward
**entrada:** entrance, entree
**entrante:** next
**entrar (en, a):** to enter (in, into)
**entre:** between, among
**entregar:** to hand in, turn in
**entrelazado:** intertwined
**entremés** *(m):* hors d'oeuvre
**entrenador, -a:** coach, trainer
**entrenar:** to train; –se: to entertain oneself
**entretenerse (ie):** to entertain oneself
**entrever:** to foresee, be able to make out, catch a glimpse of
**entrevista:** interview
**entrevistado:** interviewee
**entrevistar:** to interview
**enturbiar:** to cloud, confuse, muddle
**entusiasta:** enthusiastic
**enviar (í) (a):** to send (to)
**enviudado:** widowed
**envoltorio:** wrapper, cover
**envolver (ue):** to wrap
**equipo:** team, equipment
**equitación** *(f):* horseback riding
**equivocación** *(f):* mistake
**equivocado:** mistaken, wrong

**equivocarse:** to make a mistake, be mistaken
**erguido:** erect, straight
**escabullirse:** to slip away
**escalera:** stairs; – **mecánica:** escalator
**escalofrío:** shiver
**escaño:** bench with a back
**escaparate** *(m):* shop window, glass case
**escarbar:** to scratch, clean out, pick
**escasez** *(f):* scarcity, lack
**escaso:** limited, few, scarce
**escenario:** stage, setting
**esclavitud** *(f):* slavery, enslavement
**escoba:** broom
**escobeta:** brush (for cleaning)
**escoger:** to choose, select
**escolar:** schoolchild, pupil; *(adj)* pertaining to school
**esconder:** to hide
**escote** *(m):* low neckline
**escritorio:** desk
**escuchar:** to listen
**escudo:** coat of arms
**escudriñar:** to scrutinize
**escueto:** simple, unadorned
**escurrirse:** to slip (out), drain
**esfera:** sphere
**esfuerzo:** effort
**esfumar:** to tone down, soften
**eslovaco:** Slovak
**esmero:** care
**eso:** that; **a – de las cinco:** at about five o'clock; **por –:** therefore
**espada:** sword; **entre la – y la pared:** between a rock and a hard place
**espagueti** *(m):* spaghetti
**espalda:** back; – **de la montaña:** mountainside
**espantar:** to scare, to frighten
**espárragos:** asparagus
**especia:** spice
**especie** *(f):* type, sort, kind
**espectador, -a:** spectator
**espejo:** mirror
**esperanza:** hope
**esperar:** to wait (for), to hope; –se: to wait a minute
**espeso:** thick
**espetar:** to run through, skewer
**espinacas** *(pl):* spinach
**espiritista** *(m, f):* spiritualist
**esponjado:** spongy
**esposo, -a:** husband, wife
**espuma:** foam

**espumoso:** foamy
**esquela mortuoria:** obituary notice
**esquema** *(m):* outline
**esquí** *(m):* skiing
**esquiador, -a:** skier
**esquiar (í):** to ski
**esquina:** corner
**esquivo:** elusive
**establecer (zc):** to establish
**estaca:** stake, stick
**estación** *( f ):* station, season
**estacionamiento:** parking
**estacionar:** to park
**estadía:** stay, sojourn
**estado:** state; – **de sitio:** state of siege; –
   **civil:** marital status
**estallar:** to explode
**estampilla:** stamp
**estancia:** room
**estandarte** *(m):* banner
**estanque** *(m):* tank
**estante** *(m):* shelf, shelving, bookcase
**estaño:** tin
**estar:** to be; – **de atraso:** to be behind; –
   **en sí:** to be in one's right mind; – **sobre**
   **sí:** to be on one's guard, control oneself
**este** *(m):* east
**estéreo:** stereo
**estibador** *(m):* stevedore
**estimar:** to estimate
**estiramiento:** stretching
**estirar:** to stretch (out)
**estofado:** stew
**estrellar:** to shatter
**estremecer (zc):** to tremble
**estrujar:** to crush
**estudiantado:** student body
**estudiante** *(m, f ):* student
**estudio:** study
**etapa:** stage (of development)
**evitar:** to avoid
**excelso:** lofty, sublime
**excepto:** except
**excluir (y):** to exclude
**excusado:** toilet
**exigencia:** demand
**exigente:** demanding
**exigir:** to demand
**éxito:** success
**expectativa:** expectation
**explicar:** to explain
**explotar:** to exploit; to explode
**exposición** *( f ):* exhibit
**extinguirse:** to die out

**extranjero:** foreigner; *(adj)* foreign
**extrañar:** to miss; –**se de:** to think it
   strange that
**extrañeza:** strangeness, astonishment,
   wonder, surprise
**extraño:** stranger; *(adj)* strange
**extrarradio:** outskirts
**extraviado:** lost, misplaced
**extraviarse:** to get lost, lose one's way
**extravío:** loss, error

**fábrica:** factory
**fácil:** easy
**factura:** invoice, bill
**facultad** *( f ):* division of a university
**faja:** girdle
**falaz:** false
**falda:** lap, skirt; – **de pliegues:** pleated
   skirt; – **tubo:** straight skirt
**faltar:** to be lacking, be absent from
**falla:** fault, flaw
**familia:** family
**familiar** *(m, f ):* relative *(adj.)* family
**fantasma** *(m):* ghost
**farmacéutico:** druggist, pharmacist
**farmacia:** pharmacy
**faro:** lighthouse
**farol** *(m):* street lamp, lamp post
**fascinante:** fascinating
**fastidioso:** bothersome
**favor:** a – de: in favor of; por –: please
**fecha:** date
**fehaciente:** reliable
**felicitaciones:** congratulations
**felicitar (por):** to congratulate (on)
**feligrés, -esa:** parishioner
**fenecer (zc):** to pass away, die
**feo:** ugly
**feria:** fair
**ferrocarril** *(m):* railroad
**festejo:** celebration
**fiarse (í) (de):** to trust
**ficha:** filing card
**fichero:** card index, filing cabinet
**fidelidad** *( f ):* loyalty
**fideo:** noodle
**fiebre** *( f ):* fever
**fijarse (en):** to notice
**filatelista** *(m, f ):* stamp collector
**filosofía:** philosophy
**fin:** end; a – de: in order to; a – de que:
   so that; a –es de: at the end of (time
   period); al – y al cabo: after all, finally

**financiero:** financial
**finanzas:** finances
**finca:** farm
**fingir:** to pretend
**firma:** signature
**firmar:** to sign
**física:** physics
**flácido:** flabby
**flan** *(m):* custard
**flanera:** flan mold
**flojo:** weak
**florero:** flower vase
**fluir (y):** to flow
**foca:** seal
**foco:** light
**fofo:** soft, plump
**fogón** *(m):* open fire for cooking
**fomentar:** to promote
**fondo:** fund, back, bottom
**forastero:** stranger, foreigner
**forjador, -a:** inventor
**formidable:** great
**fornido:** strong
**fortalecer (zc):** to strengthen
**fortaleza:** strength, fortitude
**fósforo:** match
**fotografía:** photograph, photography; – de prensa: press shot
**fracasar:** to fail
**fracaso:** failure
**frambuesa:** raspberry
**franja:** stripe, band
**frasco:** flask, bottle, vial
**frase** *(f):* sentence
**frazada:** blanket
**fregadero:** kitchen sink
**freír (i, i):** to fry
**fréjol** *(m):* bean *(Ecuador)*
**frenar:** to brake
**frenético:** frantic, harried
**freno:** brake; – de mano: hand brake
**frente a:** opposite
**fresa:** strawberry
**fricción:** rub-down
**frijol** *(m):* bean
**frontera:** border, boundary
**frontón** *(m):* jai-alai
**frutilla:** strawberry *(Southern Cone)*
**fuego: a – lento:** on a slow fire, slowly
**fuente** *(f):* source, fountain, serving dish
**fuera:** outside
**fuerte:** strong
**fuerza:** force; –s armadas: armed forces
**fugarse:** to flee

**fulmíneo:** like a flash, lightning-like
**fumar:** to smoke
**funcionar:** to work
**funcionario, -a:** public official, civil servant
**funda de almohada:** pillowcase
**fundar:** to found, to fund
**fundición** *(f):* foundry
**furibundo:** furious
**fusible** *(m):* fuse
**fusil** *(m):* rifle
**fútbol** *(m):* soccer; **fútbol americano:** football
**futbolista** *(m, f):* soccer player

**gacho:** bowed
**galán** *(m):* leading man (in a film, etc.)
**galardonar:** to reward
**galgo:** greyhound
**gallardete** *(m):* pennant
**galleta:** cracker, cookie
**gallina:** hen
**gallo:** rooster
**gamba:** shrimp *(Spain)*
**ganadería:** cattle ranching, cattle ranch
**ganar:** to earn, win
**gancho:** hanger
**ganga:** bargain
**ganso:** goose
**garantizar:** to guarantee
**garbanzo:** chickpea
**garganta:** throat
**gargantilla:** necklace
**garifo:** lively
**garra:** claw
**gastado:** worn
**gastar:** to spend (money), wear out (clothes); –se: to wear out (to deteriorate, fall apart)
**gasto:** expense
**gato:** cat
**gaveta:** drawer
**gazpacho:** type of cold tomato soup
**gemelo:** cuff link; twin
**gemir (i, i):** to groan, whimper
**general: por lo –:** in general
**genio:** temper
**gente** *(f):* people, folks
**gentileza:** courtesy, graciousness, politeness
**gentilhombre** *(m):* gentleman
**gentío:** crowd, multitude
**gerente** *(m, f):* manager
**germen** *(m):* seed, origin

**gesto:** face, look, countenance
**gimnasia:** gymnastics
**gimotear:** to whine
**giratorio:** revolving
**gis** *(m):* chalk
**gitano:** gypsy
**globo:** – **terráqueo:** terrestrial globe
**gobernador-a:** governor
**gobierno:** government
**gol** *(m):* goal, goal post
**golosina:** delicacy, sweet
**golpe** *(m):* knock, blow; **de –:** quickly, suddenly
**golpear:** to kick
**goma:** rubber, rubber eraser; – **de pegar:** glue
**gorra:** cap
**gota:** drop
**gotear:** to drip, dribble
**gozar (de):** to enjoy
**gozne** *(m):* hinge
**grabadora:** recorder; **de videos:** VCR
**grabar:** to tape, record
**grada:** step (of stairs)
**gradería:** bleachers
**grado:** degree
**graduarse:** to graduate
**grapa:** staple
**grapadora:** stapler
**grapar:** to staple
**grasa:** grease, fat
**grasiento:** greasy
**gratis:** free
**grava:** gravel, pebbles
**gravedad** *(f):* gravity, seriousness
**graznido:** cawing
**griego:** Greek
**grita:** uproar, shouting
**gritar:** to scream, shout
**griterío:** uproar, shouting
**grito:** scream, shout
**gruesa:** handful
**grueso:** thick, fat
**gruñir:** to grunt
**gruñón, -ona:** grumpy
**guagua:** baby *(Chile, Bolivia, Ecuador),* bus *(Puerto Rico, Cuba)*
**guante** *(m):* glove
**guantera:** glove compartment
**guardacoches** *(m, sing):* garage
**guardar:** to save, keep, have; – **cama:** to stay in bed
**guardería:** daycare center
**guayaba:** guava

**guayabera:** loose-fitting shirt of light cloth
**guerra:** war
**guiñar:** to wink
**guiño:** wink
**guisado:** stew
**guisante** *(m):* pea *(Spain)*
**guisar:** to cook

**haba:** bean *(Central America, Carribean)*
**haber:** to have (auxiliary verb)
**habichuela:** bean *(Central America, Carribean)*
**habilidad** *(f):* skill
**habitación** *(f):* room
**habla:** speech
**hablador, -a:** speaker
**habladuría:** impertinent talk, gossip
**hacer:** to do, to make; – **(el) bien:** to do the right thing; – **buen, mal tiempo:** to be nice, bad out; – **calor:** to be warm, hot; – **un cariñito:** to pet; – **caso:** to pay attention; – **cola:** to wait in line; – **las compras:** to shop; – **daño:** to harm; – **de:** to serve as, play the part of, work as; – **falta:** to be missing; – **frío:** to be cold; – **hincapié:** to emphasize; – **el papel de:** to play the role of; – **pedazos:** to tear, break; – **una pregunta:** to ask a question; – **recados:** to run errands; – **saber:** to let know; – **tiempo:** to kill time; – **las veces de:** to act as, to serve as; – **una venia:** to bow; – **viento:** to be windy; **–se:** to become, get used to
**hacia:** toward
**hacienda:** housing
**hada:** fairy; – **madrina:** fairy godmother
**hallar:** to find
**hamamelis** *(m):* witch hazel
**hambre** *(f):* hunger
**haragán, -ana:** lazy
**harina:** flour
**harto:** full, fed up
**hasta:** until, up to; – **que:** until
**hastiar:** to cloy, bore, disgust, tire
**hay:** there is, there are
**hazaña:** great deed
**hebilla:** buckle
**hebra:** strand
**hectárea:** hectare (approximately 2½ acres)
**hecho:** fact
**hediondo:** foul-smelling, fetid
**helado:** ice cream; **–s:** ice cream; *(adj)* frozen

**helar (ie):** to freeze
**hembra:** female
**hemisferio:** hemisphere
**herida:** wound
**hermanastro, -a:** stepbrother/-sister
**hermano, -a:** brother, sister; – **político, -a:**
    brother/sister-in-law; **medio, -a –:** half-
    brother/-sister
**hermoso:** beautiful
**herramienta:** tool, implement, instrument
**herrería:** blacksmith's shop
**hervir (ie, i):** to boil
**hielo:** ice
**hiena:** hyena
**hierba:** grass, herb; – **santa:** mint
**hierro:** iron
**hígado:** liver
**higo:** fig
**hijo, -a:** son, daughter; – **político, -a:** son-
    /daughter-in-law; – **único, -a:** only
    child; – **adoptivo, -a:** adopted child
**hilo:** thread, string
**himeneo:** nuptials, wedding
**hincapié** *(m):* emphasis; **hacer – en:** to
    insist upon, emphasize
**hincar:** to sink, push, dive
**hispanohablante:** Spanish-speaking
**hocico:** muzzle, nose (of an animal)
**hockey sobre hierba** *(m):* field hockey
**hogar** *(m):* home
**hoguera:** bonfire
**hojalata:** tin
**hojear:** to leaf through
**holgar (ue):** to relax, frolick, be needless;
    **huelga decir:** needless to say
**hombro:** shoulder
**hondo:** deep
**hongo:** mushroom
**horario:** schedule
**hormiga:** ant
**horno:** oven; – **de microondas:**
    microwave oven; **a – fuerte:** on high
    (heat)
**horóscopo:** horoscope
**hortensia:** hydrangea
**hospedar:** to house
**hostess** *(f):* female flight attendant
**hoy:** today; – **en día:** nowadays
**hueco:** hollow, empty
**huelga:** strike
**huerta:** orchard
**huésped, -a:** guest
**huevo:** egg; – **revuelto:** scrambled egg;
    – **frito:** fried egg

**huir (y):** to flee
**húmedo:** humid
**humilde:** humble, poor
**humo:** smoke
**hundido:** sunken, dented
**hundir:** to sink
**huracán** *(m):* hurricane
**husmear:** to smell out, sniff out, pry

**idioma** *(m):* language
**iglesia:** church
**igual:** same
**imaginarse:** to imagine
**imberbe:** beardless
**imbuir (y):** to imbue
**impar:** unmatched, unequalled
**impedir (i, i):** to prohibit
**imperdible** *(m):* safety pin
**impermeable** *(m):* raincoat
**implacable:** relentless
**imponderable:** extraordinary
**imponente:** imposing, huge
**importar:** to matter, be important; **no le**
    **importa:** he doesn't care
**importunar:** to pester
**imprenta:** printing, press
**impreso(s):** printed (material)
**impresora (láser):** (laser) printer
**imprevisto:** unforeseen
**imprimir:** to print
**improcedente:** inappropriate
**improperio:** insult
**impúdico:** immodest
**impuesto:** tax
**inagotable:** inexhaustible
**inaudito:** unheard of
**incansable:** untiring
**incapaz:** incapable
**incendio:** fire
**incertidumbre** *(f):* uncertainty
**inclinarse (a):** to be inclined (to)
**incluir (y):** to include
**incomodar:** to disturb
**incorporarse:** to sit up
**increpar:** to scold, insult
**indeleble:** indelible
**indicación** *(f):* direction, instruction; **–es:**
    instructions
**indignado:** angry
**índole** *(f):* type, nature
**inesperado:** unexpected
**infante, -a:** baby; prince, princess who is
    not heir to the throne
**influir (y) (en):** to influence

**influjo:** influence
**información** *(f):* information
**informal:** casual
**informe** *(m):* report
**infranqueable:** unpassable
**infructuoso:** fruitless, unsuccessful, futile
**ingeniería:** engineering
**ingeniero, -a:** engineer
**ingenio:** talent, genius
**ingerir (ie, i):** to ingest
**ingresar:** to enter, become a member of
**ingreso:** income
**inmiscuirse:** to interfere, meddle
**inmundo:** dirty, filthy
**inocuo:** harmless
**inodoro:** toilet
**inquietarse (por):** to worry (about)
**inscribirse:** to register, enroll
**insistir (en):** to insist (on)
**insolación** *(f):* sunstroke
**insoportable:** unbearable
**insoslayable:** unavoidable
**inspector, -a:** conductor
**instalarse:** to settle
**intentar:** to try (to)
**interceder:** to intercede
**interesante:** interesting
**interesar:** to interest; **–se (en, por):** to be interested (in)
**ínterin** *(m):* meantime
**interlocutor, -a:** person spoken to
**internación** *(f):* detainment
**interrumpir:** to interrupt
**interruptor:** light switch
**intervalo:** time, interval
**intimidad** *(f):* intimacy
**inundación** *(f):* flood
**inusitado:** unusual
**inventar:** to make up
**invernadero:** hothouse, greenhouse
**inversionista** *(m, f):* investor
**invertir (ie, i):** to turn around, invest
**invierno:** winter
**ir:** to go; **–se:** to go off, away
**isla:** island
**izquierda:** left
**izquierdista** *(m, f):* left-winger

**jabón** *(m):* soap
**jactarse:** to boast, brag
**jai alai** *(m):* jai-alai (ball game of Basque origin)
**jalar:** to pull
**jaleo:** revelry

**jamás:** never
**jaqueca:** migraine headache
**jardín** *(m):* garden; **– infantil:** kindergarten
**jardinero, -a:** gardener, outfielder
**jarro:** jug, pitcher
**jarrón** *(m):* vase, jug
**jaspeado:** marbled, mottled
**jaula:** cage
**jefe, -a:** boss, chief, chairperson; **– de estado:** chief of state
**jerarquía:** hierarchy
**jerez** *(m):* sherry wine
**jerga:** jargon, slang
**jersey** *(m):* jersey, sweater
**jirafa:** giraffe
**jitomate** *(m):* tomato *(Mexico)*
**jocoso:** jovial
**jonrón** *(m):* home run
**jornada:** day's work, workday
**joven** *(m, f):* young man, woman; *(adj)* young
**joya:** jewel, gem; **–s:** jewelry
**joyería:** jewelry store
**jubilarse:** to retire
**júbilo:** joy
**judía:** bean *(Spain)*
**judío:** Jew; *(adj)* Jewish
**juego:** game, play
**juez** *(m, f):* judge
**jugador, -a:** player
**jugar (ue):** to play
**jugo:** juice
**juguera:** juicer
**juguete** *(m):* toy
**juil** *(m):* kind of trout *(Mexico)*
**junta:** meeting; **– directiva:** board of directors
**juntar:** to join, assemble
**junto:** together; **– a:** next to
**juntura:** joint, juncture
**jurado:** jury
**jurar:** to swear
**justicia:** justice
**justo:** just, fair, exact
**juventud** *(f):* youth, young people

**ladeo:** leaning
**lado:** side; **al –de:** next to; **por todos –s:** everywhere
**ladrar:** to bark
**ladrillo:** brick
**ladrón, -ona:** thief
**lagarto:** lizard

**lago:** lake
**lágrima:** tear
**lagrimear:** to weep, to get watery eyes
**laguna:** pool, lagoon
**lámpara:** lamp
**lancha:** small boat
**langosta:** lobster
**lanzador, -a:** pitcher
**lanzar:** to throw, pitch, launch
**lapicera:** fountain pen
**lápiz** *(m):* pencil
**lástima:** pity, compassion
**lata:** tin can, bore, bother
**lavabo:** sink
**lavadora:** washer; washing machine
**lavaplatos** *(m, sing):* dishwasher
**lavar:** to wash; **–se:** to get washed
**laxante** *(m):* laxative
**lealtad** *(f):* loyalty
**lección** *(f):* lesson
**lector, -a:** reader
**lectura:** reading, reading material
**leche** *(f):* milk
**lecho:** bed
**lechuga:** lettuce
**leer:** to read
**legumbre** *(f):* vegetable
**lejos:** far
**lema** *(m):* motto
**lengua:** tongue, language
**lenguaje** *(m):* language (style of speech)
**lentitud** *(f):* slowness
**lento:** slow
**leña:** firewood
**levantar:** to raise, lift; **– la mesa:** to clear the table; **–se:** to get up
**leve:** slight, light
**ley** *(f):* law
**leyenda:** legend
**liberación** *(f):* **– femenina:** women's liberation
**libra:** pound
**librería:** bookstore
**librero:** bookcase, book seller
**libro:** book
**licencia:** license; university degree roughly equivalent of a Master of Arts
**licenciado, -a:** attorney; one who holds a licencia
**licor** *(m):* liquor
**lienzo:** cloth, canvas
**liga:** league
**ligero:** light, loose
**limón** *(m):* lemon

**limonada:** lemonade
**limpiabarros** *(m):* doormat
**limpiaparabrisas** *(m):* windshield wiper
**limpio:** clean
**limusina:** limousine
**lindo:** pretty
**lingüística:** linguistics
**linterna:** lantern
**lío:** mess; **_ de tráfico:** traffic jam
**liquidación** *(f):* liquidation, clearance sale
**liso:** smooth, even, plain
**lisonjero:** flattering
**lista:** list
**listo:** *(adj)* ready; clever
**litigio:** dispute
**living** *(m):* living room
**loable:** admirable
**loar:** to praise
**lobo:** wolf
**localidad** *(f):* location
**locomotora:** **– eléctrica:** electric locomotive; **– de vapor:** steam locomotive
**locura:** madness, insanity
**locutor, -a:** announcer, speaker
**lograr:** to be able to, attain, succeed
**logro:** success
**lomo:** lower back, loin
**loro:** parrot
**lote** *(m):* lot
**loza:** china
**lucerna:** skylight, chandelier, glow worm
**lucha:** struggle, conflict; **– libre:** wrestling
**luchador, -a:** wrestler
**luchar (por):** to struggle (to, for)
**luego:** later, then; **– de:** after; **– que:** after; **desde –:** of course
**lugar** *(m):* place
**lujo:** luxury, wealth
**lujoso:** luxurious, lavish
**lumbre** *(f):* fire, light
**lustrabotas** *(m):* shoeshiner
**lustro:** lustrum (period of five years)
**luto:** mourning, grief; **estar de –:** to be in mourning
**luz** *(f):* light; **– trasera:** tail light; **– delantera:** headlight
**llaga:** wound
**llama:** flame
**llamar:** to call; **–se:** to be called, named
**llanta:** tire
**llave** *(f):* key, faucet
**llegar:** to arrive; **– a:** to succeed in
**lleno:** full

**llevar:** to carry, take (along), wear; – **cuentas:** to keep track, keep books (accounting records); –**se:** to carry off, take away
**liclla:** woolen shawl *(Bolivia, Ecuador, Peru)*
**llorar:** to cry, weep
**lloriquear:** to whimper
**llover (ue):** to rain
**llovizna:** drizzle, sprinkle

**macanudo:** fantastic
**maceta:** flower pot
**macizo:** flower bed; *(adj)* solid
**machacar:** to mash, pound, crush
**madera:** wood
**maderero:** pertaining to lumber
**madrastra:** stepmother
**madre *(f)*:** mother; – **política:** mother-in-law
**madrina:** godmother
**madrugada:** dawn, early morning hours
**madurez *(f)*:** maturity
**maduro:** mature, ripe
**maestro, -a:** teacher
**mago:** magician, wizard
**maíz *(m)*:** corn, maize
**mal:** *(m)* evil, wrong; *(adj)* badly, poorly
**malabar: juegos** –**es:** juggling
**málaga *(m)*:** type of wine
**maldecir (i):** to curse, to swear
**maléfico:** evil, harmful
**maleta:** suitcase
**maletero:** trunk (of a car)
**maletín *(m)*:** briefcase, valise
**maleza:** weeds, scrub
**malgastar:** to ruin, waste
**malhumorado:** bad-tempered
**malquistar:** to alienate, have a falling out
**mamey *(m)*:** mamey fruit, tree
**mamífero:** mammal
**mandamiento:** commandment
**mandar:** to demand, send; – **a:** to order to, send to; – **de una patada:** to kick
**mandíbula:** jaw
**mandil *(m)*:** apron
**manejar:** to drive, manage
**manera:** manner, way
**manga:** sleeve
**maní *(m)*:** peanut, cashew
**manifestación *(f)*:** demonstration
**manilla:** door handle
**maniobra:** maneuver, operation

**mano *(f)*:** hand
**manotazo:** slap
**manta:** blanket, shawl
**manteca:** lard, fat
**mantel *(m)*:** tablecloth
**mantener (ie):** to maintain
**mantequilla:** butter
**manto:** cloak, mantle
**manubrio:** handle, crank
**manzana:** apple, (city) block
**mañana *(f)*:** morning; *(adv, m)* tomorrow
**mapa *(m)*:** map
**mapache *(m)*:** raccoon
**maqueta:** dummy, scale model
**maquillaje *(m)*:** make-up
**maquillarse:** to put on make-up
**máquina:** machine; _ **de escribir:** typewriter
**maquinaria:** machinery
**maquinista *(m, f )*:** (train) engineer, machinist
**mar *(m, f )*:** sea
**marcar:** to mark, observe; – **un número:** to dial a number; – **un gol:** to score a goal
**marco:** frame
**marcharse:** to leave, go away
**marea:** tide
**marear:** to become sick, dizzy
**mareo:** motion sickness, nausea
**margarina:** margarine
**marido:** husband
**marioneta:** puppet
**mariposa:** butterfly
**marisco:** shellfish
**marrano:** pig, hog
**mas:** but
**más:** more, most; **por** – **que:** no matter how much/hard; – **bien:** rather
**mascullar:** to mumble
**masticar:** to chew
**matador, -a** bullfighter
**mate *(m)*:** kind of Argentine tea
**matemáticas *(pl)*:** mathematics
**materia:** physical material, matter; school subject
**material *(m)*:** material, ingredient, equipment
**matinal:** *(adj)* pertaining to morning
**matiz *(m)*:** hue, shade, nuance
**matizado:** shaded
**matrícula:** registration, tuition
**matricularse:** to register
**matrimonio:** matrimony, wedding, married couple

**maullar (ú):** to meow
**mayonesa:** mayonnaise
**mayor:** older, greater, larger
**mayordomo:** butler
**mayoría:** majority
**mayúscula:** capital (letter)
**mazapán** *(m):* marzipan
**mecanografía:** typewriting
**mecanógrafo, -a:** typist
**mecer:** to rock
**mechero: – Bunsen:** Bunsen burner
**media:** sock, stocking
**mediado: a –s de:** in the middle of (time period)
**medialuna:** croissant, sandwich
**medico, -a:** doctor
**medidor** *(m):* meter
**medio:** half; half-back; **– ambiente:** environment; **–s de difusión:** media
**mediodía** *(m):* noon, midday
**medioevo:** Middle Ages
**medir (i, i):** to measure, estimate
**mejilla:** cheek
**mejorador** *(m):* additive
**mejorar:** to improve, better
**melocotón** *(m):* peach *(Spain)*
**melón** *(m):* melon, muskmelon
**mellizo:** twin
**membrete** *(m):* letterhead
**mendigo:** beggar
**menester:** necessary
**menos:** less, least, minus, except; **a – que:** unless; **por lo –:** at least
**mentar (ie):** to name, mention
**mente** *(f):* mind
**mentir (ie, i):** to lie
**mentiroso:** liar
**menudo:** small, worthless; **a –:** frequently, often
**meollo:** marrow, heart, essence
**mercado:** market
**mercar:** to buy
**merecer(se) (zc):** to deserve
**merendar (ie):** to snack, have lunch
**merienda:** snack, lunch
**mermar:** to reduce
**mermelada:** marmalade, jam
**mero:** mere
**merodear:** to snoop
**mes** *(m):* month
**mesa:** table; **levantar la –:** to clear the table
**mesalianza:** misalliance
**mesero, -a:** waiter, waitress
**meseta:** plateau

**mestizo:** of mixed blood
**meta:** goal, objective
**metate** *(m):* grindstone *(Mexico)*
**meteorólogo:** weatherman
**meter:** to put into, to insert; **– bulla:** to make noise; **– un gol:** to score a goal; **–se:** to mix in
**mezquindad** *(f):* meanness, stinginess, wretchedness
**miedo:** fear
**miel** *(f):* honey
**miembro:** member, limb
**mientras (que):** while; **– tanto:** meanwhile
**mierda:** shit
**miga:** crumb
**mil:** thousand
**milagro:** miracle
**millar** *(m):* thousand
**millón** *(m):* million
**ministerio:** ministry
**ministro:** minister
**minoría:** minority
**mirar:** to watch, to look (at); **– por:** to look out for; **– por sí mismo:** to look out for oneself
**misa:** Mass
**misionero:** missionary
**mismo:** same, self, very
**mitad** *(f):* half
**mito:** myth
**mocoso:** kid, brat
**mochila:** backpack
**moda:** fashion
**modales** *(m, pl):* manners
**moderado:** moderate
**modificar:** to modify
**modista** *(m, f):* tailor, dressmaker
**modo:** manner, mode, way
**modorra:** deep sleep
**mofarse (de):** to mock, make fun (of)
**mojado:** wet, damp
**mojarse:** to get wet
**moldura:** molding
**mole** *(m):* Mexican dish prepared with a chili sauce
**moler (ue):** to grind, mill
**molestar:** to bother, annoy
**molesto:** upset
**molestoso:** bothersome
**molino:** mill, grinder
**monarca** *(m, f):* monarch
**monarquía:** monarchy
**moneda:** currency, coin; **–s:** change
**monje** *(m):* monk

**mono:** monkey
**monserga:** boring speech
**montaña:** mountain
**montar:** to mount, ride, build, set up
**montón** *(m):* heap, stack, a lot
**morada:** abode, dwelling; stay, sojourn
**morado:** purple
**moraleja:** moral (of a story)
**morar:** to live
**morder (ue):** to bite
**moribundo:** dying
**morir (ue, u):** to die; **–se:** to die (of
    natural causes), pass away
**mortaja:** shroud
**mortero:** mortar (for pounding)
**mortificar:** to torment
**mosca:** fly
**mostacilla:** glass bead
**mostaza:** mustard
**mostrador** *(m):* counter
**mostrar (ue):** to show
**mota:** spot, particle
**motear:** to sully
**motoneta:** scooter
**mover (ue):** to move; **– las piernas:** to
    kick
**móvil** *(m):* motive
**movimiento:** movement
**mozo, -a:** boy, girl; waiter, waitress
**mucama:** maid
**muchedumbre** *(f):* crowd
**mudanza:** move, moving
**mudar:** to move, change; **–se (de):** to
    move, change one's address
**mudo:** mute, silent
**mueble** *(m):* piece of furniture; **–s:**
    furniture
**mueca:** face, grimace
**muelle** *(m):* wharf, pier, platform
**mujer** *(f):* woman, wife
**multa:** fine
**mundo:** world
**muñeca:** doll, wrist
**muñón** *(m):* stump
**muralla:** wall
**murmullo:** murmur
**muro:** wall
**musgo:** moss
**musitar:** to whisper, muse
**muy:** very

**nacer (zc):** to be born
**nación** *(f):* nation

**nada:** nothing, (not) at all
**nadar:** to swim
**nadie:** nobody
**naranja:** orange
**narcotraficante** *(m, f):* drug dealer
**narrar:** to narrate
**natación** *(f):* swimming
**nave** *(f):* ship; **– espacial:** spaceship
**naviero:** pertaining to shipping
**necesitar:** to need
**nefando:** infamous, terrible
**nefasto:** sad, ominous, ill-fated
**negarse (ie) (a):** to refuse (to)
**negocio:** piece of business, business affair,
    deal; **–s:** business; **hombre, mujer de**
    **–s:** businessman/-woman
**nene, -a:** baby, small child
**neófito:** neophyte, novice
**neumático:** tire
**nevar (ie):** to snow
**nevera:** refrigerator
**ni:** neither, nor; **– siquiera:** not even; **–**
    **pito:** nothing at all
**nido:** nest
**nieve** *(f):* snow
**niñera:** baby-sitter; nanny
**niñez** *(f):* childhood
**niño:** child
**nitidez** *(f):* clarity
**nivel** *(m):* level
**noche** *(f):* night; **pasar la – en vela:** to
    spend the night without sleeping
**nogal** *(m):* walnut tree
**nombrar:** to name, mention, designate,
    appoint
**nordeste** *(m):* northeast
**noreste** *(m):* northeast
**norte** *(m):* north
**noruego:** Norwegian
**nota:** note, grade (on test, course); **– al pie**
    **de la página:** footnote
**noticia:** news item, news; **–s:** news
**noticiero:** news bulletins
**noveno:** ninth
**noviazgo:** engagement
**novio, -a:** boyfriend, fiancé, groom;
    girlfriend, fiancée, bride
**nube** *(f):* cloud
**nublar:** to cloud over
**nudillo:** knuckle
**nudo:** knot
**nuera:** daughter-in-law
**nuez** *(f):* nut, walnut
**nunca:** never

**obedecer (zc):** to obey
**obligado:** mandatory, obligatory
**obligar (a):** to force (to)
**obra:** work, deed, play
**obrero:** worker; *(adj)* working-class
**observar:** to observe
**obstante: no _:** in spite of, despite, nonetheless
**obstinarse (en):** to persist (in)
**ocasionar:** to cause
**octavo:** eighth
**ocultar:** to hide, conceal
**ocupado:** busy, in use
**ocupar: _se (en):** to keep busy (by); **_se (de):** to take care (of), concern oneself (with)
**ocurrir:** to happen, occur
**odiar:** to hate
**oeste** *(m):* west
**oficial** *(m):* official, clerk, officer
**oficiala:** female office worker, dressmaker's assistant
**oficina:** office; **_ de correos:** post office
**oficio:** occupation, job, office
**oficioso:** meddlesome, diligent
**ofrecer (zc):** to offer
**ofuscar:** to darken, cover up, bewilder, confuse (the issue)
**oído:** hearing, inner ear
**oír (y):** to hear
**ojal** *(m):* buttonhole
**ojalá:** I hope, I wish
**ojear:** to leaf through
**ojo:** eye; **en un abrir y cerrar de _s:** in the twinkling of an eye
**ola:** wave
**oler (hue) (a):** to smell (of)
**olmo:** elm tree
**olor** *(m):* odor, aroma, smell
**olvidar(se) (de):** to forget (about)
**olla:** pot
**ómnibus** *(m):* bus *(Argentina)*
**onceavo:** eleventh
**onceno:** eleventh
**ondulante:** undulating
**oponer:** to oppose; **_se (a):** to be opposed (to)
**oprimir:** to oppress, press
**ora:** now, then, whether
**oración** *(f):* sentence, prayer, speech
**orden:** *(m):* order, sequence; *(f)* order, command, religious order
**ordenador** *(m),* **ordenadora:** computer *(Spain)*

**ordenar:** to order
**orfebrería:** silver or gold work
**orgullo:** pride
**orgulloso:** proud
**orilla:** bank, edge
**orinar:** to urinate
**oro:** gold
**ortografía:** spelling
**oruga:** caterpillar
**osar:** to dare
**oscurecer (zc):** to become dark
**oscuro:** dark, obscure
**oso:** bear
**ostentar:** to show, display
**ostión** *(m):* large oyster
**ostra:** oyster
**otorgar:** to bestow, grant
**otro:** other, another
**oveja:** sheep, ewe
**oxidar:** to rust
**ozonosfera:** ozone layer

**pacana:** pecan nut
**padrastro:** stepfather
**padre** *(m):* father; **_ político:** father-in-law; **_s:** parents; **_s políticos:** in-laws
**padrino:** godfather; **_s:** godparents
**paella:** dish of rice with shellfish, sausage, chicken, etc., originally from Spain
**pagar:** to pay
**página:** page
**pago:** payment
**país** *(m):* country
**paja:** straw
**pájaro:** bird
**palabra:** word
**palacio:** palace, official residence; **_ de justicia:** courthouse
**paladear:** to taste, savor
**palanca:** lever, leverage
**paleta:** popsicle
**palique** *(m):* chit-chat, small talk
**palo:** stick, pole
**paloma:** pigeon, dove
**palta:** avocado *(Chile)*
**pan** *(m):* bread
**panadería:** bakery
**panqueque** *(m):* pancake
**pantaleta:** panty
**pantalón** *(m):* pant, pants, trousers; **_ corto:** shorts; **_ vaquero:** blue jeans; **_ de correr:** running pants
**pantalla:** lampshade, screen

**pantano:** swamp
**panti** *(m):* panty
**pantimedias** *(pl):* pantyhose
**pantorilla:** calf (of the leg)
**pantufla:** slipper
**paño:** cloth
**pañuelo:** handkerchief, scarf
**papa** *(f):* potato *(Latin America);* **papa** *(m)* Pope
**papagayo:** parrot
**papel** *(m):* paper, role (in a play, etc.); – **con membrete:** letterhead
**papelera:** wastebasket
**papeleta:** slip of paper; – **de préstamo:** library loan card
**paquete** *(m):* package, package deal
**para:** for, to, toward, in order to; – **que:** so that
**parabrisas** *(m):* windshield
**paracaídas** *(m):* parachute
**parachoques** *(m):* bumper
**parada:** stop
**parado:** standing
**paradoja:** paradox
**paraguas** *(m):* umbrella
**parar (de):** to stop, end up; **–se:** to stand up, stop
**parca:** parka
**parcelado:** division (of land, etc.)
**parecer (zc):** to seem, appear; **al –:** seemingly, so it seems; **–se (a):** to look like, resemble
**parecido:** similar
**pared** *(f):* wall
**pareja:** couple, pair
**pariente** *(m, f):* relative, kin
**parlamento:** parliament; speech
**parlante** *(m):* speaker
**paro:** unemployment, layoff, shutdown
**parpadear:** to blink
**párpado:** eyelid
**parque** *(m):* park
**párrafo:** paragraph
**parroquia:** parish, town
**particular:** particular, private
**partida:** departure, allocation, shipment
**partido:** (political) party, game, match; – **de fútbol:** soccer game
**partir:** to leave, set out; **a – de:** starting
**pasa:** raisin
**pasadero:** acceptable
**pasaporte** *(m):* passport
**pasar:** to be the matter, happen, spend (time), pass, stop by; – **de una patada:** to kick to somebody; – **la aspiradora:** to vacuum; – **la lista:** to call roll; – **por:** to stop by for, pass as; – **a máquina:** to type
**pasearse:** to go for a walk, go out
**paseo:** walk, promenade
**paso:** step, pace
**pasota** *(m, f):* indifferent, negative
**pasta:** – **de dientes:** toothpaste
**pastel** *(m):* cake, pastry, pie
**pastelería:** pastry shop
**pastilla:** tablet, pill
**pasto:** grass, pasture
**pastor, -a:** shepherd; – **alemán:** German shepherd
**pata:** paw, hoof, leg (of an animal); ¡**Las –s!:** The nerve!
**patada:** kick; **dar/pegar una –:** to kick
**patalear:** to stamp with rage
**patata:** potato *(Spain);* sweet potato
**patente** *(f):* license plate
**patillas** *(pl):* sideburns, whiskers
**patín** *(m):* skate
**patinador, -a:** skater
**patinaje** *(m):* skating; – **de ruedas:** roller skating; – **sobre hielo:** ice skating
**patinar:** to skate
**pato:** duck
**patrón, -ona:** boss, employer; *(m)* pattern, model
**pausado:** slow, measured
**pavo:** turkey; – **real:** peacock
**pavor** *(m):* dread, panic, terror
**pay** *(m):* pie
**peatón, -ona:** pedestrian
**pecado:** sin
**pecho:** chest
**pedido:** order, request
**pedir (i, i):** to ask for, order (in a restaurant); – **disculpas:** to apologize
**pega:** glue, job, "catch"
**pegar:** to fasten, glue, stick, strike, hit; – **brincos:** to jump; – **un codazo:** to elbow; – **una patada:** to kick (a person or object)
**peinado:** hairdo, coiffure
**peinar:** to comb; **–se:** to comb, fix one's hair
**pelambre** *(f):* bare spot, lack of hair
**pelar:** to peel
**pelea:** fight, argument
**pelear:** to fight, argue
**película:** film, movie
**peligro:** danger

**peligroso:** dangerous
**pelo:** hair
**pelota:** ball; – **vasca:** jai-alai
**peluca:** wig
**peludo:** hairy
**peluquería:** barber shop, beauty salon
**peluquero, -a:** barber, hairdresser
**pellizcar:** to pinch
**pellizco:** pinch
**pena:** grief, embarrassment; **qué –:** that's too bad
**pendiente (m):** earring; (adj) hanging, pending
**penoso:** arduous, painful, difficult
**pensamiento:** thought
**pensar (ie):** to think, intend (to do something); – **en:** to think about
**peña:** rock, bolder, cliff, crag
**peor:** worse, worst
**pequeño:** small
**pera:** pear
**percance (m):** unfortunate accident, mishap
**percatarse (de):** to notice, realize, consider
**percha:** hanger; – **de los vestidos:** clothing rack
**perder (ie):** to lose, miss, skip; – **se:** to miss out on (an event), get lost
**perentorio:** urgent, pressing
**pericia:** expertise
**perico:** parakeet
**periferia:** outskirts
**periódico:** newspaper
**periodista (m, f):** journalist
**periquete (m): en un –:** in a jiffy
**perjuicio:** harm, damage, injury
**permanecer (zc):** to remain
**pero:** but, yet
**perol (m):** kettle in form of a hemisphere
**perro:** dog; – **dogo:** bulldog; – **(de) policía:** police dog; – **de muestra:** show dog, pointer
**perseguir (i, i):** to pursue, chase, persecute
**persiana:** venetian blind
**persistir (en):** to persist (in)
**personaje (m):** character, personage
**personal (m):** personnel, staff
**pertenecer (zc):** to belong
**pertenencia:** belonging
**pesacartas (m):** paperweight
**pesadilla:** nightmare
**pesado:** bore, tiresome person
**pesar: a – de (que):** in spite of
**pescadero:** fishmonger

**pescado:** fish
**pescador:** fisherman
**pescar:** to fish, catch (in the act), catch on, get; – **con caña:** to angle
**pese a:** in spite of
**peseta:** monetary unit of Spain
**peso:** weight; type of currency
**pesquisa:** inquiry, investigation
**petate (m):** sleeping mat; bag, bundle
**petits pois:** peas (Chile)
**pez (m):** fish
**piar (í):** to cheep, chirp
**pibe (m):** guy, kid (Argentina)
**picante:** hot, highly seasoned, spicy
**picar:** to cut, chop up
**pícaro:** ruffian, rogue, scoundrel
**pie (m):** foot; **en –:** standing up; **de –:** on foot; – **de fotografía:** caption; **nota al – de la página:** footnote
**piedad (f):** pity
**piedra:** stone
**piel (f):** skin
**pierna:** leg
**pieza:** piece, play, (bed)room
**pijama (m):** pajamas
**pila:** pile, heap
**píldora:** pill
**piltrafa:** scrap of food
**pimentero:** pepper shaker
**pimienta:** pepper
**pinchar:** to prick, puncture
**pintar:** to paint
**pintura:** painting, paint
**pinzas:** pincers, tweezers, tongs
**piña:** pineapple
**pirámide (f):** pyramid
**pisada:** footstep; footprint
**pisar:** to step on
**piscina:** (swimming) pool
**piso:** floor, story; apartment (Spain)
**pista:** track, course; – **de esquí:** ski slope; – **de básquetbol:** basketball court
**pito:** whistle; **ni –:** nothing
**piyama (m):** pajamas
**pizarra:** blackboard
**plaga:** plague, disaster
**plancha:** iron
**planchar:** to iron
**planificador, -a:** planner
**plano:** flat
**planta:** plant, foot, floor, story; – **baja:** ground floor
**plata:** silver, money; **en –:** plainly, briefly, to the point

**plataforma:** platform
**plátano:** banana
**plateado:** silver-plated
**platicar:** to chat, talk
**platillo:** saucer
**plato:** dish, plate; – **de fondo:** main dish;
  – **fuerte:** main course, main dish;
  – **hondo:** bowl
**playa:** beach
**plaza:** public square
**plazo:** length of time, term
**pleito:** lawsuit, case
**pleno:** full, complete
**pliegue** *(m):* pleat, fold, crease
**plomero:** plumber
**plomo:** lead
**pluma:** pen; – **estilográfica:** fountain pen
**población** *(f):* population, poor community
**pobreza:** poverty
**podar:** to prune
**poder (ue):** to be able; *(m)* power
**poderoso:** powerful
**podio:** podium
**podrido:** rotten
**policía:** *(m)* police officer; *(f)* police
  force; **mujer policía:** policewoman
**política:** policy; politics
**político:** politician; *(adj)* political,
  courteous
**pollerín** *(m):* skirt, peplum
**pomelo:** grapefruit *(Spain)*
**pómulo:** cheekbone
**ponencia:** (oral) paper (presented at a
  conference, etc.)
**poner:** to put, to place; – **de relieve:** to
  point out, make stand out, to emphasize;
  – **la mesa:** to set the table; **–se:** to get,
  become, wear, put on; **–se a:** to start to;
  – **a uno fuera de sí:** to drive someone
  crazy, make someone crazy; – **al día:** to
  bring up to date
**por:** for, by, through, on account of,
  because of, per; – **ejemplo:** for
  example; – **supuesto:** of course;
  **¿– qué?:** why?; **por lo común:**
  normally, usually
**pormenor** *(m):* detail
**poroto:** bean *(Chile)*
**porque:** because
**portafolio:** portfolio, briefcase
**portamaletas** *(m):* trunk (of a car)
**portarse:** to behave
**portátil:** portable
**porte** *(m):* bearing, carriage, nobility

**porteño:** native or inhabitant of Buenos
  Aires
**portero:** goalkeeper, concierge, doorman
**pórtico:** porch, colonnade
**porvenir** *(m):* future
**poste** *(m):* post, goalpost
**postergar:** to postpone
**postigo:** peephole
**postre** *(m):* dessert
**potaje** *(m):* pottage, soup
**potencial:** potential; conditional
**preciado:** valuable, precious
**precio:** price
**precioso:** precious, beautiful, dear
**precisar:** to need, specify
**preciso:** necessary
**preferir (ie, i):** to prefer
**prefijo:** prefix
**pregonar:** to proclaim, to announce
**preguntar:** to ask; – **por:** to ask for,
  about; **–se:** to wonder
**prejuicio:** prejudice, bias
**prelación** *(f):* precedence
**premio:** prize, reward
**prenda:** garment, article of clothing, jewelry
**prender:** to catch, seize, capture, light,
  turn on
**prensa:** press
**preocupación** *(f):* worry
**preocupar:** to worry; **–se por:** to worry
  about
**preparar:** to prepare, cook, make (a meal)
**presa:** prey, quarry
**presenciar:** to witness, attend
**presentar:** to introduce, present; **–se como
  candidato:** to run as a candidate
**presentir (ie, i):** to have a premonition
**presidente** *(m)* **presidenta,** *(f):* president
**presidir:** to preside at, dominate
**preso:** prisoner, convict
**prestamista** *(m, f):* moneylender, loan
  officer
**préstamo:** loan; **papeleta de –:** library loan
**prestar:** to lend; – **atención:** to pay
  attention
**presumido:** vain, conceited
**presunción** *(f):* conceit, supposition,
  presumption
**presupuesto:** budget
**pretender (ie):** to aspire to, claim
**pretendiente** *(m, f):* suitor, candidate
**prevalecer (zc):** to prevail, triumph
**prevención** *(f):* warning
**prever:** to predict

**primero:** first
**primo, -a:** cousin; – **carnal:** first cousin; – **hermano:** first cousin
**princesa:** princess
**principal:** main, principal, major
**príncipe** *(m):* prince
**principio:** beginning, principle; **a –s de:** at the beginning of (time period)
**probador** *(m):* fitting room
**probar (ue):** to test, prove, try, taste; **–se:** to try on (an article of clothing)
**probeta:** test tube
**probidad** *(f):* honesty, integrity
**procedencia:** origin
**procesador** *(m):* – **de alimentos:** food processor
**procurar:** to strive for, endeavor
**prodigarse:** to show oneself in public too often
**producir (zc):** to produce, cause; **–se:** to come about
**proeza:** feat, prowess
**profesión** *(f):* profession, calling
**profesor, -a:** professor, teacher, tutor
**profesorado:** university teaching faculty
**profundo:** deep
**programa** *(m):* program
**prohibir:** to prohibit
**promedio:** average
**prometedor:** promising
**prometer:** to promise, pledge
**prometido, -a:** fiancé, fiancée
**promiscuidad** *(f):* closeness, crowding
**promover (ue):** to promote, cause
**promulgar:** to promulgate, proclaim
**pronóstico:** forecast, prognosis; – **del tiempo:** weather forecast
**pronto:** soon
**propicio:** favorable
**propiedad** *(f):* property
**propietario:** owner, landowner
**propina:** tip, gratuity
**propinar:** to give
**propio:** own, proper, characteristic of
**proponer:** to propose
**proporcionar:** to offer, provide
**propósito:** purpose; **a –:** by the way; **a – de:** concerning
**propuesta:** proposal
**prosódico:** orthoëpic, prosodic
**protesta:** protest
**proveer:** to provide, decree
**provisión** *(f):* supply; **–es:** groceries
**provocar:** to cause, lead to
**prueba:** test, try-outs

**psicología, sicología:** psychology
**psiquiatra** *(m, f):* psychiatrist
**público:** public, audience
**pudor** *(m):* modesty, shame
**pudrir:** to rot
**pueblo:** people, ethnic group, nation, village
**puente** *(m):* bridge, gap
**puerta:** door; – **cancel:** storm door
**puerto:** port, seaport
**puesto:** post, place, position, job; – **que:** since, because, given that
**pugilismo:** boxing
**pugnar:** to fight
**pulcro:** tidy, neat
**pulga:** flea
**pulóver** *(m):* pullover, jersey
**pulsera:** bracelet
**puntal** *(m):* prop, support
**puntiagudo:** sharply pointed
**puntilla:** en **–s:** on tiptoe
**punto:** point; – **cardinal:** direction, cardinal point; – **de vista:** viewpoint
**puño:** fist, handful
**pupitre** *(m):* student's desk
**púrpura:** purple
**pústula:** pimple, sore

**quebrar (ie):** to break, smash
**quechua** *(m):* Quechua, South American Indian language
**quedar:** to be left; **–le bien:** to fit (a garment); – **en:** to agree on; **–se:** to remain, stay
**quehacer** *(m):* duty, chore, errand
**quejarse:** to complain
**quemar:** to burn
**querer (ie):** to want, love
**querido:** dear
**queso:** cheese
**quiltro:** mutt
**química:** chemistry
**quincena:** two weeks, fifteen days; two-week paycheck
**quincentenario:** five hundred year anniversary
**quinta:** country place, villa
**quinto:** fifth
**quitar:** to remove, take away, get rid of; **–se:** to take off (clothing), remove oneself
**quizá(s):** maybe

**rabia:** anger, fury
**rabino:** rabbi

**ración** *(f):* ration, portion
**radicar:** to be, lie, be found; **–se:** to live
**radio:** *(m)* radio (apparatus), radius;
   *(f)* radio (programming)
**raíz** *(f):* root
**ralo:** thin, sparse
**rama:** branch
**ramo:** bouquet, cluster, bunch
**rana:** frog
**rango:** rank, class
**raqueta:** racquet
**raro:** strange, eccentric, uncommon, rare;
   **rara vez:** infrequently
**rascacielos** *(m):* skyscraper
**raso:** smooth, flat, clear
**raspar:** to scrape
**rato:** while, short time
**raya:** line, stripe
**rayar:** to draw lines on, cross out, scratch
**raza:** race, breed
**razón** *(f):* reason, opinion
**real:** royal, real
**rebasar:** to surpass, go beyond, exceed
**rebién:** very well
**rebosar:** to overflow, be plentiful
**rebotar:** to bounce
**recado:** message; **hacer –s:** to run errands
**recalentar (ie):** to reheat
**recámara:** bedroom
**recapacitar:** to go over (in one's mind),
   meditate on
**recepción** *(f):* lobby (of a hotel), reception
**recepcionista** *(m, f):* receptionist
**receptor, -a:** catcher; *(m)* telephone
   receiver
**receta:** recipe, prescription
**recetario:** prescription
**recibidor** *(m):* waiting room
**recibo:** receipt
**recién:** recently, newly; **– llegado:** new-
   comer
**recinto:** area, district
**recoger:** to pick up, gather
**recompensa:** reward, compensation
**reconocer (zc):** to recognize
**reconocimiento:** recognition, gratitude
**recordar (ue):** to remember, remind
**recorte** *(m):* cutting, press clipping
**recostar (ue):** to lean
**rectificar:** to put right, correct, rectify
**recto:** straight, righteous
**rector, -a:** director, president of a
   university
**recurrir (a):** to resort to
**rechazar:** to reject, repel

**red** *(f):* net, network
**redactor, -a:** editor, writer
**redoma:** beaker
**redondear:** to make rounds, round off
**redondo:** round
**reemplazar:** to replace
**referirse (ie, i) (a):** to refer to
**reforzar (ue):** to reinforce, intensify
**refregar (ie):** to rub, scrub
**refresco:** refreshment, drink
**refuerzo:** reinforcement
**regalar:** to give (as a gift)
**regalo:** gift
**regañón, -ona:** grumbler
**regar (ie):** to water, sprinkle
**regazo:** lap
**registrar:** to search, examine, file, record
**regla:** rule
**reglamentario:** pertaining to, required by
   the rules
**regocijar(se):** to rejoice, celebrate
**regocijo:** joy, exaltation
**regresar:** to return
**regular:** normal; **por lo _:** usually
**reilón, -ona:** smiling
**reina:** queen
**reír(se)(i,i):** to laugh; **– de:** to laugh at
**reja:** bar, grid, grating
**relámpago:** lightning
**relinchar:** to neigh
**reloj** *(m):* watch, clock
**relojería:** watchmaker's shop
**relucir (zc):** to shine, bring something out
**remar:** to row
**remecer:** to shake, move to and fro
**remedar:** to imitate, mimic, mock
**remedio:** relief, recourse
**remitente** *(m, f):* sender
**remitir:** to remit, send, forward
**remo:** oar
**remolacha:** beet
**remocador** *(m):* tugboat
**remordimiento:** guilt, remorse, regret
**rencor** *(m):* resentment
**rendir (i, i):** to produce, bear, surrender
**renguear:** to limp, hobble
**renunciar:** to give up, renounce, resign
**reparar:** to fix, repair; **– en:** to notice,
   observe
**repasar:** to review
**repente: de _:** suddenly
**repentino:** sudden
**repercutir (en):** to have a repercussion
   (on), impact (upon)
**repetir (i, i):** to repeat

**repicar:** to chop up, prick
**repisa:** ledge, shelf
**replegar (ie):** to fold over, double over
**repollo:** cabbage
**reponer:** to replace, restore, reply; _se: to collect oneself, recover
**reporte** *(m):* news report
**reportero:** reporter
**reprender:** to reprimand, criticize
**represalia:** reprisal
**representar:** to represent, perform, look (a certain age)
**reprobar (ue):** to fail (a test, a course)
**repuesto:** spare
**requintar:** to exceed, surpass
**res** *(f):* beef, steak; head (of cattle)
**residencia:** – **estudiantil:** dormitory
**resoplar:** to puff, snort
**resoplido:** heavy breathing, snort
**resorte** *(m):* spring (device)
**respecto:** – **a:** with respect to
**respirar:** to breathe
**respuesta:** answer, response
**restaurante** *(m):* restaurant; – **estudiantil:** student cafeteria
**restituir (y):** to restore
**resultado:** result, outcome
**resumen** *(m):* summary
**retazo:** remnant, scrap, portion
**retomar:** to take up again; – **el hilo:** to pick up where one left off
**retransmisión** *(f):* relay broadcast
**retraso:** delay
**retratar:** to portray
**retrato:** portrait
**retrete** *(m):* toilet
**retroceder:** to move back, back down
**retumbar:** to resound, thunder, rumble
**reunión** *(f):* meeting
**reunir:** to get together; _se: to meet, get together
**revés** *(m):* reverse; **al –:** the other way around, inside out, upside down
**revisar:** to check over, revise, review
**revista:** magazine
**revolotear:** to flutter, circle
**revolver (ue):** to move around, disturb, stir (up)
**revuelo:** stir, commotion, sensation
**rey:** king
**rezar:** to pray
**rezongar:** to grumble, mutter
**rezongón, -ona:** grouch
**ribera:** bank, riverside, shore

**ribete** *(m):* edge, border, trimming
**ridiculez** *(f):* ridiculous thing or action
**riel** *(m):* rail, railroad track
**rienda:** rein
**riesgo:** risk
**rifa:** raffle
**riñón** *(m):* kidney
**río:** river
**risa:** laughter
**ristre:** **en –:** at the ready
**rito:** rite, ceremony
**robalo:** sea bass
**robar:** to steal, rob
**robo:** robbery
**rociar:** to sprinkle, spray
**rodear:** to gather around, surround
**rodilla:** knee
**rogar (ue):** to request, beg, beseech
**rojizo:** reddish
**rol** *(m):* role
**romano:** Roman
**rompecabezas** *(m):* puzzle
**romper:** to break; _se: to get broken
**ron** *(m):* rum
**ronco:** hoarse, husky, harsh
**rondalla:** musical group, generally of stringed instruments
**rondar:** to patrol, pace, prowl
**ronronear:** to purr
**ropa:** clothes, clothing; – **interior:** underwear; – **de cama:** bedding
**rosa:** rose; **de color –:** pink
**rosbif** *(m):* roast beef
**rostro:** face; countenance
**rozar:** to brush against, rub (against)
**rubéola:** rubella, German measles
**rubí** *(m):* ruby
**rubio:** blond
**rubor** *(m):* bright red, blush, bashfulness
**rueda:** wheel
**ruedo:** bullring, hem
**rugir ( j):** to roar
**ruido:** noise
**ruiseñor** *(m):* nightingale
**ruptura:** breaking off
**ruso:** Russian
**ruta:** way, route

**sábana:** sheet
**saber:** to know (how to), find out; – **a:** to taste like, of; *(m)* knowledge, learning
**sabor** *(m):* taste, flavor
**sabroso:** delicious
**sacar:** to take out, extract, serve (a ball);

– **apuntes:** to take notes; – **una nota:** get a grade
**sacerdote** *(m):* priest
**saco:** jacket; – **sport:** sportscoat; – **de mano:** handbag
**sacudida:** shake, jerk, jolt
**sacudir:** to dust
**sagaz:** sagacious, shrewd
**sagrado:** sacred
**sal** *(f):* salt
**sala:** room, living room; – **de lectura:** reading room
**salchicha:** sausage
**salero:** salt shaker
**salir:** to go out, leave, exit, come out; – **bien:** to pass (an exam, a course); – **con:** to go out with, date; – **con la suya:** to get away with it; – **mal:** to fail (an exam, a course)
**salón:** large room, living room, salon; – **de belleza:** beauty shop
**salsa:** sauce, gravy, dressing; – **de tomate:** ketchup
**saltar:** to jump, spring, dive
**salto:** jump, leap
**salud** *(f):* health
**saludar:** to greet, say hello to
**saludo:** greeting
**salvavidas** *(m, f):* lifeguard; *(m)* life preserver
**salvo:** except; – **que:** unless
**sanar:** to heal, cure; –**se:** to get well
**sanatorio:** nursing home
**sandalia:** sandal
**sandía:** watermelon
**saneamiento:** sanitation
**sangrar:** to bleed
**sano:** healthy
**santiaguino:** native or inhabitant of Santiago, Chile
**santiamén: en un _:** in an instant
**santiguarse:** to make the sign of the cross
**santo:** saint's day; *(adj)* holy, saintly; **todo el – día:** the whole day long
**sapo:** toad
**saque** *(m):* serve, service (in tennis)
**sarampión** *(m):* measles
**sardina:** sardine
**sartén** *(f):* pan, skillet
**sastre** *(m),* **sastra** *(f):* tailor
**sazonar:** to season (food)
**secadora:** dryer
**secar:** to dry
**seco:** dry

**secuestro:** kidnapping, abduction, isolation
**secundario:** secondary, minor
**sed** *(f):* thirst
**seda:** silk
**sede** *(f):* headquarters, seat
**seguir (i, i):** to follow, continue
**según:** according to
**segundo:** second
**seguro:** safe, sure
**selva:** forest, woods, jungle
**sellar:** to seal, stamp
**sello:** seal, stamp
**semáforo:** traffic light
**sembrar (ie):** to sow, scatter
**semejante:** similar
**semejanza:** similarity
**semejarse (a):** to look like, resemble
**senado:** senate
**sendero:** path, track
**seno:** bosom, bust
**sentar (ie):** to seat; –**se:** to sit down
**sentenciado:** prisoner
**sentido:** sense, meaning, direction
**sentir(se) (ie, i):** to feel, regret
**señal** *(f):* sign, signal, mark
**señalar:** to point out
**señor:** gentleman, sir, Mr.
**señora:** lady, wife, Mrs., ma'am
**séptimo:** seventh
**ser:** to be; *(m)* being
**sereno:** nightwatchman
**serpiente** *(f):* snake, serpent
**servicentro:** service station
**servicio:** service, serve (in tennis)
**servilleta:** napkin
**servir (i, i):** to serve; – **de:** to serve as
**seso:** brain, brains
**sexto:** sixth
**short** *(m):* shorts
**si:** if, whether
**sí:** yes, indeed, certainly
**SIDA** *(m):* (síndrome de inmunodeficiencia adquirida) AIDS
**sidra:** cider
**siembra:** sowing, sowing time
**siempre:** always
**sifón** *(m):* syphon, tube
**sigiloso:** secretive
**siglo:** century
**siguiente:** following
**silbar:** to whistle
**sílfide** *(f):* nymph, sylph
**silvestre:** wild

**silla:** chair; – **giratoria:** swivel chair; – **de ruedas:** wheelchair
**sillón** *(m):* easy chair
**símil** *(m):* simile, comparison
**sin:** without; – **embargo:** still, however, nonetheless
**sinagoga:** synagogue
**sindicato:** trade union, syndicate
**síndrome** *(m):* syndrome
**sino:** but, but rather, if not
**siquiera:** at least; **ni** –: not even; *(conj)* even if, even though
**sirena:** mermaid
**sirviente, -a:** servant
**sistema** *(m):* system
**smoking** *(m):* tuxedo
**so:** under
**sobornar:** to bribe
**sobrar:** to be more than enough, be in excess
**sobre:** on, upon, over, about; *(m)* envelope
**sobrecama** *(f):* bedspread, coverlet
**sobremesa** *(f):* after-dinner conversation
**sobresaliente:** outstanding
**sobresaltar:** to startle
**sobrevivir:** to survive
**sobrino, -a:** nephew, niece; – **segundo, -a:** first cousin once removed, second cousin
**socio:** member, partner
**socorrer:** to help, relieve, salve
**sofá** *(m):* sofa, couch
**sol** *(m):* sun
**solapa:** lapel
**solar** *(m):* plot of land; lot
**soldado:** soldier
**soldar:** to solder, weld
**soledad** *(f):* solitude
**soler (ue):** to be accustomed to (+ verb)
**solera:** beam; timber
**solfeo:** solfeggio (music); beating, drubbing
**solicitar:** to apply (for), request, seek
**solicitud** *(f):* application form
**solo:** alone
**sólo:** only
**soltar (ue):** to let go; –**se:** to come loose
**soltero:** single, *(m)* bachelor
**solterón, -ona:** old bachelor; old maid, spinster
**sombra:** shadow
**sombrero:** hat
**sombrío:** somber
**someter:** to submit

**sometimiento:** subjection
**sonar (ue):** to ring, sound; –**se:** to blow one's nose
**sonido:** sound
**sonreír(se)(i, i):** to smile
**sonriente:** smiling
**sonrisa:** smile
**soñar (ue) (con):** to dream (of, about)
**sopa:** soup
**sopera:** soup tureen
**sopetón: de** –: all at once
**sordo:** deaf
**sorprendente:** surprising
**sorprender:** to surprise; –**se (de):** to be surprised (about)
**sortija:** ring
**sortilegio:** witchcraft, divination, sorcery
**sosegado:** calm
**sospechar:** to suspect
**sostén** *(m):* support; bra; – **sin tirantes:** strapless bra
**sostener (ie):** to sustain, support
**sostenible:** sustainable
**sótano:** basement
**suavizar:** to soften
**súbdito:** (territorial) subject
**subir:** to climb, raise, go up (stairs), to go up (in price), to get into (a car); –**se:** to get into, onto; – **los humos a la cabeza:** to get cocky
**súbito:** sudden, rash
**sublevar:** to incite
**subrayar:** to underline, emphasize
**subsanar:** to mend, correct, remedy, excuse
**substantivo:** noun
**subterráneo:** metro, subway
**subyacente:** underlying
**subyugar:** to subjugate
**suceder:** to happen
**sucursal** *(f):* branch office
**sudadera:** sweatshirt
**sudar:** to sweat
**sudeste** *(m):* southeast
**sudoeste** *(m):* southwest
**suegro, -a:** father-in-law, mother-in-law; –**s:** in-laws
**sueldo:** salary, income, pay
**suelo:** floor, ground
**sueño:** dream
**suerte** *(f):* type, kind; luck; **por** –: by chance
**suéter** *(m):* sweater

**sufijo:** suffix
**sufragar:** to finance, pay the expenses
**sugerir (ie, i):** to suggest
**sujetar:** to fasten, conquer
**sujeto:** guy, fellow, subject (in grammar)
**suministrar:** to supply, furnish, provide
**superar:** to overcome
**superficie** *(f):* surface, exterior
**supermercado:** supermarket
**suplicar:** to implore
**suplir:** to supply, add to, complete
**suponer:** to suppose
**suprimir:** to suppress
**sur** *(m):* south
**surcar:** to furrow, plow
**surgir:** to come up, arise
**suroeste** *(m):* southwest
**suscitar:** to provoke, raise, stir up
**suscribirse:** – **a un periódico:** to subscribe to a newspaper
**suspender:** to suspend
**suspirar:** to sigh
**sustituir (y):** to substitute
**susto:** scare
**susurrar:** to whisper

**taberna:** tavern, saloon
**tabla:** board; – **de planchar:** ironing board; – **de saltar:** diving board
**tablero:** board, panel
**taburete** *(m):* stool; – **del bar:** barstool
**taco:** heel (of a shoe); pool cue
**tal:** *(adj)* such (a); *(adv)* thus; – **vez:** perhaps
**talón** *(m):* heel (of a shoe, foot)
**talla:** size, number
**taller** *(m):* shop, workshop
**tamaño:** size; *(adj)* big; – **como:** as large as, as great as
**también:** also
**tamizar:** to block out
**tampoco:** neither
**tan:** as, so; – **pronto como:** as soon as
**tanteo:** score
**tanto:** so much, as much, so many, as many, somewhat; **por (lo)** –: therefore
**tapadera:** lid, cover
**tapar:** to cover; –**se:** to cover oneself up
**tapia:** wall fence, enclosing wall
**tapiz** *(m):* tapestry
**taquilla:** ticket window
**tararear:** to hum

**tardar:** to be late, take (amount of time); – **en:** to delay in
**tarea:** task, assignment, homework
**tarifa:** tax, fee
**tarjar:** to tally
**tarro:** container, can
**tasa:** rate; – **de inflación:** inflation rate; – **de mortalidad:** mortality rate; – **de natalidad:** birth rate
**taza:** cup
**té** *(m):* tea
**teatro:** theater
**tecato:** from Tecate, in northwestern Mexico
**tecla:** key (of a typewriter, piano)
**teclado:** keyboard
**teclear:** to type
**técnico:** technician, technical expert
**techo:** roof, ceiling
**tela:** cloth, fabric; – **de araña:** spider web
**televidente** *(m, f):* television viewer
**televisión** *(f):* television
**televisor** *(m):* television set
**tema** *(m):* theme, subject, matter, issue
**temblar (ie):** to tremble
**temer:** to fear
**temporada:** season, stay
**temporal** *(m):* storm, spell of rainy weather
**temprano:** early
**tender (ie):** to lay out, spread, hang out; – **la cama:** to make the bed; –**se:** to stretch (out), lie down
**tenedor** *(m):* fork
**tener (ie):** to have; – **el alma en el suelo:** to be very sad, downhearted; – **(20) años:** to be (20) years old; – **calor:** to be warm, hot; – **en cuenta:** to keep in mind, take into account; – **frío:** to be cold; – **hambre:** to be hungry; – **miedo:** to be afraid; – **que:** to have to; – **razón:** to be right, correct; – **sed:** to be thirsty; – **sentido:** to make sense; – **vergüenza:** to be ashamed
**tenis** *(m):* tennis; *(pl)* tennis shoes
**tentativa:** attempt
**tercero:** third
**terciopelo:** velvet
**terco:** stubborn, harsh
**terminal** *(f):* terminal
**terminar:** to finish, end; – **de:** to stop, finish; – **por:** to wind up
**ternera:** veal
**terno:** suit of clothes

**ternura:** tenderness
**terráqueo:** terrestrial
**terremoto:** earthquake
**terreno:** terrain, land: – **de juego:** playing field
**terso:** smooth
**tesis** *(f):* thesis
**tesitura:** attitude, settled behavior
**tesonero:** firm, persistent
**testigo:** witness
**tetera:** teapot
**tez** *(f):* complexion, coloring
**tibieza:** lukewarmness, lack of enthusiasm
**tibio:** tepid, lukewarm
**tiempo:** time, weather
**tienda:** store; – **de comestibles:** grocery store; – **de ultramarinos:** grocery store
**tierno:** tender, young
**tierra:** earth, land, world, country
**tieso:** stiff, rigid
**tijeras:** scissors
**tildar (de):** to call, charge with, accuse of
**tilo:** linden tea
**timbre** *(m):* doorbell, tone, pitch; postage stamp
**tina:** tub
**tiniebla:** darkness
**tinta:** ink
**tintinear:** to jingle
**tío, -a:** uncle, aunt; – **abuelo, -a:** great uncle, great aunt; – **segundo, -a:** first once removed
**tipo, -a:** guy, girl (pejorative, especially in the feminine)
**tirante** *(m):* strap; *(pl)* suspenders
**tirar:** to throw, throw away, shoot; –**se:** to jump
**tiritar:** to shiver
**tiro:** throw, shot; – **libre:** free kick, free throw
**tisana:** medicinal tea
**titiritero:** puppeteer
**titular** *(m):* headline
**tiza:** chalk
**toalla:** towel
**tobillo:** ankle
**tocacasetes** *(m):* cassette player
**tocadiscos** *(m):* record player; – **láser:** compact disc player
**tocador** *(m):* dressing table
**tocante a:** concerning
**tocar:** to touch, play (an instrument), knock; – **la bocina:** honk the horn; –**le a alguien:** to be someone's turn

**tocineta:** bacon *(Puerto Rico)*
**tocino:** bacon
**todavía:** still; yet
**todo:** all, everything, **por** –**s lados:** everywhere; – **se da:** everything is possible
**tomar:** to take, drink; – **algo a pecho:** to take something to heart; – **el pelo:** to tease, to pull someone's leg; –**se:** to drink (all) up; –**se por:** to take oneself for, to have pretensions of being
**tomate** *(m):* tomato
**tontear:** to fool around
**tontería:** piece of nonsense, triviality, trifle; –**s:** nonsense
**tonto:** dumb, foolish
**topar (con):** to bump into, run across
**toque** *(m):* touch
**torero:** bullfighter
**torneo:** tournament
**toro:** bull
**toronja:** grapefruit
**torpe:** clumsy
**torre** *(f):* tower
**torta:** cake, tart
**tortilla:** tortilla, pancake; – **de huevos:** omelette
**tortuga:** turtle, tortoise
**torturar:** to torture
**tos** *(f):* cough; – **ferina:** whooping cough
**tosco:** coarse, rough, rustic
**toser:** to cough
**tostadora:** toaster
**trabajador, -a:** worker; *(adj)* hard-working
**trabajar:** to work; – **por:** to work on behalf of
**trabajo:** work, paper, written assignment
**trabar:** to engage in, strike up; – **amistades:** to make friends
**traducir (zc):** to translate
**traer:** to bring
**tráfico:** traffic
**tragar:** to swallow (up), absorb; –**se:** to swallow
**traicionar:** to betray
**traje** *(m):* suit, outfit, costume; – **de baño:** bathing suit; – **sastre:** tailor-made suit
**trajín** *(m):* hustle and bustle
**trajinar:** to go back and forth, bustle
**tramar:** to cook something up, scheme, plot, contrive
**trampa:** trick
**trampolín** *(m):* springboard

**tranquilizarse:** to calm down
**transcurrir:** to pass, go by, turn out
**transeúnte** *(m, f):* passerby
**transitar:** to pass, walk, drive along a street
**transporte** *(m):* transportation
**tranvía** *(m):* streetcar, trolley car
**trapecista** *(m, f):* trapeze artist
**trapo:** rag
**traqueteo:** clatter, jolting
**tras:** after, behind
**trasero:** *(adj)* rear, back, behind; *(m)* buttocks
**trasladar:** to move, change
**traslucirse (zc):** to become clear, known; to transpire
**traste** *(m):* utensil
**trastienda:** back room (behind store); skillful management, cunning
**trastocar:** to switch, mix up
**tratado:** treaty, treatise
**tratar:** to treat, deal with; – **de:** to try, be about; **–se de:** to be a matter of, concern
**travieso:** mischievous
**tren** *(m):* train
**trenza:** braid
**trepar:** to climb
**treta:** trick
**tribunal** *(m):* tribunal, court (of justice)
**triciclo:** tricycle
**tripa:** intestine, tripe
**tripulante** *(m):* crew member; *(pl)* crew
**tronco:** trunk, torso
**tropa:** troop, army
**tropel** *(m):* mob, mess, rush
**tropezar (ie):** to stumble, trip; – **con:** to bump into
**trotar:** to trot
**trozo:** piece, scrap
**truco:** trick
**trufa:** truffle
**tubo:** tube, pipe; – **de ensayo:** test tube; – **de escape:** tailpipe; **falda –:** straight skirt
**tumba:** grave, tomb
**turismo:** tourism
**turnar:** to alternate, take turns

**ubicación** *(f):* location, placement
**ubicar:** to locate, place
**ucrónico:** outside of time
**último:** last
**undécimo:** eleventh

**único:** only, unique
**unidad** *(f):* unit
**uña:** (finger, toe)nail
**usar:** to use, wear
**usuario, -a:** user, customer
**útil:** *(adj)* useful; *(m)* utility, utensil
**utilitario:** utilitarian
**uva:** grape

**vaca:** cow
**vacación** *(f):* vacation day, holiday, short vacation; *(pl)* vacation
**vacante** *(f):* vacancy, available position
**vaciar:** to empty
**vacilar:** to waver, hesitate, vacillate
**vacío:** empty
**vagar:** to wander, roam around
**vagón** *(m):* railway car, coach
**vahído:** dizziness, vertigo
**vainilla:** vanilla
**valer:** to be worth; – **la pena:** to be worth the bother; **–se por su cuenta:** to manage alone
**valiente:** brave
**valija:** suitcase
**valioso:** valuable
**valor** *(m):* value, worth
**valle** *(m):* valley
**vanagloria:** arrogance
**vanidoso:** vain
**vapor** *(m):* steam
**vara:** stick, rod, switch; – **de membrillo:** switch made of quince
**varada:** beaching of a boat, running aground
**vaso:** glass
**vaticinar:** to predict
**vecino:** neighbor
**vedar:** to prohibit
**veedor, -a:** busybody, overseer, supervisor
**vega:** fertile lowland
**vejar:** to bother, humiliate
**velador** *(m):* night table
**velar:** to keep vigil, stay awake
**velocímetro:** speedometer
**velorio:** wake
**venado:** deer
**vencer:** to beat, defeat, overcome
**vendar:** to bandage
**vendaval** *(m):* gale, hurricane
**vendedor, -a:** salesperson
**vender:** to sell
**venenoso:** poisonous

**venerar:** to revere
**venganza:** revenge
**venia:** polite bow with the head
**venir (ie):** to come
**venoso:** pertaining to the veins
**venta:** sale, country inn
**ventaja:** advantage, profit
**ventajoso:** advantageous
**ventana:** window
**ventrílocuo, -cua:** ventriloquist
**ver:** to see, watch
**veranear:** to take a summer vacation
**veraneo:** summer holiday
**verano:** summer
**veras: de –:** real, genuine, in truth, really,
    actually
**verbo:** verb
**verdadero:** true, truthful, reliable
**verdura:** green vegetable
**vergüenza:** shame, shyness; **tener –:** to
    be embarrassed
**verja:** grating
**verter (ie):** to pour, spill
**vertiente** *(f):* slope
**vesícula:** gallbladder
**vestíbulo:** lobby
**vestido:** dress, costume; **– de noche:**
    evening gown
**vestimenta:** clothing, gear
**vestir (i, i):** to dress; **– de:** to wear (a
    particular color), to dress (in a particular
    style); **–se:** to get dressed
**vestuario:** dressing room
**vez** *(f):* time; **a la – que:** at the same time
    as; **en – de:** instead of; **a veces:**
    sometimes
**viajar:** to travel
**via** *(m):* avenue, lane; *(adj)* pertaining to
    transportation
**víbora:** viper, snake
**vida:** life
**vidente** *(m, f):* seer, prophet
**videocasete** *(m, f):* videotape
**vidrio:** glass
**viejo:** old
**viento:** wind
**vigésimo:** twentieth
**vinagre** *(m):* vinegar
**vínculo:** link
**vino:** wine; **– rosado:** rosé wine; **– tinto:**
    red wine
**violación** *(f):* rape, violation
**violar:** to rape, violate
**virar:** to turn, take another direction

**virtud** *(f):* virtue
**viruela:** smallpox
**vislumbrar:** to catch a glimpse of, glimpse
**víspera:** eve, day before; **en –s de:** on the
    eve of
**vista:** view, glance, sight
**vistoso:** showy, colorful, attractive
**vítor** *(m):* acclamation; *(interj)* long live!
    hurrah!
**vitrina:** glass case, shop window
**viudo, -a:** widower, widow
**vivienda:** housing
**viviente:** living, alive
**vivo:** living, alive
**vocablo:** word, term
**vociferar:** to cry out, shout, proclaim
    boastfully
**volante** *(m):* steering wheel
**volcán** *(m):* volcano
**volcar:** to upset, overturn, knock over (a
    vessel)
**voleibol** *(m):* volleyball
**voltear:** to turn around, overturn
**volver (ue):** to return; **– a:** to do
    (something) again; **– en sí:** to come to,
    regain consciousness; **–se:** to turn
    around, become
**votar:** to vote
**voz** *(f):* voice; **en – alta:** aloud
**vuelo:** flight
**vulgo:** public, common people

**wáter** *(m):* toilet

**ya:** already, yet, now, really, later, sooner
    or later; okay; **– no:** (not) any more; **–
    que:** since, now that
**yanqui** *(m, f):* Yankee; person from the
    United States
**yegua:** mare
**yema:** egg yolk; **– del dedo:** fingertip
**yerno:** son-in-law
**yeso:** cast, plaster
**yuca:** yucca, cassava
**yuxtaposición** *(f):* juxtaposition

**zaguán** *(m):* vestibule, entrance hall,
    hallway
**zambullirse:** to plunge, dive, go for a dip,
    swim
**zamovar** *(m):* samovar
**zanahoria:** carrot
**zancudo:** mosquito

**zapatería:** shoe store
**zapatero, -a:** shoemaker, shoemaker's wife
**zapatilla:** slipper, light shoe
**zapato:** shoe
**zar:** czar

**zarcillo:** earring
**zarina:** czarina
**zócalo** *(m):* public square, plaza
**zoológico:** zoo
**zorro:** fox
**zumo:** juice *(Spain)*

# APENDICE

# Verbos regulares e irregulares

## I. Verbos regulares

| Infinitivo | **hablar** | **comer** | **vivir** |
|---|---|---|---|
| Gerundio | hablando | comiendo | viviendo |
| Participio | hablado | comido | vivido |
| Imperativo familiar | habla, hablad | come, comed | vive, vivid |

### A. Los tiempos simples de los verbos regulares

| Infinitivo | Indicativo | | | | |
|---|---|---|---|---|---|
| | PRESENTE | IMPERFECTO | PRETÉRITO | FUTURO | CONDICIONAL |
| hablar | hablo | hablaba | hablé | hablaré | hablaría |
| | hablas | hablabas | hablaste | hablarás | hablarías |
| | habla | hablaba | habló | hablará | hablaría |
| | hablamos | hablábamos | hablamos | hablaremos | hablaríamos |
| | habláis | hablabais | hablasteis | hablaréis | hablaríais |
| | hablan | hablaban | hablaron | hablarán | hablarían |
| comer | como | comía | comí | comeré | comería |
| | comes | comías | comiste | comerás | comerías |
| | come | comía | comió | comerá | comería |
| | comemos | comíamos | comimos | comeremos | comeríamos |
| | coméis | comíais | comisteis | comeréis | comeríais |
| | comen | comían | comieron | comerán | comerían |
| vivir | vivo | vivía | viví | viviré | viviría |
| | vives | vivías | viviste | vivirás | vivirías |
| | vive | vivía | vivió | vivirá | viviría |
| | vivimos | vivíamos | vivimos | viviremos | viviríamos |
| | vivís | vivíais | vivisteis | viviréis | viviríais |
| | viven | vivían | vivieron | vivirán | vivirían |

### B. Tiempos perfectos de los verbos regulares

Los tiempos compuestos se forman con el verbo auxiliar **haber** y el participio del verbo.

**hablar**

| Indicativo | | | |
|---|---|---|---|
| PRETÉRITO PERFECTO | PLUSCUAMPERFECTO | FUTURO PERFECTO | CONDICIONAL PERFECTO |
| he hablado | había hablado | habré hablado | habría hablado |
| has hablado | habías hablado | habrás hablado | habrías hablado |
| ha hablado | había hablado | habrá hablado | habría hablado |
| hemos hablado | habíamos hablado | habremos hablado | habríamos hablado |
| habéis hablado | habíais hablado | habréis hablado | habríais hablado |
| han hablado | habían hablado | habrán hablado | habrían hablado |

## C. Las formas simples del subjuntivo

| Subjuntivo | | |
|---|---|---|
| PRESENTE | IMPERFECTO (-RA) | IMPERFECTO (-SE) |
| hable | hablara | hablase |
| hables | hablaras | hablases |
| hable | hablara | hablase |
| hablemos | habláramos | hablásemos |
| habléis | hablarais | hablaseis |
| hablen | hablaran | hablasen |
| coma | comiera | comiese |
| comas | comieras | comieses |
| coma | comiera | comiese |
| comamos | comiéramos | comiésemos |
| comáis | comierais | comieseis |
| coman | comieran | comiesen |
| viva | viviera | viviese |
| vivas | vivieras | vivieses |
| viva | viviera | viviese |
| vivamos | viviéramos | viviésemos |
| viváis | vivierais | vivieseis |
| vivan | vivieran | viviesen |

## D. Tiempos perfectos del subjuntivo

### hablar

| Subjuntivo | | |
|---|---|---|
| PERFECTO | PLUSCUAMPERFECTO (-RA) | PLUSCUAMPERFECTO (-SE) |
| haya hablado | hubiera hablado | hubiese hablado |
| hayas hablado | hubieras hablado | hubieses hablado |
| haya hablado | hubiera hablado | hubiese hablado |
| hayamos hablado | hubiéramos hablado | hubiésemos hablado |
| hayáis hablado | hubierais hablado | hubieseis hablado |
| hayan hablado | hubieran hablado | hubiesen hablado |

## II. Verbos con cambios de raíz

### A. Verbos de la primera y segunda conjugaciones

Los cambios de raíz en la primera y en la segunda conjugaciónes ocurren sólo en el presente.

**Modelo**: e → ie

**pensar (ie)**

| | |
|---|---|
| PRESENTE DE INDICATIVO: | **pienso, piensas, piensa,** pensamos, pensáis, **piensan** |
| PRESENTE DE SUBJUNTIVO: | **piense, pienses, piense,** pensemos, penséis, **piensen** |
| IMPERATIVO FAMILIAR: | **piensa,** pensad |

**Modelo**: o → ue

**volver (ue)**

| | |
|---|---|
| PRESENTE DE INDICATIVO: | **vuelvo, vuelves, vuelve,** volvemos, volvéis, **vuelven** |
| PRESENTE DE SUBJUNTIVO: | **vuelva, vuelvas, vuelva,** volvamos, volváis, **vuelvan** |
| IMPERATIVO FAMILIAR: | **vuelve,** volved |

Otros verbos de la primera y segunda conjugaciones con cambios de raíz son:

| | | |
|---|---|---|
| acordar(se) (ue) | despertar(se) (ie) | perder (ie) |
| acostar(se) (ue) | empezar (ie) | poder (ue) |
| almorzar (ue) | encontrar (ue) | querer (ie) |
| cerrar (ie) | entender (ie) | recordar (ue) |
| colgar (ue) | llover (ue) | rogar (ue) |
| comenzar (ie) | mostrar (ue) | sentar(se) (ie) |
| contar (ue) | mover(se) (ue) | soler (ue) |
| costar (ue) | negar (ie) | soñar (ue) |
| demostrar (ue) | nevar (ie) | |

### B. Verbos de la tercera conjugación

Los verbos de la tercera conjugación que sufren un cambio de raíz en el presente también tienen un cambio de raíz en el pretérito, el imperfecto del subjuntivo y el gerundio.

**Modelo**: e → ie/i

**sentir (ie/i)**

| | |
|---|---|
| PRESENTE DE INDICATIVO: | **siento, sientes, siente,** sentimos, sentís, **sienten** |
| PRESENTE DE SUBJUNTIVO: | **sienta, sientas, sienta,** sintamos, sintáis, sientan |
| PRETÉRITO: | sentí, sentiste, **sintió,** sentimos, sentisteis, **sintieron** |
| IMPERFECTO DE SUBJUNTIVO: | (-ra) **sintiera, sintieras, sintiera,** etc. |
| | (-se) **sintiese, sintieses, sintiese,** etc. |
| IMPERATIVO FAMILIAR: | **siente,** sentid |
| GERUNDIO: | **sintiendo** |

**Modelo**: o → ue/u

**dormir (ue/u)**

| | |
|---|---|
| PRESENTE DE INDICATIVO: | **duermo, duermes, duerme,** dormimos, dormís, **duermen** |
| PRESENTE DE SUBJUNTIVO: | **duerma, duermas, duerma, durmamos, durmáis, duerman** |
| PRETÉRITO: | dormí, dormiste, **durmió,** dormimos, dormisteis, **durmieron** |
| IMPERFECTO DE SUBJUNTIVO: | (-ra) **durmiera, durmieras, durmiera,** etc. |
| | (-se) **durmiese, durmieses, durmiese,** etc. |
| IMPERATIVO FAMILIAR: | **duerme,** dormid |
| GERUNDIO: | **durmiendo** |

**Modelo**: e → i/i

**pedir (i/i)**

| | |
|---|---|
| PRESENTE DE INDICATIVO: | **pido, pides, pide,** pedimos, pedís, **piden** |

| | |
|---|---|
| PRESENTE DE SUBJUNTIVO: | **pida, pidas, pida, pidamos, pidáis, pidan** |
| PRETÉRITO: | pedí, pediste, **pidió,** pedimos, pedisteis, **pidieron** |
| IMPERFECTO DE SUBJUNTIVO: | { (-ra) **pidiera, pidieras, pidiera,** etc. |
| | { (-se) **pidiese, pidieses, pidiese,** etc. |
| IMPERATIVO FAMILIAR: | **pide,** pedid |
| GERUNDIO: | **pidiendo** |

Otros verbos de la tercera conjugación con cambios de raíz son:

| | | |
|---|---|---|
| advertir (ie/i) | elegir (i/i) | referir (ie/i) |
| arrepentirse (ie/i) | herir (ie/i) | repetir (i/i) |
| competir (ie/i) | impedir (i/i) | seguir (i/i) |
| consentir (ie/i) | mentir (ie/i) | servir (i/i) |
| convertir (ie/i) | morir (ue/u) | vestir (i/i) |
| despedir (i/i) | preferir (ie/i) | |
| divertir (ie/i) | reír (i/i) | |

## III. *Verbos con cambios ortográficos*

### A. Los verbos terminados en *-gar* cambian la *-g-* en *-gu-* delante de *-e-*.

**Modelo:**

**pagar**

| | |
|---|---|
| PRETÉRITO: | **pagué,** pagaste, pagó, pagamos, pagasteis, pagaron |
| PRESENTE DE SUBJUNTIVO: | **pague, pagues, pague, paguemos, paguéis, paguen** |

Otros verbos de este grupo son:

| | | |
|---|---|---|
| colgar (ue) | navegar | regar (ie) |
| llegar | negar (ie) | rogar (ue) |

### B. Los verbos terminados en *-car* cambian la *-c-* en *-qu-* delante de *-e-*.

**Modelo:**

**tocar**

| | |
|---|---|
| PRETÉRITO: | **toqué,** tocaste, tocó, tocamos, tocasteis, tocaron |
| PRESENTE DE SUBJUNTIVO: | **toque, toques, toque, toquemos, toquéis, toquen** |

Otros verbos de este grupo son:

| | | | |
|---|---|---|---|
| atacar | comunicar | indicar | sacar |
| buscar | explicar | marcar | |

### C. Los verbos terminados en *-ger* cambian la *-g-* en *-j-* delante de *-o-* y *-a-*.

**Modelo:**

**proteger**

| | |
|---|---|
| PRESENTE DE INDICATIVO: | **protejo,** proteges, protege, protegemos, protegéis, protegen |
| PRESENTE DE SUBJUNTIVO: | **proteja, protejas, proteja, protejamos, protejáis, protejan** |

Otros verbos de este grupo son:

| | | |
|---|---|---|
| coger | dirigir | exigir |
| corregir (i/i) | escoger | recoger |

### D. Los verbos terminados en *consonante* + *-cer* o *-cir* cambian la *-c-* en *-z-* delante de *-o-* y de *-a-*.

**Modelo:**

**vencer**

| | |
|---|---|
| PRESENTE DE INDICATIVO: | **venzo,** vences, vence, vencemos, vencéis, vencen |
| PRESENTE DE SUBJUNTIVO: | **venza, venzas, venza, venzamos, venzáis, venzan** |

Otros verbos de este grupo son:

convencer   esparcir   torcer (ue)

**E. Los verbos terminados en *vocal* + *-cer* o *-cir* cambian -c- en -zc- delante de -o- y -a-.**

**Modelo**:

**conocer**

PRESENTE DE INDICATIVO:   **conozco,** conoces, conoce, conocemos, conocéis, conocen
PRESENTE DE SUBJUNTIVO:   **conozca, conozcas, conozca, conozcamos, conozcáis, conozcan**

Otros verbos de este grupo son:

| | | | | |
|---|---|---|---|---|
| agradecer | entristecer | nacer | padecer | pertenecer |
| aparecer | establecer | obedecer | parecer | |
| carecer | lucir | ofrecer | permanecer | |

Excepciones: decir, hacer, satisfacer

**F. Los verbos terminados en *-zar* cambian la -z- en -c- delante de -e.**

**Modelo**:

**empezar (ie)**

PRETÉRITO:   **empecé,** empezaste, empezó, empezamos, empezasteis, empezaron
PRESENTE DE SUBJUNTIVO:   **empiece, empieces, empiece, empecemos, empecéis, empiecen**

Otros verbos de este grupo son:

| | | | |
|---|---|---|---|
| alcanzar | comenzar (ie) | forzar (ue) | rezar |
| almorzar (ue) | cruzar | gozar | |

**G. Los verbos terminados en *-aer*, *-eer* y *-oer* cambian la -i- no acentuada en -y- cuando está entre vocales.**

**Modelo**:

**creer**

PRETÉRITO:   creí, creíste, **creyó,** creímos, creísteis, **creyeron**
IMPERFECTO DE SUBJUNTIVO:   **creyera, creyeras, creyera, creyéramos, creyerais, creyeran**
GERUNDIO:   **creyendo**
PARTICIPIO:   creído

Otros verbos de este grupo son:

caer   corroer   decaer   leer   poseer   roer

**H. Los verbos terminados en *-uir* (excepto *-guir*, donde la *-u-* es muda) cambian la *-i-* no acentuada a -y- cuando está entre vocales.**

**Modelo**:

**huir**

PRESENTE DE INDICATIVO:   **huyo, huyes, huye,** huimos, huís, **huyen**
PRETÉRITO:   huí, huiste, **huyo,** huimos, huisteis, **huyeron**
PRESENTE DE SUBJUNTIVO:   **huya, huyas, huya, huyamos, huyáis, huyan**
IMPERFECTO DE SUBJUNTIVO:   **huyera, huyeras, huyera, huyéramos, huyerais, huyeran**
IMPERATIVO:   **huye,** huid
GERUNDIO:   **huyendo**

Otros verbos de este grupo son:

| atribuir | construir | disminuir | incluir | restituir |
|----------|-----------|-----------|---------|-----------|
| concluir | contribuir | distribuir | influir | sustituir |
| constituir | destruir | excluir | instruir | |

**I.** **Los verbos terminadoes en *-guir* cambian la *-gu-* a *-g-* delante de *-o-* y *-a-*.**

**Modelo**:

**distinguir**

PRESENTE DE INDICATIVO: **distingo,** distingues, distingue, distinguimos, distinguís, distinguen

PRESENTE DE SUBJUNTIVO: **distinga, distingas, distinga, distingamos, distingáis, distingan**

Otros verbos de este grupo son:

conseguir (i/i)   perseguir (i/i)   proseguir (i/i)   seguir (i/i)

**J.** **Los verbos terminados en *-guar* llevan diéresis en la *-u-* delante de *-e-*.**

**Modelo**:

**averiguar**

PRETÉRITO: **averigüé,** averiguaste, averiguó, averiguamos, averiguasteis, averiguaron

PRESENTE DE SUBJUNTIVO: **averigüe, averigües, averigüe, averigüemos, averigüéis, averigüen**

Otros verbos de este grupo son:

apaciguar   atestiguar

**K.** **Algunos verbos terminados en *-iar* llevan acento en la *-i-* en todas las formas singulares y la forma plural de la tercera persona en el presente del indicativo y del subjuntivo.**

**Modelo**:

**enviar**

PRESENTE DE INDICATIVO: **envío, envías, envía,** enviamos, enviáis, **envían**

PRESENTE DE SUBJUNTIVO: **envíe, envíes, envíe,** enviemos, enviéis, **envíen**

Otros verbos de este grupo son:

| ampliar | enfriar | guiar | vaciar |
|---------|---------|-------|--------|
| criar | fiar | telegrafiar | variar |
| desviar | | | |

Excepciones: cambiar, estudiar

**L.** **Todos los verbos terminados en *-uar* llevan acento en la *-u-* en todas las formas singulares y la forma plural de la tercera persona en el presente del indicativo y del subjuntivo.**

**Modelo**:

**continuar**

PRESENTE DE INDICATIVO: **continúo, continúas, continúa,** continuamos, continuáis, **continúan**

PRESENTE DE SUBJUNTIVO: **continúe, continúes, continúe,** continuemos, continuéis, **continúen**

Otros verbos de este grupo son:

| acentuar | efectuar | graduar | insinuar |
|----------|----------|---------|----------|
| actuar | exceptuar | habituar | situar |

IV. **Verbos irregulares**

| Infinitivo | Gerundio y participio | Imperativo familiar | Indicativo | | | | | Subjuntivo | | |
|---|---|---|---|---|---|---|---|---|---|---|
| | | | PRESENTE | IMPERFECTO | PRETÉRITO | FUTURO | CONDICIONAL | PRESENTE | IMPERFECTO (-RA) | IMPERFECTO (-SE) |
| andar, *to walk; to go* | andando andado | anda andad | ando, *etc.* | andaba, *etc.* | anduve anduviste anduvo anduvimos anduvisteis anduvieron | andaré, *etc.* | andaría, *etc.* | ande, *etc.* | anduviera anduvieras anduviera anduviéramos anduvierais anduvieran | anduviese anduvieses anduviese anduviésemos anduvieseis anduviesen |
| caber, *to fit; to be contained in* | cabiendo cabido | cabe cabed | quepo cabes cabe cabemos cabéis caben | cabía, *etc.* | cupe cupiste cupo cupimos cupisteis cupieron | cabré cabrás cabrá cabremos cabréis cabrán | cabría cabrías cabría cabríamos cabríais cabrían | quepa quepas quepa quepamos quepáis quepan | cupiera cupieras cupiera cupiéramos cupierais cupieran | cupiese cupieses cupiese cupiésemos cupieseis cupiesen |
| caer, *to fall* | cayendo caído | cae caed | caigo caes cae caemos caéis caen | caía, *etc.* | caí caíste cayó caímos caísteis cayeron | caeré, *etc.* | caería, *etc.* | caiga caigas caiga caigamos caigáis caigan | cayera cayeras cayera cayéramos cayerais cayeran | cayese cayeses cayese cayésemos cayeseis cayesen |
| conducir, *to lead* (producir, *to produce,* y traducir, *to translate,* se conjugan de la misma manera) | conduciendo conducido | conduce conducid | conduzco conduces conduce conducimos conducís conducen | conducía, *etc.* | conduje condujiste condujo condujimos condujisteis condujeron | conduciré, *etc.* | conduciría, *etc.* | conduzca conduzcas conduzca conduzcamos conduzcáis conduzcan | condujera condujeras condujera condujéramos condujerais condujeran | condujese condujeses condujese condujésemos condujeseis condujesen |
| dar, *to give* | dando dado | da dad | doy das da damos dais dan | daba, *etc.* | di diste dio dimos disteis dieron | daré, *etc.* | daría, *etc.* | dé des dé demos deis den | diera dieras diera diéramos dierais dieran | diese dieses diese diésemos dieseis diesen |

| Infinitivo | Gerundio y participio | Imperativo familiar | Indicativo | | | | | Subjuntivo | | |
|---|---|---|---|---|---|---|---|---|---|---|
| | | | PRESENTE | IMPERFECTO | PRETÉRITO | FUTURO | CONDICIONAL | PRESENTE | IMPERFECTO (-RA) | IMPERFECTO (-SE) |
| decir, *to say, tell* | diciendo dicho | di decid | digo dices dice decimos decís dicen | decía, *etc.* | dije dijiste dijo dijimos dijisteis dijeron | diré dirás dirá diremos diréis dirán | diría dirías diría diríamos diríais dirían | diga digas diga digamos digáis digan | dijera dijeras dijera dijéramos dijerais dijeran | dijese dijeses dijese dijésemos dijeseis dijesen |
| estar, *to be* | estando estado | está estad | estoy estás está estamos estáis están | estaba, *etc.* | estuve estuviste estuvo estuvimos estuvisteis estuvieron | estaré, *etc.* | estaría, *etc* | esté estés esté estemos estéis estén | estuviera estuvieras estuviera estuviéramos estuvierais estuvieran | estuviese estuvieses estuviese estuviésemos estuvieseis estuviesen |
| haber, *to have* | habiendo habido | he habed | he has ha hemos habéis han | había, *etc.* | hube hubiste hubo hubimos hubisteis hubieron | habré habrás habrá habremos habréis habrán | habría habrías habría habríamos habríais habrían | haya hayas haya hayamos hayáis hayan | hubiera hubieras hubiera hubiéramos hubierais hubieran | hubiese hubieses hubiese hubiésemos hubieseis hubiesen |
| hacer, *to do, make* | haciendo hecho | haz haced | hago haces hace hacemos hacéis hacen | hacía, *etc.* | hice hiciste hizo hicimos hicisteis hicieron | haré harás hará haremos haréis harán | haría harías haría haríamos haríais harían | haga hagas haga hagamos hagáis hagan | hiciera hicieras hiciera hiciéramos hicierais hicieran | hiciese hicieses hiciese hiciésemos hicieseis hiciesen |
| ir, *to go* | yendo ido | ve id | voy vas va vamos vais van | iba ibas iba íbamos ibais iban | fui fuiste fue fuimos fuisteis fueron | iré, *etc.* | iría, *etc.* | vaya vayas vaya vayamos vayáis vayan | fuera fueras fuera fuéramos fuerais fueran | fuese fueses fuese fuésemos fueseis fuesen |
| oír, *to have* | oyendo oído | oye oíd | oigo oyes oye oímos oís oyen | oía, *etc.* | oí oíste oyó oímos oísteis oyeron | oiré, *etc.* | oiría, *etc.* | oiga oigas oiga oigamos oigáis oigan | oyera oyeras oyera oyéramos oyerais oyeran | oyese oyeses oyese oyésemos oyeseis oyesen |

| Infinitivo | Gerundio y participio | Imperativo familiar | Indicativo<br>Presente | Imperfecto | Pretérito | Futuro | Condicional | Subjuntivo<br>Presente | Imperfecto (-RA) | Imperfecto (-SE) |
|---|---|---|---|---|---|---|---|---|---|---|
| oler, *to smell* | oliendo<br>olido | huele<br>oled | huelo<br>hueles<br>huele<br>olemos<br>oléis<br>huelen | olía, *etc.* | olí, *etc.* | oleré, *etc.* | olería, *etc.* | huela<br>huelas<br>huela<br>olamos<br>oláis<br>huelan | oliera, *etc.* | oliese, *etc.* |
| poder, *to be able* | pudiendo<br>podido | | puedo<br>puedes<br>puede<br>podemos<br>podéis<br>pueden | podía, *etc.* | pude<br>pudiste<br>pudo<br>pudimos<br>pudisteis<br>pudieron | podré<br>podrás<br>podrá<br>podremos<br>podréis<br>podrán | podría<br>podrías<br>podría<br>podríamos<br>podríais<br>podrían | pueda<br>puedas<br>pueda<br>podamos<br>podáis<br>puedan | pudiera<br>pudieras<br>pudiera<br>pudiéramos<br>pudierais<br>pudieran | pudiese<br>pudieses<br>pudiese<br>pudiésemos<br>pudieseis<br>pudiesen |
| poner, *to put* | poniendo<br>puesto | pon<br>poned | pongo<br>pones<br>pone<br>ponemos<br>ponéis<br>ponen | ponía, *etc.* | puse<br>pusiste<br>puso<br>pusimos<br>pusisteis<br>pusieron | pondré<br>pondrás<br>pondrá<br>pondremos<br>pondréis<br>pondrán | pondría<br>pondrías<br>pondría<br>pondríamos<br>pondríais<br>pondrían | ponga<br>pongas<br>ponga<br>pongamos<br>pongáis<br>pongan | pusiera<br>pusieras<br>pusiera<br>pusiéramos<br>pusierais<br>pusieran | pusiese<br>pusieses<br>pusiese<br>pusiésemos<br>pusieseis<br>pusiesen |
| querer, *to want* | queriendo<br>querido | quiere<br>quered | quiero<br>quieres<br>quiere<br>queremos<br>queréis<br>quieren | quería, *etc.* | quise<br>quisiste<br>quiso<br>quisimos<br>quisisteis<br>quisieron | querré<br>querrás<br>querrá<br>querremos<br>querréis<br>querrán | querría<br>querrías<br>querría<br>querríamos<br>querríais<br>querrían | quiera<br>quieras<br>quiera<br>queramos<br>queráis<br>quieran | quisiera<br>quisieras<br>quisiera<br>quisiéramos<br>quisierais<br>quisieran | quisiese<br>quisieses<br>quisiese<br>quisiésemos<br>quisieseis<br>quisiesen |
| saber, *to know* | sabiendo<br>sabido | sabe<br>sabed | sé<br>sabes<br>sabe<br>sabemos<br>sabéis<br>saben | sabía, *etc.* | supe<br>supiste<br>supo<br>supimos<br>supisteis<br>supieron | sabré<br>sabrás<br>sabrá<br>sabremos<br>sabréis<br>sabrán | sabría<br>sabrías<br>sabría<br>sabríamos<br>sabríais<br>sabrían | sepa<br>sepas<br>sepa<br>sepamos<br>sepáis<br>sepan | supiera<br>supieras<br>supiera<br>supiéramos<br>supierais<br>supieran | supiese<br>supieses<br>supiese<br>supiésemos<br>supieseis<br>supiesen |
| salir, *to go out* | saliendo<br>salido | sal<br>salid | salgo<br>sales<br>sale<br>salimos<br>salís<br>salen | salía, *etc.* | salí, *etc.* | saldré<br>saldrás<br>saldrá<br>saldremos<br>saldréis<br>saldrán | saldría<br>saldrías<br>saldría<br>saldríamos<br>saldríais<br>saldrían | salga<br>salgas<br>salga<br>salgamos<br>salgáis<br>salgan | saliera, *etc.* | saliese, *etc.* |

| Infinitivo | Gerundio y participio | Imperativo familiar | Indicativo Presente | Indicativo Imperfecto | Indicativo Pretérito | Indicativo Futuro | Indicativo Condicional | Subjuntivo Presente | Subjuntivo Imperfecto (-RA) | Subjuntivo Imperfecto (-SE) |
|---|---|---|---|---|---|---|---|---|---|---|
| ser, *to be* | siendo / sido | sé / sed | soy / eres / es / somos / sois / son | era / eras / era / éramos / erais / eran | fui / fuiste / fue / fuimos / fuisteis / fueron | seré, *etc.* | sería, *etc.* | sea / seas / sea / seamos / seáis / sean | fuera / fueras / fuera / fuéramos / fuerais / fueran | fuese / fueses / fuese / fuésemos / fueseis / fuesen |
| tener, *to have* | teniendo / tenido | ten / tened | tengo / tienes / tiene / tenemos / tenéis / tienen | tenía, *etc.* | tuve / tuviste / tuvo / tuvimos / tuvisteis / tuvieron | tendré / tendrás / tendrá / tendremos / tendréis / tendrán | tendría / tendrías / tendría / tendríamos / tendríais / tendrían | tenga / tengas / tenga / tengamos / tengáis / tengan | tuviera / tuvieras / tuviera / tuviéramos / tuvierais / tuvieran | tuviese / tuvieses / tuviese / tuviésemos / tuvieseis / tuviesen |
| traer, *to bring* | trayendo / traído | trae / traed | traigo / traes / trae / traemos / traéis / traen | traía, *etc.* | traje / trajiste / trajo / trajimos / trajisteis / trajeron | traeré, *etc.* | traería, *etc.* | traiga / traigas / traiga / traigamos / traigáis / traigan | trajera / trajeras / trajera / trajéramos / trajerais / trajeran | trajese / trajeses / trajese / trajésemos / trajeseis / trajesen |
| valer, *to be worth* | valiendo / valido | val(e) / valed | valgo / vales / vale / valemos / valéis / valen | valía, *etc.* | valí, *etc.* | valdré / valdrás / valdrá / valdremos / valdréis / valdrán | valdría / valdrías / valdría / valdríamos / valdríais / valdrían | valga / valgas / valga / valgamos / valgáis / valgan | valiera, *etc.* | valiese, *etc.* |
| venir, *to come* | viniendo / venido | ven / venid | vengo / vienes / viene / venimos / venís / vienen | venía, *etc.* | vine / viniste / vino / vinimos / vinisteis / vinieron | vendré / vendrás / vendrá / vendremos / vendréis / vendrán | vendría / vendrías / vendría / vendríamos / vendríais / vendrían | venga / vengas / venga / vengamos / vengáis / vengan | viniera / vinieras / viniera / viniéramos / vinierais / vinieran | viniese / vinieses / viniese / viniésemos / vinieseis / viniesen |
| ver, *to see* | viendo / visto | ve / ved | veo / ves / ve / vemos / veis / ven | veía / veías / veía / veíamos / veíais / veían | vi / viste / vio / vimos / visteis / vieron | veré, *etc.* | vería, *etc.* | vea, *etc.* | viera, *etc.* | viese, *etc.* |

# INDICE ALFABETICO